La Clé d'Hiram

Les pharaons, les francs-maçons
et la découverte des manuscrits
secrets de Jésus

Directeur de Collection
Christian ALBUISSON

A paraître dans la même collection

Laurence Gardner
Le graal et la lignée royale du Christ

First Published By Century in 1996
© Chris Knight & Robert Lomas
ISBN : 0 7126 8579 0

© Éditions Dervy 1997
ISBN : 2-85076-922-3

Christopher KNIGHT et Robert LOMAS

La Clé d'Hiram

Les pharaons, les francs-maçons
et la découverte des manuscrits
secrets de Jésus

Traduit par *Arnaud d'Apremont*

Éditions Dervy
34, boulevard Edgar Quinet
75014 Paris

À la mémoire de John Marco Allegro,
en avance de vingt ans sur son temps.

Remerciements

Les auteurs aimeraient remercier les personnes suivantes pour leur aide et leur soutien au cours de la rédaction de ce livre :

D'abord, nos familles qui ont accepté nos longues heures d'absence, de recherche et d'écriture.

Le révérend Hugh Lawrence, un Maître Passé [*Past Master*] de l'Art Royal (qui souhaite demeurer anonyme), Tony Thorne, Niven Sinclair, Judy Fisken, Barbara Pickard, le B.A.F. Alan Atkins, le B.A.F. Adrian Unsworth, Steve Edwards, Baron St Clair Bonde of Charleston, Fife.

Notre agent Bill Hamilton de A.M. Heath & Co, Ltd, notre éditeur Mark Booth et Liz Rowlinson de Century, Roderick Brown.

« Il n'est rien de caché qui ne sera connu, et rien de secret qui ne sortira à la lumière.

Ce que je vous dis dans l'obscurité, dites-le en pleine lumière. Et ce que vous entendez dans un murmure, proclamez-le sur les toits. »

Yehoshua ben Joseph, également connu sous le nom de Jésus Christ.

INTRODUCTION

Henry Ford déclara jadis que « toute l'Histoire ment ». Ce jugement peut sembler un peu abrupt. Mais concernant les « faits » du passé que la plupart des Occidentaux apprennent à l'école, il s'avère qu'Henry Ford a raison.

Le point de départ de notre démarche fut une recherche personnelle, privée, sur les origines de la franc-maçonnerie – la plus grande société du monde, qui aujourd'hui compte près de cinq millions de membres mâles dans les loges régulières et qui a, par le passé, compté parmi les siens quantité de grands hommes, de Mozart et Voltaire à Henry Ford. En tant que maçons, nous voulions essayer de comprendre un peu mieux la signification du rituel maçonnique : ces étranges cérémonies secrètes exécutées principalement par des hommes entre deux âges de la classe moyenne.

Au centre de la tradition maçonnique, on voit se dresser un personnage appelé Hiram Abif. D'après l'histoire racontée à chaque franc-maçon, il fut assassiné il y a presque trois milles ans lors de l'érection du Temple du roi Salomon. Cet homme est une énigme absolue. Son rôle comme architecte du Temple de Salomon et les circonstances de son horrible mort sont décrits clairement dans l'histoire maçonnique, mais il n'est pas mentionné dans l'Ancien Testament. Notre recherche a duré six ans, et pendant les quatre premières années, nous avons cru qu'Hiram Abif était une création symbolique. Puis soudain, surgissant des brumes du temps, il s'est matérialisé pour devenir un personnage parfaitement réel.

Lorsque Hiram émergea de ce lointain passé, il ne fournit rien moins qu'une nouvelle clé de l'Histoire occidentale. Jusque-là, la conception occidentale du passé ressemblait à un montage intellectuel embrouillé, laborieux. Mais grâce à cette clé, nous obtenions un ordre simple et logique. Nos recherches nous ont conduit d'abord à reconstituer l'ancien rituel égyptien de sacre du roi, vieux de quatre mille ans. Celui-ci nous permit ensuite de découvrir un assassinat qui intervint vers 1570 avant notre ère. Ce meurtre donna naissance à une cérémonie de résurrection qui est l'antécédent direct de la franc-maçonnerie moderne. En suivant l'évolution de ce rituel secret de Thèbes en Égypte à Jérusalem, nous découvrîmes son rôle dans l'édification de la nation hébraïque et dans l'évolution de la théologie juive.

Dans un saisissant contraste avec ce qui est couramment tenu comme un fait, nous avons vu le monde occidental se développer en fait selon une très ancienne philosophie codée dans un système secret ; un système secret resurgi à trois moments clés au cours des trois derniers millénaires.

Et *in fine*, l'aboutissement de nos recherches peut bien se révéler être la découverte archéologique du siècle. Nous avons localisé les manuscrits secrets de Jésus et de ses fidèles.

CHAPITRE I

LES SECRETS PERDUS DE LA FRANC-MAÇONNERIE

« La franc-maçonnerie daterait d'avant le Déluge ; elle serait une pure création récente ; un prétexte à des réunions conviviales ; une organisation athée destructrice de l'âme ; une association charitable, faisant le bien sous un ridicule voile de secret ; une machine politique d'une puissance extraordinaire ; elle n'aurait pas de secrets ; ses disciples garderaient jalousement et secrètement la plus grande connaissance accordée à l'humanité ; ils célébreraient leurs rites mystérieux sous les auspices et les invocations de Méphistophélès ; leurs cérémonies seraient parfaitement innocentes, pour ne pas dire suprêmement stupides ; ils seraient coupables de tous les meurtres non élucidés ; ou ils n'existeraient que dans le but de promouvoir la fraternité et la bienveillance universelles – voilà certaines des allégations que l'on entend hors du cercle des Frères Libres et Acceptés. *Omne ignotum pro magnifico.* Moins on en sait sur la franc-maçonnerie, plus on suppute. »

The Daily Telegraph, Londres, 1871.

« La maçonnerie fait tout pour encourager de hautes normes de moralité parmi ses membres. Mais il n'est pas surprenant qu'une société qui utilise poignées de main, signes et langage secrets comme marques de reconnaissance de ses membres soit soupçonnée d'avoir une inclination vers le mal et non vers le bien. Pourquoi de telles pratiques, si ce n'est pour cacher quelque chose ? Pourquoi dissimuler, s'il n'y a rien à cacher ?

Ceux qui se trouvent hors de la maçonnerie, les profanes, considèrent que le principe de se déguiser, de réciter des textes ésotériques et d'exécuter d'étranges rituels est si ridicule qu'il doit y avoir d'autres raisons qui incitent à entrer en maçonnerie... et probablement de plus sinistres raisons. En fait, il n'y a sans doute pas d'autres raisons... mais une négative est toujours difficile à prouver. »

The Daily Telegraph, Londres, 1995.

À quoi sert la franc-maçonnerie ?

En 1871, la reine Victoria avait encore trente ans de règne devant elle. Ulysses Simpson Grant était président des États-Unis d'Amérique, et la franc-maçonnerie était l'objet de spéculations publiques. Cent vingt-cinq ans plus tard, le premier pas de l'homme sur la lune est déjà vieux d'une génération, le monde surfe sur Internet et la franc-maçonnerie demeure l'objet de spéculations publiques.

Nous avons trouvé la première de ces citations sur une coupure de journal, glissée dans un volume poussiéreux sur l'histoire de la franc-maçonnerie. Soigneusement coupée et pliée, elle avait servi de marque-page à quelque franc-maçon depuis longtemps décédé. Chris lut le second extrait dans un avion au milieu de l'Atlantique entre le déjeuner et le film.

Au cours de ces cent vingt-cinq années, presque tout a changé, y compris les styles d'écriture. Mais, aujourd'hui, l'attitude du grand public vis-à-vis de la franc-maçonnerie est aussi confuse qu'elle l'était au XIXe siècle. La plupart des gens ne font pas confiance à ce qu'ils ne comprennent pas et, s'ils perçoivent une forme d'élitisme dont ils se sentent exclus, la méfiance se transforme vite en rejet, voire en haine. Certes la franc-maçonnerie a toujours été ouverte à tous les hommes de plus de vingt et un ans (dix-huit selon la Constitution écossaise) sains de corps et d'esprit, de bonne réputation et qui croient en Dieu. Cependant, il ne fait aucun doute qu'autrefois, dans les îles Britanniques, l'appartenance tournait autour de l'aristocratie et l'essentiel de la maçonnerie était constitué par les couches supérieures des classes moyennes.

Au milieu de la période victorienne, dans sa profession, il était socialement important, et presque indispensable, d'être franc-maçon. Les nouveaux riches de la révolution industrielle recherchaient un statut social en intégrant une société fermée très en vue chez les aristocrates de toutes conditions, jusqu'à la famille royale elle-même. En théorie au moins, les membres des classes laborieuses pouvaient devenir maçons, mais en pratique peu d'entre eux auraient eu l'idée de rejoindre le « club » de leurs patrons. Ainsi la loge demeura longtemps associée aux riches. Alors à tous les niveaux de société, ceux qui n'étaient pas francs-maçons en étaient réduits à s'interroger sur les secrets révélés aux membres de cette mystérieuse organisation. On savait qu'ils portaient des tabliers et de grands colliers ou baudriers, et la rumeur disait qu'ils relevaient les jambes de leurs pantalons et échangeaient d'étranges poignées de main, tout en se murmurant des mots de passe les uns les autres.

Dans la seconde moitié du XXe siècle, la franc-maçonnerie est une organisation beaucoup moins élitiste ; des hommes de tous les niveaux de la société ont cherché et obtenu l'acceptation en son sein. Cependant un simple coup d'œil au sommet de la hiérarchie maçonnique anglaise montre rapidement qu'être membre de la famille royale ou pair héréditaire n'est pas vraiment un handicap majeur pour pouvoir progresser au sein de la maçonnerie.

En Occident, la plupart des gens se font au moins une vague idée de la franc-maçonnerie. Ses mystères intriguent deux grands groupes : les profanes – non maçons – qui se demandent ce que sont ces secrets ; et les maçons qui se posent la même question ! Si les membres de franc-maçonnerie gardent le silence, ce n'est pas tant que leurs vœux sacrés les y contraignent ou qu'ils aient peur d'un macabre châtiment de la part de leurs pairs, c'est plus simplement qu'ils ne comprennent pas grand-chose des cérémonies auxquelles ils participent. Et la seule peur qui les tourmente est celle de voir les profanes rire des rituels qu'ils exécutent, apparemment dépourvus de sens, voire totalement stupides.

Néanmoins, pour nous et pour tous les autres frères que nous connaissons, la franc-maçonnerie est un peu plus qu'un simple club offrant une opportunité de se prêter à quelques mises en scènes théâtrales d'amateur, suivies par un repas et force libations de bière et de vin. À force d'être marmonné pendant des années, le rituel complexe et obscur doit être mémorisé. On insiste sur le fait de réciter avec sincérité les textes. Mais, en réalité, seules de petites parties de la cérémonie peuvent être comprises comme de simples messages allégoriques relatifs à des questions de droiture morale – le reste du rituel est une étrange mixture de mots dénués de sens et de reconstitution d'événements historiques censés être liés à la construction du Temple du roi Salomon, à Jérusalem, il y a quelque trois mille ans.

Ainsi, pendant que nous, à l'intérieur, nous continuons à faire très peu de chose, si ce n'est apprendre mécaniquement des vers bizarres, sans les comprendre, à l'extérieur, nombre de profanes essaient de détruire l'organisation parce qu'ils la soupçonnent de corruption ; ils la voient comme un bastion de privilèges capitalistes ou un club d'entraide. D'innombrables livres sur le sujet ont alimenté la curiosité et l'hostilité du public. Certains, tels ceux de l'auteur américain John J. Robinson, sont de superbes recherches ; d'autres, comme les ouvrages de feu Stephen Knight, ne sont guère plus que de la fiction, pour satisfaire les pires angoisses du camp antimaçonnique.

Le lobby antimaçonnique est constamment à l'œuvre pour prouver des méfaits supposés. Nous en avons fait directement l'expérience. Un ami chrétien de Chris expliquait récemment qu'il occupait une fonction de conseiller à l'intérieur de son groupe paroissial. Je lui demandai qui il était censé conseiller, et en réponse, je fus horrifié d'entendre : « Les victimes de malédictions maçonniques. »

— Qu'est-ce qu'une malédiction maçonnique ? interrogeai-je, sans lui dévoiler mon lien avec l'Art royal[1] (terme utilisé par les initiés pour désigner la franc-maçonnerie).

— Les maçons doivent jurer allégeance les uns aux autres au dépens de tous ceux qui ne le sont pas, y compris leurs familles. S'ils manquent à leurs engagements, des malédictions sont jetées sur eux, ce qui leur crée d'horribles souffrances, non seulement à eux, mais aussi à ceux qui les entourent.

Je restai un moment sans voix. La franc-maçonnerie est beaucoup de choses, mais elle n'est sûrement pas mauvaise, malveillante, même si certaines personnes semblent déterminées à prouver qu'il en est ainsi. En désaveu direct de telles accusations infondées, la Grande Loge Unie d'Angleterre déclare publiquement que « le devoir d'un franc-maçon en tant que citoyen prévaut sur toute obligation à l'endroit d'un autre franc-maçon » et que « la franc-maçonnerie ne doit pas nuire à la famille d'un homme ou à ses proches en prenant trop de son temps ou de son argent, ou en l'amenant à agir d'une quelconque manière allant contre leur intérêt ».

Nous n'écrivons pas cet ouvrage pour faire l'apologie de la franc-maçonnerie ; elle fait cependant beaucoup de bien et, pour autant que nous le sachions, aucun mal. Elle a toujours consacré d'importantes sommes à des œuvres de charité, et en général anonymement. Par ailleurs, elle promeut d'impressionnants niveaux de rectitude morale et de responsabilité sociale, qui ont fixé les normes que tous suivent aujourd'hui dans la société. Couleur, race, croyance ou appartenance politique n'ont jamais rien eu à voir avec l'appartenance maçonnique et ses deux buts principaux sont un ordre social fondé sur la liberté de l'individu et la quête de toute connaissance. Il n'existe qu'une nécessité absolue : croire en Dieu… en n'importe quel dieu.

Notre plus grande critique à l'endroit de la franc-maçonnerie est finalement son inutilité. Elle ignore d'où elle vient, personne ne semble savoir ce qu'elle essaie de réaliser, et il semble de plus en plus improbable qu'elle ait beaucoup d'avenir dans un monde qui réclame davantage de clarté sur les buts et les actions. Non seulement on ne connaît plus les origines de la maçonnerie, mais on admet que les « vrais secrets » de

---

1. En anglais, simplement *Craft*, « Art » ou « Métier ». (N.d.T.)

l'Ordre ont été perdus, et que des « secrets substitués » sont utilisés à leur place dans les cérémonies maçonniques « en attendant de retrouver les authentiques ».

Si les termes du rituel sont pris au pied de la lettre, l'origine de la franc-maçonnerie remonterait au moins à trois mille ans. Les adversaires de l'Ordre ne sont pas les seuls à le contester – la Grande Loge Unie d'Angleterre elle-même ne prétend pas à une telle ancienneté. Par crainte de moquerie, elle évite d'aborder les origines de l'Art royal et se contente d'autoriser ce que l'on appelle les « loges de recherche » qui, elles, discutent des maigres éléments dont on dispose.

Un pauvre candidat dans un état de ténèbres

Quand nous sommes devenus maçons, nous sommes tous les deux passés par le processus dont tout initié à l'Art royal fait l'expérience depuis au moins deux cent cinquante ans. Dans le cadre de ces cérémonies, on nous demanda de jurer sur notre honneur de ne divulguer aucun des secrets de la franc-maçonnerie au monde extérieur. Nous sommes parfaitement conscients que les informations que nous livrons dans ce livre peuvent être jugées par certains maçons comme une trahison de ces secrets. Cependant, la Grande Loge Unie d'Angleterre considère que les seuls secrets protégés de l'Ordre sont les moyens de reconnaissance, or personne ne pourra se faire passer fallacieusement pour franc-maçon après avoir lu cet ouvrage. Par ailleurs, il est nécessaire d'expliquer les rituels en détail dès lors qu'ils constituent la base de toute notre recherche. Certains mots donnés sont des formules d'identification secrètes, mais nous n'indiquons pas quel mot doit être utilisé en quelle circonstance. Ainsi nous nous sommes efforcés de respecter l'esprit de notre serment. En outre, nous avons accepté de garder ces secrets à condition que ce silence n'interfère pas avec notre liberté en tant que personnes morales, civiles ou religieuses ; si nos vœux nous empêchaient de partager des découvertes si importantes, ils interféreraient très certainement avec ces libertés.

* * *

Bien que nous ayons rejoint des loges différentes à plusieurs années d'intervalle, nous nous souvenons d'expériences identiques. Voilà ce qu'il en est (nous utilisons le « Je » pour nous désigner collectivement).

Ayant été interrogé par un ensemble de Maîtres Passés [*Past Master*] plusieurs mois auparavant, j'étais maintenant prêt devenir franc-maçon. Je ne savais pratiquement rien de ce que je rejoignais. La seule question intangible qui m'avait été posée était : « Croyez-vous en Dieu ? » Tel était le cas. Alors le processus se poursuivit et c'est ainsi que je me retrouvai devant la grande porte du temple. Un garde m'accompagnait. Il frappa sur la porte avec la poignée de son épée dénudée. Il réclamait l'autorisation d'entrer.

Je ne voyais rien (mes yeux étaient recouverts d'un bandeau). J'étais vêtu d'un pantalon et d'une chemise, tous les deux blancs et amples. J'avais un pied dans une simple pantoufle (l'expression pour cela est « en pantoufles », en anglais *slipshod*), la jambe gauche de mon pantalon était remontée jusqu'au genou, et la poitrine gauche de ma chemise était pareillement découverte. À mon insu, une corde de pendu avait été passée autour de mon cou et la longe pendait dans mon dos. On m'avait dépouillé de tout objet métallique. J'étais maintenant prêt à être introduit dans le temple (j'appris par la suite que cet accoutrement – la chemise grossière avec la corde de pendu autour du cou – était exactement l'apparence que l'Inquisition imposait aux hérétiques médiévaux avant d'entendre leur confession).

En entrant, je perçu la présence d'un grand nombre de personnes. J'avais l'impression d'être vulnérable. Je sentis une pointe froide appuyée sur la chair de ma poitrine.

— Sentez-vous quelque chose ? demanda la voix devant moi.

Un murmure dans mon oreille me donna la réponse formelle, que je répétai à haute et intelligible voix.

— Je sens.

— Alors que cette pointe soit un aiguillon pour votre conscience et une mort instantanée si vous deviez trahir l'un des secrets que nous allons vous transmettre.

Une autre voix, provenant de l'autre côté de la salle, se mit à parler. Je reconnus celle du Vénérable Maître.

— Comme personne ne peut devenir maçon s'il n'est pas libre et majeur, je vous demande maintenant : êtes-vous un homme libre et majeur ?

— Je le suis.

— Ayant répondu à cette question de manière satisfaisante, je vais vous soumettre à d'autres interrogations auxquelles je pense que vous répondrez avec une égale honnêteté. Déclarez-vous, sur votre honneur que, non influencé par de mauvaises sollicitations d'amis allant contre vos propres inclinations, non influencé par des motifs mercenaires ou d'autres raisons indignes, vous vous présentez librement et volontairement comme candidat aux mystères et privilèges de la franc-maçonnerie ? Déclarez-vous sur votre honneur que vous sollicitez ces privilèges en raison d'une opinion favorable sur notre Ordre, un désir absolu de connaissance et une volonté sincère de vous rendre plus disponible et serviable envers vos semblables ?

— Oui.

La dague qui était fermement appuyée contre ma poitrine fut retirée (je l'ignorais à cet instant-là), mais le nœud (le cordon) demeurait autour de mon cou. L'homme à ma droite me murmura de m'agenouiller et une courte prière fut récitée, invoquant la bénédiction du Gouverneur suprême de l'Univers (Dieu – décrit d'une manière neutre pour qu'Il soit également accessible aux membres de toute religion monothéiste).

La cérémonie continuant, mon assistant me guida tout autour du périmètre du temple. Il fit trois tours et trois pauses pour me présenter comme un « pauvre candidat dans un état de ténèbres ». Le sol au centre du temple (mais je ne pouvais pas non plus le voir alors) était occupé par un rectangle central de carrés noirs et blancs. Sur le côté oriental se trouvait l'estrade du Vénérable Maître, au midi était assis le Second Surveillant (*Junior Warden*) et à l'occident le Premier Surveillant (*Senior Warden*)[2], tous les deux sur des estrades plus basses.

Après mes trois tours, je fus amené, les yeux toujours bandés, devant l'estrade du Vénérable. Il me demanda :

— Dans votre état de ténèbres, quel est le plus grand désir de votre cœur ?

Une fois encore, la réponse fut murmurée dans mon oreille.

— La Lumière.

— Alors que cette bénédiction vous soit rendue.

De derrière, quelqu'un m'enleva le bandeau. À mesure que mes yeux s'accoutumaient, je constatai que je me trouvais devant le Vénérable. Celui-ci attira immédiatement mon attention sur les « lumières » emblématiques de la franc-maçonnerie. Il m'expliqua qu'elles étaient le Livre de la Loi sacrée (la Bible pour les candidats chrétiens), l'Équerre et le Compas. Il me dit alors que j'avais alors atteint le grade d'Apprenti maçon – le premier des trois degrés que j'aurais à franchir avant d'être pleinement accepté comme Maître maçon. Les signes secrets, les attouchements et les mots de passe du premier degré me furent expliqués. On me précisa que la colonne gauche qui se dressait sur le porche du Temple du roi Salomon avait une signification particulière pour les francs-

2. Dans les loges françaises, en revanche, le Premier Surveillant est au midi et le Second au septentrion. (N.d.T.)

maçons. Les deux colonnes, la gauche et la droite, sont reproduites dans la loge. Dressées derrière le Vénérable, elles l'encadrent. Le pilier gauche a reçu le nom de Boaz, l'arrière-grand-père de David, le roi d'Israël[3].

Après différentes déambulations autour du temple, on me présenta un simple tablier en peau d'agneau blanche qui symbolisait le grade que je venais d'atteindre. On me dit :

— Il est plus ancien que la Toison d'or ou l'Aigle romaine, plus honorable que l'Étoile, la Jarretière ou tout autre Ordre dans le monde. Il est le symbole de l'innocence et le lien de l'amitié...

Cette section nous apparut ultérieurement comme une partie particulièrement révélatrice du rituel maçonnique. Comme nous le montrerons plus tard, elle contient des éléments clairs prouvant son élaboration à trois périodes différentes de l'Histoire, de la plus ancienne à une date relativement moderne.

Pendant toute la cérémonie, on utilisa un certain nombre d'analogies architecturales pour me recommander diverses vertus morales et sociales ; parmi ces analogies, les outils du tailleur de pierre étaient associés à des méthodes de progrès personnels. Vers la fin de la cérémonie d'initiation, j'appris avec quelque inquiétude que j'allais devoir apprendre par cœur certaines questions et réponses afin de progresser vers le degré suivant, celui de Compagnon maçon [*Fellowcraft Freemason*]. Parmi celles-ci, certains propos troublaient plus qu'ils n'informaient.

Question : Qu'est-ce que la franc-maçonnerie ?

Réponse : Une école de sagesse et de vertu, voilée par l'allégorie et illustrée par des symboles.

Question : Quels sont les trois grands principes sur lesquels la franc-maçonnerie est fondée ?

Réponse : L'Amour fraternel, le Secours[4] et la Vérité.

Pour tout candidat, le premier de ces principes semble raisonnable, mais les deux suivants sont un peu plus durs à saisir. Secourir de quoi ? Quelle vérité ?

Maintenant devenu un Frère pleinement accepté, bien que simple

---

3. Dans les loges françaises, Boaz est à droite. (N.d.T.)

4. Ce terme (en anglais, *relief*) est généralement rendu en français par « bienfaisance ». Nous avons conservé le sens le plus proche de l'anglais en regard du contexte. Quoi qu'il en soit, le terme de « bienfaisance » au grade d'Apprenti est défini comme suit : « Secourir ceux qui sont dans la détresse est un devoir qui incombe à tous les hommes et particulièrement aux maçons qui sont unis les uns aux autres par une chaîne indissoluble d'une affection sincère » (cf. *Dic. De la franc-maçonnerie*, sous la dir. de Daniel LIGOU, PUF, Paris, 1987, p. 137). (N.d.T.)

« Apprenti initié », je quittai le temple en sentant que quelque chose de spécial s'était produit. Mais je n'avais pas le moindre indice pour comprendre ce que tout cela signifiait. Le banquet suivit et comme, homme du jour, je fus placé à la gauche du Vénérable. Des toasts et des discours se succédèrent et nous passâmes un bon moment. Les mystères de l'Art royal n'avaient certainement pas été révélés. Peut-être, pensais-je alors, que tout deviendrait clair à la prochaine cérémonie.

Ce ne fut pas le cas.

Les mystères cachés de la nature et de la science

Quelques mois plus tard, je passai la cérémonie du second degré pour atteindre le rang de Compagnon maçon. Cette fois je pénétrai dans le temple avec le reste des Frères portant le tablier en peau d'agneau blanche unie, symbole de mon innocence authentique – et de mon statut très humble. La loge fut alors ouverte au premier degré et en tant que candidat à l'élévation je fus soumis à l'épreuve. Je répondis aux questions qui m'avaient été expliquées à la fin de la précédente cérémonie. Dès que j'eus passé cet examen et prouvé mon aptitude à réciter mécaniquement, on me demanda de quitter temporairement le temple pour être correctement préparé à la cérémonie dite « de passage ».

Je fus réadmis dans le temple. J'avais alors revêtu le même vêtement grossier que pour ma cérémonie d'initiation, avec toujours la jambe gauche dénudée, mais cette fois la poitrine droite découverte. Alors que les Diacres [*deacons*] me faisaient faire le tour du temple, de nouveaux mots de passe et signes m'étaient révélés. Parmi ceux-ci figurait un geste de main levée. On affirme qu'il aurait pour origine l'épisode où « Josué mena les batailles du Seigneur (dans la vallée de Josaphat) et pria que le soleil suive sa course jusqu'à la défaite complète de Ses ennemis ». Ce dernier point se révéla éminemment significatif.

Après m'avoir expliqué la colonne gauche du porche du Temple du roi Salomon au degré précédent, on me décrivit la colonne droite pour compléter mon information. On dit que cette colonne, identifiée comme « Jakin », aurait reçu le nom du grand prêtre qui assista à la consécration de cette partie du Temple à Jérusalem. Les colonnes jumelles Boaz et Jakin devaient devenir très importantes à tous points de vue dans notre recherche ultérieure. On ajouta que la première signifie « la force ou en lui est la force » ; la seconde, « établir » et quand elles sont réunies, elles symbolisent « la stabilité ».

Au terme de la cérémonie du second degré, je fus « autorisé à étendre mes recherches dans les mystères cachés de la nature et de la science ». Une fois de plus, cette cérémonie fut suivie par **un** banquet, avec mets, libations, discours et chants.

Une faible lueur

Après quelques mois de présence en loge en tant que Compagnon, portant un tablier blanc avec deux rosettes bleues, je fus éligible pour atteindre le degré suivant, un grade qui est souvent appelé le « sublime » degré de Maître maçon. Je dus d'abord une fois de plus prouver mon aptitude en apprenant les réponses à de nouvelles questions.

Pendant cet interrogatoire, on attira mon attention sur le fait que « nos anciens frères recevaient leurs salaires dans la chambre du milieu du Temple du roi Salomon sans inquiétude, car ils avaient une grande confiance en l'intégrité de leur employeur à cette époque ». Une étude attentive de la Bible ne permet pas de trouver la moindre mention d'une chambre du milieu dans le Temple de Salomon. Une telle erreur factuelle est improbable, alors pour donner une signification à cela, nous avons supposé que les questions et réponses indiquaient simplement que les Frères faisaient jadis confiance à leurs employeurs, alors qu'aujourd'hui ils ne pouvaient peut-être plus le faire.

À ce stade, on me récita encore une autre référence qui semblait biblique, mais qui ne figurait pas dans la Bible. Cette référence attirait mon attention sur la mission qui me serait confiée une fois élevée au sublime degré de Maître maçon : « Car le Seigneur a dit que par la Force j'établirai Mon Verbe dans cette Maison pour qu'elle se dresse solidement pour toujours. » Cette citation s'avéra elle aussi extrêmement importante, même si elle ne signifie rien pour les francs-maçons modernes… et qu'elle ne signifiait rien pour nous quand nous l'entendîmes pour la première fois.

On me confia alors un mot de passe qui me permettait de pénétrer dans le temple quand les cérémonies étaient ouvertes au grade de Maître maçon. Cette fois, les choses furent très différentes et spectaculaires.

J'entrai à nouveau dans le temple pour trouver une ténèbre totale, à l'exception de la faible lueur d'une bougie brûlant à l'orient devant le Vénérable. Dans la très grande pièce sans fenêtre, la petite lumière de la bougie solitaire était précieuse. Dès que mes yeux se furent adaptés, je pus distinguer des visages et discerner les formes de tout le temple se détachant en ombres sombres, noires et grises. Théâtralement, je fus alors informé que le thème de ce degré était la mort elle-même.

La cérémonie débuta par un bref résumé des précédents degrés :

Frères, chaque degré en maçonnerie est progressif et ne peut être atteint qu'avec du temps, de la patience et de l'assiduité. Au premier degré, on nous a enseigné les devoirs que nous possédons de Dieu, vis-à-vis de notre prochain et de nous-mêmes. Au second degré, on nous a permis de participer aux mystères de la science humaine, et de trouver la bonté et la majesté du Créateur, en analysant minutieusement Ses Œuvres. Mais le troisième degré est le ciment du Tout ; il sert à relier les hommes grâce à des liens mystiques de camaraderie, comme un lien d'affection et d'amour fraternels ; il désigne la ténèbre de la mort et l'obscurité de la tombe comme annonciateurs d'une lumière brillante, qui suivra la résurrection du juste, quand ces corps mortels qui auront longtemps reposé dans la poussière seront réveillés, réunis dans l'esprit de leur communauté et drapé d'immortalité…

Une prière fut alors récitée. Elle se concluait ainsi :

… nous Te supplions de transmettre Ta grâce à Ton serviteur qui cherche à partager avec nous les secrets mystérieux d'un Maître maçon. Dote-le d'une telle force d'âme, qu'à l'heure de l'épreuve il ne faillisse pas, mais que, passant sain et sauf sous Ta protection, en traversant la sombre vallée de la mort, il puisse finalement se relever de la tombe du péché, pour briller à jamais comme les étoiles.

La cérémonie se poursuivit d'une manière peu différente des précédentes, jusqu'au moment où l'on me fit interpréter une histoire symbolique. Celle-ci explique comment les secrets authentiques d'un Maître maçon furent perdus. Je jouai le rôle d'un personnage qui n'existe pas hors des rituels de la maçonnerie. On dit que son nom était Hiram Abif.

Le Vénérable Maître raconta l'histoire :

… La nature propose une nouvelle éminente et utile leçon : la connaissance de vous-même. Elle vous apprend, par la contemplation, à vous préparer pour les dernières heures de l'existence ; et quand, aux moyens d'une telle contemplation, elle vous a conduit à travers les méandres complexes de votre vie mortelle, elle vous enseigne finalement comment mourir. Voici, mon cher Frère, les objets particuliers du troisième degré de la franc-maçonnerie. Ils vous invitent à réfléchir sur ce sujet terrifiant et vous enseignent à sentir que, pour l'homme juste et droit, la tache du mensonge et du déshonneur sont des terreurs plus effrayantes que la mort.

Les annales de la franc-maçonnerie offrent un glorieux exemple de cette grande vérité à travers la fidélité inébranlable et la mort prématurée de notre Grand Maître Hiram Abif qui perdit la vie juste avant l'achèvement du Temple du roi Salomon, dont il fut, comme vous le savez sans aucun doute, le principal architecte. Voici les circonstances de sa mort :

Quinze Compagnons de cette classe particulière dirigeant toutes les autres, considérant que le temple était presque achevé mais qu'ils n'étaient pas encore en possession des secrets authentiques d'un Maître maçon, conspirèrent pour obtenir ces secrets par tout moyen, y compris la violence. La veille de mettre à exécution leur forfait, douze d'entre eux se rétractèrent. Mais trois, ayant un caractère plus déterminé et plus ignoble que les autres, persistèrent dans leur projet indigne. Dans ce dessein, ils se placèrent respectivement aux portes du midi, de l'occident et de l'orient du Temple, où notre Maître Hiram Abif se retirait pour honorer le Très Haut, comme il en avait l'habitude, à l'heure du grand midi.

Ses dévotions achevées, il s'apprêta à se retirer par la porte du midi, où le premier brigand l'accosta. À défaut d'une meilleure arme, celui-ci s'était muni d'une règle de plomb. D'une manière menaçante, il demanda à notre Maître, Hiram Abif, les secrets authentiques d'un Maître maçon en l'avertissant qu'un refus entraînerait la mort ; mais fidèle à son obligation il répondit que seules trois personnes les connaissaient au monde et que sans l'autorisation des deux autres, il ne pourrait ni ne voudrait les divulguer. Il ajouta qu'il ne doutait pas que la patience et la persévérance permettrait, à son heure, au maçon méritant de les découvrir. Mais, en ce qui le concernait, il préférerait mourir plutôt que de trahir la vérité sacrée reposant en lui.

Cette réponse ne satisfit pas le vaurien qui asséna un violent coup sur le front de notre Maître. Étonné par la fermeté de son comportement, il ne frappa que la tempe droite. Mais avec une force suffisante pour le faire vaciller et tomber à terre sur le genou gauche.

À ce moment du récit, je sentis un très léger coup sur ma tempe et mes deux guides, les Diacres, indiquèrent que je devais me baisser sur le genou pour imiter l'histoire.

Se ressaisissant, Hiram se précipita vers la porte d'occident où il fut confronté au second vaurien, auquel il répondit comme précédemment. Mais sa résistance était diminuée. Quand la brute armée d'un levier lui administra un violent coup sur la tempe gauche, il tomba sur le genou droit.

Une nouvelle fois, je sentis un petit coup sur ma tempe et l'on me força à descendre sur mon genou droit.

Constatant que tout espoir de fuite dans ces deux directions étaient coupées, notre Maître tituba, faible et saignant, vers la porte d'orient où le troisième vaurien était posté. En recevant une semblable réponse à son insolente question – car notre Maître demeurait fidèle à son obligation même à son heure la plus sombre –, le maudit le frappa en plein front avec un lourd maillet de pierre, qui le jeta à terre sans vie.... Voilà quelle fut sa mort.

À la lumière de la bougie, je vis le Vénérable Maître se pencher sur son estrade. Avec un instrument, il me toucha le front et je sentis de nombreuses mains me tirer en arrière vers le sol. Tout en maintenant mes pieds immobiles, on me tenait bien droit, de telle manière que je pivotai en arrière en basculant dans l'obscurité. En touchant le sol un linceul funéraire fut immédiatement posé sur moi, et ainsi seul le haut de mon visage était découvert. Le Vénérable Maître poursuivit :

Frères au cours de la cérémonie qui vient de se dérouler, comme dans l'instant présent, notre Frère a représenté l'un des personnages les plus lumineux de l'histoire de la franc-maçonnerie, Hiram Abif, qui perdit la vie plutôt que de trahir la vérité sacrée qui reposait en lui. Je crois que ce récit va produire une impression durable, non seulement sur son esprit, mais aussi sur les vôtres, si vous deviez être de nouveau placés dans des circonstances éprouvantes similaires.
Frère Second Surveillant, vous allez maintenant essayer de relever le représentant de notre Maître avec la poignée de main d'un Apprenti.

Le Second Surveillant se pencha, prit ma main sous le linceul et tira. Ma main échappa à ses doigts.

Vénérable Maître, la poignée a glissé.

Des silhouettes fantomatiques marchèrent autour de ma « tombe » quelques instants avant que le Vénérable ne se remette à parler.

Frère Premier Surveillant, essayez la poignée de Compagnon.

La tentative fut aussi vaine que la première.

Frères Surveillants, vous avez tous les deux échoué dans vos tentatives. Il reste une troisième méthode, connue comme la poignée de la Patte du Lion ou de la Serre de l'Aigle. On l'exécute en tenant fermement les muscles du poignet droit avec les bouts des doigts et en le soulevant aux cinq points de la camaraderie. Avec votre aide, je vais maintenant l'essayer.

Le Vénérable Maître agrippa fermement mon poignet et tira, me faisant basculer instantanément sur mes pieds. Une fois de plus, des mains invisibles me soulevèrent. En retrouvant la position verticale, le Vénérable Maître me murmura deux mots particuliers à l'oreille. Je connaissais maintenant les deux parties du Mot de maçon. Il n'avait alors pas de sens pour moi, mais grâce à notre recherche, nous avons découvert sa signification ancienne et fascinante, comme nous le montrerons plus loin.

Ainsi, mon cher Frère, tous les Maîtres maçons ont été relevés d'une mort symbolique, pour se réunir aux compagnons de leur ancien travail. Laissez-moi maintenant vous demander d'observer que la lumière d'un Maître maçon n'est pas plus visible que la ténèbre ; elle ne sert qu'à exprimer cette obscurité suspendue au-dessus des perspectives de l'avenir. C'est ce voile mystérieux de ténèbres que l'œil de la raison humaine ne peut pénétrer, sauf si elle est assistée par cette lumière divine qui vient du dessus. Mais alors, grâce à ce rayon lumineux vous percevrez que vous vous tenez sur le bord même de la tombe dans laquelle vous venez de descendre symboliquement, et qui, quand cette vie transitoire sera passée, vous accueillera de nouveau dans son sein froid.

En prononçant ces sinistres paroles, le Vénérable dirigea mon regard vers le bas et à droite, où je pus entr'apercevoir, dans la ténèbre, la forme d'une tombe ouverte avec, à sa tête, un crâne humain sur une paire de fémurs croisés (fig. 2). Pour la première fois au cours d'une cérémonie maçonnique, je sentis la chair de poule me parcourir le corps.

Que ces symboles de mortalité, qui maintenant reposent devant vous, vous permettent de contempler votre destinée inévitable et de guider vos réflexions dans ce qui est l'étude humaine la plus intéressante et la plus utile : la connaissance de vous-même.

Veillez à exécuter la tâche qui vous a été assignée tandis qu'il fait encore jour ; écoutez la voix de la Nature ; elle porte témoignage que, même au sein de cette structure périssable, il réside un principe vital immortel, qui inspire une confiance sacrée, que le Seigneur de Vie nous permettra de piétiner le roi des terreurs et de lever nos yeux...

Le Vénérable Maître désigna le ciel à gauche vers une petite lueur à l'orient (à l'opposé exact de la direction de la tombe), où je pouvais voir la petite forme illuminée d'une étoile.

... vers cette étoile du matin lumineuse dont l'apparition amène la paix et la tranquillité aux humains obéissants et croyants.

Ma cérémonie de « résurrection » me fit renaître au statut de Maître maçon. Elle s'acheva avec la transmission de mots de passe et de poignées, et de nouvelles analogies avec le métier de la construction pour me guider vers l'amélioration de mes qualités en tant que maçon et membre de la société. Plus tard, au cours d'une autre tenue formelle de la loge, l'histoire des événements ayant suivi l'assassinat, fut expliqué :

On rassembla tous les ouvriers dans chaque corps de métier. Trois de la même classe de contremaîtres manquaient. Le même jour, les douze Compagnons qui s'étaient originellement associés à la conspiration se présentèrent devant le roi, et firent une confession volontaire de tout ce qu'ils savaient, jusqu'au moment où ils s'étaient retirés du complot. Les peurs du roi pour la sécurité de son premier architecte s'accrurent naturellement. Il choisit quinze Compagnons de confiance, et leur ordonna de faire une recherche diligente de la personne de leur Maître, pour s'assurer qu'il était toujours en vie, ou découvrir s'il avait souffert alors que l'on essayait de lui arracher les secrets de son haut grade.

Un jour précis ayant été fixé pour leur retour à Jérusalem, ils se répartirent en trois loges de Compagnons et quittèrent le Temple par les trois portes différentes. Pendant plusieurs jours, la recherche fut infructueuse. En vérité, l'un des groupes revint sans avoir fait la moindre découverte d'importance. Le second groupe eut plus de chance, car un soir, après avoir enduré les plus grandes privations et fatigues individuelles, l'un des Frères qui s'était allongé pour se reposer, attrapa un buisson qui se dressait à proximité, afin de se relever. À sa grande surprise, le buisson s'arracha aisément du sol. Un examen attentif lui révéla que la terre avait été récemment remuée. Il appela donc ses Compagnons, et, réunissant leurs efforts, ils rouvrirent la tombe et trouvèrent là le corps de notre Maître très récemment inhumé. Ils le recouvrirent de nouveau avec tout le respect et la révérence dus, et pour repérer l'endroit, ils plantèrent une branche d'acacia à la tête de la tombe, puis ils se hâtèrent vers Jérusalem pour rapporter leur triste découverte au roi Salomon.

Quand les premiers élans de peine se furent apaisés, le roi leur ordonna de retourner à la tombe et d'exhumer notre Maître pour lui offrir un sépulcre digne de son rang et de ses hauts talents. En même temps, il les informa que par sa mort prématurée les secrets de Maître maçon étaient perdus. Il les chargea donc d'observer très attentivement tous les signes ou paroles symboliques fortuits qui pourraient être échangés, alors qu'ils rendraient ce dernier et triste hommage aux mérites du défunt.

Ils accomplirent leur tâche avec la plus grande fidélité. Au moment de la réouverture de la tombe, l'un des Frères, observa quelques-uns de ses Compagnons dans cette position...

Il me fut alors expliqué comment les Compagnons essayèrent de soulever Hiram Abif avec les mêmes mots et attouchements que lors de mon propre soulèvement, et comment depuis lors ces éléments ont été adoptés pour désigner tous les Maîtres maçons dans le monde entier... en attendant que le temps et les circonstances puissent rétablir les authentiques. La cérémonie se poursuivit :

Pendant ce temps, le troisième groupe avait poursuivi ses recherches en direction de Joppa, et méditait sur son retour vers Jérusalem. Quand, par hasard, passant près de l'entrée d'une grotte, ils entendirent les sons de profondes lamentations et de regrets. En pénétrant dans la caverne pour voir quelle en était la cause, ils trouvèrent trois hommes répondant à la description des ouvriers manquants. Accusés du meurtre et constatant que tout espoir de fuite était vain, ils firent une confession complète de leur crime. Ils furent enchaînés et emmenés à Jérusalem, où le roi Salomon les condamna à cette mort que le caractère abominable de leur crime avait amplement mérité.

Notre Maître fut alors ramené aussi près du Saint des Saints que la loi des Israélites le permettait ; là dans une tombe à trois pieds à l'orient du centre et à trois pieds à l'occident, à trois pieds entre le septentrion et le midi, et à cinq pieds ou plus perpendiculairement. Il ne pouvait être placé dans le Saint des Saints, parce que rien d'ordinaire ou d'impur ne peut y pénétrer ; pas même le Grand Prêtre sauf une fois par an ; ni même après de nombreuses purifications et ablutions pour le grand jour d'expiation des péchés, car pour la loi israélite toute chair est jugée impure.

On ordonna aux quinze fidèles Compagnons d'assister aux funérailles, revêtus de leurs tabliers blancs et de gants blancs comme symboles de leur innocence.

Cette cérémonie se déroula ensuite d'une manière semblable aux deux précédents degrés. À la fin de l'initiation, j'étais bel et bien devenu Maître maçon à part entière. Quelques mois plus tard, quand il n'y eut plus de candidat à faire progresser dans les tenues de la loge, un Maître Passé [*Past Master*] donna une explication complète du troisième degré. Les trois vauriens qui assassinèrent Hiram Abif s'appelaient Jubela, Jubelo et Jubelum. On les connaît collectivement sous le nom de *Juwes* [à prononcer Jou-iis] ou *Jubes*. Les sons de « profonde lamentation et de regret » qui provenaient de la caverne furent donnés en détail. Les coupables étaient en fait rongés de remords et souhaitaient de terribles châtiments pour leurs viles actions. Leurs vœux furent comblés : chacun avait envisagé pour soi-même un type de mort particulier et le roi Salomon les fit exécuter en fonction de ces vœux. Ces types de mort sont décrits dans le rituel, mais nous ne les communiquerons pas ici car elles intègrent une partie des signes de reconnaissance maçonnique.

* * *

Les extraits de rituel maçonnique des trois premiers degrés que nous avons indiqués ici sembleront extrêmement étranges pour les lecteurs qui ne sont pas initiés, mais ils seront très familiers pour les francs-maçons. Cependant, la familiarité ne sert qu'à donner l'impression que ces activités inexplicables sont normales, alors qu'au regard de n'importe quelle norme ordinaire elles paraîtraient étranges. Certains maçons croient que toutes ces histoires sont vraies, de la même manière que tout chrétien admet les légendes de l'Ancien Testament ; d'autres les prennent pour des fantaisies vaguement moralistes. Très peu s'interrogent sur l'origine de rituels aussi étranges.

Nombre des principaux personnages sont aisément identifiables dans la mythologie judéo-chrétienne – le roi Salomon par exemple, Boaz, Jakin et quelques autres que nous n'avons pas identifiés –, mais la personnalité clé du rituel s'avère un mystère complet. Hiram Abif n'est pas du tout mentionné dans l'Ancien Testament ; en fait, aucun architecte du Temple n'est nommé et l'on ne parle pas d'assassinat d'un grand prêtre. Quelques critiques chrétiens de la franc-maçonnerie condamnent l'Art royal parce qu'ils prétendent qu'elle glorifie la résurrection d'un autre homme que Jésus Christ, et que c'est essentiellement une religion païenne. Mais il est important de noter qu'Hiram Abif, une fois assassiné, reste mort. Il n'y a pas de résurrection ni en vérité la moindre suggestion d'existence *post mortem*. Il n'y a pas de contenu surnaturel dans le rituel maçonnique et c'est pourquoi les membres de nombreuses religions, y compris les juifs, les chrétiens, les hindous et les bouddhistes, pensent que la maçonnerie est complémentaire par rapport à leurs propres croyances théologiques, et non conflictuelle au regard de celles-ci.

L'histoire centrale est très simple et même quelconque ; elle n'a pas de structure dramatique spéciale ni même la moindre valeur symbolique manifeste. Certes, Hiram Abif préféra mourir plutôt que de trahir ses croyances. Mais d'innombrables hommes ou femmes agirent de même avant lui et depuis lors. Si un ou plusieurs individus avaient voulu inventer une histoire destinée à devenir le pivot d'une nouvelle société, ils auraient sûrement mis au point quelque chose de plus remarquable et de plus évident en soi ? Ce fut cette pensée qui nous incita à creuser plus profondément pour entreprendre une recherche sur les origines de l'Ordre.

La vague explication conventionnelle des origines de l'Ordre suscitait chez nous la même frustration. Nos discussions devinrent plus fréquentes et notre intérêt grandit à mesure que nous nous exaltions réciproquement. Rapidement, nous décidâmes d'entreprendre une enquête structurée avec pour objectifs liés l'identification précise du personnage que nous connaissions sous le nom d'Hiram Abif et la redécouverte des secrets perdus de la franc-maçonnerie. À vrai dire, à cette époque, aucun d'entre nous ne croyaient que cette quête étrange avait la moindre chance d'aboutir, mais nous savions que l'aventure promettait d'être intéressante. Nous ignorions alors que nous mettions en mouvement l'une des plus grandes enquêtes de détective de tous les temps, et nous ignorions que nos découvertes allaient se révéler d'une importance majeure, non seulement pour les francs-maçons, mais pour le monde en général.

CONCLUSION

Très peu d'éléments du rituel maçonnique pourraient être décrits comme ordinaires. Un bandeau couvre les yeux du candidat. Celui-ci est dépouillé de tout argent et objets métalliques ; on l'habille comme un hérétique en route vers le gibet et, finalement, on lui dit que l'objet de son dernier grade est d'« apprendre à mourir » ! Le voyage des ténèbres vers la lumière est évidemment important comme le sont les deux colonnes appelées Boaz et Jakin qui symbolisent la « force » et l'« établissement », et quand elles sont réunies la « stabilité ».

La franc-maçonnerie prétend être plus ancienne que la Toison d'or ou l'Aigle romaine et a pour but l'amour fraternel, la bienfaisance et la vérité – mais on nous présente aussi l'étude des mystères cachés de la nature et de la science comme très importante. Les secrets authentiques de l'Ordre, nous fut-il dit, ont été perdus et des secrets substitués les remplacent en attendant de retrouver les authentiques originels.

Le personnage central de la franc-maçonnerie est l'architecte du Temple du roi Salomon dont le nom est Hiram Abif. Il fut assassiné par trois de ses propres hommes. La mort symbolique et la résurrection du candidat est l'acte qui transforme un individu en Maître maçon et quand il est relevé de la tombe, la lumineuse étoile du matin brille à l'horizon.

Où des idées aussi étranges se sont-elles développées et pourquoi ? Nous pouvions tout simplement commencer notre enquête en considérant les théories connues.

CHAPITRE II

LA RECHERCHE COMMENCE

Quelle est l'origine de l'Ordre ?

Un grand nombre d'hommes bien informés ont, bien avant nous, essayé de trouver les origines de la franc-maçonnerie. Ils ne négligèrent aucune des hypothèses évidentes, à l'instar des séries de romanciers et de charlatans qui se sont joints à la quête. Pour certains, l'affaire est simple : la franc-maçonnerie a l'âge de sa manifestation publique officielle (le XVIIe siècle) et toute tentative d'antidatation est une aberration saugrenue. Cette attitude pragmatique est élémentaire, mais elles est la plus facile des hypothèses à rejeter pour de nombreuses raisons, comme nous allons le montrer. Il existe notamment quantité de preuves montrant que l'Ordre se formalisa lentement pendant plus de trois cents ans avant l'établissement de la Grande Loge Unie d'Angleterre.

À partir de cette fondation de la Grande Loge Unie d'Angleterre en 1717, l'existence de l'Ordre fut publique. Seules ses méthodes de reconnaissance demeurèrent cachées du grand public. Mais l'organisation que nous appelons aujourd'hui franc-maçonnerie fut une société secrète avant le XVIIe siècle et, par définition, les sociétés secrètes ne publient pas d'histoires officielles. Nous décidâmes donc d'étudier l'histoire possible de l'Art royal avant qu'il ne « devienne public » et nous découvrîmes que trois théories « sérieuses » avaient été considérées par les historiens maçonniques :

La franc-maçonnerie serait aussi ancienne que le rituel maçonnique le prétend – elle aurait été créé à la suite d'événements survenus au moment de l'édification du Temple du roi Salomon et nous aurait été transmise selon des processus encore inconnus.

La franc-maçonnerie serait un développement des guildes de tailleurs de pierre et de maçons médiévaux, et c'est ainsi que la maçonnerie dite

« opérative » de la pierre se transforma en ce que les maçons appellent la maçonnerie « spéculative » du progrès moral.

Le rituel maçonnique a directement pour origine l'ordre des Pauvres Soldats du Christ et du Temple de Salomon, mieux connu aujourd'hui sous le nom de Chevaliers templiers.

La première théorie – selon laquelle la franc-maçonnerie aurait été la création du roi Salomon –, nous semblait impossible à approfondir parce que l'Ancien Testament est la seule source, donc nous n'allâmes pas plus loin à cette époque.

La deuxième – selon laquelle les tailleurs de pierre médiévaux auraient développé l'Art royal pour leur propre progrès moral – est une théorie qui a rencontré l'approbation de pratiquement tous les milieux, maçonniques et non maçonniques. Néanmoins, en dépit de l'apparente logique de cette idée et du grand nombre de livres qui l'ont soutenue pendant des générations, nous avons constaté en l'approfondissant qu'il était difficile de réunir des preuves pour la confirmer. Pour commencer, en dépit de recherches rigoureuses, nous fûmes totalement incapables de trouver la moindre preuve dans toute l'Angleterre montrant qu'il avait existé là une quelconque guilde de tailleurs de pierre médiévale. S'il en avait existé, nous étions certains qu'il en subsisterait des traces. Dans de nombreux pays européens, il y en eut certainement et leurs activités sont attestées par de nombreux témoignages. L'*Histoire de la franc-maçonnerie* [*History of Freemasonry*][5] de Gould montre page après page des armoiries de guildes de tailleurs de pierre, mais pas une n'est britannique ! En fait, ces ouvriers étaient d'habiles artisans au service de l'Église ou de riches propriétaires terriens, et il paraît improbable que leurs maîtres eussent été suffisamment éclairés pour permettre quelque forme de proto syndicat, quand bien même les ouvriers eussent exprimé le désir d'une telle association. Par ailleurs, nombre d'entre eux passèrent toute leur vie à travailler sur un seul édifice – une cathédrale par exemple. Nous fûmes alors immédiatement frappés par une évidence : lorsque la majorité de ces maçons restait autour du même édifice pendant cinquante ans, il n'y avait nul besoin de signes secrets de reconnaissance et de mots de passe.

En outre, la plupart des tailleurs de pierre du Moyen Âge étaient illettrés. Ils recevaient peu ou pas d'éducation hors de leur apprentissage, qui ne leur procurait par ailleurs que les techniques de leur art. Imaginer qu'ils aient pu comprendre – sans parler de leur donner naissance – des

5. Paris, 1989.

rituels aussi complexes que ceux utilisés aujourd'hui par les francs-maçons n'est pas crédible. Dans les faits, leur vocabulaire et très probablement leur capacité à développer une pensée abstraite étaient certainement très limités. En dehors des maîtres maçons les plus qualifiés, ces ouvriers ne voyageaient pour ainsi dire jamais. Ainsi, une fois encore, les signes secrets, poignées de main et autres mots de passe n'auraient guère eu de valeur ; et même s'ils avaient voyagé d'un chantier de construction à un autre, pourquoi auraient-ils recouru à des moyens secrets de reconnaissance ? De surcroît, si quelqu'un s'était fallacieusement attribué la qualité de tailleur de pierre, on eût très rapidement constaté *de visu* son incapacité à travailler la pierre.

Comme de nombreux rois et leurs plus puissants seigneurs ont été maçons depuis les débuts connus de l'Ordre jusqu'à aujourd'hui (voir Appendices), nous ne pouvions imaginer en quelles circonstances un groupe de nobles s'était transformé en rassemblement de tailleurs de pierre, se demandant s'ils pouvaient symboliquement reproduire leurs cérémonies afin de les utiliser pour leur propre progrès moral…

Nous découvrîmes la preuve définitive éliminant la « théorie des tailleurs de pierre » quand nous étudiâmes ce qu'en maçonnerie nous appelons les « Anciens Devoirs » [*Old Charges*], dont les plus anciens, croit-on, dateraient de la fin du XVe siècle. Ils fournissent des règles de conduite et de responsabilité aux francs-maçons. Or on a toujours considéré qu'ils étaient repris de codes de conduite ayant appartenu aux guildes médiévales de tailleurs de pierre. Un de ces Devoirs stipule qu'« aucun Frère ne doit révéler le secret légitime d'un autre Frère si cela peut lui coûter la vie et la propriété. » À l'époque médiévale, le seul secret maçonnique légitime qui eût automatiquement entraîné une telle peine s'il avait été découvert par l'État, était l'hérésie ; un crime qui n'eût sans doute pas été commis ou pardonné par de simples tailleurs de pierre chrétiens. Nous nous sommes donc posé la question suivante : « Pourquoi l'hérésie aurait-elle été prévue comme un possible motif de culpabilité de ces constructeurs de châteaux et de cathédrales ? » Cela n'avait pas de sens. Les organisations ne développent pas des règles importantes fondées sur des hypothèses, c'est-à-dire, en l'occurrence, sur le fait que l'un des membres puisse un jour se rendre secrètement coupable d'un crime contre l'Église. Clairement, ceux – quels qu'ils soient qui étaient à l'origine de cet Ancien Devoir savaient que tout Frère vivait avec le danger de se voir brûlé comme hérétique. Nous étions certains que ces règles n'avaient pas été créées par de simples tailleurs de pierre, mais pour un groupe qui vivait en marge de la loi du pays.

Nous étant convaincus qu'aucune preuve ne venait soutenir la théorie des tailleurs de pierre mais que beaucoup l'infirmaient en revanche, nous nous penchâmes de plus en plus intrigués sur l'identité des personnes auxquelles les *Old Charges* faisaient référence. Qui pouvaient être ces individus ? Un autre Devoir de la même époque, très commenté par les historiens, évoque une ancienne mission particulièrement clandestine. Il fait référence à la provision d'« emploi » pour un Frère en visite pendant une période de deux semaines, terme au bout duquel « il fallait lui donner de l'argent et le mettre sur la route en direction de la loge suivante ». Voilà le type de comportement que l'on peut attendre dans le cas d'un homme en fuite, cherchant des lieux d'asile sur sa route. Un autre Devoir interdit aux maçons d'avoir des relations sexuelles avec la femme, la fille, la mère ou la sœur d'un Frère maçon, ce qui serait une nécessité absolue pour maintenir le système des « lieux d'asile » – revenir à la maison et trouver un maçon invité dans son lit avec sa fille ou sa femme mettrait plutôt à rude épreuve le serment de charité fraternelle[6]. Seulement nous ne pouvions imaginer de quelle hérésie ce groupe maçonnique primitif avait pu se rendre coupable, pour créer un système de reconnaissance et de survie hors de l'Église et de l'État aussi éminemment structuré. Parallèlement aux facteurs qui discréditent la théorie des tailleurs de pierre, il est essentiel de se souvenir que l'imagerie centrale que l'on retrouve d'un bout à l'autre de la franc-maçonnerie est la construction du Temple du roi Salomon. Il n'existe aucun fil reliant les tailleurs de pierre médiévaux à cet événement, mais c'est très certainement là qu'intervient la troisième théorie : celle des chevaliers templiers.

L'ordre des Chevaliers templiers, ou pour leur donner leur intitulé complet, des Pauvres Soldats du Christ et du Temple de Salomon, fut fondé près de six cents ans avant l'établissement de la Grande Loge d'Angleterre. S'il existe vraiment une connexion entre ces moines-guerriers croisés et la franc-maçonnerie, nous aurons à expliquer le gouffre de quatre cent dix années séparant la fin brutale de l'Ordre, en octobre 1307, et l'apparition formelle de l'Art royal en 1717. C'est précisément cette cassure qui a incité de nombreux observateurs, maçonniques ou autres, à rejeter l'hypothèse de cette continuité volontaire entre les templiers et la maçonnerie. Certains auteurs ont publié des ouvrages pour expliquer que les partisans de cette théorie étaient d'irréductibles romantiques prêts à croire n'importe quel non-sens ésotérique. Cependant, des éléments retrouvés ou découvert assez récemment sont fortement venus renforcer cette hypothèse, et nos propres recherches ne permettent plus aujourd'hui d'avoir le moindre doute.

---

6. John J. ROBINSON, *Born in Blood.*

Avant d'étudier la formation proprement dite de cet Ordre fascinant, nous décidâmes de nous intéresser à la construction qui donna aux templiers leur nom et à la maçonnerie son thème.

Le Temple du roi Salomon

Nous avons découvert qu'au sens le plus large, quatre Temples avait été associés avec le Mont Moriah dans la cité de Jérusalem. Le premier fut le Temple construit par le roi Salomon, il y a trois mille ans. Le suivant ne fut jamais construit concrètement : il apparut dans une vision au prophète Ézéchiel durant la captivité des Juifs à Babylone, vers 570 avant notre ère. Aussi imaginaire que fût ce Temple, il ne doit pas être ignoré car il eut un effet significatif sur les croyances et écrits juifs ultérieurs qui passèrent dans la croyance chrétienne. Le troisième fut construit par le roi Zorobbabel[7] dans la première partie du VIe siècle avant notre ère, après que les Juifs furent revenus de leur captivité babylonienne, et le dernier Temple devait être érigé par Hérode à l'époque de Jésus Christ et fut détruit par les Romains en 70 de l'ère chrétienne, à peine quatre années après son achèvement.

Comme nous devions le découvrir ultérieurement, Salomon voulut faire construire de nombreux édifices imposants, incluant un Temple pour abriter le dieu que nous appelons aujourd'hui Yahvé ou Jéhovah. Ces deux noms sont des tentatives de transcription de l'hébreu, une forme d'écriture sans voyelles[8]. On parle souvent de Salomon comme d'un roi sage, mais, en progressant dans nos recherches nous découvrîmes que le qualificatif de « sage » fut attribué à tous les bâtisseurs et à tous les rois qui firent construire pendant des milliers d'années avant Salomon, comme nous le démontrerons plus tard.

Les Juifs eux-mêmes n'avaient pas de tradition architecturale et aucun d'eux n'avait l'art requis pour construire davantage que de simples murs. Par conséquent, le Temple de Jérusalem fut construit par des artisans empruntés à Hiram, le roi phénicien de Tyr. En dépit du nom, il était clair pour nous – et pour tous les observateurs précédents – que le roi Hiram n'avait rien à voir avec Hiram Abif. Le rituel du degré de la Sainte

---

7. Forme grecque retenue par la Bible française de ce nom, qui peut également s'orthographier Zerubbalel ou encore Zeroubbâvèl en araméen ou en hébreu (cf. *TOB*.) (N.d.E.)

8. Le nom de Dieu s'écrit avec les quatre lettres hébraïques Y (yod) H (hé) W (waw) H (hé). (voir chapitre IX). (N.d.E.)

Arche royale [*Holy Royal Arch*] – que nous traiterons au chapitre 13 – montre clairement qu'Hiram, roi de Tyr, fournit les matières premières, tandis qu'un autre individu, Hiram Abif, fut le véritable architecte du Temple. Il mentionne même que ces trois individus – Salomon et les deux Hiram – formèrent une loge importante et furent les seuls détenteurs conjoints des vrais secrets d'un Maître maçon.

En dépit d'une conception maçonnique courante selon laquelle ce Temple marqua une étape dans l'histoire de l'architecture, Clarke et d'autres spécialistes considèrent que son style, sa taille et son plan en font presque la copie conforme d'un temple sumérien érigé mille ans plus tôt pour le dieu Ninurta. C'était un petit bâtiment, semblable en taille à une église de village ordinaire anglaise et qui ne faisait, croit-on, que la moitié du palais de Salomon. Nous pouvions deviner où allaient les priorités du grand roi, quand nous découvrîmes que le bâtiment abritant son harem était au moins aussi grand que le temple de Yahvé[9].

Au regard de la fonction des églises, des synagogues et des mosquées, il serait aisé de penser que le Temple de Salomon était un lieu où les Juifs adoraient leur Dieu. Ce serait une erreur, car ce Temple ne fut pas construit pour être visité par des hommes : il était littéralement la Maison de Dieu, autrement dit un lieu pour Yahvé seul.

Il n'existe aucun vestige physique du Temple de Salomon et il n'y a aucune mention indépendante de celui-ci, personne ne peut donc dire avec certitude s'il a ou non existé. Il pourrait être une invention des scribes juifs ultérieurs qui retranscrivirent les traditions verbales longtemps après que l'édifice présumé eût existé[10]. Ces rédacteurs nous disent que celui-ci, le plus fameux de tous les temples, fut construit en pierre. À l'intérieur, il était complètement recouvert de cèdre apporté de Tyr. On dit que ses murs faisaient neuf coudées (environ treize pieds six pouces, ou un peu plus de quatre mètres) d'épaisseur à leur base et soutenaient un toit de poutres en cèdre surmontées de pins. La caractéristique particulière du Temple était la quantité d'or qui recouvrait le sol, les murs et le plafond, au milieu de gravures de chérubins et de fleurs épanouies. L'intérieur faisait quatre-vingt-dix pieds de long (soixante coudées) et trente pieds (vingt coudées) de large. Tout le bâtiment était aligné d'ouest en est avec une seule entrée située à l'extrémité orientale. Une paroi formée par une double porte-rideau divisait l'intérieur en deux tiers-un tiers ; le dernier tiers formait donc un cube de trente pieds de

9. « A New Look at King Solomon's Temple and its Connection with Masonic Ritual », J.R. CLARKE, in *ARS Quatuor Coronatorum*, Novembre 1976.
10. *Peake's Commentary on the Bible*.

hauteur, de largeur et de longueur. C'était l'Oracle de l'Ancien Testament, également appelé Saint des Saints et connu dans le rituel maçonnique comme le *Sanctum Sanctorum*. Il était totalement vide à l'exception d'une coffre rectangulaire de bois de Sethim (acacia) de quatre pieds de long sur deux pieds de large et deux de haut, placé exactement au centre. C'était l'arche d'Alliance qui ne renfermait que trois choses : deux tablettes de pierre portant les dix Commandements et le dieu Yahvé lui-même. À son sommet se trouvait une épaisse couche d'or et deux chérubins de bois, eux-mêmes lourdement recouverts d'or, avec des ailes déployées, qui gardaient leur précieux contenu.

Ces chérubins n'étaient pas les petits enfants potelés avec des ailes et une auréole popularisés par les peintres de la Renaissance. Ils étaient plutôt de style égyptien, ressemblant exactement aux figures représentées sur les murs et les sarcophages des pyramides[11]. Le Saint des Saints était plongé dans des ténèbres permanentes, sauf une fois par an, le Jour des Expiations, quand le grand prêtre entrait avec le sang du bouc émissaire, l'offrande en réparation du péché national. Dès que le grand prêtre était sorti, une grande chaîne d'or était placée en travers des portes scellant ainsi la plus petite chambre. D'après la tradition juive ultérieure, la plus grande salle était utilisée par les prêtres et les lévites (prêtres héréditaires) seuls, et elle contenait un autel de cèdre recouvert d'or placé juste devant les portes et, naturellement, devant la porte orientale se dressaient les deux piliers, Boaz et Jakin.

Voici donc l'édifice que les templiers vénéraient comme icône centrale de leur Ordre. Mais les ruines qu'ils fouillèrent furent celles d'un autre Temple, construit presque exactement mille ans plus tard sur le même site par le tristement célèbre roi Hérode. Nous nous sommes alors demandés pourquoi ils choisirent leur nom en référence au Temple de Salomon.

CONCLUSION

Nous avions aisément conclu que la théorie des tailleurs de pierre relative à l'origine de la franc-maçonnerie ne résistait pas à un examen attentif pour la simple raison que les guildes de tailleurs de pierre n'existaient pas alors dans le royaume d'Angleterre. Le fait qu'il en ait eu sur le Continent est sans conséquence, parce que la franc-maçonnerie ne se

11. W.F. ALBRIGHT, *the Archaeology of Palestine*.

développa pas dans les régions où ces guildes européennes étaient présentes.

Le protocole trouvé dans les Anciens Devoirs [*Old Charges*] de l'Ordre, avec leur obligation de procurer du travail et un souci d'assurer la protection de la parentèle féminine des frères, nous semblaient beaucoup plus adapté à une société secrète qu'à un groupe de bâtisseurs itinérants.

Nous avons cherché assidûment, passant des centaines d'heures dans différentes bibliothèques, plongés dans des livres de référence. Mais malgré tous nos efforts nous ne pûmes trouver la moindre connexion entre le Temple du roi Salomon et les tailleurs de pierre médiévaux.

L'Histoire nous a appris qu'il avait existé trois temples de pierre sur le site et un imaginaire qui ne pouvait être ignoré parce qu'il avait inspiré de nombreuses personnes au cours des temps. Le Temple originel construit par Salomon était un petit édifice de type sumérien, plus petit que son harem. Il avait été érigé pour abriter le ténébreux dieu de la tempête, Yahvé plutôt que pour servir de lieu d'adoration. Yahvé lui-même vivait à l'intérieur de l'Arche d'Alliance qui se trouvait dans le Saint des Saints du Temple, un espace appelé chez les francs-maçons le *Sanctum Sanctorum*. Cette arche fut construite et décorée en style égyptien et à la porte orientale de ce premier temple se dressaient deux colonnes connues des francs-maçons sous le nom de Jakin et Boaz.

L'idée selon laquelle l'Ordre pouvait venir de Salomon lui-même sous la forme d'une société secrète ininterrompue, cachée du monde, semblait complètement impossible. Par un processus de simple élimination, il ne nous restait donc qu'une origine plausible à étudier. Nous savions que les premiers chevaliers templiers avaient fouillé le site du dernier Temple, et de nombreux écrivains ont suggéré des connexions entre ces chevaliers et la maçonnerie.

CHAPITRE III

LES CHEVALIERS DU TEMPLE

Les débuts de l'Ordre

L'image du croisé courageux portant un manteau blanc décoré d'une croix rouge et arborant une barbe pleine, massacrant le mauvais et protégeant le bon, est familière pour la plupart d'entre nous depuis l'enfance. La réalité est pourtant assez différente. La croix rouge sur la robe – ou manteau – blanche n'était pas l'habit de tous les croisés, mais celui d'un groupe de moines-guerriers : les chevaliers templiers. Leur mystérieuse apparition de nulle part, leur richesse et leur influence considérables ultérieures, puis leur disgrâce soudaine et totale le vendredi 13 octobre 1307 a fait d'eux l'objet de débats et de spéculations fantaisistes de cette époque jusqu'à nos jours.

Pendant près de deux cents ans, les templiers furent puissants. Leur puissance et leurs moyens dépassaient même ceux de la plupart des rois. Leur aptitude au combat était légendaire et ils étaient réputés pour leurs fabuleux trésors. Pouvait-il réellement y avoir un lien entre cet Ordre médiéval disparu depuis longtemps et ces bourgeois de la classe moyenne, marmonnant le rituel maçonnique derrière des portes closes dans presque toute les villes de bonne taille du monde occidentalisé ? En apparence, ces deux groupes paraissaient si éloignés que beaucoup d'éléments de preuves nous semblaient nécessaires avant de pouvoir conclure à une relation directe. Mais en observant côte à côte les détails des deux Ordres, leur disparité commença à fondre étonnamment rapidement.

Les musulmans avaient gouverné Jérusalem depuis le VIIe siècle. Ils avaient toutefois autorisé les juifs et les chrétiens à accéder à la cité qui, pour différentes raisons, était importante pour leurs trois religions. Vers la fin du XIe siècle, les Turcs seldjoukides prirent le contrôle de Jérusalem et interdirent aux Chrétiens d'y venir en pèlerinage. Les puissances de la

Chrétienté furent très indisposées par cet état de choses. Elles mobilisèrent leurs forces pour reprendre la terre de Jésus. En dépit de la pureté apparente de leur mobile, les « croisades », batailles pour le contrôle de la Terre sainte, furent des conflits très âprement disputés, sans merci.

Les envahisseurs chrétiens, frustes et avides, venant du nord croyaient que les musulmans avaient l'habitude d'avaler leur or et leurs bijoux pour les cacher en temps de crise. Par conséquent de nombreux musulmans moururent en agonisant le ventre ouvert alors que des doigts blancs « infidèles » fouillaient leurs entrailles en quête d'objets de valeur inexistants. Les juifs de Jérusalem subirent un sort à peine plus enviable. Ils avaient vécu heureux à côté des musulmans, pendant des centaines d'années. Et, le 14 juin 1099, ils moururent avec eux. La soif de sang des croisés ne connaissait pas de limites. Un croisé, Raymond d'Aguilers, fut suffisamment ému par la vue de la cité dévastée et des cadavres mutilés de ses habitants pour citer le psaume 118 : « Voici le jour que fit Yahvé pour nous allégresse et joie ».

Au cours des années qui suivirent la prise de Jérusalem, les chrétiens de toute l'Europe commencèrent à faire le pèlerinage vers la Cité sainte, un voyage si long et si ardu qu'un corps en forme et une constitution forte étaient indispensables pour lui survivre. Le nombre croissant de pèlerins voyageant des ports d'Acre, Tyr et Jaffa vers Jérusalem devint problématique. Une infrastructure dut être créée pour subvenir à leurs besoins. L'hostellerie Amalfi à Jérusalem constitua un élément central de ce dispositif. Elle fut fondée par les chevaliers hospitaliers pour fournir le gîte et le couvert au flux constant de voyageurs. L'importance et la richesse du petit et obscur ordre de moines qui la dirigeait crut en proportion du nombre grandissant de visiteurs. Et les nouveaux maîtres chrétiens de la ville récompensaient leurs efforts avec des dons généreux. L'Ordre se développa rapidement et son prieur dut être un individu ambitieux et politiquement astucieux car il eut une initiative inhabituelle : celle d'ajouter un bras militaire à son Ordre en acceptant que des chevaliers le rejoignent. Ensuite, il changea l'intitulé de l'Ordre en « Hôpital Saint-Jean de Jérusalem ». Il obtint la bénédiction pontificale en 1118, quand il reçut une constitution formelle appelée « règle ».

Cette organisation influença probablement un noble français de Champagne du nom d'Hugues de Payns [de Payens ou encore de Payen, en latin *Hugo de Paganis*], parce que cette même année lui et huit autres chevaliers fondèrent l'ordre non officiel des Pauvres Soldats du Christ et du Temple de Jérusalem. D'après la tradition, le roi Baudouin II, le patriarche de Jérusalem, apporta sans difficulté son soutien au nouvel Ordre. Il leur fournit des quartiers dans la partie orientale de son palais qui jouxtait l'ancienne mosquée Al-Aqsa et se dressait sur le site du Temple du roi Salomon. On dit que les templiers – comme on les appelle généralement aujourd'hui – étaient nés dans le but de protéger le flux croissant de pèlerins au cours du trajet périlleux reliant le port côtier de Jaffa à Jérusalem.

Tous ces chevaliers originels étaient des laïques qui firent serment de vivre comme s'ils étaient moines, en prêtant les vœux de pauvreté, chasteté et obéissance. Initialement ils ne portaient aucun vêtement distinctif, mais ils récitaient des prières à intervalles réguliers et, dans tous les cas, ils se comportaient comme s'ils étaient membres d'un ordre religieux.

En 1118, apparemment, ces neuf chevaliers débarquèrent de France et s'autoproclamèrent gardiens des routes du désert de Judée menant à Jérusalem. C'est l'histoire officielle, mais ses étrangetés nous frappèrent immédiatement. Pourquoi ces Français s'étaient-ils donnés une tâche qui était au mieux extrêmement optimiste et au pire suicidaire ? Eu égard à leur nombre, même un petit groupe d'insurgés sarrasins les auraient sûrement écrasés quelles qu'aient été la qualité de leur entraînement et celle de leur armement. Étonnamment, nous constatâmes que Foucher de Chartres, le chapelain de Baudouin II, faisait nulle mention de ces chevaliers dans ses vastes chroniques qui couvrent les neuf premières années de l'existence de l'Ordre officieux. La plus ancienne preuve certaine de l'existence des templiers date de 1121, lorsqu'un certain comte Foulques V d'Anjou logea avec les templiers et leur laissa ensuite une annuité de trente livre angevines.

Au vu des éléments disponibles, il apparaît clairement que, après sa fondation, le groupe de neuf chevaliers ne s'étendit pas numériquement, pendant un temps assez long. Hugues de Payns attendit en fait au moins neuf ans après leur installation sur le site du Temple d'Hérode pour se décider à se rendre en Occident. Il comptait faire quelques recrues de valeur qui viendraient grossir les rangs de l'Ordre pour lui donner une taille plus appropriée à l'accomplissement de la mission qu'ils s'étaient donnée.

Que cherchaient-ils ?

Instinctivement, nous sentions que quelque chose sonnait faux dans ce récit. Dans les faits, il n'existe aucune preuve que ces chevaliers fondateurs accordèrent jamais la moindre protection aux pèlerins. En revanche, nous allions bientôt découvrir qu'il existe une preuve décisive des vastes fouilles qu'ils accomplirent sous les ruines du Temple d'Hérode. Nous réalisâmes bientôt que nombre d'autres auteurs avaient émis des réserves quant à la mission officielle des templiers. Plus nous étudiions, plus nous rencontrions des théories sur les motivations réelles des templiers. Ainsi l'historien français Gaétan Delaforge commentait :

> La mission réelle des neuf chevaliers était d'entreprendre des recherches dans le secteur en vue de trouver certaines reliques et manuscrits qui contiennent l'essence des traditions secrètes du judaïsme et de l'Égypte ancienne, certaines remontant probablement à Moïse.[12]

Ce commentaire fut utilisé par le chercheur et auteur Graham Hancock pour affirmer que ces chevaliers n'étaient pas ce qu'ils semblaient être[13]. Selon lui, le site du Temple était le centre de leur intérêt et il existait des preuves de leurs fouilles majeures. Il cite le rapport officiel d'un archéologue israélien qui établit que ces neuf chevaliers fouillaient les ruines du Temple en quête de quelque chose :

> Le tunnel conduit vers l'intérieur sur une distance d'environ trente mètres depuis le mur sud avant d'être bloqué par des débris de pierre. Nous savions qu'il continuait au-delà, mais nous nous imposons une règle inflexible de ne pas fouiller dans les limites du Mont du Temple — qui est actuellement sous juridiction islamique — sans avoir d'abord obtenu la permission auprès des autorités musulmanes compétentes. Dans ce cas précis, ils nous permirent seulement de mesurer et de photographier la section visible du tunnel et de ne pas entreprendre de fouille de quelque ordre que ce soit. Finalement... nous avons scellé la sortie du tunnel avec des pierres.

Nous découvrîmes d'autres preuves établissant que les templiers avaient été impliqués dans des fouilles en quête de quelque chose sous les ruines du Temple d'Hérode dans les travaux du lieutenant Charles Wilson de la Royal Engineers. Celui-ci dirigea une expédition archéologique à Jérusalem au tournant du siècle[14]. En fouillant profondément sous le Temple, il exhuma de nombreux objets anciens qui peuvent être positivement identifiés comme templiers. Alors que nos recherches pour

---

12. G. DELAFORGE, *La Tradition templière dans l'Âge du Verseau.*
13. G. HANCOCK, *The Sign and the Seal.*
14. C. WILSON, *The excavation of Jerusalem.*

cet ouvrage étaient sur le point de s'achever, nous eûmes la chance de rencontrer Robert Brydon, un archiviste templier érudit basé en Écosse, qui a maintenant une bonne partie de ces objets sous sa garde.

Nous étudiions les origines des templiers afin d'essayer de confirmer une connexion directe entre leur Ordre et la franc-maçonnerie moderne. Après avoir pris connaissance des faits connus et lu les conceptions officielles et officieuses sur les premiers templiers, nous conclûmes qu'il était clair qu'ils avaient fouillé sous le Temple. Nous devions maintenant répondre à de nouvelles questions : que cherchaient-ils ? Et plus important encore, que trouvèrent-ils réellement ?

Des écrivains ont pensé qu'ils avaient pu chercher les trésors perdus du Temple, le Saint Graal ou l'arche d'Alliance elle-même[15]. Ces spéculations peuvent être exactes, mais ce qui nous intéressait vraiment, c'était ce qu'ils avaient réellement trouvé et non ce qu'ils avaient cherché originellement.

Pendant neuf ans, ces neuf chasseurs de « trésors » dévoués ont fouillé le site des grands Temples des juifs. Et pendant ce temps, ils n'ont ni cherché ni autorisé le moindre recrutement d'un nouveau chevalier dans leur Ordre. Ils vivaient uniquement de la charité de Baudouin.

Année après année, tout semble avoir raisonnablement bien avancé : pouce par pouce, ils creusaient leur tunnel dans la roche dure, progressant vers la base du Saint des Saints. Mais alors, quelque chose survint qui modifia leur plan originel. Pour nous, ce n'est apparemment pas une coïncidence si le voyage vers l'ouest de Hugues de Payns, en quête de premières recrues, intervint quelques mois à peine après la mort de leur bienfaiteur Baudouin, en octobre 1126. Étaient-ils arrivés à cours de vivres et d'argent avant l'aboutissement de leur tâche, ou avaient-ils attendu la mort de Baudouin pour ne pas avoir à partager un quelconque trésor découvert avec lui ?

La règle de l'Ordre

Il semble clair que le voyage d'Hugues de Payns fut accéléré par une peur réelle pour la pérennité de leur groupe. Une lettre, qu'il écrivit alors qu'il traversait l'Europe, traduit nettement son inquiétude de voir s'émousser les convictions de ses compagnons chevaliers à Jérusalem. Il évoquait la vocation originelle des chevaliers affaiblie par le diable et il

---

15. G. HANCOCK, *The Sign and the Seal.*

poursuivait en citant des passages de la Bible pour rassurer ses sept chevaliers demeurés dans la Cité sainte. Ils restaient à sept sur le mont du Temple, car Payns était parti avec André de Montbard, l'oncle du très jeune mais éminemment influent abbé de Clairvaux (le futur saint Bernard). Ce fut probablement cette parenté qui les emmena d'abord auprès de Bernard. Ce dernier fut manifestement impressionné par l'histoire qu'il entendit de la bouche de son oncle. Bernard soutint leur démarche en quête d'aide. Ses paroles laissent peu de doute sur l'opinion qu'il avait de ces chevaliers venant de Jérusalem : « Ils ne vont pas tête baissée dans la bataille, mais avec prudence et prévoyance, paisiblement, en vrais enfants d'Israël. Mais dès que le combat a commencé, ils se précipitent sans retard sur l'ennemi [...] et ne connaissent aucune peur [...] un seul a souvent mis en fuite mille, deux mille, dix mille [...] plus gentils que des agneaux et plus impitoyable que des lions ; ils ont la douceur des moines et la valeur des chevaliers. »

Le futur saint Bernard attira rapidement l'attention du pape Honorius II sur l'Ordre balbutiant. Le moine demanda qu'une « règle » fût accordée au petit groupe de chevaliers de Jérusalem qu'il avait adopté. Cette constitution propre leur donnerait des exigences de conduite et de pratique, et leur apporterait une légitimité et un statut précis au sein de l'Église. Celle-ci fut finalement octroyée le 31 janvier 1128 quand Hugues de Payns se présenta devant le Concile de Troyes spécialement réuni. Cette assemblée impressionnante était présidée par le cardinal d'Albano, le légat du pape et comprenait les archevêques de Reims et de Sens, pas moins de dix évêques et bon nombre d'abbés, y compris Bernard lui-même. La proposition fut approuvée et, tout en recevant leur règle, les templiers se virent accorder le droit de porter leurs propres manteaux, qui, à cette époque, étaient d'un blanc pur.

Pour le monde entier, ils étaient dorénavant vraiment des moines autant que des chevaliers.

Ce qui nous fascina à propos de la règle donnée aux templiers n'était pas tant ce qu'elle disait que ce qu'elle *ne* disait *pas*. Nulle part il n'était fait mention de pèlerins ou de leur protection. Étrange, nous sommes-nous dit ! Comment la seule raison apparente de la création de l'Ordre pouvait-elle avoir été si totalement occultée ! Nous fûmes alors convaincus que quelque chose de très mystérieux résidait au centre de la fondation de l'ordre templier.

Les neuf chevaliers originels étaient longtemps demeurés extrêmement réticents à l'idée d'accepter de nouvelles recrues. Mais maintenant ils étaient forcés de changer d'attitude par le manque d'argent, de main-d'œuvre et peut-être même d'ecclésiastiques en leur sein. Leur nouvelle règle imposait une période probatoire d'un an aux nouveaux membres et réclamait d'eux un vœu immédiat de pauvreté. Un nouveau « frère » cédait donc toute sa fortune personnelle à l'Ordre. Tout candidat devait être un enfant légitime, de noble naissance, libre de tout lien ou vœu et avoir un corps sain. Une fois admis, le frère ne possédait plus que son épée et rien d'autre. Il n'avait aucune identité en dehors de celle de son épée, qu'il dédiait au service de l'Ordre. Quand il mourait, sa tombe ne portait aucune inscription : seule une pierre rectangulaire, dans laquelle la forme de son épée était gravée, en marquait l'emplacement.

Dès l'octroi de leur règle, la situation des templiers ne fit que croître. Ils obtinrent le soutien de dizaines de propriétaires influents et les dons du monde chrétien commencèrent à affluer de toutes parts. Bernard avait convaincu le pape de leur valeur et soudain ils devenaient la cause à la mode. La richesse se mit à pleuvoir sur eux. Quand, deux ans après leur départ, Hugues de Payns et André de Montbard revinrent à Jérusalem, leur réussite était exceptionnelle. Ils étaient partis vers l'ouest avec rien et revenaient avec une règle papale, de l'argent, des objets précieux, de la richesse foncière et pas moins de trois cent recrues nobles pour suivre le commandement d'Hugues de Payns, devenu Grand Maître d'un ordre majeur.

Pour susciter un tel intérêt et un tel soutien, Hugues de Payns dut présenter quelque chose de très tangible. Notre curiosité avait, elle aussi, grandi : nous examinâmes plus avant tout ce qui était connu de ces moines-guerriers.

Les nouveaux membres de l'Ordre faisaient vœux de pauvreté, de chasteté et d'obéissance, mais il n'est jamais mentionné si cette règle s'appliqua ou non rétrospectivement aux fondateurs. Hugues de Payns demeura certainement marié à Catherine de Saint Clair (une Écossaise d'ascendance normande) et établit le premier préceptorat templier hors de Terre sainte sur la terre de sa belle-famille en Écosse. Ce fait apparaîtra plus tard comme de la plus grande importance. Les récipiendaires devaient se couper les cheveux mais n'avaient pas le droit de raser leurs barbes. C'est ainsi que naquit l'image du croisé templier avec sa longue barbe flottante. Le jeûne, l'habillement et tous les autres aspects de la vie quotidienne étaient contrôlés par la règle. Leur comportement sur le champ de bataille, en particulier, était strictement ordonné. Les templiers n'étaient pas autorisés à demander grâce ou à réclamer une rançon pour eux-mêmes, mais devaient combattre jusqu'à la mort. Ils n'étaient pas autorisés à se retirer du combat, sauf si leurs adversaires excédaient trois contre un. Si l'Histoire montre que finalement ils perdirent, les récits musulmans comme les récits chrétiens soulignent clairement que l'Ordre était à la fois craint et respecté pour son art de la guerre.

Nous découvrîmes fascinés que, dix ans environ après l'octroi de leur « règle latine » originelle, les templiers avaient déjà une si haute opinion d'eux-mêmes qu'ils se donnèrent unilatéralement une « règle française » pour remplacer l'ancienne. Ils voulaient que leur règle fût rédigée dans la langue naturelle des membres de l'Ordre. Le fait qu'ils se soient sentis assez sûrs d'eux-mêmes pour faire cette modification illustre le pouvoir et l'indépendance dont ils jouissaient déjà. Cette nouvelle règle contenait plusieurs changements significatifs, mais curieusement, elle ne faisait toujours pas mention de la protection des pèlerins. Elle supprima l'obligation d'une année probatoire pour les novices et transforma un point éminemment important qui changea instantanément la base légale de l'Ordre.

Dans la règle latine, une instruction se lit : « [...] en outre là où les chevaliers non excommuniés sont rassemblés vous devez aller ». Cependant, dans la règle française traduite et amendée, la même phrase devient : « [...] nous vous ordonnons d'aller là où les chevaliers excommuniés sont rassemblés. » Cela ne peut qu'impliquer qu'ils se trouvaient hors de la loi vaticane. Il est impossible qu'il s'agisse d'une simple erreur de traduction, car les clercs travaillaient dans leur propre langue, et non dans quelque langage peu familier. Et même si un scribe avait commis une erreur, tout le reste de l'Ordre l'eût signalée. Au regard de ce que nous savons maintenant des templiers – tant leur arrogance que leur déviance supposée par rapport à l'Église de Rome –, on peut parfaitement comprendre qu'ils osèrent écrire une telle chose. Mais nous ne pûmes trouver quoi que ce soit pour indiquer quel motif la justifia.

Finalement la chance des templiers devait tourner. Le pape et Philippe IV le Bel, roi de France se dressèrent contre l'Ordre errant. Ils le mirent à genoux en une seule journée terrible..., le vendredi 13 octobre 1307. Depuis cette date, le nombre treize est toujours resté synonyme de malchance et chaque vendredi 13 toutes les personnes superstitieuses se terrent chez elle en s'accrochant à leur patte de lapin porte-bonheur.

Le sceau de l'Ordre

Le premier sceau des templiers représentait deux chevaliers chevauchant sur un même cheval. On prétend généralement qu'il entendait symboliser la pauvreté à laquelle ses membres s'étaient solennellement voués, en ce sens que l'Ordre ne pouvait offrir une monture à chaque chevalier. Si tel était le cas, cette circonstance eût fait d'eux une force combattante très inefficace. Cependant la règle française établit que le Maître « doit avoir quatre chevaux, et un frère chapelain et un clerc avec trois chevaux, et un frère sergent avec deux chevaux, et un écuyer noble pour porter son bouclier et sa lance, avec un cheval... » Il n'y avait manifestement pas pénurie de montures.

Il nous apparut alors que ce sceau pouvait représenter les deux degrés de chevaliers au sein de l'Ordre : d'abord, ceux qui étaient les plus avancés et autorisés à partager le secret templier, et ensuite ceux « en retrait », « à l'arrière » qui ne les partageaient pas. Cette interprétation du sceau est, naturellement, une pure spéculation, mais il semble certain qu'ils détenaient un secret. Or une fois que les templiers eurent abandonné leur période probatoire de douze mois, il leur fallut quelque méthode pour se protéger des nouveaux venus n'ayant pas fait leurs preuves et potentiellement indignes de confiance.

Organisation de l'Ordre

L'Ordre ne consistait pas seulement en chevaliers. Il existait encore deux classes inférieures à côté des frères de plein droit. La première était celle des sergents. Ils étaient recrutés dans ce qui serait aujourd'hui décrit comme la classe laborieuse, plutôt que dans la noblesse qui était le vivier des chevaliers. Ils occupaient des postes de palefreniers, d'intendants, de sentinelles et de troupes de soutien en général. Comme leurs supérieurs, ils portaient une croix rouge, mais leur manteau lui-même était marron foncé et non blanc, car il reflétait leur défaut de pureté par rapport aux chevaliers de l'Ordre. L'autre groupe comprenait les ecclésiastiques veillant aux besoins spirituels des chevaliers. Seuls membres lettrés de l'Ordre et prêtres, ils prenaient soin de tout consigner et étaient chargés des communications. Ils utilisaient parfois des codes très complexes pour leurs écrits. Le français était la langue vernaculaire et administrative des templiers, mais ces prêtres polyvalents et prompts à s'adapter pouvaient dire la messe en latin, marchander avec quelque commerçant local en arabe et être pratiquement capable de lire l'Ancien Testament en hébreu et le Nouveau Testament en grec. Ils servaient les besoins spirituels des combattants et se distinguaient par le port de la croix templière sur un manteau vert.

Ces clercs consacraient le pain et le vin lors de l'eucharistie comme un prêtre moderne. Ils prenaient, dit-on, leur charge si sérieusement que l'on raconte qu'ils portaient des gants blancs en permanence sauf quand ils tenaient l'hostie pendant l'office. Comme le pain était le corps du

Christ, il était important de ne pas le souiller avec la saleté des activités profanes quotidiennes et les gants blancs permettaient de garder leurs mains propres pour l'instant où ils tenaient le corps du Christ. Ce port de gants blancs était pour nous un parallèle évident avec la franc-maçonnerie moderne, qui en porte toujours dans les cérémonies de loge. On n'a jamais donné les raisons de cette pratique. Nous nous demandâmes si ces gants blancs pouvaient être une trace de la connexion templière ?

Une autre pratique maçonnique courante trouve un écho distant dans l'utilisation templière de la peau de mouton. C'était la seule forme de décoration qui leur était autorisée. La règle les obligeait à porter des culottes serrées en cuir de mouton sous leurs vêtements extérieurs comme symbole d'innocence et de chasteté. En notre époque où l'hygiène individuelle est poussée, cette idée peut paraître effrayante, car ces chevaliers consciencieux n'enlevaient même pas ces culottes pour se laver. Au bout de quelques jours – sans parler des décennies que beaucoup d'entre eux passèrent sous le soleil du désert –, leur chasteté devait être totalement garantie ! Si aujourd'hui les maçons ne portent pas de culottes, ils revêtent des tabliers blancs en peau d'agneau dans les tenues de loge. On dit qu'elles sont le symbole de l'innocence et l'emblème de l'amitié.

Une similarité supplémentaire nous frappa car elle désignait une autre connexion templière possible. Nous constatâmes que le Baucéant, l'étendard de combat des templiers, consistait en deux blocs verticaux, un noir et un blanc – le noir symbolisant le monde du péché que les chevaliers avaient quitté pour entrer dans l'Ordre, et le blanc reflétant le déplacement des ténèbres vers la lumière. Au centre des loges maçonniques modernes se trouve toujours un motif de carrés noirs et blancs et lors d'une tenue de loge, chaque Frère porte une chemise blanche avec un costume et une cravate noire. S'il n'en est pas ainsi, le Frère, non correctement vêtu, ne sera pas admis. Encore une fois, personne n'a jamais expliqué pourquoi les francs-maçons doivent porter de la peau d'agneau et du noir et blanc pour être considéré correctement revêtus. La seule raison avancée est que « nos anciens Frères s'habillaient toujours ainsi ».

Même s'il existe ici un certain nombre de parallèles, nous ne voulions pas faire trop grand cas de toutes ces ressemblances : nous voulions nous assurer de ne pas voir ce que nous désirions voir. Ces grandes coïncidences n'étaient que des éléments de preuves circonstancielles, mais elles alimentèrent l'enthousiasme qui nous incita à explorer plus avant la connexion entre les deux Ordres. Nous étions maintenant confrontés à une question brûlante : qu'avait découvert les chevaliers templiers pour avoir tant influencé leur développement ?

CONCLUSION

Nous savions dorénavant que les templiers avaient assidûment fouillé les ruines du Temple d'Hérode et que la chute de l'Ordre faisait suite à une accusation d'hérésie. Si les templiers soutenaient des croyances hérétiques et exécutaient des rituels étranges, il semblait tout à fait possible que l'origine de ces derniers se soit trouvée dans un ou plusieurs documents découverts par eux. Et si ces chevaliers du XIIe siècle avaient trouvé quelques textes anciens, ils se seraient trouvés dans une position presque unique à cette époque pour les interpréter et les apprécier. Tandis que l'on pense généralement que les chevaliers eux-mêmes étaient illettrés, leurs clercs ecclésiastiques étaient capables de lire et d'écrire dans de nombreuses langues, et ils étaient célèbres pour leurs aptitudes à créer des codes et à en déchiffrer. Nous poursuivîmes dans cette direction car elle nous paraissait la meilleure hypothèse. Mais nous étions alors inconscients que la preuve de la découverte templière se trouvait presque sous notre nez dans le rituel d'un degré maçonnique qu'aucun de nous deux n'avait atteint à cette époque.

CHAPITRE IV

LA CONNEXION GNOSTIQUE

Les premiers censeurs chrétiens

Le XXe siècle a permis d'exhumer quantité de manuscrits perdus. Les découvertes les plus importantes sont ce que l'on a appelé les « manuscrits de la mer Morte » et les nombreux « Évangiles gnostiques ». Les premiers ont été trouvés dans le désert, à Qoumrân (à trente-cinq kilomètres environ à l'est de Jérusalem) dans une série de grottes. Les seconds ont été découverts à Nag Hammadi en Haute Égypte en 1947.

On peut raisonnablement supposer qu'il reste encore bien des documents à découvrir et qu'un bon nombre d'autres ont été exhumés par le passé sans qu'on le sache. Les découvertes passées peuvent donc être rangés sous trois rubriques : 1. celles qui sont connues et recensées ; 2. celles qui ont été détruites ou perdues ; et 3. celles qui ont été trouvées mais ont été tenues secrètes. Nous imaginions que les templiers avaient peut-être trouvé une série d'écrits semblables à ceux que l'on a récemment retrouvés et qu'ils les avaient dissimulés au regard du monde.

La franc-maçonnerie moderne a souvent été décrite comme « gnostique » sous de nombreux rapports. C'est pourquoi nous avons décidé que notre meilleur point de départ serait une étude de la bibliothèque de Nag Hammadi pour voir si nous pouvions découvrir des indices de ce que les templiers pouvaient avoir trouvé.

Les Évangiles gnostiques

Le terme « gnostique » est utilisé aujourd'hui comme nom collectif pour toute une série de travaux hérétiques qui touchèrent la véritable Église pendant un certain temps dans un lointain passé et qui finirent par être mis hors la loi parce qu'ils étaient considérés comme des aberrations importées d'autres religions. Mais cette qualification « gnostique » est très inexacte et n'identifie pas une école de pensée unique. Les écrits présentés comme du « gnosticisme chrétien » vont des textes ayant des influences indiennes, perses ou autres aux textes centrés autour de concepts juifs plus traditionnels. Certains de ces travaux sont étranges à l'extrême. On y trouve, par exemple, des histoires comme celle de l'enfant Jésus assassinant d'autres enfants dans un accès de colère, avant de ramener certaines de ses victimes à la vie. D'autres sont des messages philosophiques clairs et simples attribués à Jésus.

Le mot « gnose » lui-même vient du grec *gnosis*, signifiant « connaissance » ou « compréhension », non pas dans un sens scientifique, mais dans une interprétation plus spiritualiste (à la manière des bouddhistes, qui peuvent trouver l'illumination par l'auto-contemplation et par une communion d'idées avec le monde les entourant). La conscience de soi, la connaissance de la nature et des sciences naturelles sont des chemins vers Dieu pour les gnostiques. La plupart des chrétiens gnostiques voyaient Jésus Christ, non comme un dieu, mais comme l'homme qui éclaira ce chemin (Gautama Bouddha et Mahomet sont perçus de la même manière par leurs fidèles respectifs).

Les Évangiles gnostiques sont au moins aussi anciens que les évangiles du Nouveau Testament, mais ces œuvres non canoniques – apocryphes – ne furent découvertes par un large public non universitaire qu'après la publication de la traduction de cinquante-deux rouleaux de papyrus écrits en écriture copte, exhumés en décembre 1947 près de la ville de Nag Hammadi en Haute-Égypte. Si ces documents particuliers datent de 350-400 de notre ère, la plupart sont des copies de travaux plus anciens de quelque trois cents ans. Ils furent trouvés par un enfant arabe appelé Muhammad Ali al-Samman et ses frères dans une urne en argile rouge scellée, d'environ trois pieds de haut, qui avait été enterrée dans un sol meuble près d'un rocher massif. Les frères avaient fracassé l'urne dans l'espoir d'y découvrir un trésor. Mais ils furent déçus de ne trouver dedans que treize livres de papyrus liés par des bandes de cuir. Ils rapportèrent les documents chez eux et, comme ils étaient bien secs, ils pensèrent qu'ils feraient un excellent combustible pour allumer le four familial. Heureusement le jeune Muhammad Ali devait être soumis à une enquête de police, aussi, craignant d'être accusé d'avoir volé les textes, il demanda au prêtre local, Al-Qummus Basiliyus Abd al-Masih, de lui cacher les livres. Naturellement, le prêtre vit immédiatement la valeur possible des documents et les envoya au Caire pour être évalués. Là ils passèrent entre les mains de bon nombre de personnes et d'érudits, jusqu'à ce qu'une partie de *l'Évangile de Thomas* atterrisse entre les mains du professeur Quispel de la Fondation Jung de Zürich. Cette partie d'évangile était beaucoup plus ancienne que toutes celles qu'il avait vues antérieurement. Stupéfait par ce qu'il avait sous les yeux, il chercha et retrouva rapidement la trace de tout le trésor, qui entre-temps avait logiquement trouvé le chemin du musée copte du Caire.

Dès qu'il eut l'opportunité d'étudier toute la documentation, le professeur Quispel constata qu'il s'agissait de nombreux textes inconnus auparavant. Ils avaient été enterrés presque 1600 ans plus tôt en une période critique de la formation de l'Église catholique romaine. À l'époque, les travaux redécouverts avaient été supprimés par les ecclésiastiques chrétiens, qui les considéraient hérétiques. S'ils n'avaient pas été jugés tels, la Chrétienté se serait développée dans une direction très différente et la forme orthodoxe de la religion que nous connaissons aujourd'hui n'aurait peut-être jamais existé. La survie de la structure organisationnelle et théologique de l'Église catholique romaine a toujours été dépendante de l'éradication des idées contenues dans ces livres.

La résurrection gnostique

On trouve des différences majeures entre les deux traditions chrétiennes primitives relatives à la « réalité » de la résurrection de Jésus.[16] Dans l'œuvre gnostique, *Traité sur la résurrection*, l'existence humaine ordinaire est décrite comme une mort spirituelle alors que la résurrection serait le moment d'illumination où serait révélé ce qui existe vraiment. Quiconque comprend cela, devient « spirituellement vivant » et peut être immédiatement ressuscité d'entre les morts. On retrouve la même idée dans *l'Évangile de Philippe,* qui se moque des « chrétiens ignorants qui prennent la résurrection au sens littéral » :

> *Ceux qui disent qu'ils vont d'abord mourir et ensuite ressusciter sont dans l'erreur ; ils doivent recevoir la résurrection de leur vivant.*

Cette description d'une résurrection du vivant de l'individu nous rappela l'objet de la cérémonie du troisième degré maçonnique. Elle nous encouragea à chercher plus avant la cause de cette querelle sur la vérité relative à la résurrection du corps de Jésus.

Croire littéralement en la résurrection du corps de Jésus qui, par la

---

16. Elaine PAGELS, *The Gnostic Gospels.*

suite, s'éleva dans les cieux entraîne des conséquences majeures. Tout le dogme de l'Église catholique romaine découle de l'expérience de la résurrection de Jésus par les douze apôtres élus. Aucun autre après eux ne put vivre cette même expérience, dès lors que Jésus était remonté au ciel. Cette expérience limitée et indéniable eut d'énormes implications pour la structure politique de l'Église primitive.

Elle réduisit la direction du groupe à un petit cercle de personnes qui détenaient une position d'autorité incontestable et conférait à ce dernier le droit d'ordonner les futurs chefs se présentant comme leurs successeurs. Cette conception induisit une forme de transmission de l'autorité religieuse qui a survécu jusqu'à ce jour : les apôtres seuls détenant l'autorité religieuse ultime, leurs seuls héritiers légitimes sont les prêtres et évêques, qui font remonter leur ordination à cette même succession apostolique. Même aujourd'hui, l'autorité du pape découle de Pierre, premier des apôtres, dès lors qu'il fut témoin de la Résurrection[17]. En ce sens, c'était tout l'intérêt des dirigeants de l'Église primitive d'accepter la résurrection comme une vérité littérale parce qu'elle leur fournissait une source incontestée d'autorité. Dès lors que personne après les apôtres ne pouvait avoir accès au Christ vivant et ressuscité avant son Ascension, chaque croyant était tenu de respecter l'autorité de l'Église de Rome, fondée par les apôtres et, ses évêques, leurs héritiers.

L'Église gnostique appela cette conception littérale de la résurrection « la foi des fous ». Elle considérait que ceux qui disaient leur maître mort physiquement revenu à la vie confondaient une vérité spirituelle avec un événement réel. Les gnostiques citaient la tradition secrète de l'enseignement de Jésus tel qu'il est conservé dans son discours à ses disciples dans l'Évangile de saint Matthieu (13, 11) :

> *Il vous a été donné de connaître les mystère du Royaume des Cieux, mais à eux cela ne leur a pas été donné.*

Les gnostiques reconnaissaient que leur théorie de la connaissance secrète – à acquérir par ses propres efforts – avait aussi des implications politiques. Elle suggère que quiconque « voit le Seigneur » par une vision intérieure peut prétendre que sa propre autorité équivaut ou dépasse celle des apôtres et leurs successeurs.

17. Si Pierre est le premier dans la succession apostolique et si l'autorité papale découle de ce fait, c'est surtout en raison du mandat que Jésus lui aurait confié (selon Matthieu 16, 18, « Tu es Pierre et sur cette pierre je bâtirai mon Église) et non parce qu'il fut l'un des témoins de la Résurrection. » (N.d.T.)

Nous découvrîmes qu'Irénée, connu comme le père de la théologie catholique et le plus important théologien du second siècle de notre ère, vit les dangers que cette conception représentait pour l'autorité de l'Église :

> *Ils se considèrent si matures que personne ne peut se comparer à eux dans la grandeur de leur gnose, pas même Pierre ou Paul ou n'importe lequel des autres apôtres... Ils imaginent qu'ils ont eux-mêmes découvert plus de choses que les apôtres et que ces derniers prêchaient encore un Évangile influencé par les idées juives, alors qu'ils sont eux-mêmes plus sages et plus intelligents que les apôtres.*

Ceux qui se considèrent plus sages que les apôtres se considèrent aussi plus sages que les prêtres, car ce que disent les gnostiques des apôtres – et en particulier des Douze premiers – traduit leur attitude envers les prêtres et les évêques qui prétendent se trouver dans une ligne de succession apostolique orthodoxe. En outre, de nombreux enseignants gnostiques prétendaient avoir également accès à leurs propres sources secrètes de tradition apostolique, rivalisant directement avec celle couramment acceptée dans les églises. Dans l'*Apocalypse de Pierre* – gnostique –, la prétention de l'Église orthodoxe à l'autorité religieuse est sapée par un récit du Christ ressuscité expliquant à Pierre que :

> *Ceux qui se donnent le nom d'évêque et de diacre et agissent comme s'ils avaient reçu leur autorité de Dieu sont en réalité des rivières à sec. Ils ne comprennent pas le mystère, et pourtant ils se vantent d'être les seuls détenteurs du mystère de la vérité. Ils ont mal interprété l'enseignement apostolique et ont fondé une imitation d'église à la place de la vraie fraternité chrétienne.*

Ce point a été repris et développé par les érudits qui ont traduit les Évangiles gnostiques. Nous étions tous les deux frappés par l'importance politique de ce concept de résurrection d'un « vivant » quand, un après-midi, à la bibliothèque de l'université de Sheffield, nous trouvâmes ce commentaire de la spécialiste respectée du gnosticisme, Elaine Pagels :

> *Reconnaître les implications politiques de la doctrine de la résurrection ne prend pas en compte son impact extraordinaire sur les expériences religieuses des chrétiens[...] mais en termes d'ordre social [...] l'enseignement orthodoxe sur la résurrection eut un effet différent. Il légitima une hiérarchie de personnes au travers de l'autorité desquelles,*

toutes les autres devaient approcher Dieu. L'enseignement gnostique détruisait cet ordre. Il prétendait offrir à tout initié un moyen d'accès direct à Dieu, dont les prêtres et les évêques eux-mêmes n'avaient peut-être pas connaissance.[18]

Nous savions maintenant que l'interprétation de la résurrection avait été une formidable source de controverses dans l'Église chrétienne primitive et qu'il y avait eu une tradition secrète concernant les résurrections spirituelles « vivantes » reliées à un groupe de chrétiens étiquetés gnostiques et dénoncés comme hérétiques pour des raisons politiques, parce que leur soif individuelle de connaissance sapait l'autorité des évêques de l'Église orthodoxe.

La résurrection figurait aussi de manière très marquée dans le rituel du troisième degré maçonnique, mais là c'était surtout une histoire de résurrection « vivante » confondue avec le récit d'un meurtre illégitime, et la redécouverte et la réinhumation d'un corps mort. Nous avions trouvé des références à la résurrection de « vivants » dans les Évangiles gnostiques. Mais nous avions dorénavant besoin d'informations supplémentaires pour essayer de découvrir, une fois encore, ce que les templiers pouvaient bien avoir découvert. Ainsi, pour aller plus loin, nous lûmes des traductions des découvertes de Nag Hammadi.

Les livres liés à Thomas en particulier nous fournirent un indice supplémentaire. Dans l'*Évangile de Thomas*, nous trouvâmes une phrase qui correspond directement aux bases du rituel de *Mark Mason* dans la maçonnerie de Marque [*Mark Masonry*] :

> *Jésus dit : « Montre-moi la pierre que les bâtisseurs ont rejeté. Celle-là est la pierre d'angle. »*

Nous étions conscients que des passages semblables figurent dans le Nouveau Testament :

> *Jésus leur dit : « N'avez-vous jamais lu dans les Écritures : La pierre qu'avaient rejetée les bâtisseurs, c'est elle qui est devenue la pierre de faîte ; c'est là l'œuvre du Seigneur, et elle est admirable à nos yeux ? »* (Matthieu, 21, 42).
> *Et n'avez-vous pas lu cette Écriture : « La pierre qu'avaient rejetée les bâtisseurs, c'est elle qui est devenue pierre de faîte. »* (Marc, 12, 10)
> *Et fixant sur eux son regard, il dit : « Que signifie donc ce qui est*

---

18. Elaine PAGELS, *The Gnostic Gospels.*

*écrit : La pierre qu'avaient rejetée les bâtisseurs, c'est elle qui est deve-
nue pierre de faîte ?* » (Luc, 20, 17)

Ces citations tirées des Évangiles synoptiques (Matthieu, Marc et
Luc) parlent toutes de Jésus expliquant l'importance d'une pierre d'angle
rejetée d'après l'enseignement des Écritures. Mais ce n'est que dans
l'*Évangile de Thomas* qu'il demande qu'on lui montre la pierre rejetée par
les bâtisseurs – ce qui est un parallèle exact avec le rituel de la maçonnerie de Marque. Cela semblait indiquer une connexion entre la franc-
maçonnerie et le gnosticisme.

En outre, dans un autre ouvrage, les *Actes de Thomas*, nous trouvâmes
l'histoire de cet apôtre construisant un beau palais dans les cieux grâce à
de bons travaux sur Terre. Cette histoire est un résumé d'une partie du
rituel de premier degré maçonnique, prononcée dans l'angle nord-est[19].

Si ces points étaient intéressants en soi, ils ne semblaient pas suffisamment expliquer le comportement des chevaliers templiers, alors que
nous avions examiné ces textes dans ce but. À ce stade, même si nous
avions noté des ébauches de connexions entre le christianisme gnostique
et la franc-maçonnerie moderne, rien de réellement concret n'avait
émergé. Nous avions découvert quelques concepts centraux qui avaient
permis d'établir des parallèles avec les principes de la franc-maçonnerie
(particulièrement l'idée selon laquelle les gens devaient « ressusciter » de
leur vivant), mais à ce stade nous décidâmes que nous avions besoin d'approfondir la formation de l'Église chrétienne primitive si nous voulions
deviner ce qu'avaient découvert les templiers.

CONCLUSION

Nous avions imaginé que les templiers avaient pu trouver des écrits
dans une cachette et que ces textes avaient transformé leur vue du
monde. En tâchant de découvrir ce qu'ils avaient exhumé, nous nous
penchâmes sur un ensemble d'écrits du christianisme primitif connus
sous le nom d'Évangiles gnostiques. Nous conclûmes que le concept
de gnose [Connaissance] est l'opposé du concept de « foi » de l'Église et
que c'est un type de processus mental qui s'accorde parfaitement avec la
franc-maçonnerie.

Nous sommes parvenus à la conclusion qu'une bonne partie de la
doctrine adoptée par l'Église primitive était fondée sur un opportunisme

19. Rite Émulation – le rite plus courant en Grande-Bretagne (N.d.T.).

politique autant que sur une conception religieuse. Dans les découvertes de Nag Hammadi, cachées entre 350 et 400 de notre ère, et redécouvertes en Égypte, nous trouvâmes une interprétation assez différente de la réalité sous-tendant la résurrection de Jésus. On trouvait là une tradition chrétienne gnostique d'une résurrection « vivante » qui nous rappelait fortement la cérémonie de troisième degré maçonnique.

La croyance littérale en la résurrection du corps de Jésus, qui plus tard monta au ciel, fut un élément essentiel pour l'autorité de l'Église catholique romaine. Cette autorité découle de l'expérience prétendue de la résurrection de Jésus par les douze apôtres élus. Après l'Ascension de Jésus, plus personne n'eut la possibilité de faire cette expérience. Donc intangible et réservée à un petit cercle d'élus, elle fut la source du pouvoir de l'évêque de Rome dans la structure politique de l'Église terrestre, et elle conférait une autorité incontestable s'imposant à tous ceux qui avaient la foi.

Nous lûmes les écrits gnostiques qui appelaient cette conception littérale de la résurrection « la foi des fous ». Ils affirmaient que quiconque prétend qu'un maître mort était physiquement revenu à la vie confondait une vérité spirituelle avec un événement réel et que ceux qui disaient cela étaient des « rivières à sec ». Pour soutenir cette conception, on se référait à une tradition secrète de l'enseignement de Jésus dans l'Évangile de Matthieu. Irénée, un théologien du IIe siècle, avait montré les dangers de cette idée d'une résurrection vivante pour le pouvoir des prêtres. À partir de notre étude des textes de Nag Hammadi, nous découvrîmes que l'interprétation de la résurrection avait provoqué une immense controverse au sein de l'Église chrétienne primitive et qu'un groupe de chrétiens qualifiés de « gnostiques » possédait une tradition secrète concernant des résurrections spirituelles de « vivants » associées à Jésus. Nous conclûmes que les Gnostiques avaient été dénoncés comme hérétiques pour des raisons politiques. En outre, leur soif d'acquérir la connaissance sapa l'autorité des évêques de l'Église orthodoxe.

D'autres lectures des Évangiles gnostiques nous renvoyèrent de forts échos du rituel maçonnique, que nous connaissions bien. Encouragés par ces découvertes, nous décidâmes d'approfondir notre connaissance de l'Église chrétienne primitive avec un esprit ouvert. Nous commençâmes par considérer le caractère unique des affirmations de Jésus lui-même.

CHAPITRE V

JÉSUS CHRIST : HOMME, DIEU, MYTHE
OU FRANC-MAÇON ?

Un enfantement virginal parmi d'autres

L'Église nous donne une version des événements relatifs à l'homme que nous appelons Jésus Christ. Mais si celle-ci n'était pas historiquement vraie, nous pouvions nous attendre à trouver une majorité d'écrits de l'époque contredisant cette histoire « officielle ». Nous découvrîmes rapidement que tel était bien le cas. Les écrits de Nag Hammadi et les manuscrits de la mer Morte, notamment, jettent une lumière très différente sur l'interprétation des faits fournie par le Nouveau Testament.

Pour l'Église, l'une des premières difficultés fondamentales réside dans le fait que le mythe chrétien central est antérieur à Jésus Christ. Les grandes lignes de l'histoire du Christ sont aussi anciennes que l'homme, de son enfantement par une vierge dans un cadre humble jusqu'à sa mort sacrificielle pour sauver son peuple. Génération après génération, les mêmes choses ont été écrites sur les figures religieuses majeures de nombreuses cultures. Ils ne s'agit pas ici de ressemblance, mais d'une totale « interchangeabilité ». L'histoire de Mithra – un autre culte populaire dans l'Empire romain – était si proche de celle de Jésus, que les Pères de l'Église l'identifièrent comme l'œuvre du Démon désirant délibérément parodier l'histoire du Christ. Et le fait que le culte de Mithra existait bien avant la naissance du messie chrétien ne déconcerta pas ces individus pleins de ressources : ils affirmèrent simplement que le Démon était un vieux renard rusé qui avait remonté le temps pour y insérer un « homme » susceptible de discréditer l'originalité « évidente » de l'histoire du Christ. Voici quelques-unes seulement des anciennes figures considérées comme des dieux et toutes antérieures au Christ :

Gautama Bouddha : né d'une vierge, Maya, vers 600 avant notre ère.

Dionysos : dieu grec, né d'une vierge dans une étable, qui transforma l'eau en vin.

Quirinus : un sauveur romain primitif, né d'une vierge.

Attis : né d'une vierge, Nama, en Phrygie vers 200 avant notre ère.

Indra : né d'une vierge au Tibet vers 700 avant notre ère.

Adonis : dieu babylonien, né d'une vierge, Istar [ou Ishtar].

Krishna : divinité hindoue, né d'une vierge, Devaki, vers 1200 avant notre ère.

Zoroastre : né d'une vierge vers 1500-1200 avant notre ère.

Mithra : né d'une vierge dans une étable le 25 décembre vers 600 avant notre ère. Sa résurrection était célébrée à Pâques.

Il semble qu'au cours des siècles nombre de jeunes filles innocentes aient donné naissance aux enfants des dieux !

Le culte de Mithra est particulièrement embarrassant pour les chrétiens qui ne souscrivent pas à la théorie du voyage de Satan dans le temps. Le mithraisme est une ramification syrienne d'un culte perse plus ancien, celui de Zoroastre. Celui-ci fut introduit dans le monde romain vers 67 avant notre ère. Sa doctrine incluait le baptême, un repas sacramentel, une croyance en l'immortalité, un dieu sauveur qui mourait et ressuscitait pour servir de médiateur entre l'homme et Dieu, une résurrection, un jugement dernier, enfin un paradis et un enfer. Il est intéressant de noter que des bougies, de l'encens et des cloches sont utilisées dans ses cérémonies. Ses fidèles reconnaissaient la divinité de l'empereur et étaient tolérants vis-à-vis des autres cultes coexistant, mais ils furent finalement absorbés par les chrétiens, beaucoup moins tolérants. Comme nous le montrerons ultérieurement, la véritable secte de Jésus, l'Église de Jérusalem, ne possédait pas la plupart de ces atours païens. Et, pour l'essentiel, ceux-ci furent des ajouts romains ultérieurs destinés à créer une théologie hybride propre à répondre aux besoins du plus grand nombre possible de citoyens. Si les plébéiens avaient eu leurs cultes, les citoyens romains finirent par se demander pourquoi il ne pourrait y en avoir un qui soit contrôlé par l'État ?

Ainsi, un tout petit tour du destin, quelques années plus tard à Rome, aurait suffi pour que beaucoup de familles sympathiques se rendent aujourd'hui à la messe le dimanche avec des autocollants « Mithra vous aime » sur la vitre arrière de leur voiture.

Un autre problème essentiel concerne le vrai nom du Christ. La plupart des gens sont conscients que l'expression « Jésus Christ » est un titre grec ultérieur, mais souvent ils ne cherchent pas à savoir quel était le nom réel de ce dieu-homme. Son nom de naissance n'est pas connu avec certitude. Mais il est possible qu'il fût connu de son vivant sous le nom de Yehoshua [Ieschoua ou Joshua], signifiant « Yahvé sauve » (équivalant en termes modernes à quelque chose comme « celui qui amène la victoire »). Sous une forme moderne, nous pourrions le restituer en Josué ; le même nom que celui de l'homme qui, dans l'Ancien Testament, donna la victoire à son peuple à la bataille de Jéricho quand les murs de la ville furent, dit-on, abattus par les sonneries de trompette. Le nom Jésus est simplement une restitution grecque du nom hébreu Yehoshua, mais l'adjonction du titre « Christ » est beaucoup plus troublante. C'est une traduction grecque du titre juif de « messie » [*messiah,* ou *mâshîah,* en translittération] auquel on a donné le sens de « sauveur par la rédemption des péchés », en dépit du fait que le terme hébreu/araméen signifiait simplement « celui qui deviendra le roi légitime des Juifs ». La tradition juive dit que les rois d'Israël étaient aussi associés aux messies. Pour eux, le mot signifiait un futur roi ou un roi en attente. Ces mots avaient des significations directes et pratiques : nous pouvons être certains que le concept juif de messie avec son royaume à venir n'avait pas de connotations surnaturelles[20].

De manière étonnante, le terme « messie » n'apparaît que deux fois dans la version officielle de l'Ancien Testament, et il est totalement absent du Nouveau Testament[21]. Néanmoins, à l'époque de Jésus, c'était un concept populaire chez les juifs. Ils regardaient l'avenir dans l'attente d'une époque où ils pourraient de nouveau se gouverner eux-mêmes, au lieu d'être sous le contrôle d'occupants (qu'ils appelaient *Kittim*) comme les Syriens, les Babyloniens, ou, plus particulièrement à cette époque, les Romains. Pour ces nationalistes juifs des premiers siècles avant et après notre ère, dès qu'une personne légitime prenait le trône d'Israël, il devenait roi et le titre « provisoire » de « messie » – c'est-à-dire de *futur* roi – ne s'appliquait plus.

Le fait que le mot « messie » ne soit pas du tout utilisé dans le Nouveau Testament ne peut s'expliquer que d'une seule manière : les traducteurs ont utilisé le mot grec « Christ » [*Christos*] partout où le mot hébreu « messie » apparaissait dans les textes antérieurs. Au cours du temps, la désignation « Christ » est devenu spécifiquement synonyme de Jésus Christ, et non de n'importe quel autre messie, ou Christ. Pourtant le terme fut loin d'être unique et ne fut jamais réservé à un seul individu.

---

20. S. MOWINCKEL, *He that Cometh.*
21. En parlant de « version officielle » [*Authorized Version*], les auteurs font ici référence à la Bible du roi James et aux versions « officielles » protestantes britanniques qui lui ont succédé. Le lecteur français ouvrant une Bible rencontrera plus souvent le terme messie (soixante-deux fois dans la Bible œcuménique : trente-trois fois dans l'Ancien Testament et vingt-neuf fois dans le Nouveau Testament). (N.d.T.)

Pour les Gentils [les non juifs] qui ultérieurement s'emparèrent des croyances tribales juives, l'usage hébreu du mot « messie » était beaucoup trop passif, étranger et enraciné dans le monde politique juif. Par conséquent dans la traduction grecque, le mot prit une autre connotation : celle des cultes à mystères helléniques associée au pouvoir surnaturel de sauver les âmes et de racheter le monde entier. Norman Cohen décrivait succinctement la situation quand il disait du messie juif :

> *Il sera, tout au plus, un grand chef militaire et un sage et juste dirigeant, guidé par Yahvé et mandaté par lui pour gouverner son peuple en Judée. L'idée d'un sauveur transcendant à forme humaine, si importante dans le zoroastrisme et si centrale dans le christianisme, est totalement inconnue de la Bible hébraïque.*[22]

Le fait que les chrétiens prétendent que la source de leurs croyances provient de l'Ancien Testament doit être très irritant pour les érudits juifs modernes. Car ils peuvent voir que leur héritage a été utilisé pour appuyer un culte à mystères romain, largement d'origine perse. Ce « pillage » des vingt-deux textes juifs qui constituaient le cœur de l'Ancien Testament fut largement répandu dès le début du IIᵉ siècle, quand les chrétiens cherchaient des références pour soutenir les croyances de leur culte balbutiant.

Les membres de l'Église primitive se considéraient comme juifs et jusqu'à la fin du premier siècle de notre ère tout le monde voyait les chrétiens comme une secte juive. Cependant, au début du IIᵉ siècle, la grande majorité des chrétiens étaient des Gentils convertis venant des quatre coins de l'Empire romain et qui ne se considéraient plus du tout comme juifs. Ces pillards culturels n'accordaient pas ou peu d'attention au contexte des textes et à leur interprétation officielle. En outre, ils se sentaient libres de citer à volonté les textes juifs qui n'étaient pas reconnus comme des Écritures par leurs propriétaires.

L'Ancien Testament avait été traduit en grec au IIIᵉ siècle avant notre ère. On le connaissait sous le nom de *Septante*[23] (généralement désignée par le sigle « LXX »). Les chrétiens insérèrent de nouveaux passages et

---

22. Norman COHEN, *Cosmos, Chaos and the World to come.*
23. « Soixante-dix ». Parce que la légende voulait que *soixante-dix* savants (ou plus précisément, soixante-douze, soit sept fois douze, le nombre des tribus d'Israël) soient venus de Jérusalem à Alexandrie et aient travaillé indépendamment pour produire des traductions identiques. En réalité, ces traductions s'échelonnèrent sur plus d'un siècle. (N.d.T.)

même des livres entiers. Ils eurent l'audace d'accuser les juifs d'avoir détruit ces parties dans leurs propres Écritures ! Cette croyance s'enracina dans la pensée chrétienne et elle eut pour conséquence de nombreux actes de vandalisme ultérieurs : par exemple, en 1242 à Paris, vingt-quatre charretées de Saintes Écritures juives furent extraites des synagogues avant d'être brûlées et, vingt ans plus tard, le roi Jaime Ier d'Aragon ordonna que tous les livres juifs fussent détruits.

Certains érudits chrétiens primitifs croyaient que l'Ancien Testament était étranger à leur nouvelle religion, mais la majorité le lisait avec beaucoup d'imagination pour trouver entre les lignes des références « manifestes » à leur Sauveur. Les vingt-deux livres des Écritures furent opportunément élargis pour créer un Ancien Testament « gonflé ».

Ces adjonctions dues à des écrivains chrétiens primitifs incluaient les livres d'Esdras, de Judith, et de Tobie, les deux Maccabées, le livre de la Sagesse, l'Ecclésiastique, Baruch, la prière de Manassé[24] et, à l'intérieur du livre de Daniel, le Cantique des Trois Jeunes Gens, l'histoire de Suzanne, et Bel et le Serpent.

Pendant un temps, les chrétiens furent satisfaits de leur « nouvel » Ancien Testament, mais lorsque des érudits plus sérieux, comme Origène d'Alexandrie au IIIe siècle, commencèrent à réétudier les textes, des doutes réels apparurent. On réalisa alors que la version originelle juive était bien la seule correcte. On suggéra alors de supprimer tous les ajouts chrétiens, mais cette proposition fut bientôt enterrée : les chrétiens tenaient à constituer une religion particulière avec des Écritures différenciées.

Mais, tandis que l'Église principale empruntait cette voie de la facilité, le débat ne s'acheva pas. De nombreux penseurs chrétiens ne furent pas convaincus par cette option. Au IVe siècle, Cyrille de Jérusalem interdit la lecture de ces livres ajoutés, même en privé, et encore au VIIIe siècle, des penseurs chrétiens majeurs comme Jean Damascène [ou de Damas], soutenaient que les vingt-deux livres juifs étaient les seuls composants des véritables Écritures.

Les personnes qui avaient « bricolé » l'Ancien Testament avec légèreté furent aussi celles qui assemblèrent le Nouveau Testament. Pour bien cerner les événements qui conduisirent à la création presque instantanée de ce nouveau bloc d'Écritures, il est essentiel de comprendre un aspect de la conception du monde juive à cette époque cruciale.

Aujourd'hui, presque tout les Occidentaux perçoivent la ligne séparant

---

24. En réalité, un psaume dit « apocryphe » (voir *Deuxième Livre des Chroniques*, 33, 18). Manassé, roi du royaume de Juda avait rétabli le culte des dieux païens, avant d'être emmené en captivité à Babylone et de se convertir la foi de Yahvé. (N.d.T.)

la politique de la religion. Mais serait faux de penser que d'autres pays ou d'autres périodes de l'Histoire voient ou voyaient les choses de la même manière... L'Iran moderne, par exemple, ne fait pas de distinction entre les deux domaines, et, il y a deux mille ans, les habitants de Judée et de Galilée auraient pensé que vous étiez fou si vous aviez suggéré que leur relation à Dieu était d'une manière ou d'une autre différente de leur combat national. À l'époque du Christ Jésus, la politique était une matière théologique sérieuse. La stabilité de la nation dépendait du jugement de Dieu. Si Dieu pensait qu'ils en étaient dignes, les Juifs auraient leur propre roi et détruiraient leurs ennemis au combat. Mais pendant des siècles, ils n'en avaient pas été dignes, donc Dieu les avait abandonnés aux caprices de leurs ennemis. Quand les Juifs dévots commencèrent à adopter une existence plus austère, ils se mirent à attendre l'arrivée d'un messie car c'était la première étape du processus de retour à une autonomie politique.

Il y a ici un point fondamental que l'on ne doit pas ignorer : nulle part dans l'Ancien Testament, il n'est prophétisé la venue d'un sauveur du monde. Les Juifs attendaient l'émergence d'un chef qui serait un roi terrestre sur le modèle de David. Et même si une bonne partie des chrétiens aimerait qu'il en soit ainsi, Jésus ne fut *pas* le Messie de la lignée de David (le Christ), parce qu'il ne parvint jamais à devenir le roi incontesté d'Israël. Or pour le peuple juif de l'époque, y compris Jésus lui-même, le mot n'avait pas d'autre signification. Ce n'est pas une question de foi, c'est un fait historique au-delà de tout débat théologique. Même si l'Église est maintenant pleinement consciente de ce malentendu primordial et même si les Juifs l'utilisaient assez différemment, elle continue de prétendre que son interprétation « spirituelle » du mot est vraie et valide. Seulement, dès lors que l'Église reconnaît que l'utilisation chrétienne et juive du terme « messie » n'ont rien en commun, il s'ensuit qu'elle n'a pas le droit d'utiliser l'Ancien Testament comme source prouvant la venue de *son* Christ. Agir ainsi est une fraude manifeste. Nous insistons sur le fait que les Juifs n'attendaient pas un dieu ou un sauveur du monde : ils attendaient simplement un chef politique avec des références remontant à leur premier roi, David.[25]

Problème supplémentaire pour le courant principal du christianisme : la croyance selon laquelle Jésus était le fruit d'un accouplement magique de Yahvé et de Marie. Comme nous l'avons vu, la conception à partir

25. S'il y eut jamais un vrai messie juif, il ne peut avoir été que David Ben Gourion, l'activiste sioniste qui devint le premier « roi » d'un État juif autogouverné en 1948. Son titre moderne était « Premier ministre » plutôt que « roi », mais l'effet était le même. Nous ignorions s'il put ou non se réclamer de la descendance de David.

d'une union dieu/femme était une condition indispensable dans les cultures moyen-orientales anciennes pour tous les dieux-hommes. Les chrétiens justifiaient cette affirmation en expliquant que Jésus lui-même s'attribuait le titre « Fils de Dieu ». Mais il s'agissait d'un ancien titre dont héritait tout prétendant à la royauté. Depuis une époque antérieure aux pharaons, tous les rois ont fondé leur droit à régner sur le fait qu'ils descendent des dieux.

En approfondissant le rôle et la fonction théoriques de messie, nous prîmes conscience d'un point très étrange, stupéfiant même, que personne, à notre connaissance, ne semble avoir considéré auparavant. Il concerne le nom du meurtrier libéré à la place du Christ lors de son procès. Son nom, rappelez-vous, était Barabbas. Juste un autre nom biblique, pourriez-vous penser, au surplus un nom qui semble entouré d'une aura de malfaisance : « Barabbas, le meurtrier maudit que les Juifs également maudits choisirent de libérer à la place de notre Sauveur. » La foule aurait demandé en vociférant que l'on crucifie le Christ plutôt qu'un criminel de droit commun. Deux mille ans d'antisémitisme se serait fondé sur cet épisode du Nouveau Testament censé démontré la nature prétendument vile des Juifs.

Cependant, il suffit d'une connaissance rudimentaire de la langue de l'époque pour comprendre que « Barabbas » n'est encore une fois pas un nom propre, mais un titre signifiant précisément « Fils de Dieu » ! « *Bar* » veut dire « fils de » et « *Abba* » signifie littéralement « père », mais on l'utilisait, et généralement on l'utilise encore, en référence au Père, c'est-à-dire Dieu. D'emblée, ce fait nous intrigua et nous déconcerta. Mais nous fûmes sidérés en découvrant les premiers manuscrits de l'Évangile de Matthieu qui, au verset 27, 16, utilise cette désignation sous sa forme complète : « Jésus Barabbas ».

Donc l'individu qui fut libéré, et non crucifié, à la demande de la foule était connu, comme l'Évangile le rapporte incontestablement, sous le nom de « Jésus fils de Dieu ». La première partie du nom fut supprimée de l'Évangile de Matthieu à une date plus tardive, par ceux qui cherchaient à accorder les faits avec leurs croyances de Gentils. Par euphémisme, nous appellerions « arrangement de la vérité » une telle coupe, mais dans les faits c'est une quasi-tromperie destinée à éviter des questions embarrassantes ; des questions auxquelles l'Église ne voudrait ou, plus probablement, ne pourrait, pas répondre.

L'affaire se corsait indéniablement.

Les Évangiles établissent que cet autre « Jésus, fils de Dieu » était accusé d'être un rebelle juif qui avait tué des gens au cours d'une insurrection. Ainsi Barabbas n'était pas un criminel de droit commun, mais un fanatique juif, sous le coup d'une accusation semblable à celle portée contre Jésus.[26]

Quand tous ces actes sont pris en compte, les circonstances du procès de Jésus se compliquent fortement. Nous avons là deux hommes portant le même nom, ayant la même prétention et pratiquement le même crime. Dans ces conditions, comment pouvons-nous savoir lequel fut libéré ? Nombre de sectes chrétiennes les plus anciennes croyaient certainement que Jésus n'était pas mort sur la croix parce qu'un autre était mort à sa place. Les musulmans aujourd'hui tiennent Jésus en très haute estime ; ils le voient comme un prophète condamné à être crucifié, mais dont la place fut prise par un autre. Le symbolisme du Christ crucifié est absolument central pour le courant principal du christianisme, mais quantité de groupes, quantité d'individus – aussi bien contemporains de l'événement que modernes – ont soutenu ou soutiennent qu'il n'est pas mort de cette manière. Pourraient-ils avoir raison ?

L'élément de preuve que nous venions de rencontrer ne venait pas de quelque Évangile gnostique contesté, mais du Nouveau Testament lui-même. Nos éternels censeurs de l'Église auraient donc certainement du mal à occulter ce fait. Sans aucun doute, certains prétendront qu'ils n'ont pas lu ce passage ou qu'il s'agit d'une erreur et d'autres se débarrasseront de l'épine par le processus traditionnel des débats stériles.

N'étant pas liés par les obligations dogmatiques de la foi aveugle, nous avions accepté que la légende du Christ Jésus fût un amalgame d'histoires surnaturelles empruntées à d'autres religions à mystères. Mais au regard de ce que nous venions d'apprendre, nous commençâmes à nous demander si même les détails les plus généraux de la vie de Jésus ne pouvait pas être un composite de l'histoire de deux hommes – à l'instar de l'histoire de Robin des bois qui, d'après l'opinion la plus couramment admise aujourd'hui, serait la fusion de plusieurs récits relatifs à un certain nombre de nobles anglo-saxons s'étant placés hors des lois des gouvernants normands.

Menacées par la montée du nationalisme en Judée, les autorités romaines s'étaient-elles dressées contre tous les fauteurs de troubles connus du moment ? Les Juifs représentaient une petite – mais permanente – épine dans le flanc de l'empereur. Et l'attente d'un nouveau messie susceptibles de renverser les Romains ne cessait de s'étendre et d'exciter la population locale. Les sicaires – des fanatiques zélotes armés – assassinaient les Juifs soupçonnés d'être des amis de Rome et la population en général avait de plus en plus confiance en sa capacité à retrouver

---

26. *Peake's Commentary on the Bible.*

son indépendance. Il eût été assez normal que les autorités romaines s'efforcent de balayer le trouble avant qu'il ne soit plus contrôlable. Mais nous ne pouvions que spéculer ce qui avait pu se produire pour créer la situation étrange rapportée par le Nouveau Testament.

Le premier scénario que nous envisageâmes fut le suivant : deux messies rivaux seraient apparus dans deux groupes différents de Judée. Il est bien attesté qu'il existait de nombreux prétendants au titre de messie au cours des Ier et IIe siècles. Or que se serait-il passé si deux de ces messies s'étaient retrouvés simultanément au sommet de leur popularité ? Ils auraient tous les deux étaient appelés Jésus par leurs fidèles, parce que c'est un qualificatif donné au sauveur du peuple juif, celui qui doit leur apporter la victoire et une nouvelle prospérité. Au moment de cette vague d'arrestation préventive, un de ces personnages messianiques était peut-être plus précisément connu sous le nom de « Jésus, roi des Juifs » et l'autre « Jésus, fils de Dieu ». Lorsque ces criminels furent présentés à la foule, Ponce Pilate prit conscience que la situation devenait explosive. Craignant un bain de sang – qui pourrait même lui être fatal –, il offrit de laisser partir l'un de ces deux messies captifs. La foule devait choisir entre le messie royal et le messie sacerdotal, et ils choisirent ce dernier.

Nous appelons ce scénario notre théorie messianique du Chat de Schrödinger (d'après la célèbre expérience logique qui montra que deux options s'excluant mutuellement peuvent coexister dans le monde étrange des mécaniques quantiques), parce qu'il est impossible de dire si le « vrai » Jésus de la foi chrétienne fut crucifié ou libéré. Les histoires des deux hommes sont maintenant si totalement confondues que les sectes chrétiennes qui prétendent qu'il ne fut jamais crucifié ont en partie raison, mais que le courant principal de l'Église a aussi en partie raison en prétendant qu'il fut crucifié.

Notre second scénario était fondé sur une autre idée : l'obligation traditionnelle qui aurait existé d'avoir deux messies œuvrant main dans la main pour la victoire finale de Yahvé et de son peuple élu. Un messie royal de la tribu de Juda, la lignée royale de David, serait rejoint par un messie sacerdotal de la tribu de Lévi. On pouvait s'attendre à cette situation parce que, d'après la tradition, les prêtres juifs devaient être lévites. Cette théorie considère qu'au moment du procès les deux messies avaient été arrêtés et accusés d'appeler à l'insurrection civile. Le Jésus de la lignée royale de Juda fut détenu et mourut sur la croix tandis que le Jésus de la lignée royale de Lévi fut remis en liberté.

Qui était qui ? Le Jésus né de Marie prétendait être messie parce qu'il venait de la lignée royale de David et qu'il était supposé né dans la ville de David, Bethléem. Cependant, comme on peut le lire dans les premiers versets du Nouveau Testament, cette ascendance, via une série d'enfantements, est fondée sur la généalogie de Joseph, l'époux de Marie, qui n'était pas, selon la croyance chrétienne, le père de Jésus. Ce n'est que froide logique : s'il était le fils de Dieu, il ne pouvait être le messie royal !

Le Jésus né de Marie ne pouvait « techniquement » être un messie royal, mais il *pouvait* être le messie sacerdotal : sa mère est connue comme une parente de Jean le Baptiste, qui était un lévite. Jésus doit donc avoir eu quelque sang lévite lui-même. Si ce Jésus né de Marie s'accordait avec cette théorie, il serait clair que ce ne fut pas lui qui mourut sur la croix.

Dans cette situation de « double Jésus », nous étions tombés sur un vice évident dans l'histoire chrétienne du messie. À ce point, à défaut d'examiner plus avant ces deux scénarios comme des solutions possibles, nous ne pouvions aller plus loin. La situation réelle ne devint claire qu'après la résolution d'une énigme maçonnique plus profonde, sur laquelle nous reviendrons ultérieurement.

Les principaux groupes de Jérusalem

Au Ier siècle, les trois principaux groupes dans la population de Judée étaient les sadducéens, les pharisiens et les esséniens. Les deux premiers sont définis en notes infrapaginales de la Bible de Douai comme suit :

> *Pharisiens et Sadducéens. Les deux sectes chez les Juifs : les premiers étaient pour l'essentiel de notoires hypocrites ; les seconds, une sorte de libre penseurs en matière de religion.*

Pour un si petit texte, le degré d'imprécision est remarquable.

Les sadducéens constituaient, de droit, la bureaucratie sacerdotale et aristocratique de Jérusalem. Ils avaient des conceptions religieuses très conservatrices. Ils ne croyaient en aucune existence par-delà la tombe et considéraient sans aucun doute les conceptions et actions complexes des pharisiens comme l'œuvre de fous superstitieux. Pour l'essentiel, ils dirigeaient le pays selon les prescriptions romaines et non les prescriptions juives. Ils étaient ce que nous appellerions maintenant des « collabos ». Estimant que l'individu était libre de forger sa propre destinée, à la différence des pharisiens, ils croyaient que l'Histoire suivait son propre cours au lieu d'être une partie de quelque plan divin. S'ils étaient riches et de rang social élevé, ils étaient frustes, grossiers et extrêmement durs envers quiconque violait la loi ou interférait avec leur administration. Ce n'étaient pas des hommes d'idées ou d'idéaux, mais ils faisaient fonctionner le pays en recherchant un *status quo* qui fût à leur avantage. Pour être juste, les sadducéens n'étaient probablement pas très différents des classes dirigeantes dans la plupart des pays à quelque époque que ce soit. Mais dire qu'ils étaient des « libres penseurs en matière de religion » est aussi loin de la vérité que possible.

Par ailleurs, les pharisiens n'étaient pas du tout, à strictement parler, des prêtres, mais ils se vouaient à la Loi, essayant de l'appliquer en permanence dans tous les événements de la vie. Pour les aider se conformer sans cesse à cette Loi, ils avaient mis au point toute une tradition d'interprétation suivant laquelle toute action était minutieusement réglée. Ils instaurèrent des normes élevées qui devinrent les *landmarks* – les repères – du judaïsme orthodoxe moderne et que l'on partage ou non leurs croyances ils étaient étonnamment résolus. Traditionnellement, on ne pouvait adorer Yahvé qu'en Sa Divine Présence, c'est-à-dire dans le Temple de Jérusalem sous le contrôle du grand prêtre. Mais les pharisiens mirent en place les conditions de l'étape suivante dans l'évolution finale vers le rabbinat et la synagogue, pour permettre aux Juifs d'avoir partout accès à Dieu.

Aujourd'hui les peurs et les espoirs des pharisiens survivent sous la forme du judaïsme orthodoxe. Dans le monde entier, les juifs orthodoxes ne font rien, ne traitent pas d'affaires, le jour du sabbat ; ils ne conduisent pas d'automobile, n'utilisent pas de transports publics, ne poussent pas de landau de bébé, ne cousent ni ne raccommodent, ils ne regardent pas la télévision, ne cuisinent pas, ne passent même pas une éponge, ne pressent pas une sonnette de porte, et n'utilisent donc pas d'ascenseur. Récemment, le gérant juif d'un hôtel casher dans la station balnéaire de Bournemouth, au sud de l'Angleterre, fut licencié pour avoir manipulé l'interrupteur électrique activant un système de chauffage central un samedi matin. Certes ses hôtes auraient pu mourir de froid, mais ce n'était rien au regard d'un viol manifeste de la Loi, qui, selon la Torah, le livre de la Loi juive, interdit « l'allumage de feux » le jour du sabbat.

Jusqu'en 1947, lorsque les manuscrits de la mer Morte furent découverts à Qoumrân, à une trentaine de kilomètres à l'est de Jérusalem, les esséniens demeurèrent quasi méconnus. Les manuscrits nous disent beaucoup de choses sur ces hommes étranges qui vécurent dans cette vallée rocheuse aride du milieu du IIe siècle avant notre ère à l'an 68 de notre ère. Il existe quelques preuves de l'occupation de ses grottes par un plus petit nombre d'individus jusqu'en 136 de notre ère (l'époque d'un ultime soulèvement juif sous un autre Jésus), mais il n'est pas certain que ces résidents ultérieurs aient été des esséniens.

On mesure l'austérité et la sévérité de l'esprit essénien, en constatant qu'au regard de leurs observances religieuses, les pharisiens pouvaient passer pour des hédonistes insouciants. Bien que de nombreux spécialistes admettent aujourd'hui que les esséniens et l'Église primitive avaient de nombreux traits en commun, l'Église de Rome a toujours nié la moindre connexion entre les deux. Un de leurs liens les plus évidents – et qu'eux seuls partageaient – était l'attente apocalyptique[27]. Les deux groupes s'attendaient à une fin du monde imminente et abrupte.

Un facteur essentiel différenciait les esséniens des sadducéens et des pharisiens. On ne pouvait appartenir à la communauté essénienne qu'en vertu d'un choix individuel et majeur, et non en vertu de la naissance. Les esséniens de Qoumrân se voyaient comme les seuls gardiens des vrais enseignements religieux d'Israël. Ils croyaient que, par l'intermédiaire de leur fondateur sacerdotal connu dans les manuscrits comme le « Maître de Justice », ils avaient établi une « nouvelle Alliance », la forme ultime de la parfaite alliance entre le peuple d'Israël et leur Dieu. Cette Alliance était réservée aux seuls membres de la communauté essénienne, eu égard à leur respect infaillible des six cent treize commandements de la Loi et à leur croyance absolue en la profondeur de leur propre nature méprisable. Comme les pharisiens, ils avaient adopté l'idée de dieux inférieurs connus sous le nom d'anges.

On ne peut plus aujourd'hui douter que les auteurs des manuscrits de la mer Morte, que nous appelons maintenant la communauté de Qoumrân, furent des esséniens. Et il allait nous apparaître clairement que ces gens étaient aussi des nazôréens ou l'Église de Jérusalem originelle. Il existe une preuve abondante que ces groupes ne formaient qu'un seul et même ensemble. Les arguments de l'Église visant à montrer qu'ils étaient différents se présentent comme une volonté de protéger le caractère « spécial » de Jésus, quand les manuscrits de la mer Morte raconte une histoire si semblable à celle de Jésus sans pourtant faire référence à celui-ci. Si l'Église devait aujourd'hui accepter que les Qoumrâniens formaient l'Église de Jérusalem, elle aurait à expliquer pourquoi son personnage divin n'était pas le chef de la communauté.

Les manuscrits de la mer Morte décrivent un groupe ayant la même conception du monde, la même terminologie particulière et précisément les mêmes croyances eschatologiques que l'Église de Jérusalem. Des spécialistes, comme le professeur Robert Eisenman, ont démontré qu'autour

---

27. Au sens moderne du terme, c'est-à-dire de « fin du monde » (ou d'un monde), et non au sens grec traditionnel de « révélation ». (N.d.T.)

de la quatrième et de la cinquième décennies du Iᵉʳ siècle de notre ère, le chef de la communauté de Qoumrân était Jacques le juste, le frère de Jésus, que l'Église accepte comme le premier évêque de Jérusalem (Ce point nous a également été confirmé par la suite au cours d'une conversation privée avec le professeur Phillip Davies).

Comment Jacques aurait-il partagé son temps entre les deux groupes ? En alternant les jours ? Ou le matin pour les uns et l'après-midi pour les autres ? Difficile. La réponse incontournable est qu'ils ne formaient qu'un seul et même groupe. Pendant les trois dernières décennies de son existence, la communauté de Qoumrân *était* l'Église de Jérusalem.

Spirituellement, les esséniens étaient des juifs ultraconservateurs, mais par certains aspects ils étaient progressistes et novateurs au-delà de la mesure. Le vocabulaire qoumrânien est présent dans la littérature chrétienne, mais comme l'on a pas toujours compris son sens originel, cela a laissé le champ libre à ceux qui voulaient introduire les dieux des Gentils au milieu des valeurs du judaïsme. Le nouveau vocabulaire des Qoumrâniens commença à pénétrer la culture théologique juive au Iᵉʳ siècle avant notre ère et se développa au Iᵉʳ siècle de notre ère, quand la littérature targumique était répandue. Le vecteur fut la traduction de la Bible hébraïque en araméen, la langue des Juifs à l'époque du Christ Jésus. Alors que les cérémonies se déroulaient en hébreu, langue peu comprise, elles étaient simultanément librement traduites en araméen pour l'assemblée des fidèles. Les traducteurs utilisaient les termes et expressions qui pouvaient être compris à la lumière de l'époque. Ainsi les expressions Qoumrâniques dans le rituel chrétien, telles « Que ton règne – ou ton royaume – arrive », « le royaume du Seigneur », le « royaume de Dieu » et le « royaume de la Maison de David » faisaient toutes références au même objectif politique. George Wesley Buchanan observe :

> *Quand on rapporte que Jésus a dit : « Mon Royaume n'est pas de ce monde » (Jn 18,36), il ne veut pas dire qu'il se trouvait dans le ciel. Dans l'Évangile de Jean, tous les individus sont divisés en deux groupes : 1. Ceux du monde, et 2. Ceux qui ne sont pas du monde. Ceux qui ne sont pas de ce monde incluaient Jésus et ses fidèles qui croyaient en lui. Ils vivaient sur terre. Ils n'étaient pas dans le ciel, mais ils n'étaient pas païens. Ils appartenaient à l'« Église » en contraste avec le « monde ». Le « monde » incluait tous les païens et ceux qui refusaient de croire en lui.*[28]

---

28. George Wesley BUCHANAN, *Jesus – The King and His Kingdom*.

Nous pouvons voir que les termes utilisés à l'époque étaient de simples assertions politiques. Si vous suiviez le mouvement d'indépendance, vous étiez du « Royaume de Dieu » et si vous ne l'étiez pas, vous étiez dans le « monde » ordinaire. Dans l'Évangile de Luc 17, 20-21, un pharisien demande à Jésus quand viendra le Royaume de Dieu et il reçoit la réponse suivante :

> *La venue du Royaume de Dieu ne se laisse pas observer, et l'on ne dira pas : « Voici : il est ici ! ou bien : il est là ! » Car voici que le Royaume de Dieu est au milieu de vous.*

Les termes « Royaume des cieux » et « Royaume de Dieu » avaient un sens très clair et très simple pour ses utilisateurs originels. Mais quand ils furent adoptés par des chrétiens ex-Gentils, ceux-là y virent béatement un paradis où les bons se rendaient après leur mort, pour être peut-être réunis à ceux qu'ils aimaient dans une sorte d'extase éternelle. Une très longue route a été accomplie depuis l'enseignement réel d'un Jésus (c'est-à-dire un « sauveur », un « apporteur de victoire ») au Iᵉʳ siècle. Le mot araméen rendu en grec avec le sens de « royaume » a été mal compris dans ce contexte, car il signifie aussi « gouvernement » et même plus précisément, lorsque l'on considère son usage courant, « la terre d'Israël gouvernée selon la loi mosaïque ». Dans les faits, quand Jésus et ses contemporains faisaient référence à « la venue du Royaume des cieux », ils disaient simplement que « le temps est proche où nous renverrons les occupants étrangers et leurs marionnettes hors de Judée, et où nous reviendrons à une stricte observance des lois juives ». Pour les plus religieux d'entre eux, leurs problèmes résultaient du fait que Yahvé les avait abandonnés parce qu'ils avaient péché en ne soutenant pas suffisamment la loi de Moïse. Pureté et rectitude étaient les seuls remèdes à tous les problèmes qui les torturaient ; ils devaient observer à la lettre la loi de Dieu.

Le témoignage incontournable des manuscrits de la mer Morte

Comme nous l'avons montré, les connexions entre les termes utilisés dans le Nouveau Testament et les manuscrits de la mer Morte sont évidentes, mais depuis le commencement l'Église catholique a essayé de les contrer. L'interprétation des manuscrits fut dirigée par un groupe catholique, incluant les pères de Vaux, Milik, Skehan, Puech et Benoit. Les chercheurs indépendants intéressés par le sujet se plaignirent de ne pas avoir un libre accès à de nombreux rouleaux, et John Allegro et Edmund Wilson affirmèrent tous les deux qu'ils ressentaient une volonté délibérée de séparer la communauté de Qoumrân du christianisme primitif en dépit des évidences croissantes d'identité.[29]

Le père de Vaux soutenait avec force que la communauté de Qoumrân était totalement différente des chrétiens primitifs. Il estimait aussi que Jean Baptiste était si proche des enseignements de la communauté de Qoumrân qu'il ne pouvait être considéré comme un chrétien, mais purement comme un précurseur du christianisme. Comme le Nouveau Testament montre clairement que Jean Baptiste était un personnage central dans la formation du ministère de Jésus, une telle connexion est difficile à remettre en cause. De Vaux ignorait également que les deux groupes utilisaient le baptême, partageaient communautairement leurs biens, avaient un conseil de douze chefs et que les deux s'intéressaient à des figures messianiques et à la venue imminente du « Royaume de Dieu ». Le 16 septembre 1956, John Allegro écrivit au père de Vaux en disant :

> [...] *vous êtes incapables de traiter plus longtemps du christianisme d'une manière objective* [...] *Vous continuez à parler de ce que pensaient les premiers judéo-chrétiens à Jérusalem, mais personne ne s'imaginerait que votre unique preuve réelle – si vous pouvez l'appeler ainsi – est le Nouveau Testament.*[30]

Le père de Vaux et son équipe ne pouvaient rien faire d'autre qu'observer les nouveaux manuscrits à la lumière de leur croyance, et consciemment ou inconsciemment ils déformaient les faits pour essayer de prouver que la communauté de Qoumrân et l'Église nazôréenne/hiérosolymite n'étaient pas reliés.

Cette idée est aujourd'hui obsolète.

Pour nous, il semble incontournable que l'homme qui fut le Christ Jésus ait été un meneur qoumrânien pendant les années cruciales des troisième et quatrième décennies du Ier siècle. Numériquement, la communauté était minuscule à cette époque ; elle comptait peut-être moins de deux cents personnes et il n'existait peut-être pas plus de quatre mille esséniens au total. Ils formaient un rassemblement de personnes animés

---

29. M. Baigent & R. Leigh, *The Dead Sea Scrolls Deception.*30 Lettre d'Allegro au père de Vaux.

30. Lettre d'Allegro au père de Vaux, datée du 16 septembre 1956.

par le même esprit, des individus qui voyaient la résolution imminente de leurs problèmes dans la sainteté et – même s'ils n'étaient pas des prêtres héréditaires – dans une existence monacale. Cela impliquait une société extrêmement hiérarchisée, du Gardien ou Grand Maître tout en haut jusqu'aux êtres inférieurs comme les hommes mariés ou, pire, les femmes, particulièrement les femmes en menstrues. À ce moment de leur cycle physique, les femmes devaient se soustraire à tout contact avec les hommes, y compris le contact visuel. La reproduction était une regrettable nécessité de la vie. Ceux qui choisissaient de s'abandonner à ces penchants charnels devaient passer par un impressionnant processus de purification avant de revenir au sein de la communauté.

Il y avait différents niveaux d'appartenance, d'un large cercle extérieur à un *sanctum* intérieur. L'initiation aux plus hauts échelons réclamait des vœux de secrets qui incluaient une menace de châtiments terribles si les secrets de leur fraternité venaient à être révélés à l'extérieur. Cette idée ressemble beaucoup à la pratique maçonnique, à une différence près : pour les Qoumrâniens ces menaces n'étaient en rien symboliques ; ils les entendaient littéralement.

Ces gens de Qoumrân étaient d'un grand intérêt pour nous. Ils portaient des robes blanches, prononçaient des vœux de pauvreté et prétendaient posséder une connaissance secrète. Nous dressions le portrait d'un groupe juif révolutionnaire – auquel Jésus avait vraisemblablement appartenu – et qui était au cœur de la révolte juive qui finalement entraîna une nouvelle fois la destruction de Jérusalem et de son Temple.

* * *

Nous avions établi au-delà de tout doute raisonnable que les templiers avaient fouillé les ruines du Temple d'Hérode. Donc ce qu'ils ont pu trouver avait forcément été caché entre les premières années du Ier siècle – début de la construction du Temple –, et l'an 70 de notre ère, date de sa destruction. Le Rouleau de cuivre – ainsi appelé parce qu'il était effectivement gravé sur des feuilles de cuivre – trouvé à Qoumrân nous raconte comment la communauté dissimula ses trésors et ses écrits sous le Temple peu avant 70. En conséquence, nous n'avions plus besoin de nous demander quels manuscrits furent trouvés par les templiers. Et si nous avions raison et que la Communauté de Qoumrân et l'Église de Jérusalem ne formaient qu'une seule et même chose, les templiers étaient ainsi entrés en possession des documents « chrétiens » les plus purs possibles – des documents beaucoup plus importants que les Évangiles synoptiques !

La connexion de loin la plus importante entre les esséniens de Qoumrân, les chevaliers templiers et la franc-maçonnerie réside dans le fait qu'ils s'axent tous les trois sur la reconstruction mystique et physique du Temple du roi Salomon. Il est extrêmement improbable qu'il s'agisse d'une coïncidence. Et dans le cas de la franc-maçonnerie, il ne peut s'agir d'un abus de langage ou d'une manipulation frauduleuse des faits parce que la Grande Loge d'Angleterre et ses enseignements relatifs à la construction d'un Temple spirituel précèdent de plus de deux cents ans la découverte des manuscrits de la mer Morte.

En observant le christianisme gnostique, nous avons également découvert qu'il y avait un lien entre lui, le Nouveau Testament et la franc-maçonnerie en ce sens que les trois font référence à des « pierres d'angle ». Nous avons trouvé les mêmes références dans les textes qoumrâniens. Eisenman et Wise font entre autres cette remarque à propos des liens entre les manuscrits et le christianisme :

> Les lecteurs familiers du Nouveau Testament reconnaîtront ici les termes « Communauté » et « Temple » comme des allusions fondamentalement parallèles, parce que, de même que Jésus est représenté comme « le Temple » dans les Évangiles et chez Paul, la Règle de la Communauté[31] – utilisant le parallèle de l'imagerie du « Temple » spiritualisé dans VIII, 5-6 et IX, 6 –, représente le Conseil de la Communauté de Qoumrân comme un « Saint des Saints pour Aaron et un Temple pour Israël ». Cette imagerie, comme nous le verrons, est répandue à Qoumrân, et elle inclut parallèlement des allusions à « l'expiation des péchés », à la « fragrance agréable », à la « pierre d'Angle » et à la « fondation » qui vont avec.[32]

L'utilisation du concept de « fondation » a également pour nous des accents familiers.

La famille de Jésus

L'Église rechigne à débattre d'un élément significatif : le fait que Jésus avait des frères, et probablement aussi des sœurs. On trouve des références aux frères de Jésus dans bon nombre de documents des Ier et IIe siècles, y compris le Nouveau Testament lui-même. Avoir des frères et

---

31. L'un des principaux Manuscrits de la Mer morte (N.d.T.).
32. Robert EISENMAN & Michael WISE, The Dead Sea Scrolls Uncovered.

sœurs est assez normal, mais quand vous êtes censé être le fils de Dieu une question se lève : qui est le père des autres ? Heureusement, il existe des éléments probants indiquant que Jésus était l'aîné, donc *sa* naissance virginale n'est pas instantanément écartée. L'existence de frères et sœurs de Jésus est reconnue depuis longtemps. Trois théories principales ont été avancées pour expliquer cette situation.

Au commencement, les débats parcourant le christianisme portaient le nom du principal théologien les ayant soutenus. La théorie dite « Helvidius » admet que le Christ avait bien des frères ; la théorie dite « Epiphane » estime qu'ils étaient les fils de Joseph d'un mariage antérieur ; et Jérôme avance en désespoir de cause que le terme « frère » signifiait en réalité « cousin »[33]. En dépit du fait que la Bible fait clairement référence à des frères du Christ en bien des occasions, la Bible catholique romaine de Douai indique nettement sa préférence dans des notes explicatives :

> [...] *Helvidius et d'autres hérétiques prétendirent avec une grande impiété que la sainte Vierge Marie avait eu d'autres enfants en plus du Christ.*

Cela contredit Matthieu 13, 55-56, qui dit :

> *Celui-là n'est-il pas le fils du charpentier ? N'a-t-il pas pour mère la nommée Marie, et pour frères Jacques, Joseph, Simon et Jude. Et ses sœurs ne sont-elles pas toutes chez nous ?*

La réponse des éditeurs de la Bible de Douai est créative – même si elle est on ne peut moins convaincante pour le lecteur critique –, quand elle affirme :

> *C'était les enfants de Marie... la sœur de notre Sainte Dame et donc, dans le style habituel des Écritures, ils étaient appelées frères, c'est-à-dire des parents proches de notre Sauveur.*

S'il y avait une once de vérité dans cette étrange explication, on observerait que les grands-parents maternels de Jésus n'avaient pas fait montre

---

33. À l'époque, il n'existait qu'un seul vocable pour désigner un frère ou un cousin ; le terme étant le même dans les deux cas. On comprend le problème que cela pose... (N.d.E.)

d'imagination en appelant deux de leurs filles du même prénom, Marie. Cependant, il est maintenant pratiquement universellement admis que Jésus avait des frères et des sœurs. Son jeune frère Ya'acov (Jacob, et dans les versions grecques de la Bible, Jacques) survécut à Jésus d'environ trente ans et, comme nous le montrerons, il fut responsable de la préservation de ses enseignements authentiques pour qu'ils puissent finalement triompher au milieu de circonstances incroyables.

La naissance d'une nouvelle religion

Nous savions dorénavant qu'il y avait une grande différence entre l'Église de Jérusalem originelle et l'organisation ultérieure qui se glissa dans ses habits, quand la première eut été balayée dans la guerre contre les Romains. En approfondissant les écrits de ceux que l'Église romaine appelle les « premiers Pères de l'Église » et les chefs ultérieurs de l'Église, nous fûmes frappés par la confusion, les incompréhensions et le désordre intellectuel ayant régné au cours des temps. Nous avons également trouvé des exemples surprenants d'honnêteté. Ainsi le pape Léon X (le pape qui surnomma le roi Henry VIII « défenseur de la foi »), déclarait publiquement :

Il nous a bien servi ce mythe du Christ.

À partir de la chute de Jérusalem en 70, la foi appelée christianisme commença à s'éloigner de ses origines juives. Bientôt tout ce que l'on savait du héros appelé Yehoshua se perdit dans les mythes et légendes étrangers. De vieux récits païens furent ajoutés à l'histoire d'un homme qui essaya d'être le roi sauveur de son peuple. À Rome, la légende de Romulus et Rémus fut reprise, mais cette fois avec deux nouveaux dieux inférieurs, les grands saints Pierre et Paul. L'anniversaire du dieu solaire Sol tombait le 25 décembre. On estima que cette date était aussi idoine pour la naissance de Jésus. Les grands dieux pouvaient de la sorte être célébrées un même jour de fête. Le sabbat fut déplacé du samedi au jour du dieu-soleil, le dimanche [en anglais, *Sunday*, le jour du soleil], et le symbole du soleil se retrouva sur les têtes des représentations de divinités ou de saints sous la forme du halo ou auréole.

Pour les citoyens de l'Empire romain, la nouvelle religion semblait à la fois familière et rassurante : même s'ils ne pouvaient faire mieux que ce qu'ils faisaient dans cette vie, ils y parviendraient dans la suivante. Comme la plupart des gens tout au long de l'Histoire, ils faisaient peu de cas de la logique ; ils préféraient jouir de leurs sensations et émotions, en demandant à leur (maintenant unique) Dieu de l'aide en cas de besoin et en le priant quand les choses allaient bien. Le christianisme devint un culte de rituels plutôt que d'idées, et le contrôle politique prit le dessus sur la théologie.

En tant que force politique, l'Empire romain avait été particulièrement victorieux, mais en dépit de ses efforts farouches pour conserver le pouvoir, il ne pouvait durer éternellement. Il commença par s'effondrer en tant que force culturelle. Mais il constata rapidement que le contrôle des esprits était plus efficace que le simple contrôle des corps. Alors le christianisme fournit à Rome le moyen d'établir une puissance politique sans équivalent, fondée sur des masses peu éduquées qui se voyaient offrir une meilleure vie après la mort s'ils respectaient les commandements de l'Église. Thomas Hobbes, le philosophe et penseur politique du XVIIᵉ siècle, exprima clairement la situation en disant :

> La Papauté n'est rien d'autre que le fantôme de l'Empire romain défunt, sur la tombe duquel elle trône.[34]

L'événement probablement le plus important dans le processus de création de ce que nous appelons maintenant l'« Église » est intervenu en Turquie le 20 mai 325. Ce fut le concile de Nicée, résultat de la volonté de l'empereur Constantin de prendre une fois pour toutes le contrôle de son empire fragmenté. À l'époque, Constantin était extrêmement impopulaire et le mécontentement très grand. Pour résoudre ses problèmes, il eut une idée qui tient du véritable éclair de génie. Il était suffisamment réaliste pour admettre que Rome n'était plus la puissance qu'elle avait été. Comme il ne pouvait plus tenir avec sûreté sa position par la force ou les récompenses financières, il eut l'idée suivante : s'il pouvait s'insérer lui-même dans les croyances spirituelles qui divisaient la loyauté de ses sujets entre plusieurs idées (l'État-empereur, le culte...), il parviendrait à s'assurer la fidélité de son peuple. Tout l'empire était devenu un pot-pourri de cultes. Certains, comme le christianisme, étaient même présents sous différentes formes. En quelques générations, presque toutes les religions orientales étaient parvenues jusqu'à Rome ; elles avaient été absorbées et s'étaient métamorphosées pour s'accorder avec les goûts locaux. Le processus de romanisation s'était tellement développé que peu de fondateurs de cultes auraient reconnu leur version originelle : les

---

34. Thomas HOBBES, *Léviathan*.

cultes se fondaient les uns dans les autres pour devenir parfaitement interchangeables. On assistait à un véritable méli-mélo théologique. Dans cette période de changement, ceux qui se donnaient le nom de chrétiens se querellaient entre eux sur des différences de vue théologiques assez fondamentales.

En dépit de son rôle d'« officialisateur » du christianisme, Constantin resta un fidèle du culte du dieu-soleil Sol Invictus jusque sur son lit de mort, mais il accepta finalement alors le baptême… au cas où les chrétiens auraient raison. En somme, une sorte d'assurance pratique et à peu de frais pour l'après-vie.

Quand l'empereur s'intéressa aux chrétiens, leur nombre était déjà significatif. Un citoyen sur dix prétendait être un fidèle de ce groupe juif dissident. Il trancha des différends entre factions chrétiennes qui s'accusaient mutuellement de mensonges, et il dut sentir que cette religion émergeait comme une force dominante.

Constantin a conquis le titre que l'Histoire lui a laissé : Constantin le Grand. Il conçut son plan et l'exécuta sans faille. À l'époque, il y avait deux empereurs, Constantin, qui gouvernait la partie occidentale de l'Empire, et Licinius la partie orientale. Quand Constantin proposa à son coempereur que les monothéistes ne soient plus persécutés, Licinius accepta sans difficulté. Comme ces persécutions avaient déjà cessé partout, Licinius dut se demander pour quelle raison Constantin s'intéressait soudain autant au bien-être d'un culte parfaitement accepté comme le christianisme. Il comprit peu après quand Constantin l'accusa de ne pas respecter l'accord et le fit assassiner sous prétexte de protéger les libertés religieuses de ses citoyens. Constantin devint immédiatement l'unique empereur avec le total soutien du culte du Christ, de plus en plus bruyant et influent. Il pouvait clairement représenter un excellent moyen de maintenir l'ordre et de permettre la cohésion de l'empire. Constantin sentit probablement que ce culte avait besoin de se développer encore un peu pour cela. Mais deux obstacles bloquait cette stratégie : premièrement, trop de religions étaient encore actives et, en particulier, dans l'armée ; deuxièmement, les chrétiens eux-mêmes se disputaient tant qu'ils semblaient en permanence menacé d'éclater en différents cultes. La solution de Constantin fut suprêmement habile.

Tout en étant un fidèle du culte de Sol Invictus, Constantin réunit le premier concile international des chrétiens pour établir, une fois pour toutes, une seule conception officielle du culte chrétien et de leur prophète juif Jésus Christ. Il fit venir des chefs de l'Église de tous les coins de l'ancien monde, y compris l'Espagne, la France, l'Égypte, la Perse, la Syrie, l'Arménie et la Terre sainte elle-même. Comme les chrétiens étaient de loin la secte la plus voyante de l'empire, ce concile organisé à Nicée (aujourd'hui Iznik), se transforma en parlement de fait du nouvel empire unifié. L'événement fut superbement mis en scène : Constantin était assis au centre avec les évêques siégeant autour de lui. De cette manière, l'autorité de l'empereur imprégnait toutes les discussions ; l'empereur se positionnait comme le Christ « présent » avec ses disciples autour de lui. Et plus tard, la légende prétendra que le Saint-Esprit était également présent, œuvrant en l'homme qui devait être le vrai fondateur de l'Église. Constantin s'intéressait principalement à deux choses : au Dieu des chrétiens, qu'il voyait comme une manifestation de son propre dieu solaire ; et à la figure de Jésus Christ, qu'il voyait comme un messie juif, exactement comme lui-même était, dans son esprit, le messie impérial. Il considérait Jésus comme un personnage guerrier et sacré comme lui-même, un personnage qui combattait pour imposer le gouvernement de Dieu. Mais alors que le roi juif avait échoué, lui, Constantin, avait réussi.

Après sa mort, les chrétiens ont toujours vu Constantin comme l'un des grands chefs de leur foi, qui défit les hérétiques. On fit rapidement circuler une histoire de sa conversion au christianisme à la bataille du Pont Milvius : l'empereur aurait suivi une instruction, reçue dans un rêve prophétique, lui disant de faire peindre le symbole du vrai Dieu sur les boucliers de son armée. Au regard de la relation qu'entretint ultérieurement Constantin avec les chrétiens, on a souvent pensé que cette image devait représenter les lettres grecques « khi » et « rhô », les deux premières lettres du mot *Christos*. Cependant, comme Constantin n'est jamais devenu chrétien, le symbole des boucliers était certainement le soleil rayonnant de son « vrai dieu », Sol Invictus. Aucun récit de l'époque ne décrit ce symbole, mais comme tout le monde admet que l'empereur était un fidèle du culte de Sol Invictus et qu'il passa le reste de sa vie à être son grand-prêtre, il semble tout à fait improbable qu'il ait pu utiliser une autre représentation.

Le résultat du Concile fut le « credo de Nicée », qui cherchait à réconcilier les divergences entre les différentes factions chrétiennes et à éviter les gouffres doctrinaux qui étaient sur le point de séparer complètement l'Église d'orient de l'Église d'Occident. Couvrant de nombreux points de détail, les règlements qui en sortirent fournissent encore la base de la plupart des structures de l'Église aujourd'hui. Par exemple, ils fixent à quel moment l'assemblée des fidèles doit s'asseoir ou se lever pendant les offices. Cependant le but essentiel du Concile était la réponse aux questions suivantes : Jésus Christ était-il un homme ou un dieu, et s'il était un dieu, quelle était la nature de sa divinité ?

Les membres du Concile avaient une tâche majeure devant eux qui a dû torturer leurs cerveaux théologiques. Trouver une solution logique était particulièrement difficile : s'il n'existait qu'un Dieu, comment Jésus pouvait-il être Dieu sans être ce Dieu ? Et s'il avait été conçu dans le sein de Marie, alors il devait y avoir un temps où Dieu n'avait pas existé, il devait donc exister une divinité aînée qui n'était pas totalement distincte. Avec son esprit de Gentil, Constantin rationalisa le problème en expliquant qu'il y avait « Dieu le Père » et « Dieu le Fils ». Cette conclusion nous semble assez pauvre parce que personne n'a jamais pensé qu'un père et son fils étaient des manifestations d'une seule et même entité. Si tel était le cas, il n'existerait qu'un humain, car nous appartenons tous à une lignée infiniment longue parent/enfant. En réalité, la conclusion incontournable est que le christianisme n'est pas du tout une religion monothéiste. Il s'abuse simplement lui-même en conservant cette conception éminemment confuse.

Les membres du Concile de Nicée se posèrent aussi l'embarrassante question suivante : « Dieu le Père devait être là avant qu'il se mette à construire le monde, mais que faisait-il auparavant quand il était tout seul ? » Aucune réponse ne sortit du Concile. Mais un siècle plus tard saint Augustin d'Hippone suggéra habilement que « Dieu avait consacré ce temps à construire un enfer spécial pour ceux qui se posaient de telles questions ! »

Arius, un prêtre d'Alexandrie, était le champion des partisans de la « non-divinité » de Jésus. Il soutenait que Jésus Christ ne pouvait être Dieu parce qu'il était un homme. Dieu était Dieu, et il était blasphématoire de penser que Jésus était de nature divine. Il ne pouvait devenir divin que par ses actions. Arius, théologien très intelligent, produisit une déconcertante série d'arguments tirés des Écritures pour soutenir sa thèse selon laquelle le Christ était un homme, comme les membres du Concile l'étaient. Il s'opposait à un autre Alexandrin appelé Athanase [*Athanasius*], qui prétendait que le Père et le Fils étaient (paradoxalement) une seule substance. L'opinion sur la divinité de Jésus était divisée et l'on dut la soumettre au vote. Arius perdit, et en châtiment il vit son nom devenir l'objet de mépris et synonyme de mal sous la désignation d'« hérésie d'Arius ou hérésie arienne ».

L'hérésie était une accusation que les différents groupes chrétiens se jetaient aisément – mais sans grande précision ni cohérence – les uns contre les autres. Après la prise de contrôle de l'Église par Constantin, sa signification devint claire. En essence, la vérité devenait ce que l'empereur disait qu'elle était ; tout le reste était hérésie, c'est-à-dire l'œuvre du diable. De nombreuses Écritures furent mises hors la loi, et, pour les dissocier efficacement de la croyance chrétienne désormais précisément définie, on leur appliqua l'étiquette « gnostique ».

On remarque avec intérêt que l'un des documents les plus importants, *non* issus du Concile de Nicée, fut la « Donation de Constantin ». C'est une découverte du VIIIe siècle qui se voulait une instruction de Constantin. Selon celle-ci, l'Église de Rome devait avoir l'autorité absolue dans les affaires séculières, parce que saint Pierre, successeur de Jésus comme chef de l'Église, avait transmis une telle autorité à l'évêque de Rome. Il est maintenant universellement admis que ce document est un faux. Mais en dépit de cela, l'Église catholique romaine s'accroche toujours au droit que ce faux lui confère. Il nous faut également mentionner ici une autre affirmation fallacieuse délibérée, censée appuyer les prétentions de l'Église romaine : c'est l'idée selon laquelle Pierre donna les clés du Paradis au pape. Les Actes des Apôtres et les Épîtres de Paul montrent clairement que Jacques, le jeune frère de Jésus Christ, prit le commandement de l'Église de Jérusalem. Il est aussi intéressant de noter que les dix premiers évêques de l'Église de Jérusalem étaient, selon le Père de l'Église Eusèbe, tous des juifs circoncis qui respectaient les règles alimentaires juives, utilisaient la liturgie juive pour leurs prières quotidiennes et ne reconnaissaient que les fêtes et sabbats juifs, y compris le jour des Expiations. Cette dernière observance démontre clairement qu'ils ne voyaient pas la mort de Jésus comme une expiation/réparation de leurs péchés !

Plus que tout autre, Constantin accomplit un travail phénoménal pour s'emparer de la théologie juive. Bien qu'il fût le véritable architecte de l'Église, il ne devint jamais chrétien. En revanche, sa mère, l'impératrice Hélène se convertit certainement. Elle voulait que tous les sites saints soient identifiés et repérés utilement par une église ou quelque autre sanctuaire. Aussi envoya-t-elle des équipes de chercheurs avec l'instruction de ne pas revenir avant d'avoir découvert tous les lieux et objets saints, du buisson ardent de Moïse à la Sainte Croix elle-même.

La tombe du Christ fut dûment trouvée sous le temple de Jupiter de Jérusalem et le site de la crucifixion à une courte distance de là. Le site même où Marie-Madeleine se tenait quand elle entendit la bonne nouvelle de la résurrection fut localisé et signalé par une étoile. Et tout cela, trois cents ans après les événements et deux cent cinquante ans après la destruction de la ville par les Romains ! Par une coïncidence miraculeuse, ce fut Hélène elle-même qui tomba sur la Vraie Croix, encore complète avec la plaque de Ponce Pilate, « Roi des Juifs ». Ses serviteurs devaient être particulièrement soucieux de lui faire plaisir.

L'impératrice fonda des églises sur le mont des Oliviers pour marquer l'endroit où le Christ était monté au ciel, et sur le site supposé de sa naissance à Bethléem. Nous ne pouvons nous empêcher de penser qu'Hélène trouva ce qu'elle voulait trouver. L'un des sites identifiés était l'endroit exact où Dieu parla à Moïse dans le buisson ardent au sommet du mont Horeb dans le désert du Sinaï ; c'est maintenant le lieu du monastère Sainte-Catherine.

Dès que la famille impériale vit la valeur pratique du christianisme, elle s'intégra certainement dans la célébration publique des légendes du nouveau culte.

Vérité dans les hérésies

L'Église romaine primitive se donna pour mission de détruire tout ce qui ne suivait pas son dogme. La vérité n'était pas importante. Ce que l'Église considérait comme vrai l'était, et tout ce qui contredisait cette « vérité » était éradiqué. Jusqu'à une date récente, on ne savait pratiquement rien de Jésus Christ en dehors des maigres informations fournies par le Nouveau Testament. Il est étrange d'imaginer qu'un homme qui est la base de la principale religion du monde occidental ait pu laisser aussi peu de traces. On peut souvent prouver l'existence d'un personnage historique en examinant les jugements négatifs que ses ennemis portent sur lui. Mais Jésus n'est apparemment pas mentionné dans les écrits, y compris ceux de Flavius Josèphe, l'historien des Juifs du Ier siècle – sauf dans un texte récemment découvert connu comme le Josèphe slavonique, et auquel nous reviendrons plus loin dans cet ouvrage. La presque totale absence de références à Jésus est due aux ciseaux des censeurs. Mais heureusement ces derniers ne réussirent pas complètement leur entreprise, comme ce texte slavonique de Josèphe longtemps dissimulé le montre.

L'Église romanisée détruisit toute preuve qui représentait leur Sauveur comme un mortel et non comme un dieu. Au cours de l'un des plus grands actes de vandalisme de l'Histoire, les chrétiens brûlèrent la bibliothèque d'Alexandrie en Égypte et la rasèrent parce qu'elle renfermait quantité d'information sur la véritable Église de Jérusalem. En agissant ainsi, ils détruisirent la plus grande collection de textes anciens que le monde possédât jamais. Heureusement, leur œuvre de destruction totale s'avéra finalement irréalisable dans la mesure où ils ne pouvaient faire disparaître toute trace de preuves. D'où l'importance, comme nous l'avons vu, des révélations des Évangiles gnostiques et des remarquables manuscrits de la mer Morte. De plus, les écrits des Pères fondateurs de l'Église officielle ont jeté sans le vouloir une lumière particulière sur les individus et les pensées qu'ils cherchaient à détruire. En outre, certains ouvrages des premiers penseurs chrétiens échappèrent parfois aux cen-

seurs parce qu'ils furent jugés inoffensifs. Or ils peuvent réellement nous
en apprendre beaucoup.

On en trouve un exemple sous la plume de Clément d'Alexandrie,
l'un des principaux penseurs chrétiens du IIe siècle. On considérait qu'il
avait une conception plutôt gnostique, mais l'essentiel de son œuvre ne
fut pas détruit, car elle était jugée acceptable. Une lettre qu'il écrivit à
un inconnu du nom de Théodore survécut. Voici ce qu'elle nous dit : :

> *Tu as bien fait en réduisant au silence les enseignements innom-*
> *mables des Carpocratiens. Car ceux-ci sont les « étoiles errantes » aux-*
> *quelles la prophétie fait référence, qui s'éloignent de la route étroite des*
> *commandements pour plonger dans l'abîme sans fond des péchés char-*
> *nels et corporels. En s'enorgueillissant de leur connaissance, comme ils*
> *disent, « de l'abîme de Satan », ils ne savent pas qu'ils se jettent dans*
> *le « monde inférieur des ténèbres » de la fausseté, et, en se vantant*
> *d'être libre, ils sont devenus les esclaves de leurs désirs. On doit s'oppo-*
> *ser à de telles [personnes] de toutes les manières et totalement. Car,*
> *même lorsqu'ils disent quelque chose de vrai, un véritable amoureux*
> *de la vérité ne devrait pas être d'accord avec eux. Car toutes les [choses]*
> *vraies ne sont pas la vérité, et cette vérité qui [purement] semble vraie*
> *d'après le jugement humain ne devrait pas être préférée à la vraie*
> *vérité, celle qui est vraie d'après la foi.*
>
> *Maintenant, pour parler des [choses] qu'ils continuent de dire à*
> *propos de l'Évangile divinement inspiré de Marc, certaines sont de*
> *complètes falsifications, et d'autres, même si elles contiennent des [par-*
> *ties] vraies, ne sont pas rapportées fidèlement. Car des vérités, mêlées à*
> *des inventions, sont déformées, à tel point, comme le texte [poursuit],*
> *que même le sel perd sa saveur. [Comme] Marc, lorsque Pierre*
> *séjourna à Rome, il écrivit [un récit] des actes du Seigneur. Mais il ne*
> *raconta pas tout, et ne fit pas non plus allusion aux [actes] secrets. Il*
> *se contenta de choisir ceux qu'il jugeait les plus utiles pour développer*
> *la foi auprès de ceux qu'il instruisait.*
>
> *Quand Pierre mourut en martyr, Marc vint à Alexandrie. Il*
> *apporta à la fois ses propres notes et celles de Pierre. Il transféra le tout*
> *dans son livre où il répertoriait toutes les choses qu'il était souhaitable*
> *de faire pour progresser vers la connaissance [gnosis]. [Ainsi] il com-*
> *posa un Évangile plus spirituel destiné à ceux qui se perfectionnaient.*
> *Néanmoins, il ne divulgua pas encore les choses secrètes, et il ne mit*
> *pas non plus par écrit les enseignements hiérophantiques du Seigneur.*
> *Mais il ajouta d'autres histoires à celles qui étaient déjà écrites et, de*
> *plus, il inséra certains récits, parce qu'il savait, en tant que mysta-*

gogue, que leur interprétation conduirait les auditeurs dans le sanctuaire le plus intérieur de cette vérité dissimulée par sept[35]. Ainsi, en
somme, il organisa les sujets abordés, mais selon moi, ni à contrecœur
ni inconsidérément. Et en mourant, il laissa sa composition à l'église
d'Alexandrie, où elle est encore conservée aussi soigneusement que possible et où elle ne peut être lue que par ceux qui sont initiés aux grands
mystères.

Mais dès lors que les ignobles démons intriguent sans arrêt pour
semer la destruction dans la race des hommes, Carpocrate, instruit par
eux et utilisant des techniques de mystification, finit par abuser tellement un certain ministre de l'église à Alexandrie qu'il obtint de celui-
ci une copie de l'Évangile secret. Alors il l'interpréta selon sa doctrine
charnelle blasphématoire et, en outre, le pollua, en mêlant aux paroles
saintes et immaculées d'énormes mensonges éhontés. De ce mélange est
sorti l'enseignement des Carpocratiens.

Donc, comme je l'ai dit, on ne doit jamais leur permettre de s'exprimer, et on ne doit pas non plus, lorsqu'ils avancent leurs falsifications, concéder que l'Évangile secret est de Marc, mais il faut toujours
le nier sous serment. Car « toutes les vraies [choses] ne sont pas à dire
à tous les hommes ». Pour ce [motif], la Sagesse de Dieu, par l'intermédiaire de Salomon, conseille, « Réponds au fou par sa folie », ce qui
signifie que la lumière de la vérité doit être dissimulée à ceux qui sont
mentalement aveugles. Et elle dit aussi, « Éloigne-toi de celui qui ne
sait pas » et « Laisse le fou s'éveiller dans la ténèbre ». Mais nous
sommes des « enfants de Lumière », ayant été illuminés par la
« lumière » de l'esprit du Seigneur « venue d'en haut », et « Là où
l'Esprit du Seigneur se trouve, dit-elle, là se trouve la liberté », car
« toutes les choses sont pures pour les purs ».

Donc, je n'hésiterai pas à répondre à ta question, en réfutant les falsifications par les paroles mêmes de l'Évangile. Par exemple, après « Et ils
étaient en route vers Jérusalem » et ce qui suit, jusqu'à « il ressuscitera le
troisième jour », [l'Évangile secret] donne mot à mot les paroles suivantes : « Alors ils vinrent à Béthanie, et une certaine femme, dont le frère
était mort, se trouvait là. Quand ils arrivèrent, elle se prosterna devant
Jésus et lui dit, "Fils de David, donne-moi ta grâce". Mais les disciples la
repoussèrent. Et Jésus, irrité, sortit avec elle dans le jardin où la tombe se
trouvait, et immédiatement un grand cri fut entendu venant de la tombe.

35. ... *the innermost sanctuary of that truth hidden by seven.* S'agit-il de sept
hommes ? du nombre sept ? de sept autres choses ? Cette formule relativement sybilline
est partiellement éclairée plus loin dans cet ouvrage voir p. 86. (N.d.T.)

Et Jésus fit rouler la pierre devant la porte du tombeau. Et immédiatement, pénétrant à l'endroit où se trouvait le jeune, il tendit sa main vers lui et saisit la sienne. Alors le jeune homme, levant les yeux vers lui, l'aima et commença à l'implorer de pouvoir rester avec lui. Puis sortant de la tombe, ils rentrèrent dans la maison du jeune homme, car il était riche. Au bout de six jours, Jésus lui dit ce qu'il devait faire et le soir le jeune homme vint le voir, revêtu d'un drap de lin sur [son corps] nu. Et il resta avec lui cette nuit-là, car Jésus lui enseigna le mystère du royaume de Dieu. Et de là, ayant ressuscité, il retourna sur l'autre rive du Jourdain.

Après ces [mots] vient le texte suivant, « Et Jacques et Jean vinrent vers lui », mais toute cette section sur « [l'homme] nu avec [l'homme] nu » et les autres choses à propos desquelles tu as écrit ne s'y trouvent pas.

Et après les [mots] « Et il vint à Jéricho », [l'Évangile secret] ajoute seulement, « Et la sœur du jeune homme que Jésus aimait et sa mère et Salomé étaient là, et Jésus ne les reçut pas. » Mais toutes les autres [choses sur] lesquelles tu as écrit semblent être et sont des falsifications.

Maintenant la vraie explication et ce qui s'accorde avec la vraie philosophie…[36]

À cet endroit, la lettre s'interrompt en milieu de page.

Cette référence à un Évangile secret et, plus important, à une cérémonie interne secrète dirigée par Jésus lui-même, fut une grande découverte. Cela pouvait-il être vrai, nous sommes-nous demandé ? Clément a pu se tromper… Mais cela semblait improbable. Ensuite la lettre pouvait être un faux. Mais dans ce cas, pourquoi ? Nous ne pouvions imaginer quel motif aurait pu pousser quelqu'un à créer une telle supercherie il y a si longtemps. Pour revenir au point crucial de la lettre, nous pensons qu'il y a une forte ressemblance entre les références au « jeune homme nu à l'exception d'un drap de lin » et l'incident inexpliqué au moment de l'arrestation de Jésus à Gethsémani, que décrit Marc dans son Évangile, 14, 51-52 :

Un jeune homme le suivait, n'ayant pour tout vêtement qu'un drap de lin autour de son corps nu. Et on s'empara de lui. Mais lui, laissant tomber le drap, s'enfuit nu.

Les carpocratiens formaient une secte chrétienne primitive particulièrement peu attrayante, qui croyait que le péché était un moyen de Salut.

---

36. Morton SMITH, *The Secret Gospel.*

Leur évocation de deux hommes nus est peut être une mauvaise lecture délibérée des événements pour justifier leur propre comportement bizarre. Au regard de l'enchaînement des événements dans l'Évangile de Marc, le contenu de la lettre sonne juste. De nouveau, on note des parallèles maçonniques : on pense aux cérémonies maçonniques où le candidat n'est habillé que de lin blanc – et n'oublions pas que le manteau des templiers était originellement de lin blanc uni.

Si un chrétien du IIᵉ siècle avait eu quelque connaissance de cérémonies secrètes dirigées par Jésus Christ et ses fidèles, il serait légitime de penser que cet homme venait d'Alexandrie, qui avait de forts liens avec l'Église de Jérusalem primitive. Vu le contenu de cette lettre, nous voulûmes aller consulter les traités survivants de Clément, même si ces derniers ont pu être retouchés par des censeurs chrétiens ultérieurs. Dans un bref ouvrage intitulé *Les Mystères de la foi à ne pas divulguer à tous*, il indique que tout le monde ne peut avoir accès à la connaissance :

> [...] *Le sage n'exprime pas par sa bouche ce dont il parle au sein de conseils. « Mais ce que vous entendez au creux de votre oreille, dit le Seigneur, proclamez-le sur le toit des maisons », signifiant qu'il ordonne de recevoir les traditions secrètes de la vraie connaissance, et de les répandre haut et fort ; mais comme nous les avons entendues au creux de notre oreille, nous devons les délivrer aux personnes requises ; mais il ne nous est pas enjoint de communiquer à tous sans distinction, ce qui est dit dans les paraboles.*

Ce passage suggère qu'il existait une tradition secrète et qu'elle est, du moins en partie, présente dans la Bible, mais présentée de telle manière que le profane ne verra littéralement qu'une parabole tandis que l'initié discernera quelque chose de nettement plus important et de beaucoup plus chargé de sens. Clément ne pouvait que se référer à des passages du Nouveau Testament qui ne sont pas normalement considérés comme des paraboles, parce que des paraboles évidentes comme « le Bon Samaritain » sont des leçons morales et rien de plus. Dans ce cas, les parties les plus étranges de l'histoire de Jésus Christ – prises au pied de la lettre par les chrétiens modernes – pourraient-elles dissimuler des sens cachés ? On peut ranger au nombre de ceux-ci des épisodes comme la transformation par Jésus de l'eau en vin ou la résurrection de morts. Derrière les actes impossibles évoqués, y aurait-il quelque message crypté ? Nous commencions à nous intéresser autant aux détails des Écritures bibliques qu'à ceux des textes maçonniques.

Dans une œuvre attribuée à un autre chrétien du IIᵉ siècle, Hippolyte, intitulée *La Réfutation de toutes les hérésies,* nous découvrîmes des récits fascinants relatifs à une secte hérétique qu'il identifie sous le nom de naasséniens. Les hommes de cette secte prétendaient que leurs croyances remontaient à Jacques, le frère du Seigneur, par Mariamne. Ils considéraient les relations femmes/hommes comme des pratiques malsaines, sales. En revanche, pour eux, se laver dans les eaux vivifiantes était une chose merveilleuse. Hippolyte poursuit en disant :

> *Ils affirment, aussi, que les Égyptiens possèdent les sacrés et augustes mystères d'Isis, intransmissibles aux profanes. Il est établi que les Égyptiens ont, après les Phrygiens, une plus grande antiquité que tout le reste de l'humanité, et qu'ils furent, sans conteste, les premiers à exposer à l'ensemble des hommes les rites et orgies non seulement de tous les dieux, mais aussi de toutes les espèces [de choses], Cependant, [les mystères d'Isis] ne sont rien d'autre que ce qu'[Isis] aux sept robes et à la robe noire avait cherché et récupéré, à savoir, le pénis d'Osiris. Et ils disent qu'Osiris est eau. Mais cette nature heptapartite, encerclée et auréolée de sept manteaux ethériques rayonnants (car ils appellent par allégorie les étoiles planétaires des [robes] ethériques), représente, comme jadis, ce qui se transforme ; elle est exposée sous la forme de la créature transformée par Celui qui est Ineffable, Non-représentable, Inconcevable et Sans image. Et, disent [les naasséniens] c'est ce qui est déclaré dans les Écritures : « Le Juste tombera sept fois, et se relèvera. » Car ces chutes, dit-il, sont les déplacements des étoiles, mues par Celui qui met ces dernières en mouvement.*

Beaucoup de sonnettes familières résonnèrent dans notre esprit à la lecture de ce passage. Le terme *naasséniens* est une autre forme de « nazôréen », le nom adopté par les fidèles originels de Jésus qui constituaient l'Église de Jérusalem. La description du dégoût à l'endroit du contact sexuel avec des femmes et le rôle majeur de la purification par l'eau s'accordent également parfaitement avec ce que nous savons de la communauté essénienne de Qoumrân qui produisit les manuscrits de la mer Morte. Quant à l'importance et à la répétition du nombre sept, elle nous relie étroitement et symptomatiquement à l'allusion dans la lettre de Clément au « sanctuaire le plus intérieur de cette vérité dissimulée par sept ». Et le net caractère maçonnique de ce passage nous frappa aussi. Même si nous ne pouvions alors identifier la connexion, tout s'éclaira ultérieurement quand nous découvrîmes le degré de *Royal Arch* [Chevalier de l'Arche royale] de la franc-maçonnerie. Mais nous y reviendrons.

Un lien positif entre Jésus et les templiers

Au vu des éléments disponibles, nous étions maintenant convaincus que Jésus et ses fidèles étaient originellement appelés nazôréens (ou nazaréens). Mais il était important de comprendre ce qu'une telle désignation recouvrait et de considérer pourquoi son usage avait été abandonné. Jésus lui-même se voit donner ce qualificatif dans Matthieu, 2, 23 :

> *Il vint s'établir dans une ville appelée Nazareth ; pour que s'accomplît l'oracle des prophètes : il sera appelé Nazôréen*[37].

Ce passage semblait indiquer que l'Évangile de Matthieu avait été écrit par quelqu'un d'assez éloigné de la véritable Église ou, plus probablement, qu'il avait été ajouté à une date ultérieure par un homme qui désirait supprimer quelques idées un peu gênantes. Indubitablement, il nous paraissait fort peu logique de dire que Jésus s'était senti obligé d'aller vivre dans un lieu particulier, simplement parce que quelque prophète disparu depuis longtemps avait affirmé qu'il en serait ainsi. Et par ailleurs, un autre fait essentiel vient réduire à néant l'affirmation du Nouveau Testament selon laquelle ses fidèles auraient appelé leur Sauveur « Jésus de Nazareth » : à l'époque de Jésus, la ville de Nazareth n'existait pas encore ! On ne trouve pas une seule mention historique de cette ville antérieure aux Évangiles. Or les Romains tenaient des registres très précis de tout leur Empire, donc si la ville avait existé il se serait agi d'une situation tout à fait unique. Le qualificatif véritablement utilisé pour Jésus était « le Nazôréen »[38], parce qu'il était un membre majeur d'un mouvement qui portait ce nom. Le Nouveau Testament situe les premières activités de Jésus autour de la mer de Galilée[39] et son déménagement supposé à Capharnaüm, décrit dans Matthieu 4, 13, n'est qu'un ajustement nécessaire pour se raccrocher à l'Histoire[40].

Nous étions frappés par la formulation utilisée : elle impliquait que Jésus était un *membre* de la secte nazôréenne, en laissant donc fortement

37. Ou Nazarénien. « Nazôréen » est la forme la plus couramment retenue dans les traductions françaises actuelles. (N.d.T.)

38. Ou le Nazaréen ou encore le Nazarénien, tous synonymes ici. (N.d.T.)

39. Encore appelée lac de Tibériade ou mer de Kinneret. (N.d.T.)

40. *Peake's Commentary on the Bible.*

entendre qu'il n'était pas son *chef* originel. Apparemment, Jésus ne fut absolument pas le fondateur de l'Église.

Les nazôréens allaient clairement devenir très importants dans l'histoire qui commençait à se dérouler sous nos yeux. C'est alors qu'une clé importante nous parvint par un détour totalement inattendu. Tandis que nous visitions le Sinaï, Chris, grand amateur de plongée sous-marine, profita de l'opportunité pour plonger dans les récifs de coraux de la mer Rouge. Lors d'une précédente expérience, il avait pu constater qu'ils étaient les plus beaux du monde.

La visibilité sous-marine autour de Sharm el Sheik en Égypte est normalement excellente. Mais un jour donné, elle tombe spectaculairement en raison de l'éclosion annuelle des spores du corail. Ce phénomène voilait l'eau. Par endroits la visibilité tombait à moins de deux mètres. Chris raconte l'histoire :

« J'étais conscient que ce n'était pas totalement une mauvaise nouvelle : le plancton attire des créatures aussi merveilleuses que les raies mantas, venant festoyer en se jetant sur une nourriture soudain si abondante. Il était environ dix heures du matin quand je sautai du pont brûlant de l'*Apuhara* (un navire égyptien tout en acier qui avait commencé sa carrière comme un brise-glace suédois) et plongeai à cent pieds vers le fond multicolore de la mer.

« Je pris la direction de la terre. Je m'élevai lentement à mesure que le fond remontait pour éviter tous les risques liés à la décompression d'azote. À environ trente pieds, je pénétrai dans un grand nuage de zooplancton. Je perdis totalement de vue mon compagnon de plongée. Alors je rebroussai chemin jusqu'à un secteur plus clair. Ma vision était à peine rétablie lorsque j'aperçus une raie manta se diriger droit sur moi, bouche grande ouverte. Elle engloutissait les tonnes d'eau lui permettant de filtrer son déjeuner du matin. À une douzaine de pieds de moi environ, elle s'immobilisa comme une soucoupe volante extraterrestre. Ce poisson faisait plus de vingt pieds de large. Ma tête allait de droite à gauche pour prendre la mesure de cette magnifique créature. J'étais à la fois effrayé et exalté. Soudain, sans un mouvement discernable de ses ailes, elle partit sur ma gauche. C'est alors je vis deux mantas plus petites progressant derrière elle pour profiter du courant porteur de nourriture venant de la terre.

« C'était l'une de mes plus belles plongées. Dès que je fus remonté à bord, je demandai à Ehab, le sympathique guide arabe, généralement bien informé, comment s'appelait l'endroit. "Ras Nasrani", me répondit-il. Je lui demandai ce que cela voulait dire et il m'expliqua que *Ras* se traduisait simplement par « tête » ou « pointe » et Nasrani traduisant une grande quantité de petits poissons. Je le pressai encore et lui demandai quel type de poissons.

"N'importe quel petits poissons ordinaires, dit-il, du moment qu'il y en a beaucoup".

« Quelques jours plus tard, au monastère de Sainte-Catherine, j'entendis un Arabe désigner précisément les chrétiens avec ce même mot, *nasrani*. Quand je vérifiai, il s'avéra que c'était bien le mot arabe normal désignant les fidèles du grand prophète appelé Jésus. »

Nous pensâmes immédiatement à la signification littérale apprise quelques jours plus tôt. Pour nous, cette identité prenait beaucoup de sens. N'était-ce pas là l'explication simple du terme, autrement dit que, dans les premiers temps, les chrétiens étaient considérés comme les « petits poissons » ?

Cette idée venait peut-être du fait que l'Église qualifie Jésus de « pêcheur d'hommes ». Mais plus probablement elle est fondée sur l'ancienne association du prêtre et du poisson. Dans leurs dévotions et leur observance de la loi, les membres de la secte essénienne étaient tous des quasi-prêtres. De plus, ils se baignaient dans l'eau à la moindre occasion, ce qui aurait fourni une autre bonne raison d'utiliser ce terme à leur endroit. Cette théorie s'accorde encore avec un autre fait : les membres de la secte nazôréenne tournaient autour des lieux saints de l'ère chrétienne primitive et ils marquaient leurs lieux sacrés avec deux arcs qui formaient le célèbre signe du poisson. Il est d'ailleurs intéressant de noter que le symbole de l'organisation était originellement un poisson et non une croix, indiquant que l'exécution de Jésus n'avait pas une telle importance à l'époque.

Il se pourrait également que Pierre et Jean aient été des membres de haut rang de la secte prosélyte nazôréenne et pour cette raison, on les aurait appelés « pêcheurs » non pas à cause d'une allusion à un commerce, mais à cause de leur activité de recrutement. C'est une hypothèse particulièrement plausible dans la mesure où le secteur de la mer Morte [et par la même de la communauté originelle] n'avait pas vraiment de poissons. Et ce serait aussi pour donner une validité à une lecture littérale des textes, que les auteurs ultérieurs du Nouveau Testament auraient déplacé les origines de ces « pêcheurs » vers la mer de Galilée [lac de Tibériade] – beaucoup plus poissonneux – afin de surmonter cette contradiction.

Des recherches ultérieures ont montré que l'adjectif *nazôraios* avait été très tôt utilisé par les étrangers pour désigner la secte qui finit par être connue sous le nom de chrétiens. Épiphane [Epiphanius] parle d'un groupe préchrétien appelé les Nasaraioi. Bon nombre de spécialistes comme Lidzbarski ont considéré que ce nom désignait originellement la secte d'où a émergé la figure de Jésus (et donc l'Église). Et une fois de plus, tout ce qui précède laisse penser que Jésus était peut-être un simple membre plutôt qu'un fondateur.

Dans notre esprit, deux points ne faisaient aucun doute : 1. Jésus ne venait pas de la ville de Nazareth ; en revanche, 2. il appartenait à la secte nazôréenne dont les membres se considéraient presque certainement comme des « poissons ».

Pour nous, cette découverte revêtait une telle signification, que nous entreprîmes de fouiller tout ce que nous pouvions afin de trouver la moindre information venant éclairer davantage une hypothèse très prometteuse. Différents éléments de données étaient troublants, mais nous fûmes surtout stupéfaits de découvrir que la secte nazôréenne n'avait pratiquement jamais disparu : elle survit encore dans le sud de l'Irak. Elle y apparaît comme une partie de la plus grande secte mandéenne dont les membres font remonter leur héritage religieux, non pas à Jésus, mais à Yahia Yuhana, mieux connu des chrétiens sous le nom de Jean Baptiste ! Dans leur texte, ils se décrivent sous le qualificatif très voisin de *natzoraje*. Ils croient que Yshu Mshiha (Jésus) était un nazôréen, mais un rebelle et un hérétique qui trahit les doctrines secrètes qui lui avaient été confiées. Alors nous nous demandâmes quels secrets il avait pu posséder et à qui il les avait transmis. Les réponses possibles étaient à portée de la main.

Nous ne savions pas grand-chose des mandéens. En faisant des recherches à leur propos, nous fûmes fascinés par le passage suivant :

> *Les mandéens, petite mais opiniâtre communauté demeurant en Irak, suivent une ancienne forme de gnosticisme et pratiquent l'initiation, l'extase et quelques rituels qui, a-t-on dit, ressemblent à ceux des francs-maçons.*[41]

41. Arkon DARAUL, *Secret Societies.*

Nous y étions. Nous avions devant nous un groupe qui descendait directement de l'Église originelle de Jérusalem, et l'une des premières descriptions les concernant que nous rencontrions identifiait leurs rituels à ceux de la franc-maçonnerie. Jésus pouvait-il avoir trahi une sorte de secret de type maçonnique ? L'idée était fascinante. Ce devait être le début de quelque chose de très important et notre perception se vit confirmée lorsque nous découvrîmes que les mandéens d'aujourd'hui appelaient leurs prêtres « nazôréens » ! Nous fûmes fascinés de découvrir que ces gens faisaient découler leur nom du mot *manda*, qui signifie « connaissance secrète ». Par ailleurs, nous trouvâmes rapidement des preuves de connexions possibles avec la franc-maçonnerie. Les mandéens utilisent une poignée de main rituelle appelée *kushta* qui est un attouchement donné aux candidats dans le cadre d'une cérémonie ; *kushta* signifie « rectitude » ou exécution de choses justes. Pour nous, c'était un concept très maçonnique.

La tonalité maçonnique d'un autre élément de leur rituel ne nous échappa point : quand leurs initiés sont considérés comme rituellement morts, les mandéens récitent une prière silencieuse. De la même manière, les mots les plus secrets de la maçonnerie sont toujours murmurés dans l'oreille d'un candidat Maître maçon, quand il se relève de la tombe rituelle. Ce point devait ultérieurement nous fournir un lien très important entre l'ancien passé et la maçonnerie moderne.

L'étoile des mandéens

Chris commença à observer plus attentivement les croyances et rituels de ce fossile théologique remarquable, vestige d'une culture datant de l'époque de Jésus. Il tomba sur quelques mots qui devaient permettre un formidable éclaircissement de l'Histoire.

Selon Flavius Josèphe, l'historien des Juifs du Ier siècle, les esséniens croyaient que les bonnes âmes habitaient au-delà de l'océan, dans une région qui n'est ni harcelée par les tempêtes de pluie ou de neige ni par une chaleur intense, mais rafraîchie par le doux souffle du vent d'ouest qui souffle perpétuellement de l'océan. Cette terre idyllique située de l'autre côté de la mer vers l'ouest (ou parfois vers le nord) est une croyance partagée par de nombreuses cultures, des Juifs aux Grecs et aux Celtes. Cependant, les mandéens croient que les habitants de cette terre lointaine sont si purs que les yeux mortels ne peuvent les voir et que cet endroit est marqué par une étoile, dont le nom est « Merica ».

Une terre de l'autre côté de l'océan, un lieu parfait marqué par une étoile connue sous le nom de Merica... ou peut-être A-Merica ? Nous savions déjà que l'étoile du matin était importante pour les nazôréens et que l'étoile du soir, l'étoile de l'ouest, est le même corps céleste, c'est-à-dire la planète Vénus.

Comme nos recherches devaient avec force détails nous le montrer ultérieurement, les États-Unis d'Amérique furent créés par des francs-maçons. Et sa Constitution est fondée sur des principes maçonniques. Ensuite, comme nous le savions aussi, l'étoile du matin est celle vers laquelle tout Maître maçon qui vient d'être relevé de la tombe doit tourner les yeux. En tant que symbole, l'étoile a toujours été importante pour les États-Unis. Nous retournâmes vers le rituel maçonnique et la clôture d'une tenue de loge. À un moment, la question suivante est posée aux Premier et Second surveillants par le Vénérable Maître.

— *Frère Premier Surveillant, où dirigez-vous vos pas ?*

— *Vers l'Occident, Vénérable Maître.*

— *Frère Second Surveillant, pourquoi quittez-vous l'Orient pour aller vers l'Occident ?*

— *En quête de que ce qui fut perdu, Vénérable Maître.*

— *Frère Premier Surveillant, qu'est-ce qui fut perdu ?*

—*Les Secrets authentiques d'un Maître maçon, Vénérable Maître.*

Ces connexions pouvaient être des coïncidences. Mais, à notre avis, beaucoup trop de coïncidences survenaient en même temps.

L'étoile de l'Amérique

Lorsque l'on étudie Jérusalem à l'époque de Jésus, l'origine du nom de l'Amérique peut sembler une étrange digression. C'est pourtant l'un des dérivés importants de notre recherche. Pour nous, l'un des problèmes majeurs de la recherche historique traditionnelle est méthodologique : les spécialistes étudient séparément des « blocs » d'Histoire comme si des ensembles d'événements significatifs étaient survenus à une date donnée simplement pour que nous les cataloguions et les observions. Mais, de plus en plus, de chercheurs sérieux considèrent qu'il existe des connexions aussi importantes qu'inattendues entre toutes ces séries d'événements qui, jusque-là, étaient vus complètement distincts.

Nous savions que les mandéens étaient les descendants directs des nazôréens, qui, nous l'avions aussi établi, étaient le même groupe que les Qoumrâniens – le groupe qui enterra ses manuscrits secrets sous le Temple d'Hérode. Il s'ensuit que si les ancêtres des mandéens étaient les auteurs des manuscrits que les templiers exhumèrent, cette fameuse terre mystique, sise sous une étoile appelée « Merica », pouvait fort bien avoir été mentionnée dans leurs écrits secrets. En résumé, il semblait possible que, grâce aux manuscrits, les templiers aient entendu parler d'un pays merveilleux situé sous la lumineuse étoile solitaire « Merica ». Si tel était le cas, il y avait de fortes chances qu'ils aient fait voile vers l'ouest pour le trouver.

On croit communément que le continent américain fut baptisé d'après le nom chrétien d'Amerigo Vespucci, un riche armateur de Séville. Or celui-ci ne fit pas voile vers le Nouveau Monde avant 1499, soit sept ans après Christophe Colomb. Par ailleurs, il est maintenant admis que de nombreux Européens et Asiatiques étaient arrivés sur le continent longtemps avant ces célèbres et importantes expéditions hispaniques. Des descendants de templiers ont peut-être été impliqués dans l'attribution d'un nom au Nouveau Continent ? Les templiers eux-mêmes se sont peut-être mis en quête d'une terre sise sous l'étoile du soir appelée « Merica » qu'ils connaissaient grâce à leurs découvertes[42].

Les navires templiers étaient construits pour résister à toutes sortes de conditions, y compris les violentes tempêtes du golfe de Gascogne. En outre leurs techniques de navigation, utilisant boussole, compas et cartes astrologiques, étaient loin d'être rudimentaires. Dans leur cas, un voyage transatlantique n'était pas seulement une hypothèse. S'ils avaient connaissance du pays de l'étoile du matin, ils possédaient aussi une double motivation : 1. trouver le Nouveau Monde et 2. quitter l'Ancien – pour une question de survie, dès que leur Ordre fut dénoncé comme hérétique en 1307.

À la lumière de ce nouvel élément, Chris se dit que l'on pouvait raisonnablement penser que certains templiers avaient fait voile vers l'ouest, à l'assaut de l'inconnu en arborant leur étendard de combat naval : un crâne et des os croisés. Ainsi ils auraient trouvé le pays de l'étoile du matin, cent quatre-vingt-cinq ans avant Colomb. Cette idée pouvait avoir beaucoup de signification, mais il restait encore à trouver des preuves directes.

Chris avait travaillé sur l'interprétation des complexités cultuelles du Ier siècle de notre ère. Quand, pour la première fois, il se dit qu'une

---

42. N'oublions pas que les voiles des trois caravelles de Christophe Colomb auraient été ornées de la croix pattée des Templiers. Et Colomb avait épousé la fille d'un ancien Grand Maître de l'ordre du Christ, qui, au Portugal, avait pris la suite de l'ordre du Temple. D'autres grands navigateurs comme Vasco de Gama et Henri le Navigateur étaient eux-mêmes Chevaliers du Christ ; le dernier cité étant même Grand Maître. (N.d.T.)

connexion entre « Merica » et « America/Amérique » était possible, il comprit que ce lien pourrait avoir beaucoup de sens. Mais il manquait alors de quoi que ce soit ressemblant à une preuve. Chris se souvient :

« J'étais certain que lors de notre prochaine rencontre, la possibilité d'une origine nazôréenne pour le nom du continent américain exciterait particulièrement Robert. Je ne lui en parlai pas du tout, mais attendis qu'il lise le premier jet de mon chapitre. Il inséra ma disquette dans son ordinateur et lut le texte sur l'écran. Il atteignit la partie importante. J'attendais sa réaction ; sa réponse fut un silence de pierre. J'étais cruellement déçu : si Robert ne trouvait pas l'hypothèse intéressante, personne ne le pourrait.

« Robert se leva et marmonna quelque chose, alors qu'il fouillait dans les piles de livres qui remplissaient chaque centimètre carré du sol de son bureau. Il poussa un cri, lorsque plusieurs volumes de l'*Histoire de la franc-maçonnerie* de Gould s'effondrèrent. Puis il sourit enfin en exhumant un livre tout neuf et brillant au milieu du désordre.

« Il tourna les pages de l'atlas des routes de Grande-Bretagne et mit l'index sur la région du sud de l'Écosse.

« — Que penserais-tu d'un petit voyage ? demanda-t-il.

« — Quel endroit indiques-tu ? demandai-je, essayant de ne pas trop montrer ma déception. Edimbourg ?

« — Non. Juste à quelques miles au sud, le village de Roslin…, précisément le site de la chapelle de Rosslyn[43].

« Nous partîmes pour Édimbourg deux jours plus tard. Robert ne m'avait toujours pas expliqué où nous allions et surtout pourquoi nous y allions. Depuis le commencement de notre travail, nous avions grossièrement séparé nos secteurs de recherche au niveau de la période templière : Robert se concentrait sur les événements postérieurs au XIIIe siècle et moi sur tous les événements antérieurs à cette date. Au moment où j'approfondissais le Ier siècle de notre ère à Jérusalem, Robert était plongé dans l'Écosse du XIVe siècle. Lors de visites précédentes de l'autre côté de la frontière écossaise, nous avions pu découvrir un grand nombre de tombes templières et maçonniques. Cette abondance démontrait à quel point ce pays avait été important dans le développement de la franc-maçonnerie. Mais qu'avait encore pu trouver Robert ?

« Nous utilisâmes le temps du voyage pour discuter de différents

---

43. Si la chapelle est sise dans le village de Roslin, elle s'orthographie effectivement Rosslyn. (N.d.T.)

aspects de notre travail en général. Mais en approchant de la frontière écossaise à Gretna, je m'impatientai et insistai pour que Robert m'explique notre mission du jour.

« — OK, dit-il avec un sourire. Tu sais que j'ai étudié l'histoire de la famille Sinclair et de la chapelle que William St Clair construisit dans ce qui est maintenant le village de Roslin.

« — Oui, répondis-je rudement, pour l'inciter à aller directement au vif du sujet.

« — Eh bien, la première fois que je l'ai lue, une chose très étrange à propos de la chapelle de Rosslyn n'a pas vraiment retenu mon attention, mais elle s'accorde parfaitement avec ton idée de la Merica.

« Robert venait de capter toute mon attention. Il poursuivit : "Tout l'édifice est décoré intérieurement de gravures à signification maçonnique... et botanique. Les arches, les linteaux, les bases de piliers, etc. sont pour l'essentiel recouverts de motifs de plantes. Ces décors sont très détaillés et de nombreuses espèces différentes sont représentées.

« Ce que me disait Robert était certainement fascinant, mais je ne voyais pas encore clairement le lien avec ma découverte mandéenne.

« — Or...

Robert fit une pause pour créer le suspense. "... parmi ces plantes on trouve des cactus aloès et des épis de maïs.

« Pendant une paire de secondes, l'importance de cette remarque tourna et retourna dans mon esprit. — À quelle date dis-tu que la chapelle a été construite ?

« — Voilà exactement la question, s'exclama Robert en se tapant le genou. La première tranchée fut creusée en 1441 et l'ouvrage fut achevé quarante-cinq ans plus tard en 1486. D'après mes calculs, ces gravures ont été placées... oh, pas après 1470.

« — Rappelle-moi, quand Colomb découvrit exactement l'Amérique ?

« Je voulais avoir de vive voix la confirmation de ce que ma mémoire chuchotait.

« — Il débarqua aux Bahamas en 1492, à Puerto Rico en 1493, à Cuba en 1494, mais il n'a jamais mis le pied sur le continent.

« Robert continua avant que j'aie pu poser la question suivante : — Eh oui, le cactus aloès et le maïs indien, ou *corn* comme l'appellent les Américains, sont deux plantes du Nouveau Monde supposées inconnues hors de ce continent jusqu'à une date bien avancée du XVIe siècle.

« Je fixai Robert. La conclusion était incontournable : même si Colomb avait trouvé ces plantes lors de son court premier voyage, la chapelle de Rosslyn avait été achevée six ans plus tôt au moins, et ainsi les gravures de maïs et de cactus aloès existaient déjà lorsque Christophe Colomb allait encore à l'école. Quelqu'un d'autre était allé en Amérique et avait rapporté des plantes bien avant la découverte théorique du Nouveau Monde par Colomb. Et la preuve est présente dans l'édifice templaro-maçonnique !

Nous arrivâmes à la chapelle vers midi, à la fois excités et honorés de se trouver dans un lieu si particulier. Nous fîmes tout le tour de l'intérieur les yeux levés. La voûte du toit en pierre d'une épaisseur de trois pieds courait sur toute la longueur. Nous en admirions la décoration chargée. En nous promenant dans la chapelle, nous découvrîmes bientôt les plantes que nous cherchions : les épis de maïs formaient une arche autour d'une fenêtre du mur sud et les cactus aloès apparaissaient sur un linteau du même mur (fig. 7 et 8). Ailleurs nous pouvions voir de nombreuses autres plantes reconnaissables. Partout on apercevait des manifestations de l'« homme vert », le personnage celtique symbole de fertilité. Nous avions pu dénombrer plus d'une centaine d'« hommes verts ». Mais il en existait encore davantage, subtilement dissimulés dans la végétation.

La chapelle de Rosslyn est un endroit remarquable et magique. Elle relie le christianisme à l'ancien folklore celtique et à la franc-maçonnerie templière. Nous étions certains que cette visite ne serait pas la dernière dans cet endroit unique.

* * *

Tout ce que nous avions découvert sur les esséniens/nazôréens semblait montrer des liens frappants avec la franc-maçonnerie. Le fait inattendu qu'une secte descendant des mandéens existait encore en Irak, permettait d'établir encore davantage de parallèles. L'un de nos axes de recherche nous avait, de manière tout aussi fortuite, entraînés jusqu'en Écosse où un édifice présentait une imagerie maçonnico-templière complexe. Mais, pour comprendre pleinement les nazôréens, nous savions qu'il nous fallait remonter aussi loin que possible dans le temps pour découvrir les fils initiaux de notre mystère. Nous devions découvrir où les éléments clés de la religion juive étaient initialement apparus.

CONCLUSION

Ayant découvert que les Qoumrâniens et Jésus lui-même avaient de fortes connexions avec les templiers et la maçonnerie, nous voulions dorénavant connaître l'origine de leurs croyances et rituels. Les Qoumrâniens étaient une distillation de tout ce qui pouvait être décrit comme juif. Mais il y avait manifestement beaucoup plus de choses à dire sur leur structure et leur système de croyance que ce que l'on pouvait trouver dans le seul Ancien Testament.

Une fois de plus, nous étions bons pour aborder une nouvelle étape de notre recherche. Dans l'espoir de trouver une explication aux croyances templières, nous avions dû remonter jusqu'à l'époque de Jésus. De la même manière, nous devions maintenant remonter encore plus loin dans le temps pour reconstruire la théologie du peuple juif. Les rituels de la franc-maçonnerie pouvaient avoir été inventés par les Qoumrâniens. Mais, en réalité, nous étions certains qu'ils étaient probablement beaucoup, beaucoup plus anciens.

Nous décidâmes de remonter aussi loin que possible dans le temps, avant de reprendre la progression chronologique normale pour mieux comprendre les éléments moteurs qui avaient animés l'esprit qoumrânien.

CHAPITRE VI

AU COMMENCEMENT L'HOMME CRÉA DIEU

Le Jardin d'Eden

Ayant décidé que nous avions besoin de comprendre l'histoire et l'évolution des croyances religieuses juives, nous tournâmes notre attention vers un élément vital de toutes les civilisations, le langage. La plupart des langues du sous-continent indien, de l'Asie occidentale, de l'Europe et de certaines parties de l'Afrique du Nord proviennent d'une source commune ancienne. Les points communs de centaines de langues ont établi ce fait. Or lorsque les peuples s'étendaient ou se déplaçaient, ils emportaient avec eux leur langue certes, mais aussi leurs légendes et leurs dieux. Nous avions donc l'impression que ce qui s'appliquait au langage était également valable pour la religion. À notre avis, les connexions entre religions apparemment différentes peuvent révéler des liens aussi clairs que ceux trouvés par les philologues (ceux qui étudient l'évolution des langues).

On a cherché les origines du langage pendant des milliers d'années. De nombreux peuples de l'Antiquité supposaient que la langue était d'origine divine. Ils pensaient que si l'on pouvait retrouver la première – autrement dit la plus pure – forme de discours, on retrouverait le langage des dieux. De nombreuses « expériences » ont été menées pour redécouvrir cette langue primordiale. Un pharaon d'Égypte du VIIe siècle avant notre ère, Psamtik (ou Psammétique) Ier, notamment, avait élevé deux enfants en les empêchant d'entendre le moindre mot pour qu'ils puissent instinctivement développer le pur langage divin. On raconte qu'ils parlèrent spontanément phrygien, une ancienne langue d'Asie Mineure. La même expérience fut menée plus de deux mille ans plus tard par James IV d'Écosse ; la langue en résultant fut l'hébreu – mais de nouveau l'expérience ne s'était pas avérée convaincante.

Presque toutes les langues de l'histoire de l'Ancien monde proviennent d'une langue originelle que l'on a appelée – sans faire preuve de beaucoup de poésie – proto-indo-européen. On a démontré que cette langue était la source commune de l'ourdou, du français, du punjabi, du parsi, du polonais, du tchèque, du gaélique, du grec, du lithuanien, du portugais, de l'italien, de l'afrikaan, du vieux norrois [islandais], de l'allemand et de l'anglais, parmi beaucoup d'autres. À quelle époque, le proto-indo-européen fut-il une langue vivante ? Nous ne le saurons sans doute jamais, parce que notre connaissance détaillée du passé repose sur le stade d'évolution du langage ultérieur, l'écrit.

Le livre de la Genèse fut transcrit pour la première fois il y a environ 2700 ans, bien après l'époque du roi Salomon. Même si cette date semble ancienne, nous savons aujourd'hui que l'écriture est née au moins deux fois plus tôt, dans un pays baptisé du beau nom de Sumer.

Sumer est le lieu de naissance « officiel » de la civilisation. Son écriture, sa théologie, sa technologie architecturale constituèrent la fondation de toutes les cultures moyen-orientales et européennes ultérieures. Personne n'est certain du foyer d'origine des Sumériens. Eux pensaient venir d'un pays appelé Dilmun. On considère généralement qu'il s'agit de la moderne Bahreïn sur la côte ouest du golfe Persique. En 4000 avant notre ère, ils avaient déjà une existence florissante dans ce qui est maintenant l'Irak du sud entre les deux fleuves, le Tigre et l'Euphrate. Les grandes plaines alluviales procuraient là une riche terre agricole sur laquelle poussaient des cultures, paissait le bétail et les rivières regorgeaient de poissons. Au quatrième millénaire avant notre ère, Sumer possédait une culture bien établie avec ses cités, ses artisans spécialisés, ses ouvrages d'irrigation collectifs, ses centres cérémoniels et ses récits écrits.

Les cultures citadines sont très différentes des cultures villageoises. Les concentrations de grands nombres d'individus réclament une structure sociale sophistiquée ; même si la majorité de la main-d'œuvre se retire de la production agricole, il ne doit pas y avoir de perte de productivité. Les Sumériens développèrent d'excellentes techniques agricoles. À partir des textes en écriture cunéiforme, il a été calculé que leur production de blé il y a 4400 ans n'avait rien à envier aux meilleurs champs de blé modernes du Canada !

Les Sumériens ne se contentèrent pas de mettre en place une agriculture éminemment efficace et des industries aussi fondamentales que la fabrication de textiles et de céramiques ; ils inventèrent aussi de nouvelles matières, notamment le verre. Ils devinrent d'éminents verriers, mais également d'admirables artisans travaillant l'or, l'argent, le cuivre et le bronze. En outre, ils donnèrent des graveurs de pierre accomplis, des orfèvres et des ébénistes délicats. Mais l'invention la plus importante de ce peuple fantastiquement doué fut sans aucun doute la roue.

En tant que bâtisseurs, leurs réalisations furent impressionnantes. Parmi leurs nombreuses innovations importantes, on peut noter la colonne, qui s'inspirait du tronc du dattier. Les bâtiments de leurs plus anciennes cités étaient construits en briques de boue séchée. Ils tombaient en ruines en quelques générations. Un nouveau bâtiment était alors construit sur les ruines de l'ancien. Au cours des milliers d'années de civilisation sumérienne, ce processus déchéance-effondrement-reconstruction a créé de grands monticules qui furent appelés *tells*. Beaucoup – certains pouvant atteindre soixante pieds de haut – existent encore.

La richesse des Sumériens attiraient nombre de voyageurs venant de pays lointains. Ils cherchaient à échanger leurs marchandises élémentaires contre les produits merveilleux de cette civilisation avancée. En réponse, les Sumériens développèrent toute une classe de marchands internationaux avec de grands entrepôts pour l'import et l'export. Les Sumériens se trouvaient dans une bonne position pour obtenir les conditions commerciales les plus avantageuses. Il est probable que ce peuple avait accès aux biens les plus exotiques et les plus splendides en provenance de tous les coins du monde connu. Une bonne partie de leurs matières premières arrivaient par voie fluviale. Une fois les matières débarquées, les bateaux étaient vendus ou démantelés pour récupérer leur bois précieux. Le seul bois qui poussait localement était le dattier, mais son bois était trop flexible pour être utilisé en construction. Sumer ne possédait pas de carrières de pierre. Aussi lorsque les Sumériens voulaient construire en pierre, les blocs taillés étaient transportés par bateaux et acheminés grâce à leur système de canaux élaboré jusqu'au site requis. Les bateaux ne pouvaient remonter le courant. Les produits manufacturés obtenus en paiement des matières premières devaient donc être rapportés dans le Nord à dos d'ânes (le cheval était lui aussi inconnu à Sumer).

Les villes de Sumer

Sumer comptait au moins vingt villes (les plus importantes étant Ur, Kish, Eridu, Lagash et Nippur). Chacune était politiquement autonome, avec un roi et un clergé propres. Pour les Sumériens, leur pays était celui de Dieu, sans qui le pouvoir vital de procréation se serait arrêté. Le roi était un dieu inférieur lié à la terre. Il avait pour responsabilité d'assurer la productivité de la communauté. Au centre de chaque ville se trouvait la maison de Dieu, le temple, depuis lequel les prêtres contrôlaient les moindres aspects de la vie de la communauté, y compris l'administration de la justice, du pays, les enseignements scientifiques et théologiques et le rituel religieux.

Les écoles appelées *edduba* formaient aux différentes professions. L'éducation commençait à un âge précoce. On attendait d'abord que les élèves maîtrisent parfaitement l'écriture, puis ils étudiaient une série de matières incluant les mathématiques, la littérature, la musique, le droit, la comptabilité, l'arpentage et le métrage. Leur instruction visait à donner des chefs cultivés. Si des éléments de la langue sumérienne demeurent en usage aujourd'hui, elle ne fut pas la source du proto-indo-européen. En fait, le sumérien fut l'une des quelques langues totalement indépendantes de cette langue racine.

Nous nous intéressions aux Sumériens pour voir si les éléments de leur théologie avaient été la source commune des croyances religieuses qui s'étaient répandues de la même manière que le langage ; autrement dit, en s'adaptant aux particularismes locaux mais en conservant toujours un noyau identifiable.

Des ruines de Nippur, les archéologues ont exhumés des milliers de tablettes racontant l'histoire de ce peuple. Pour autant que nous le sachions, les premiers écrits ont été exécutés autour de 3500 avant notre ère. Et à peu près comme pour le langage, les premiers sujets identifiés furent des objets fondamentaux – une tête, une main, une jambe… C'étaient des pictogrammes aisément reconnaissables montrant le profil de l'objet. Mais rapidement on créa des mots plus symboliques. Pour symboliser un homme, on dessinait un pénis éjaculant, qui ressemblait fort à une bougie. C'est de cette forme que vint le mot symbole désignant un esclave mâle : la forme d'une bougie avec trois triangles superposés pour représenter des collines. On avait là l'idée d'un étranger : il n'y avait pas de collines à Sumer et les seuls résidents mâles non sumériens étaient des esclaves. On dessinait ces pictogrammes sur de l'argile humide à l'aide d'un bâtonnet. De ce fait, on obtenait généralement une indentation et un dépôt plus larges là où l'instrument d'écriture commençait et achevait sa ligne. On appela plus tard *sérif* cet effet triangulaire à chaque extrémité de ligne (les sérifs, ce sont ces petits traits ou marques prolongeant les lettres que vous pouvez voir aux extrémités des caractères de ce livre.)

Nous n'avons pas seulement hérité de Sumer le traitement stylistique de nos lettres ; notre alphabet aussi lui doit beaucoup. La lettre A, par exemple, découle de l'image d'une tête de taureau, représentée par un quasi-triangle dont on prolonge deux côté pour figurer des cornes. Les Phéniciens la reprirent à leur compte, puis elle passa très tôt chez les Grecs, où elle ressemblait originellement à une tête de taureau couchée.

Lorsque les Grecs développèrent leurs caractères majuscules, la lettre A fut de nouveau tournée de 90° pour donner quelque chose de très proche de notre A capital moderne (soit une tête de taureau renversée). Aujourd'hui, notre langue contient encore quelques mots sumériens quasi purs, comme alcool, canne [la plante], gypse, myrrhe et safran.

S'ils nous transmirent donc, entre autres choses, la roue, le verre, notre alphabet, les divisions temporelles du jour, les mathématiques, l'architecture, les Sumériens nous donnèrent aussi… Dieu. Ils nous ont procuré les plus anciennes histoires écrites. En tant que francs-maçons, nous étions particulièrement intéressés par les références sumériennes à Énoch – important dans la tradition maçonnique –, et par l'histoire sumérienne du Grand Déluge, si centrale dans le rituel maçonnique du degré de Noachite [*Ark Mariners*].

Les étymologistes ont démontré que l'histoire du Jardin d'Eden dans le livre de la Genèse est celle de Sumer. En outre, des villes comme Ur, Larsa et Haram, mentionnées dans la Genèse, se trouvaient réellement à Sumer. La Genèse nous livre l'histoire de la Création :

> *Au commencement Dieu créa le ciel et la terre. Or la terre était vide et sans forme ; et les ténèbres couvraient l'abîme. L'Esprit de Dieu tournoyait sur les eaux.*
>
> *Dieu dit : « Que la Lumière soit », et la Lumière fut. [...]*
>
> *Dieu dit : « Qu'il y ait un firmament au milieu des eaux et qu'il sépare les eaux d'avec les eaux ! », et il en fut ainsi. Dieu fit le firmament et sépara les eaux qui étaient sous le firmament. [...]*
>
> *Dieu dit : « Que les eaux qui sont sous le ciel se réunissent en une seule masse et qu'apparaisse le continent ! », et il en fut ainsi. Dieu appela le continent « terre » et la masse des eaux « mers ». [...]*
>
> *Dieu dit : « Que la terre verdisse d'herbe portant semence et d'arbres fruitiers portant des fruits selon leur espèce [...] »*

Comparez ce passage à l'extrait ci-dessous tiré d'un récit babylonien de la Création, connu sous le nom d'« Enuma Elish » (d'après ses deux premiers mots, signifiant « Quand il était en haut »). Il fut écrit à la fois en babylonien et en sumérien presque mille ans avant la Genèse et survécut presque intégralement sur sept tablettes cunéiformes :

> *« Il n'y avait que mer sur la terre. Puis il y eut un mouvement au milieu des eaux. Alors Eridou fut créé [...] Mardouk déposa un roseau sur la surface des eaux. Il forma de la poussière et la versa à côté du roseau. Pour que les dieux puissent résider dans la demeure de leur*

cœur, il créa l'humanité. Avec lui, la déesse Aruru créa le germe de l'humanité. Il forma les animaux et les choses vivantes dans les champs. Il créa le Tigre et l'Euphrate et les installa dans leur cours : il proclama leur nom de belle manière. Il créa l'herbe, le jonc et le marais, le roseau et la forêt, les terres, les marécages et les étangs. La vache sauvage et son veau, l'agneau dans son enclos, les vergers et les bois ; le bouc et le bouquetin [...] Le Seigneur Mardouk construisit une digue près de la mer [...] Il forma les roseaux, il créa les forêts ; il posa les briques, il érigea des édifices, il fit des maisons, il bâtit des cités [...] Il fit Erech [...][44]

Cette épopée mésopotamienne de la Création est sans aucun doute la source de la légende de la Création de la Genèse. Elle attribue à Dieu toutes les bonnes choses créées par les remarquables Sumériens. Les références aux édifices et bâtiments construits par Dieu ne passèrent pas chez les Juifs, car, en raison de leur nature nomade, à l'époque de la rédaction de la Genèse, ils n'avaient jamais résidé que dans des villes construites par d'autres – des villes dont ils s'étaient généralement emparées en passant tous les habitants originels au fil de l'épée. Quant au Dieu de la Genèse, Yahvé, il n'apparut que plusieurs centaines d'années après la rédaction de ces tablettes cunéiformes.

D'après de nombreux spécialistes, les dieux des civilisations ultérieures sont des développements des dieux sumériens de la fertilité et de la tempête. Est-ce possible ? Le dieu de la tempête avait certainement un grand rôle à jouer dans le pays de Sumer et dans la légende de Noé. Les Sumériens voyaient la nature comme une entité vivante, et les dieux et déesses étaient les personnifications des forces de cette terre. Chacun avait un rôle à jouer au sein des forces de la nature. Certaines divinités étaient responsables de la fertilité du pays et de son peuple. D'autres avaient pour responsabilité de gérer au mieux les tempêtes. Il était évidemment important pour la pérennité du peuple que l'on couvrît de faveurs les dieux de fertilité. Mais, vu les effets dévastateurs de leurs activités, les dieux de la tempête devaient être apaisés pour préserver le mode de vie sumérien.

Le responsable du Grand Déluge qui donna naissance à la légende de Noé serait un dieu de la tempête, ayant un pouvoir sur les eaux. En notre qualité de francs-maçons, nous nous intéressions naturellement

---

44. Ce passage ressemble davantage à un texte généralement connu sous le nom de *Cosmogonie chaldéenne* qu'à l'*Enuma Elish* proprement dit. Tous les deux évoquent notamment la création du monde par Mardouk. (N.d.E.)

aux dieux de la tempête et des déluges, dès lors que l'Art royal consacre tout un grade – le degré de Noachite [*Ark Mariners*] – avec un rituel complet et détaillé à la préservation de l'histoire du capitaine Noé et de la légende du Déluge.

Le peuple de Sumer devait faire face à un problème majeur : l'inondation des plaines que traversaient le Tigre et l'Euphrate en descendant vers le sud et la mer. Périodiquement, les crues devaient être désastreuses, et une fois, elles durent être particulièrement cataclysmiques. C'est ainsi qu'elles entrèrent pour toujours dans le folklore. Il est impossible de savoir si un constructeur de bateaux appelé Noé a ou non réellement existé, mais nous pouvons être certains que le Grand Déluge eut bel et bien lieu.

Des analyses complémentaires de la Genèse – et particulièrement de la généalogie de Seth et de Caïn – font clairement remonter le récit de la Création à Sumer. Des listes de rois sumériens trouvées à Larsa citent dix rois qui régnèrent avant le Déluge et indiquent la longueur de leurs règnes (de 10000 à 60000 ans). La liste de Larsa s'achève par les mots « Après le Déluge, la royauté vint des cieux ». Cela suggère qu'un nouveau début suivit le Déluge. Le dernier nom de la seconde liste de Larsa est Ziusundra, autre nom de Utanapishtim, le héros de l'histoire babylonienne du Déluge (que l'on trouve écrite sur la onzième tablette de l'*Épopée de Gilgamesh*). On estimait que le septième roi de la liste sumérienne possédait une sagesse spéciale en matière de rapports avec les dieux et qu'il avait été le premier homme à pratiquer la prophétie. Ce septième nom est Énoch, dont les Écritures disent qu'il « marchait avec Dieu », et qui, selon la tradition juive ultérieure, était monté au ciel sans mourir. Il ne nous semble pas y avoir le moindre doute que le rédacteur de la Genèse a utilisé l'histoire sumérienne, passée dans la tradition juive primitive. Les liens entre la religion des Juifs et l'ancien pays de Sumer sont clairs. Mais la situation devient encore plus troublante quand nous nous demandons pourquoi le rédacteur original – ou le Yahviste utilisant son texte – attribua une telle longévité aux descendants antédiluviens de Seth. On peut répondre immédiatement qu'il s'agissait d'accentuer le contraste entre les conditions de vie avant et après le jugement divin du Déluge. Cependant, il existe une autre possibilité. Certains auteurs ont suggéré que les nombres astronomiques des listes royales sumériennes puissent être le produit de spéculations astrologiques, appliquant des mesures dérivées de l'observation des étoiles au calcul de période de règnes mythiques. De la même manière, les premiers auteurs juifs ont pu arranger les nombres de la liste pour qu'ils concordent avec la chronologie qui assignait un nombre fixe d'années entre la Création et la fondation du Temple de Salomon, et qui divisait cette période en époques, dont la première – de la Création au Déluge – durait 1656 années[45].

Ur, la cité d'Abraham

Célèbre aujourd'hui pour sa grande *ziggourat*, Ur était considérée au troisième millénaire avant notre ère comme une des grandes cités-États du monde. La cité était bordée au nord et à l'ouest par deux grands canaux qui amenaient les navires depuis l'Euphrate et la mer (beaucoup plus proche de la ville il y a 4400 ans qu'aujourd'hui). Le registre d'un chargement maritime est parvenu jusqu'à nous : il dénombre de l'or, du cuivre, du bois de construction, de l'ivoire, des perles et d'autres pierres précieuses à bord d'un seul bateau.

Ur atteignit son zénith sous Ur-Namma vers 2100 avant notre ère. À cette époque, une grande partie de la ville fut reconstruite et développée. La population comptait au moins cinquante mille habitants. La grande *ziggourat* fut agrandie, enrichie de mosaïques et plantée d'arbustes et d'arbres. Au sommet se trouvait le temple de la divinité de la ville, Nanna, dieu de la lune. En 2000 avant notre ère, les habitants encoururent la colère de leur dieu : en même temps que seize autres cités sumériennes, Ur fut mise à sac par les Élamites. On imputa cette défaite, comme toutes les autres, au peuple qui aurait d'une manière ou d'une autre négligé son dieu. En retour, la divinité l'aurait abandonné en ne le protégeant pas de ses ennemis. Cette destruction fut décrite par un scribe, témoin oculaire de cet épisode terrifiant :

> *Dans toutes les rues, où ils s'étaient promenés, des corps morts gisaient ; sur les places, où les festivités du pays se déroulaient, les cadavres des habitants étaient amoncelés.*

Les temples et maisons furent détruits, les objets de valeur emportés et bon nombre de ceux qui n'avaient pas été tués furent emmenés en esclavage. La cité survécut mais ne retrouva jamais son ancienne gloire. Au XVIIIe siècle avant notre ère, Ur n'était plus qu'une cité relativement mineure. Pendant cette période de déclin, les relations entre les Sumériens et le panthéon des dieux se tendirent ; le concept de dieux personnels prit de l'importance.

---

45. *Peake's Commentary on the Bible.*

Ces dieux personnels – originellement anonymes – étaient directement reliés à un individu ; c'est ce que nous pourrions appeler un ange gardien. Une personne héritait son dieu de son père. Quand quelqu'un disait donc qu'il « vénérait le dieu de ses pères », ce n'était pas une simple formule générale s'appliquant à un quelconque dieu collectif, mais il parlait au sens littéral d'une personnalité familiale propre, son droit de naissance. Ce dieu personnel veillerait sur lui et défendrait même sa cause contre les dieux supérieurs si nécessaire. Mais en retour il réclamait de l'obéissance et beaucoup d'attention. Si l'homme se comportait mal, son dieu pouvait l'abandonner. Seulement, l'homme était l'arbitre de ce qui était juste ou injuste ; s'il sentait qu'il avait mal agi, il pouvait craindre les réactions de son dieu. Mais s'il faisait quelque chose que tout le monde considérait comme mal, sauf lui, il ne subirait aucune conséquence négative. C'est apparemment un très bon moyen de contrôler la plupart des mauvais comportements (semblable au leitmotiv de Jimminy Cricket dans le film *Pinocchio* : « Écoute toujours ce que te dicte ta conscience ! »).

Pendant la période de déclin – entre 2000 et 1800 avant notre ère –, un homme appelé Abram décida un jour de quitter la ville d'Ur et de prendre la route du nord en quête d'une vie meilleure. Il optait pour la direction opposée à celle de Dilmun, la terre sacrée à laquelle aspirait son peuple, la terre de ses ancêtres. À un moment de l'histoire juive, Abram devint Abraham, le père du peuple juif. Pour nous, il était clair que les concepts qu'il apporta d'Ur avec lui devaient constituer une part importante de ce que nous avions besoin d'apprendre.

Nous avions voulu remonter aussi loin dans le temps dans l'espoir de mieux comprendre Abraham et son dieu, car leur rencontre dans la Bible est la plus ancienne entre un homme réel (par contraste avec un personnage mythique) et la divinité qui devint le dieu des Juifs. Aucun de nous deux ne connaissait grand-chose du pays de Sumer auparavant. En vérité, personne ne savait quoi que ce soit de toute cette période historique jusqu'au milieu du XIXe siècle, quand P.E. Botta, un archéologue français, commença à faire des découvertes majeures dans la région appelée aujourd'hui Mésopotamie.

La diffusion de la culture sumérienne dut commencer il y a plus de cinq mille ans. Les Celtes représentent l'un des exemples les mieux connus de ce développement culturel à partir d'un foyer nord-africain/sud-ouest asiatique. Ils se déplacèrent à travers toute l'Europe centrale et s'installèrent finalement dans les zones côtières de l'Espagne occidentale, de la Bretagne, de la Cornouaille, du pays de Galles, de l'Irlande et de l'Écosse. En raison de la quasi-absence de mariage interethniques, on trouve encore là quelques groupes sociaux génétiquement purs. Leurs motifs artistiques entrelacés sont très intimement liés à l'art du Moyen-Orient et, s'il restait quelque doute, l'analyse de l'ADN de Celtes modernes appartenant à des communautés isolées a montré qu'il était équivalent à celui de groupes ethniques d'Afrique du Nord.

Combien de temps dura Sumer ? Personne ne peut le dire avec certitude. Mais d'après les textes que nous avons consultés, il semble raisonnable de penser que tout ce que nous savons de ce pays est postérieur au Déluge. Avant d'être dévastées par cette catastrophe, une bonne partie des bourgades et cités étaient probablement plus grandes.

Dieu, le roi, le prêtre et les bâtisseurs

Même au regard d'événements nous paraissant déjà très anciens, le Déluge apparaît comme un épisode appartenant à un lointain passé. La Bible raconte l'histoire de Noé, qui parvint à survivre avec sa famille et des couples d'animaux. Dans un mythe diluvien mésopotamien, le roi Utanapishtim sauve des graines et des animaux du déluge destructeur, qui avait été envoyé par Enlil pour terroriser d'autres dieux. Dans la mythologie grecque, Deucalion et sa femme Pyrrha construisent une arche pour échapper à la colère dévastatrice de Zeus.

Nous n'avons plus besoin de nous contenter d'hypothèses pour progresser : la preuve d'une inondation majeure, vieille de six mille ans environ, a été trouvée autour d'Ur. Une couche de sédiments déposés par l'eau (d'une épaisseur de deux mètres et demi) recouvre une zone de plus de cent mille kilomètres carrés : elle occupe toute la largeur de la vallée entre le Tigre et l'Euphrate, du nord de la Bagdad moderne à la côte du golfe Persique (incluant donc des parties de l'Irak, de l'Iran et du Koweït actuels). Pour laisser un tel dépôt, l'inondation dut avoir des proportions gigantesques. Une telle crue avait toutes les chances d'avoir balayé la culture humaine de la surface du futur pays de Sumer. Cette datation du Déluge explique pourquoi les Sumériens semblaient apparaître de nulle part quatre mille ans avant notre ère environ – quasiment du jour au lendemain en termes archéologiques. Il est certes mystérieux qu'une culture épanouie et sophistiquée n'ait pas d'histoire et qu'elle n'ait pas davantage de foyer d'origine identifiable.

Mais ce mystère s'explique aisément.

Tout simplement, les traces de la période la plus ancienne et la plus longue de l'histoire de Sumer ont totalement disparu dans le cataclysme. Les Sumériens survivants durent tout reconstruire sur les fondations.

Mais ils furent confrontés à un problème crucial : des « gardiens des secrets royaux » – les grands prêtres des temples disparus qui avaient le pouvoir de la science, particulièrement de la science architecturale – avaient-ils survécu et, dans l'affirmative, oui, où les trouver ? Certains avaient dû échapper à la catastrophe. Leur connaissance des mystères cachés de la nature et de la science les avait sans doute avertis suffisamment tôt de l'imminence du Déluge. Ainsi, ils auraient eu le temps de gagner les hauteurs ou de construire une arche. Même si les secrets et le symbolisme architecturaux étaient antérieurs au Déluge, nous pensons que le besoin soudain et urgent de reconstruire – recréer – le « monde entier » engendra une nouvelle conception basée sur la construction de fondations à l'équerre, nivelées et droites d'un nouvel ordre. Nous ne sommes pas en train de prétendre qu'il s'agissait de franc-maçonnerie sous une quelconque forme, mais ce phénomène donna naissance à une connexion entre la science de la maçonnerie et le concept de résurrection : le monde lui-même avait fait l'expérience d'une « mort » et il ressuscitait des eaux de la Création.

Beaucoup de Sumériens estimèrent peut-être alors que la reconstruction de leur pays était un trop grand défi à relever. Ceux-là ont pu quitter leur terre en quête d'un nouvel havre loin de cette épaisse couche alluviale boueuse qui recouvraient la terre. Ils emportèrent avec eux leur langage, qui avait une structure grammaticale aussi sophistiquée que la plupart des langues actuelles. En outre, ils emmenèrent leur connaissance de l'agriculture, l'histoire de leurs constructions, de leurs dieux et de leurs mythes. Pour des personnes moins évoluées d'Europe et d'Asie, ils ont dû eux-mêmes apparaître comme des dieux.

En écrivant l'histoire de notre enquête, nous fûmes confrontés à un problème : l'étendue des sujets que nous avions à approfondir. Tous étaient en apparence indépendants mais, en réalité, ils étaient très intimement liés les uns aux autres. Par moments, nos études embrassaient un champ d'investigation allant du commencement des temps jusqu'à nos jours. Restituer tout ce que nous trouvions sous la forme d'une sorte de séquence intelligible s'avérait un véritable défi. Mais plus nous recueillions d'informations, plus notre tableau s'éclaircissait. Et dans le cas de Sumer, ce fut particulièrement le cas. Plus nous tentions de découvrir des éléments prouvant l'influence de Sumer sur d'autres cultures, plus nous en trouvions. Bien sûr, cet ouvrage ne peut faire état de tous, mais nous voulons simplement prendre un exemple pour montrer à quel point le rôle de cette culture fut extraordinaire.

Le concept de colonne ou de montagne sacrée reliant le centre de la terre au ciel (Paradis) est sumérien. Il s'est répandu dans de nombreux systèmes de croyances, incluant ceux de l'Asie du Nord. Une légende des peuples tartares, mongoles, bouriates et kalmoukes du nord de l'Asie prétend que leur montagne sacré était un bâtiment à étages consistant en sept blocs superposés et décroissants à mesure que l'on s'élevait. Au sommet se trouvait l'étoile Polaire, « le nombril du ciel », qui répondait au « nombril de la terre », sous la base. Cette structure ne décrit aucun édifice connu de ces tribus, mais elle correspond très précisément à la description d'une *ziggourat* sumérienne. Celle-ci fut créée sous la forme d'une montagne artificielle. Nous pouvons être certains que cette connexion n'est pas une coïncidence, parce que le nom que ces nomades septentrionaux donnaient à cette tour sacrée et mythique est simplement... « Sumer » [46]. On pense que tous les temples sumériens ont suivi ce schéma. Le plus célèbre d'entre eux est connu sous le nom de tour de Babel. Ce grand bâtiment est étroitement lié aux descendants de Noé. Cette tour fut construite à Babylone par Nabopolassar. C'était une *ziggourat* de sept étages et quelque trois cents pieds de haut comportant un sanctuaire au dieu Mardouk sis à son sommet. Comme l'histoire du Déluge, celle de la tour de Babel fut introduite dans le livre de la Genèse en combinant différentes versions d'anciennes légendes et en laissant les auteurs donner une signification particulière au texte en fonction de leur conception du monde. Le chapitre dix de la Genèse traite du repeuplement de la terre après le Déluge. On nous explique comment les fils de Noé donnèrent naissance aux nouvelles tribus dans chaque partie du monde. Pour les Hébreux, le plus important de ces fils était Sem. C'est lui qui donna naissance aux peuples connus sous le nom de « sémites » (au cours de ses six cents impressionnantes années d'existence), ce qui naturellement inclut le peuple juif. Le chapitre suivant de la Genèse raconte l'histoire de la tour de Babel. On nous dit d'abord, qu'à l'origine, il n'y avait qu'une seule langue :

> *Toute la terre se servait d'une seule langue et des mêmes mots. Comme les hommes se déplaçaient à l'orient, ils trouvèrent une vallée au pays de Shinéar [l'hébreu pour Sumer], et ils s'y établirent.*
> *Et ils se dirent l'un à l'autre : « Allons ! Faisons des briques et cuisons-les au feu ! » Et ils se servaient de briques au lieu de pierres, et de bitume au lieu de mortier. Et ils dirent : « Allons ! Bâtissons-nous une ville et une tour dont le sommet atteigne les cieux. Et rendons notre nom célèbre, avant d'être dispersés sur toute la terre. » Or le Seigneur*

---

46. Mircea ELIADE, *Le Chamanisme : techniques archaïques de l'extase.*

descendit pour voir la ville et la tour, que les enfants d'Adam construisaient.

Et il dit : « Voici que tous ne font qu'un seul peuple et ne parlent qu'une seule langue, et maintenant qu'ils ont commencé à faire cette entreprise, rien ne les éloignera de leurs desseins avant leur achèvement.

« Allons ! Descendons donc et là confondons leurs langues, pour qu'ils ne puissent plus se comprendre les uns les autres. »

Et ainsi le Seigneur les dispersa de là sur toute la surface de la terre, et ils cessèrent de construire la ville.

Cette pure tentative de rationalisation visait à expliquer aux Juifs pourquoi les peuples parlaient des langues différentes. Les Écritures racontaient aussi que le monde était une immensité désertique avant que Dieu ne décide de le repeupler grâce à la lignée de Noé. De ce fait, Il pouvait parfaitement promettre le pays de Canaan aux fils de Sem sans avoir une pensée pour les peuples qui se trouvaient là avant eux. Depuis Ses débuts à Sumer, « Dieu » a emprunté différentes voies, pour atteindre les vallées du Nil, de l'Indus et peut-être même du fleuve Jaune, en donnant naissance aux grandes religions du monde. Cette évolution intervint il y a très longtemps et l'une des toutes dernières variantes de la théologie sumérienne fut le dieu des Juifs.

La figure d'Abraham, le premier Juif

Une fois qu'Abraham eut pris la décision de quitter Ur, la direction naturelle qui s'offrait à lui était le nord, en suivant la route des deux fleuves. Là il trouverait une nouvelle terre sur laquelle il pourrait vivre en paix avec son dieu. L'Ancien Testament nous dit que, jusqu'à l'entrée en scène d'Abraham, les ancêtres d'Israël « servaient d'autres dieux » (Josué 24, 2). Ce n'est pas vraiment surprenant, car Yahvé, le dieu des Juifs (et finalement des chrétiens) était aussi loin d'eux dans le futur, que l'ordinateur individuel l'était pour William Caxton[47] ! Même après que Yahvé se soit manifesté à Son « peuple élu », l'allégeance à Sa personne fut au mieux fragmentaire pendant presque mille ans : d'autres dieux de toutes sortes étaient aussi populaires. Quand vint le temps pour les Hébreux

---

47. L'homme qui imprima le premier livre en anglais (mais à Bruges), avant d'introduire l'imprimerie en Angleterre, vers 1476. (N.d.T.)

d'écrire l'histoire et l'héritage de leur peuple, ils considérèrent d'immenses périodes dans le passé. Ils confirmèrent alors les anciennes traditions orales en ajustant des détails « censés » avoir existé.

Abraham voulut probablement quitter sa cité natale d'Ur, parce que les siens ne supportaient plus les nomades « impies » venant du nord qui envahissaient la vie quotidienne. À cette époque, le mécontentement politique se traduisait toujours sous la forme d'un mécontentement théologique. La Bible dit qu'Abraham s'éloigna de l'ordre créé par l'homme alors que la loi de Dieu avait été rejetée. C'est une allusion au renversement des représentants de Dieu sur terre : le roi d'Ur et ses prêtres.

Abraham est généralement considéré comme la première figure historique dans la Bible ; par contraste, Adam, Eve, Caïn, Abel et Noé représentent des peuples et des époques qui personnifient les conceptions et traditions hébraïques sur les commencements de la vie sur terre. Il est probablement vrai qu'il voyagea vers le pays de Canaan en se faisant passer pour un nomade. En route, il eut certainement de grandes discussions avec son dieu personnel qui naturellement voyageait avec lui depuis Sumer.

Pour les premiers rédacteurs de la bible, décrire Abraham sous la forme d'un nomade comme eux prend beaucoup de sens, car cela signifie que lui et les gens qui voyageaient avec lui n'avaient plus de pays qu'ils pouvaient appeler leur. Nous découvrîmes que le terme « hébreu » dérive du terme *habiru* qui était apparemment un terme péjoratif (apparaissant parfois aussi sous la forme *Apiru*) utilisé par les Égyptiens pour décrire les tribus sémitiques qui erraient comme les Bédouins.

Comme nous l'avons vu plus haut, les Juifs prétendent descendre de Sem, le fils de Noé, qui était lui-même un personnage de légende sumérienne, et plus tard d'Abraham qui quitta Sumer pour trouver la « Terre promise ». Vu qu'il n'existe aucune trace de ces habitants du pays de Sumer, nous sentons que de nombreux Sumériens durent faire lentement route vers le nord et l'ouest pour devenir une partie significative des peuples errants qui allaient former plus tard la nation juive. Cependant, tout prouve que les Juifs ne forment pas une race, ni même une nation historique, comme ils en sont venus à le croire. Ils sont un amalgame de groupes sémites qui, apatrides, finirent par former et adopter une histoire théologique fondée sur un sous-groupe sumérien. À l'époque de David et Salomon, un Juif sur dix peut-être était d'origine sumérienne et une infime fraction de ce nombre descendait d'Abraham, qui, logiquement, n'était pas le seul Sumérien à avoir voyagé vers Canaan et l'Égypte pendant la seconde moitié du deuxième millénaire avant notre ère. Parmi les nomades ayant résidé en Égypte, les Habiru étaient aisément identifiables : ils étaient des Asiatiques barbus, aux étranges vêtements et parlant une langue étrangère.

Avec son Dieu qui lui promet un nouveau logis pour son peuple dans le pays, plus tard identifié comme une partie septentrionale du « Croissant fertile » appelé Canaan, Abraham est considéré comme la clé vers la fondation d'Israël. Étant donné la nature des divinités sumériennes esquissée plus haut, il est probable qu'Abraham fut un prêtre avec un dieu particulier qui était son compagnon et son gardien.

On peut excuser le juif ou le chrétien ordinaire qui, lisant l'Ancien Testament, pense que le pays de Canaan fut un juste don de Dieu à Son peuple élu. Mais l'acquisition finale de cette terre « promise » ne fut rien moins qu'un vol. Si l'on prend littéralement les paroles de l'Ancien Testament, les Juifs et leurs dieux étaient des êtres tout à fait iniques, malfaisants. Aucune justification surnaturelle ne peut excuser le massacre d'autant d'habitants originels, qu'évoque l'Ancien Testament.

Aujourd'hui, la plupart des chrétiens n'ont qu'une idée floue, vague, de l'histoire de leur Dieu qui fut d'abord celle du dieu des Hébreux. Ils imaginent leur Dieu tout-puissant et aimant, promettant à Son « peuple élu » une terre merveilleuse, débordant de lait et de miel (une sorte de Sumer ou de Jardin d'Éden retrouvé), un pays appelé Canaan. Mais Canaan n'était pas une immensité inhabitée où de nobles nomades pouvaient fonder une nouvelle patrie, et Yahvé n'était pas un doux bienfaiteur. Il était un dieu de la tempête, un dieu de guerre.

Les Hébreux s'emparèrent du pays des Cananéens. De récentes études archéologiques ont révélé que ces derniers possédaient une civilisation avancée avec des cités fortifiées, d'innombrables bourgades et villages plus petits, et des systèmes sophistiqués de production alimentaire, de manufacture et de commerce international. Si l'on accepte les histoires contenues dans la Bible, alors le dieu originel des Hébreux, justifiant l'invasion, le vol et le massacre, était en réalité un personnage ayant beaucoup de points communs avec Gengis Khan !

Nous avons toujours été étonnés que de nombreux chrétiens considèrent l'Ancien Testament comme un récit historique d'événements réels, alors qu'il représente Dieu comme un maniaque vaniteux et vindicatif sans une once de compassion. Non seulement il ordonne le massacre des populations d'origine (de centaines de milliers d'hommes, de femmes et d'enfants) dans les villes dont il réclame la prise, mais il est aussi connu pour s'en prendre à ses amis sans raison apparente. Dans l'Exode 4, 24-25, nous lisons que Yahvé décida de tuer Moïse peu après lui avoir commandé de faire route vers l'Égypte pour sauver les Hébreux « esclaves ». Une femme qui se présenta comme l'épouse de Moïse le dissuada de cette vile entreprise. Plus tard, cet épisode fut réécrit dans l'ouvrage apocryphe *Le Livre des Jubilés* : on déplaça l'attitude inique de Yahvé sur un esprit appelé Mastema, qui n'est qu'un terme désignant le côté « hostile » de la nature de Yahvé. Cependant, le livre de l'Exode montre clairement que Dieu assassina le fils de Moïse quand l'humeur le prit.

Personne n'a jusqu'ici essayé de dater les voyages d'Abraham avec précision. Mais on admet généralement qu'ils ne sont pas antérieurs à 1900 avant notre ère et pas postérieurs 1600 ans avant notre ère. Si l'hypothèse la plus tardive de ce laps de temps était la bonne, cela signifierait qu'Abraham vécut au milieu de l'occupation de l'Égypte par ceux que l'on appelle les « Hyksos » ou « Rois pasteurs », et qui envahirent et opprimèrent les Égyptiens pendant plus de deux cents ans, de 1786 environ à 1567 avant notre ère. Si nous pouvions réellement trouver une connexion entre Abraham et les Sémites – venant de la région de Jérusalem –, qui envahirent l'Égypte, notre histoire commencerait à revêtir beaucoup de sens. Avec les siens, Abraham avait pris la route d'Harran, une cité majeure dans la Syrie moderne sur les rives de la rivière Balikh qui se trouvait sur la route commerciale de Sumer remontant l'Euphrate. À partir de là, il emmena son groupe dans le pays de Canaan, qui est naturellement Israël.

Quelque part en route, Abraham se demanda avec angoisse s'il n'avait pas fait quelque chose de mal, parce qu'il sentit que son dieu personnel n'était pas content de lui. Ce fut probablement sa manière de rationaliser un problème ou un incident ayant frappé le groupe : cette calamité serait survenue parce que le dieu vexé leur aurait refusé sa protection. Le dieu d'Abraham était si contrarié (ce qui prouve qu'il durent faire face à un grave problème) que ce dernier sentit que le seul moyen de s'en sortir était de lui offrir son fils Isaac en sacrifice. Un passage de Michée 6,7, témoigne de la gravité de la situation :

Faudra-t-il que je donne mon aîné pour prix de mon crime, le fruit de mes entrailles pour le péché de mon âme ?

Deux fois dans l'histoire d'Abraham, on trouve les mots « après ces événements ». On a depuis longtemps observé qu'il s'agissait de moments de crise majeure où le dieu d'Abraham devait être apaisé. Nous avions ici affaire à l'un d'eux. Heureusement pour le jeune Isaac, le problème paraît avoir trouvé une solution et son père, profondément superstitieux, considéra qu'il n'était plus nécessaire de le tuer. Cependant, selon une histoire beaucoup plus tardive selon, Isaac fut réellement sacrifié par Abraham mais ressuscita par la suite. Et on représente là Isaac, comme Jésus Christ, comme un « serviteur souffrant » qui amène le salut et la rédemption des autres hommes.

Entre mille trois cents et mille années s'écoulèrent avant que l'histoire d'Abraham fût écrite pour la première fois. Jusque-là, pendant toute cette très longue période, ce récit n'avait été qu'une légende tribale transmise de bouche à oreille. Quand elle fut transcrite, il sembla naturel aux rédacteurs que le dieu d'Abraham ait été Yahvé, en dépit du fait que ce dernier ne soit pas apparu avant l'époque de Moïse. Lorsque ce dernier guide les Israélites hors d'Égypte, il leur dit que son message vient du « dieu de leurs pères » : c'est une manière strictement sumérienne de faire référence à un dieu personnel qui appartenait à la descendance d'Abraham[48]. À cette époque, seule une infime fraction de ces Asiatiques déplacés (proto-juifs) descendaient d'Abraham. Mais tous avaient accepté cette histoire comme vraie et l'avaient adoptée, considérant qu'il s'agissait d'une explication noble et acceptable de leurs conditions actuelles.

Si Moïse s'était dressé devant ces esclaves en Égypte et leur avait dit que son message venait de Yahvé ou d'un quelconque dieu qui supplantait toutes les autres divinités, ils auraient pensé qu'il était fou.

À la différence des personnages antérieurs, Abraham ne fut pas à l'origine d'une tribu qui prit son nom. En revanche, son dieu personnel, le « dieu d'Abraham », devint la caractéristique distinctive de son futur peuple. Nous trouvons vraiment fascinant que l'âme d'un Sumérien ait donné la base des trois grandes religions monothéistes du monde.

À ce stade, notre quête nous avait permis de comprendre le concept de dieu personnel et d'appréhender le peuple qui avait tiré son héritage culturel d'un homme ayant quitté la ville sumérienne d'Ur en emportant son dieu personnel avec lui. Nous avions trouvé mention d'une possible cérémonie de résurrection liée à Isaac, le fils du père des Juifs, mais l'origine de cette histoire semblait beaucoup plus tardive. Il n'y avait pas de lien ici avec la franc-maçonnerie. Nous sentîmes alors, qu'avant de reprendre le développement du peuple juif, nous devions étudier la plus grande civilisation ancienne de toutes, civilisation qui se développa autour du Nil. Pendant la période de formation de la nation juive, Abraham avait passé quelque temps en Égypte et nous étions conscients qu'ultérieurement des Juifs avaient occupé des situations relativement prééminentes dans ce pays. L'Égypte ancienne devait donc être le prochain objet de nos enquêtes.

48. John SASSOON, *From Sumer to Jerusalem.*

Ce ne fut qu'en étudiant le développement précoce de Dieu que nous réalisâmes à quel point nous savions peu de chose de l'Histoire primitive. Nous ne savions rien de Sumer, le lieu de naissance de la civilisation et l'endroit où l'écriture et l'éducation étaient nés. Nous découvrîmes que les Sumériens étaient les inventeurs de la colonne et de la pyramide qui s'étaient répandus bien au-delà de leur propre pays. Nous constatâmes que le récit sumérien de la Création (connu sous le nom *d'Enuma Elish*) précédait de près de mille ans le récit du Déluge rapporté dans la Genèse.

À un moment entre 2000 et 1600 ans avant notre ère, ce fut de la ville sumérienne d'Ur qu'Abraham partit, emmenant avec lui son dieu personnel connu comme le « dieu de ses pères ». Nous nous étions demandé si Abraham avait eu des connexions directes ou indirectes avec les rois hyksos d'Égypte qui régnèrent de 1786 à 1567 avant notre ère. Mais nous n'avions pas une connaissance suffisante des Égyptiens pour répondre à la question. Et en dépit de quelques indices troublants relatifs à des personnages figurant dans la franc-maçonnerie, nous n'avions trouvé aucun véritable lien avec l'Art royal moderne. Si nous voulions résoudre le puzzle, nous devions étudier la civilisation égyptienne.

CHAPITRE VII

L'HÉRITAGE DES ÉGYPTIENS

Les débuts de l'Égypte

Les Égyptiens sont très célèbres pour leurs pyramides. Comme nous allions le découvrir, l'héritage de ce peuple très particulier va bien au-delà d'antiques réalisations, car ils furent à l'origine de certains aspects majeurs de notre mode de vie moderne. Aujourd'hui les Égyptiens sont un mélange de types raciaux arabes, négroïdes et européens, ce qui crée une grande variété de tonalités de peau et de traits. Beaucoup d'entre eux sont étonnamment beaux. Certains sont la copie conforme des représentations trouvées dans les anciennes tombes à l'intérieur des pyramides. Cette beauté n'est pas purement superficielle : l'Égypte a toujours été une nation amicale et, selon toutes les normes ordinaires, tolérante. L'idée répandue selon laquelle les « méchants » Égyptiens utilisèrent les esclaves hébreux pour construire les pyramides est un non-sens (le fait qu'il… n'existait pas d'Hébreux à cette époque précoce n'étant pas la moindre raison).

Les premiers Égyptiens ont dû être fortement influencés, si ce n'est entièrement guidés, par les bâtisseurs de villes de Sumer. Après le Grand Déluge, certains détenteurs des secrets et mystères de l'architecture ont peut-être pris la direction du nord et de l'ouest, en quête d'un autre peuple dont la vie était centrée autour d'un fleuve ; un peuple dont la vie dépendait du flux rythmé et contrôlé d'un cours d'eau qui apportait bienfait et humidité au sol aride. Comme le niveau pluviométrique de l'Égypte ne permettait pas les cultures, la Nil a toujours été un élément central pour la pérennité de la vie en cette région. Ce n'est donc pas un miracle que ce fleuve soit quasiment devenue synonyme d'Égypte.

De la fin août à septembre, une crue annuelle se répand depuis le sud jusqu'à la Méditerranée au nord, déposant une couche de limon noir.

C'est grâce à ce dépôt que la nourriture de la nation va pouvoir croître. Une crue excessive une année entraînait une inondation sérieuse, détruisant les maisons, tuant le bétail et les individus. Une crue trop faible signifiait manque d'irrigation et donc famine. L'équilibre de la vie dépendait de la générosité du Nil.

Les textes anciens montrent que quand les soldats égyptiens donnaient la chasse à leurs ennemis vers l'Orient, ils étaient effrayés par les conditions qu'ils trouvaient dans des lieux comme le Liban. Ils rapportaient que la végétation « poussait à volonté et entravait la progression des troupes » et que le « Nil tombait de manière déroutante du ciel au lieu de descendre des collines ». Cette allusion prouve qu'ils n'avaient pas de mot pour « pluie » et que ce phénomène ordinairement vital pouvait même sembler malencontreux lorsque l'on avait appris à vivre sans lui. Ils furent également décontenancés par la température de l'eau qu'ils buvaient dans les rivières fraîches. Aussi la mettaient-ils dans des récipients pour la réchauffer au soleil avant de la porter à leurs lèvres.

Le Nil avait subvenu aux besoins de petits groupes isolés de chasseurs nomades pendant des dizaines de milliers d'années. Mais au cours du quatrième millénaire, des centres agricoles commencèrent à apparaître. Ils se développèrent en protoroyaumes avec des frontières territoriales à contester et à protéger. L'affrontement se généralisa jusqu'à ce que l'on comprenne que la coopération était plus efficace que l'agression. Alors des communautés harmonieuses émergèrent. Peu avant 3100 avant notre ère, un royaume unique fut finalement établi par l'unification des deux pays de la Haute- et de la Basse-Égypte.

Dans les premiers temps, la théologie du royaume unifié demeura fragmentée, chaque cité conservant ses dieux originels. La plupart des individus croyaient qu'à une époque antérieure à la mémoire, les dieux avaient vécu de la même manière que les hommes, avec des peurs, des espoirs, des faiblesses et la mort pour finir. Les dieux n'étaient ni immortels ni omnipotents. Ils vieillissaient et mouraient, et des cimetières leur étaient spécialement destinés. Cette mortalité divine ne correspondait pas aux définitions classiques d'un dieu et soulevait la question suivante : « Pourquoi ces habitants primitifs étaient-ils décrits ainsi, comme des dieux ? » Nous n'avions qu'une seule hypothèse : les hommes qui contrôlaient la région du Nil, il y a plus de cinq millénaires et demi, étaient des étrangers possédant une connaissance ou une technologie si avancée en comparaison de celles de la population indigène qu'ils semblaient capables de magie. Dans les temps anciens, magie et religion étaient inséparables ; toute personne puissante pouvait aisément être prise pour un dieu.

Il est relativement inutile de trop spéculer sur de tels événements perdus dans la préhistoire. Mais peut-être que ces dieux vivants étaient précisément ces hommes qui possédaient les secrets de l'architecture, secrets qu'ils transmirent ensuite aux bâtisseurs de pyramides avant de repartir ou de disparaître en tant que race distincte.

Les Égyptiens croyaient que la matière avait toujours existé. Pour eux, il était illogique d'imaginer un dieu créant quoi que ce soit à partir de rien, totalement *ex nihilo*. Dans leur conception, le monde avait commencé quand l'ordre avait surgi du chaos. Et depuis il y avait toujours eu un affrontement entre les forces d'ordre et les forces de désordre. Cet ordre originel fut amené par un dieu qui avait toujours été : il n'était pas seulement là avant les hommes, le ciel et la terre, il existait avant le temps des dieux.

L'état chaotique primordial était appelé Nun. Alors – comme dans les descriptions sumériennes et bibliques de la précréation –, tout était ténèbres, abîme aquatique sans soleil avec une puissance, une force créatrice en son sein, qui commanda à l'ordre de se manifester. Ce pouvoir latent qui se trouvait dans la substance du chaos ignorait qu'il existait ; c'était une probabilité, un potentiel qui était emmêlé dans ce chaos de désordre.

Fantastiquement, cette représentation de la Création décrit parfaitement la conception soutenue par la science moderne, et particulièrement la « théorie du chaos » qui a montré que des motifs compliqués évoluent et se répètent mathématiquement à l'intérieur d'événements complètement déstructurés. Il apparaît que les anciens Égyptiens étaient plus proches de notre conception du monde fondée sur la physique qu'il ne semblait possible pour un peuple qui n'avait pas de compréhension de la structure de la matière.

Sur quelques points de détail, les croyances relatives à ce temps primordial variaient un peu d'une grande cité à l'autre. Les plus influentes étaient (en utilisant leurs noms grecs ultérieurs) Memphis, Hermopolis, Crocodilopolis, Dendérah, Esna, Edfou et Héliopolis, la « cité du soleil » qui s'appelait plus tôt On. Au centre de la théologie qui sous-tendaient ces cités se trouvait un « premier moment » dans l'Histoire : à cet instant, une petite île ou une colline avait surgi du chaos aquatique, une terre fertile prête à subvenir aux besoins de la vie. Dans Héliopolis et Hermopolis, l'esprit qui avait donné l'étincelle de vie amenant l'ordre était le dieu-soleil Rê (aussi connu sous le nom de Râ), alors que dans la grande ville de Memphis il était identifié sous le nom de Ptah, le dieu de la terre. Dans tous les cas, on disait qu'il était devenu conscient au moment où il avait provoqué l'émergence de la première île. Rê/Ptah devint la source des bienfaits matériels appréciés par les Égyptiens. Il était l'inspirateur de tous les arts, la source de tous les talents essentiels et – très important – du mystère de l'architecture.

Les souverains de l'Égypte – d'abord les rois et plus tard les pharaons – étaient à la fois des dieux et des hommes qui gouvernaient de droit divin. Chaque roi était le « fils de Dieu » et au moment de sa mort il était réuni à son père pour ne plus faire qu'un dans le ciel cosmique. L'histoire du dieu Osiris nous raconte comment ce cycle des dieux et de leurs fils commença.

La déesse du ciel, Nut, avait cinq enfants. L'aîné, Osiris, était lui-même simultanément homme et dieu. Comme cela devint la norme dans l'Égypte ancienne, il épousa sa sœur, Isis. Aidé par son bras droit, le dieu Thoth, il gouverna le pays sagement et le peuple prospéra. Cependant, son frère Seth était jaloux de son succès et l'assassina, mettant son corps en pièces qu'il jeta en différents endroits du Nil. Isis devint folle de douleur et de colère, d'autant qu'elle n'avait pas donné d'héritier à Osiris et que, de ce fait, le forfait de Seth allait donner à ce dernier le droit de régner. Déesse pleine de ressource, Isis ne s'avoua pas vaincue. Elle localisa les morceaux du corps d'Osiris et les récupéra. Puis, magiquement, elle les rassembla et insuffla un ultime et bref instant de vie dans Osiris. Elle laissa le phallus du dieu la pénétrer et la semence d'Osiris se répandit en elle. Isis portant désormais un enfant, Osiris put se fondre dans les étoiles, où il gouverna le royaume des morts.

La déesse donna naissance à un fils, Horus. Celui-ci grandit pour devenir un prince d'Égypte. Plus tard, il défia l'assassin de son père en duel. Au cours du combat, Horus coupa les testicules de Seth, mais perdit lui-même un œil. Finalement le jeune Horus fut déclaré vainqueur et devint le premier roi.

À partir de ce moment-là, le roi fut toujours considéré comme le dieu Horus lui-même. Au moment de sa mort, il devenait Osiris et son fils le nouvel Horus.

La stabilité des Deux-Pays

La Basse- et la Haute-Égypte furent réunifiées en un seul royaume, il y a environ 5200 ans. Nous ne savons pas quels problèmes les habitants rencontraient avant cette époque, quand les « dieux » vivaient parmi eux. Mais dès le départ, l'unification fut considérée comme un paramètre absolument central pour le bien-être de l'État bipartite.

La construction des pyramides remplissait la même fonction pour les Égyptiens que les ziggourats à étages pour le peuple sumérien : elles étaient des montagnes artificielles qui aidaient le roi et ses prêtres à s'élever vers les dieux. Mais, avant même l'apparition la pyramide, la colonne remplissait cette même fonction de relation entre le monde des hommes et celui des dieux.

Avant l'unification, chacun des deux pays avait sa colonne principale pour relier le roi et ses prêtres aux dieux. On peut raisonnablement penser qu'après l'unification en un seul royaume, la Haute- et la Basse-Égypte conservèrent chacune leur colonne. Chaque colonne était un cordon ombilical spirituel entre le ciel et la terre. Les Égyptiens eurent besoin d'une nouvelle structure théologique pour exprimer la relation de leur nouvelle trinité : deux pays et un ciel.

Dans l'ancienne cité d'Annu[49] (plus tard appelée On dans la Bible et Héliopolis par les Grecs) se dressait une grande colonne sacrée, elle-même appelée Annu – peut-être directement d'après le nom de la ville. D'après nous, il s'agissait là de la grande colonne de la Basse-Égypte et que sa contrepartie en Haute-Égypte à l'époque de l'unification se trouvait dans la cité de Nekheb[50]. Plus tard la ville de Thèbes, appelée alors « Waset [ou Ouaset] », porta le titre de « Iwnu Shema », ce qui signifie « Colonne du sud ».

Après avoir analysé les croyances et rituels égyptiens ultérieurs, nous pensons que ces colonnes sacrées devinrent les manifestations physiques de l'unification. Symbolisant la réunion des deux pays en un seul royaume, on considérait que les deux colonnes étaient réunies par le linteau céleste incarnée par la déesse du ciel Nut. Et ces trois parties formaient une porte architecturale. Avec une colonne au sud et l'autre au nord, l'ouverture faisait naturellement face à l'est pour saluer le soleil levant. À notre avis, cet ensemble symbolisait la stabilité : tant que les deux colonnes demeuraient intactes, le royaume des Deux-Pays pouvait prospérer. Il faut noter avec intérêt que le hiéroglyphe pour les Deux-Pays, appelé *taui*, pourrait être décrit comme deux colonnes faisant face à l'est avec des points pour indiquer la direction du soleil levant.

---

49. Ou encore Ionou ou Onou (N.d.T.).
50. Aujourd'hui El-Kab (N.d.T.).

Si l'on regardait cette porte spirituelle depuis l'orient, le pilier droit était celui de Basse-Égypte, correspondant à la colonne maçonnique de droite, Jakin, qui signifie « établir ». On ne trouve aucun élément dans le rituel moderne pour expliquer ce que cela veut dire, mais il nous est apparu que ce symbolisme venait directement de Basse-Égypte, le plus ancien des deux pays. D'après le mythe égyptien, c'est en Basse-Égypte qu'à l'origine le monde surgit du chaos primordial appelé Nun. Donc « Jakin » ne représente rien d'autre que l'« établissement » du monde.

Pour les Égyptiens, la colonne de gauche marquait le lien de la Haute-Égypte avec le ciel. Dans le rituel maçonnique, elle est identifiée à Boaz, qui signifie « Force » ou « en lui est la force ». Comme nous le démontrerons dans le prochain chapitre, cette association se manifesta à l'époque où le pays de Haute-Égypte fit montre d'une grande force alors que l'Égypte en avait le plus grand besoin et que la Basse-Égypte se trouvait temporairement aux mains d'un ennemi puissant.

La franc-maçonnerie considère que la réunion des deux colonnes symbolise la « stabilité ». Il ne fait aucun doute que les Égyptiens percevaient pareillement la chose. Comme nous l'avons déjà mentionné, tant que les deux colonnes demeuraient intactes, le royaume des Deux-Pays pouvait prospérer. Ce thème de la force naissant de l'unité de deux colonnes fut, croyons-nous, l'origine d'un concept qui allait être adopté sous différentes formes par des cultures ultérieures incluant les Juifs et, finalement, les francs-maçons.

En étudiant l'histoire de l'Égypte, nous prîmes rapidement conscience d'un idéal qui était absolument central dans celle civilisation. Ce concept s'appelait Ma'at. À la lumière de notre recherche, vous pouvez imaginer la fascination et l'exaltation qui s'emparèrent de nous quand nous découvrîmes la définition suivante :

> *L'Égypte se caractérisait par le besoin d'ordre. Les croyances religieuses égyptiennes n'avaient pas de grand contenu éthique. Mais en pratique, on considérait que la justice était un bien si fondamental qu'elle était une partie de l'ordre naturel des choses. L'adjuration du pharaon au vizir lors de sa désignation rendait cela très clair. Le mot utilisé, Ma'at, désignait un concept plus vaste que la justice. Originellement le mot était un terme physique ; il signifiait nivelé, ordonné et symétrique comme le plan de fondation d'un temple. Plus tard, il en vint à signifier rectitude, vérité et justice.*[51]

---

51. P.H. Newby, *Warrior Pharaohs*.

Pourrait-il y avoir une description plus claire et plus succincte de la franc-maçonnerie ? En notre qualité de francs-maçons, nous ne le pensons pas. La franc-maçonnerie se considère comme un système moral particulier fondé sur l'amour fraternel, le secours et la vérité. On dit au nouveau maçon que les niveaux et les équerres sont des signes certains grâce auxquels il reconnaîtra un autre maçon.

La franc-maçonnerie n'est pas une religion de la même manière que le concept de Ma'at ne faisait pas partie de quelque structure théologique ou légende. Les deux sont des prises de conscience pragmatiques que la pérennité de la civilisation et du progrès social reposent sur la capacité de l'individu à « faire aux autres ce qui doit être fait ». Le fait que les deux utilisent le motif et l'érection d'un temple comme modèle et considèrent que le comportement humain doit être égal et droit n'est sûrement pas une coïncidence. Dans une société, il est rare de trouver un code moral qui existe hors d'un système religieux et il est juste de dire que le Ma'at et la maçonnerie, pierre par pierre, niveau par niveau, pourraient tous deux enseigner beaucoup au monde moderne.

Alors que nous commencions à apprécier la force et la beauté de Ma'at, nous sentions de plus en plus que la franc-maçonnerie, sous sa forme actuelle, était une de ses descendantes pauvres, si descendante elle était. Peut-être que les hommes à la Grande Loge s'identifient aux valeurs réelles qui sont indiscutablement celles de l'Art royal. Mais à vrai dire, hélas, à notre connaissance, vraiment peu de maçons ont une idée de la splendeur sociale à laquelle ils sont associés. Dans notre monde occidental moderne, les valeurs humaines comme la pitié et la charité finissent par se confondre avec la religion et on les décrit souvent comme des « valeurs chrétiennes », ce qui est une véritable honte. De nombreux chrétiens sont, naturellement, des êtres bons et généreux, mais, à notre avis, cela est davantage dû à leur propre personnalité spirituelle qu'à une quelconque observance théologique. À l'inverse, certains des actes les plus horribles et les plus inhumains de l'Histoire ont été exécutés au nom du christianisme.

En cherchant les équivalences modernes de Ma'at, nous ne pouvons nous empêcher d'observer que de nombreux socialistes et communistes pourraient se considérer comme des chercheurs non théologiques de la bonté humaine et de l'égalité. S'ils le pensent, ils se trompent. Comme une religion, leur croyance réclame une adhésion à une méthodologie pré-ordonnée pour que leur « bonté » fonctionne. Ma'at était une pure bonté, librement consentie. On peut raisonnablement dire que si la société occidentale atteint un jour son vaste objectif d'égalité et de stabilité, elle aura finalement redécouvert le Ma'at. Si les ingénieurs modernes s'émerveillent sur le talent difficilement égalable des constructeurs de pyramides, que peuvent penser nos spécialistes en sciences sociales de concepts comme celui-ci ?

Nous avions donc réalisé que le lien entre les valeurs maçonniques et celles de Ma'at était difficile à nier. Certains pourraient probablement prétendre que la maçonnerie fut une invention du XVIIe siècle qui s'est inspirée du concept de Ma'at. Mais nous sentions que cet argument ne tenait pas, car les hiéroglyphes égyptiens ne pouvaient être compris avant le décryptage de la pierre de Rosette – qui traduisait certains hiéroglyphes égyptiens en grec – un siècle après la fondation de la Grande Loge d'Angleterre. Auparavant, la franc-maçonnerie n'aurait apparemment eu aucun moyen de connaître le concept de Ma'at pour pouvoir s'inspirer de son modèle.

Dans l'Égypte ancienne, nous avions trouvé une civilisation qui prêchait les principes que le rituel de la franc-maçonnerie nous avait enseignés, et qui semblait aussi utiliser un concept à deux colonnes à l'intérieur de sa structure civile. On notait encore une histoire de meurtre et de résurrection liée au nom d'Osiris, mais celle-ci n'était pas reliée à l'architecte du Temple du roi Salomon ni même à aucun autre temple. Nous avions manifestement besoin d'étudier la civilisation des anciens Égyptiens plus en détail.

Les Égyptiens avaient fait l'expérience des limites de l'égoïsme humain pendant leur période de formation. Grâce à cet esprit de l'idée embrassant toute chose qu'incarnait Ma'at, ils firent tout pour construire un nouvel ordre adapté autant aux hommes qu'aux dieux. Le futur tempérament du peuple égyptien a, semble-t-il, été formé par cet esprit de tolérance et d'amitié. Dans les temps anciens, Ma'at devint la base du système légal et incarna bientôt toute « rectitude », toute voie « droite », de l'équilibre de l'univers et de tous les corps célestes à l'honnêteté et à l'attitude juste dans la vie quotidienne. Dans la société égyptienne antique, la pensée et la nature étaient comprises comme les deux côtés de la même réalité : tout ce qui était régulier et harmonieux dans l'un ou l'autre était considéré comme une manifestation de Ma'at[52].

Grâce à nos études maçonniques, nous étions conscients que l'appréciation de tout ce qui est « régulier » et « harmonieux » est centrale dans toute la franc-maçonnerie et le droit de chercher les mystères cachés de

---

52. Norman COHEN, *Cosmos, Chaos and the World to Come*.

la nature et de la science incombe au Compagnon, c'est-à-dire au second degré de franc-maçon.

L'histoire de Seth et Osiris, que nous avons soulignée plus tôt, démontrait au peuple d'Égypte que le règne divin des rois légitimes ne pouvait être rompu, même par les pouvoirs de dissolution et d'anarchie symbolisés par Seth. Le concept de Ma'at devint la marque d'un bon roi et les anciens textes montrent que tout roi ou pharaon était décrit ainsi : « celui qui fait Ma'at », « protecteur de Ma'at » « celui qui vit par Ma'at ». L'ordre social et l'équilibre de la justice découlait de la fontaine de Ma'at, autrement dit du dieu vivant Horus, le roi. Ce n'est que par la préservation de la lignée divine des rois que la civilisation d'Égypte pouvait survivre. Présenter Ma'at et la lignée royale comme étant inséparables s'avérait un excellent moyen pour éviter la rébellion et maintenir la monarchie.

Mais ce n'était pas seulement la stabilité politique du pays qui était soutenue par Ma'at ; toute la prospérité de la nation reposait sur ce principe. Si le peuple vivait en accord avec Ma'at, les dieux garantissaient la juste crue du Nil nécessaire pour procurer les cultures nourrissant la population. Une crue trop faible ou trop importante serait la faute du peuple et du roi. Vivre par Ma'at assurait aussi la victoire en guerre. Les ennemis du pays étaient vus comme des forces de chaos : il fallait les affronter parce que les dieux soutenaient le bon peuple de Ma'at.

Ma'at finit par être perçue comme une déesse. Elle était la fille du dieu-soleil Ré et voguait dans le ciel avec lui dans un bateau. Elle est souvent représentée debout, à la proue, assurant une course parfaite. On montre Ma'at avec une plume d'autruche dans sa coiffure et un « ankh » pendant à chaque bras. L'ankh [ou croix ansée] était – et est – un symbole de vie. Sa forme est celle d'un crucifix avec la partie supérieure formant une boucle, pour dessiner un œil ou un bateau dans une position verticale.

Nous fîmes une autre découverte qui pour nous était chargée de sens : le frère de Ma'at était le dieu-lune Thoth, souvent montré à la proue du bateau de Rê à côté de cette déesse. Notre intérêt s'accrut quand nous trouvâmes des références au fait que Thoth était une figure importante dans certaines légendes maçonniques primitives. C'est Thoth qui enseigna aux Égyptiens l'art de l'architecture et la religion et qui aurait établi ce qui est vrai. On disait qu'un roi qui combattait le mal était un « bon dieu – un héritier de Thoth ».

Le sacre d'un roi

Comme nous l'avons montré, la franc-maçonnerie intègre nombre d'éléments parfaitement égyptiens, de l'utilisation des pyramides à l'œil d'Amon-Rê. Pourtant personne ne pense qu'il y a une véritable connexion. Les traditions orales de la franc-maçonnerie datent de quatre mille ans la fondation du rituel, mais personne ne tient cette date pour vraie. Or, dès lors que les colonnes pouvaient venir de l'Égypte ancienne et que l'on trouvait là ce concept de Ma'at identique à celui de la maçonnerie, la certitude d'une relation commençait à s'imposer à nous. Pour trouver davantage de preuves de ressemblances entre les rituels, nous devions maintenant partir des actions du roi et de sa cour.

Quand le chef des Deux-Pays mourait, il devenait Osiris et son fils devenait immédiatement Horus, le nouveau roi. Quand le roi disparaissait sans laisser de fils, on se retournait vers les dieux pour résoudre le problème. En réalité, nous pensons que les membres de la « Loge royale » prenaient les décisions et que, dès que l'initiation du nouveau « maître » était achevée, plus personne ne pouvait remettre en cause l'Horus.

C'est notamment ce qui advint à la mort de Thoutmôsis II en 1504 avant notre ère. Il avait eu une fille de sa femme, Hatchepsout, mais son seul fils, il l'avait eu d'une concubine appelée Isis. Ce garçon lui succéda sous le nom de Thoutmôsis III. Il raconta comment le dieu Amon l'avait choisi comme nouveau dirigeant des Deux-Pays. Dans ses jeunes années, il fut préparé à la prêtrise et veilla sur le grand temple que le maître architecte Ineni avait bâti pour son grand-père. Un jour, il était présent quand son père offrit un sacrifice à Amon et que le dieu – transporté dans une châsse en forme de bateau – fut amené dans la grande Salle aux Colonnes de cèdre. Porté à hauteur d'épaule, le dieu fut promené tout autour de la salle. Le garçon était allongé comme il se doit sur le sol, les yeux fermés. Lorsque la châsse arriva à sa hauteur, le dieu obligea la procession à s'arrêter en accroissant son propre poids. De ce fait, les porteurs furent contraints de le déposer sur le sol. L'enfant se rendit compte qu'il avait été remis sur ses pieds et à un moment donné, il sut qu'il avait été choisi comme le prochain Horus, alors que son père n'était même pas encore décédé.

Cette histoire nous rappelle fortement celle de Yahvé, transporté dans l'Arche (sa châsse en forme de bateau) par les Hébreux. De ce fait, nous commençâmes à regarder le livre de l'Exode sous un nouvel éclairage et à voir à quel point toute l'histoire de Moïse et de ses Hébreux était égyptienne.

À notre avis, la cérémonie de couronnement du nouvel Horus (le roi arrivant) était aussi la cérémonie de funérailles du nouvel Osiris (le roi partant). Ces événements étaient exécutés en secret et réservés au sanctum interne des quelques officiels vraiment les plus importants – la Grande Loge ? Au rang de ceux-ci se trouvaient naturellement les grands prêtres et les membres mâles immédiats de la famille royale, mais les maîtres bâtisseurs, les scribes supérieurs et les généraux de l'armée en faisaient peut-être également partie. La liturgie funéraire elle-même ne fut pas retranscrite, mais une quantité non négligeable de la procédure a pu être reconstituée pour former un tableau instructif.

Il nous sembla par exemple très significatif que l'avènement et le couronnement du nouveau roi fussent des événements relativement distincts. L'avènement se déroulait normalement aux premières lueurs du jour le lendemain de la mort du roi, mais le couronnement était célébré après un laps de temps sensiblement plus long. En dépit des nombreux témoignages laissés par les Égyptiens, on n'a jamais trouvé de récit complet d'un couronnement égyptien. On peut en déduire que les parties importantes étaient un rituel totalement secret transmis exclusivement oralement à un très petit groupe.

On sait que le rituel de sacre était exécuté dans la pyramide d'Ounas. Comme dans le temple maçonnique, le plafond de la chambre principale représente le ciel étoilé. Selon l'hypothèse la plus couramment admise, la cérémonie durait toute la dernière nuit de la lune descendante, depuis le crépuscule jusqu'à l'aube[53]. Il s'agissait d'un rituel de résurrection ayant pour objectif d'identifier le roi défunt à Osiris[54]. Les cérémonies de résurrection n'étaient pas réservées à la mort du roi. En vérité, elle apparaissent avoir été des événements assez fréquents exécutés dans le temple mortuaire[55]. On considère généralement qu'elles étaient des rituels pour honorer les ancêtres royaux. Mais elles pourraient également avoir été des cérémonies d'admission de nouveaux membres dans le sein du sanctum intérieur royal : à cette occasion, ils auraient été symboliquement ressuscités avant d'être admis aux « secrets et mystères » transmis de bouche à oreille depuis le temps des dieux. Par définition, il est clair que ces secrets auraient nécessité une « société secrète », un groupe privilégié constituant une société à part. Un tel groupe aurait forcément eu une cérémonie d'admission. Toute institution élitiste ancienne – ou même moderne –

---

53. J. SPIEGEL, *Das Auferstehungsritual der Unaspyramide*.
54. *Ibid.*
55. S.H. HOOKE, *the Kingship Rituals of Egypt*.

possède une cérémonie de passage du monde ordinaire au groupe fermé.

Lors du rituel de couronnement/funérailles, le vieux roi ressuscitait sous la forme du nouveau. Il s'avérait un candidat idoine en faisant le tour complet du pays[56]. C'était en fait un acte symbolique : le nouveau roi faisait le tour de la salle du temple pour montrer aux présents – incluant le dieu Rê et son principal assistant – qu'il était un candidat de valeur. Dans une cérémonie maçonnique aussi, le nouveau membre est conduit autour du temple pour prouver qu'il est un candidat de valeur.

Après avoir fait tout le tour de la rose des vents, il est présenté au sud, à l'ouest et finalement à l'est. La première personne devant laquelle il s'arrête est le Second Surveillant, qui est censé représenter la lune (Thoth était le dieu de la lune), le suivant étant le Premier Surveillant, représentant le soleil (Rê était dieu du soleil) et finalement le Vénérable Maître, dont on pourrait dire qu'il représente Osiris ressuscitant. Comme les Égyptiens, les francs-maçons exécutent leurs cérémonies nuitamment.

Les ressemblances sont frappantes. Mais de quelle preuve disposions-nous attestant qu'il existait bien à l'époque une société secrète ? Et *a fortiori*, quelle preuve avions-nous montrant que les principes de la cérémonie de couronnement s'étendaient à l'initiation de ses membres ?

De nombreuses inscriptions évoquent un groupe élitiste dont l'appartenance donnait la connaissance de choses secrètes. Une inscription sur une « fausse porte » ou porte aveugle – dorénavant au musée du Caire – montre que son auteur avait été surpris et honoré d'être admis dans le cercle intérieur du roi Téti. Elle se lit ainsi :

Aujourd'hui en présence du fils de Rê : Téti, éternellement vivant, grand prêtre de Ptah, plus honoré par le roi que n'importe lequel de ses serviteurs, maître des choses secrètes de tout ouvrage que Sa Majesté voudrait voir réalisé ; réjouissant le cœur de son seigneur chaque jour, grand prêtre de Ptah, Sabu. Grand prêtre de Ptah, porte-coupe du roi, maître des choses du roi en tout lieu [...] Quand Sa Majesté m'accorda sa faveur, Sa Majesté me fit entrer dans la chambre privée, pour que, en son nom, je puisse organiser le peuple en tout lieu ; là j'ai trouvé la voie. Jamais un seul souverain n'avait accordé une telle chose à un serviteur comme moi, mais Sa Majesté m'aimait plus que tout autre de ses serviteurs ; parce qu'il me tenait en haute estime dans son cœur. J'étais utile en présence de Sa Majesté, j'ai trouvé la voie menant dans le sein de toutes les matières secrètes de la cour, je fus honoré en présence de Sa Majesté.

56. S.H. Hooke, *the Kingship Rituals of Egypt*.

De toute évidence, cette personne sentait que son élévation dans ce groupe éminent était très inhabituel pour quelqu'un occupant son rang d'origine. Il faut en déduire que, si des individus supérieurs avaient probablement un droit d'appartenance, le roi et peut-être d'autres dignitaires pouvaient décider d'introduire des candidats choisis.

Les égyptologues n'ont jamais trouvé d'explication pour l'expression « j'ai trouvé la voie » en référence aux matières secrètes. Mais nous pouvons l'interpréter comme le fait d'accéder à une connaissance secrète devant devenir ensuite un mode de vie. Il est important de noter que les esséniens et l'Église de Jérusalem utilisaient le même terme pour l'observance de leur Loi.

Une autre inscription fait référence à un architecte inconnu qui était aussi un membre de ce groupe détenteur de secrets du roi Téti :

> *J'agis de telle manière que Sa Majesté me loua pour cela... [Sa Majesté me fit entrer] dans la chambre privée et je devins un membre de la cour du souverain [...] Sa Majesté m'envoya diriger les travaux dans le temple du ka [...] et dans la carrière de Troie [...] Dirigeant l'ouvrage, je réalisai une fausse porte.*

Au XIXe siècle, on opta pour la traduction « chambre privée » parce qu'elle s'accordait avec la conception moderne de la chambre personnelle d'un roi, mais cela ne correspond pas au terme « cour du souverain » qui implique tout l'entourage du palais. Pour obtenir un sens plus précis, il faudrait peut-être la restituer comme ceci : « Sa Majesté me fit entrer dans la chambre royale à l'accès limité pour que je puisse devenir un membre de l'élite du roi. »

Comme nous l'avons vu, cette élite bénéficiait d'une instruction à des pratiques secrètes. Celle-ci devait être conférée au cours d'une cérémonie, à l'insu du regard des profanes. Cet événement représentait probablement le plus haut degré accessible par un homme. Mais pour un homme qui était aussi un dieu, l'Horus, il existait une circonstance encore plus particulière : le sacre. Cet événement était d'une importance considérable : il représentait la pérennité de l'union des Deux-Pays et de la prospérité et de la stabilité dont ils pouvaient jouir. Cependant, une phase dangereuse intervenait entre le décès du vieux roi et la confirmation du nouveau, car ce laps de temps offrait la possibilité d'une insurrection.

L'égyptologue H.W. Fairman observait :

> *Il est assez évident qu'à un certain point au cours du processus de sacre du roi, lors de sa sélection ou de son couronnement, quelque chose*

survenait qui assurait sa légitimité, qui désarmait automatiquement l'opposition et affirmait et obtenait la loyauté ; c'est cela qui simultanément le rendait dieu et le liait directement au passé de l'Égypte.[57]

Cette conception est largement partagée, mais jusqu'à maintenant aucune preuve spécifique n'était apparue permettant d'identifier cet événement clé au sein de la cérémonie. À la lumière de notre vaste recherche, une nouvelle et surprenante théorie sur la nature spéciale du sacre dans l'Égypte ancienne s'est imposée à nous.

Commençons par passer en revue tout ce que l'on sait du processus de sacre.

Le couronnement se faisait en deux étapes. La première étape incluait une onction, une investiture avec collier cérémoniel et tablier et la présentation d'un ankh (symbole de vie) et de quatre devises symboliques. Au cours de la seconde étape, on lui présentait l'insigne royal et le rituel principal commençait. Au sein de ce dernier, une partie cruciale était la réaffirmation de l'union des Deux-Pays et l'investiture du nouveau roi auquel était conféré deux couronnes et des insignes nettement différents. On ne précise jamais à quel moment de ces procédures le roi devenait dieu[58].

À notre avis, l'élément central et déterminant était un voyage du candidat vers les étoiles pour être admis comme membre de la société des dieux et là être fait Horus – peut-être en étant spirituellement couronné par le roi défunt, le nouvel Osiris. À un certain point pendant les événements de la nuit, le vieux roi et le nouveau voyageaient ensemble vers la constellation d'orion ; l'un resterait ensuite dans sa demeure céleste et l'autre reviendrait diriger le pays des hommes.

Le cercle intérieur des détenteurs de secrets royaux se serait réuni. Au milieu de cette assemblée, les grands prêtres auraient administré une potion au nouveau roi qui, de ce fait, aurait fait l'expérience d'une « mort ». Cette drogue aurait été un hallucinogène induisant lentement un état catatonique, laissant le nouveau roi aussi inerte qu'un cadavre. À mesure que les heures de la nuit se seraient écoulées, les effets de la potion se seraient dissipés et le tout nouvel Horus serait revenu de son séjour parmi les dieux et les rois passés d'Égypte. Ce retour aurait été soigneusement calculé pour que le réveil du nouveau roi coïncide avec le lever de l'étoile du matin sur l'horizon. À partir de cet instant, plus aucun mor-

---

57. H.W. FAIRMAN, *The Kingship Rituals of Egypt.*
58. *Ibid.*

tel n'aurait envisagé d'usurper son pouvoir, délivré par les dieux au sein de leur conseil dans les cieux. Dès que les membres de l'élite du roi, les « détenteurs de secrets », avaient choisi celui qui devait être élevé au degré sublime et unique d'Horus, le temps d'une éventuelle compétition était achevé.

Cette théorie logique satisfait à tous les critères universitaires en ce qui concerne la partie inconnue de la cérémonie qui rendait le nouveau roi inattaquable. Ce processus aurait :

1. désarmé toute opposition et garanti une loyauté totale ;

2. fait du nouveau roi un dieu (aucun homme n'aurait naturellement pu conférer ce statut) ;

3. lié directement le nouveau roi au passé de l'Égypte (il avait séjourné avec tous les rois passés).

Prouver l'improuvable

Si nous avions découvert une nouvelle chambre dans une des pyramides et trouvé sur ses murs une description complète de ce processus de sacre, nous aurions disposé de suffisamment de preuves pour que la plupart des spécialistes et universitaires – mais sans aucun doute pas tous – acceptent la validité de notre théorie. Seulement tel n'était pas le cas, et il est clair que cela n'arrivera pas. Les comptes rendus de tels événements ne fourniraient sûrement pas plus de détails sur les potions administrées au futur roi qu'ils ne donnent de détail sur les techniques d'embaumement utilisées pour le roi mort. Aucun témoignage hiéroglyphique n'attestant que le candidat à la royauté subissait un « mort temporaire » et voyageait vers les étoiles, nous sommes enclins à dire que le principal événement était la création de l'Osiris et que celle de l'Horus intervenait implicitement à l'intérieur de cet événement. Il existe un certain nombre de preuves circonstancielles pour soutenir cette théorie.

Nous allons vous expliquer pourquoi nous pensons que cette hypothèse est correcte. Mais, auparavant, nous voudrions vous rappeler que, dans notre recherche, nous appliquons une approche à deux niveaux. En suivant ce système, nous n'ignorons jamais le moindre fait attesté, et simultanément, nous exprimons clairement les moments où nous spéculons. Ainsi, à la différence de bon nombre d'idées nouvelles avancées dans cet ouvrage, nous ne pouvons fournir aucune preuve absolue confirmant ce processus de sacre. Mais notre hypothèse vient combler un vide dans ce que l'on connaît des procédures de sacre égyptien, qui, en l'occurrence, se voit renforcer par de tels faits.

La preuve silencieuse

De nombreuses personnes croient que les anciens Égyptiens construisaient des pyramides pour enterrer leurs pharaons. En fait, l'époque de
construction des pyramides fut très courte. Par ailleurs, la plupart des lecteurs seront probablement surpris d'apprendre que la reine Cléopâtre est
plus proche dans le temps des navettes spatiales que des bâtisseurs de la
Grande Pyramide. En outre, il est on ne peut moins certain que le but
premier des pyramides était d'offrir un lieu funéraire aux rois défunts,
mais leur véritable objet est encore largement débattu. Pour bien comprendre cela, il suffit de penser à la cathédrale St Paul de Londres qui n'a
pas pour vocation première d'être la tombe de Sir Christopher Wren[59],
en dépit du fait qu'il y soit enterré.

La principale source d'information sur le rituel d'Osiris/Horus nous
vient d'inscriptions appelées les *Textes des pyramides*. Elles furent trouvées
à l'intérieur des cinq pyramides de Saqqara près du Caire – la plus importante étant celle du roi Ounas, qui date de la fin de la Ve dynastie des rois.
Bien que celle-ci date de 4300 ans environ, elle se présente comme une
pyramide très tardive. Quoi qu'il en soit, on estime que le rituel décrit
est vieux de 5300 ans au moins.

L'étude de ces textes a permis de reconstituer certains éléments du
rituel, mais c'est ce qui manque qui est le plus instructif[60]. La reconstitution décrit les différentes chambres en attribuant un sens rituélique à
chacune : la chambre funéraire représente le monde inférieur ; l'antichambre, l'horizon ou le monde supérieur ; et le plafond la voûte céleste
nocturne. Le cercueil contenant le corps du roi défunt était apporté dans
la chambre funéraire où le rituel était exécuté. On plaçait alors le corps
dans le sarcophage et les membres de l'élite passaient dans l'antichambre.
En y pénétrant, ils brisaient deux vases rouges. Pendant la cérémonie, le
ba (l'âme) du roi mort quittait le corps et traversait le monde inférieur
(la chambre funéraire), puis, acquérant une forme tangible ayant son
apparence, il se dirigeait vers le ciel nocturne et atteignait l'horizon où il
rejoignait le Seigneur de Tout. Le processus était alors répété sous une
forme abrégée. Pour qui ? L'aspirant roi peut-être ?

L'aspect le plus fascinant de cette interprétation du *Texte de la pyramide* d'Ounas est de faire apparaître un autre rituel exécuté conjointe-

---

59. L'architecte de la cathédrale St Paul de Londres (N.d.T.).
60. J. SPIEGEL, *Das Auferstehungsritual der Unaspyramide*.

ment au rituel principal. Il s'agissait d'un rituel silencieux, mettant en scène une sorte de résurrection[61]. Apparemment, il était exécuté parallèlement au rituel parlé : il commençait avec le bris des deux vases au moment où les célébrants passaient de la chambre funéraire dans l'antichambre.

Une seule explication a été avancée pour ce rituel parallèle : il aurait été exécuté pour la Haute-Égypte, alors que le rituel parlé aurait été célébré pour la Basse-Égypte, plus importante. Mais, au lieu de cela, nous nous sommes demandé si ce rituel ne concernait pas le voyage du candidat roi temporairement mort, qui devait être ressuscité sous forme humaine avant que la tombe ne soit scellée ?

On sait que de telles cérémonies furent exécutées sous des formes identiques à d'autres époques. Et de nombreux spécialistes pensent que le rituel est antérieur à la plus ancienne période de l'Histoire égyptienne, qui, dit-on, daterait de 3200 avant notre ère.

Une prière d'une pyramide de la VIe dynastie (2345-2181 avant notre ère) exprime l'esprit de la théologie de l'ancienne Égypte, construite autour de la résurrection parmi les étoiles et du maintien de la stabilité sur terre :

> *Tu te dresses, ON, sur le trône du Premier des Occidentaux, protégé, équipé comme un dieu ; tu as pris la forme d'Osiris. Tu fais ce qu'il avait coutume de faire parmi les esprits, les Etoiles Impérissables. Ton fils se tient sur ton trône ; il a pris ta forme. Il fait ce que toi-même tu faisais auparavant, lorsque tu te trouvais à la tête des vivants sur ordre de Rê, le Grand Dieu. Il cultive l'orge, il cultive l'épeautre[62], pour pouvoir te les présenter. Ho N, vie, propriétés, tu possèdes tout désormais ; l'éternité est tienne, dit Rê. Tu l'as dit toi-même quand tu as pris la forme d'un dieu, et, de ce fait, tu es devenu grand parmi les dieux. Ho N, ton ba se tient parmi les dieux, parmi les esprit ; la crainte de toi est dans leurs cœurs. Ho N, ce N se tient sur ton trône à la tête des vivants ; la terreur de toi est dans leurs cœurs. Ton nom qui est sur terre vit, ton nom qui est sur terre perdure ; tu ne périras point, tu ne seras jamais détruit.*

Considérez maintenant une prière silencieuse à l'intention du candidat roi sur le point d'endurer sa mort temporaire pour traverser le monde inférieur et rencontrer les rois passés des Deux-Pays :

---

61. *Ibid.*
62. Variété primitive de blé.

Tout-Puissant et éternel Rê, Architecte et Gouverneur de l'univers, par le pouvoir créateur de qui toutes choses naquit à l'origine, nous les fragiles créatures de ta providence, nous te prions humblement de répandre ta bénédiction permanente sur cette assemblée, réunie en ton saint nom. Plus particulièrement nous te supplions d'accorder ta grâce à celui-ci, ton serviteur qui désire partager avec nous les secrets des étoiles. Donne-lui une force telle qu'à l'heure de l'épreuve il ne faillisse pas, mais que, ayant traversé en toute sûreté sous ta protection la sombre vallée des ombres de la mort, il puisse finalement se relever de la tombe de la transgression pour briller comme les étoiles, à jamais.

Tout semble parfaitement s'accorder, n'est-ce pas ? Pourtant, il ne s'agit pas ici d'un ancien rituel égyptien. C'est la prière déclamée au cours de la cérémonie maçonnique du troisième degré, juste avant que le candidat ne subisse une mort symbolique pour être ressuscité en tant que Maître maçon ! Pour notre démonstration, nous avons simplement changé les mots « Dieu » en « Rê » et « secrets d'un Maître maçon » en « secrets des étoiles ». Sinon tout le reste est inchangé.

Que dire alors de l'hypothèse selon laquelle une drogue narcotique aurait été utilisée pour « transporter » le nouveau roi vers les étoiles avant de le ramener ? Comme nous l'avons déjà établi, il n'y a apparemment aucune mention de cette potion, de même qu'il n'existe aucune véritable mention du rituel de couronnement. Même si le moment du sacre était d'une importance considérable, on peut comprendre pourquoi on n'en trouve nulle allusion : personne ne savait ce qui se passait. Le candidat prenait le breuvage, voyageait vers les étoiles et revenait en tant que roi et Horus. Son cercle terrestre n'avait qu'une seule chose à faire : lui présenter les attributs de la fonction et surtout ne lui poser aucune question sur sa relation avec les dieux – le roi étant désormais l'un d'eux. Sans aucun doute, sous l'influence de la drogue, le candidat roi faisait des rêves étranges, mais il n'allait naturellement pas révéler quoi que ce soit. Du fait de ce processus – ce choix divin –, la cérémonie de sacre plaçait le nouvel Horus au-delà de toute contestation : les dieux l'avaient désigné pour être le maître des Deux-Pays.

Les drogues narcotiques ont été utilisée pour les cérémonies religieuses de presque toutes les anciennes cultures humaines. Il serait surprenant qu'une culture aussi avancée que celle des Égyptiens n'ait pas possédé une connaissance très sophistiquée de leur utilisation. Dès lors, la question n'est pas de se demander s'ils ont pu utiliser de telles drogues. Elle serait plutôt : pourquoi pensons-nous qu'ils ne les auraient pas utilisées ? Normalement, pour qu'un homme atteigne les cieux dans la mort, on s'attend à ce qu'il traverse le pont dans la vie, généralement à l'aide de drogues.

> *Le pont funéraire – un lien entre la Terre et le Ciel que les êtres humains utilisent pour communiquer avec les dieux – est un symbole commun des anciennes pratiques religieuses. À un moment donné dans le lointain passé, l'usage de tels ponts a été très répandu, mais du fait du déclin de l'homme, il est devenu plus difficile d'emprunter de tels ponts. Il n'était plus possible de les traverser qu'en esprit, c'est-à-dire sous la forme d'une âme défunte ou dans un état d'extase. Une telle traversée était effroyablement difficile ; toutes les âmes ne pouvaient réussir, car les démons et les monstres assaillaient ceux qui n'étaient pas correctement préparés. Seuls les « bons » et les initiés (qui connaissaient déjà la route pour avoir subi une mort et une résurrection rituelles) pouvaient traverser le pont facilement.*[63]

Ces principes relatifs au chamanisme s'accordent en tous points avec ce que nous savons des croyances égyptiennes. Des formules de conjuration étaient prononcées pour tenir les démons à l'écart du passage de l'Osiris. Mais, dans les faits, la progression de ce dernier était assez sûre pour deux raisons. D'abord il vivait selon Ma'at, il était donc un homme juste ; deuxièmement, il connaissait la route pour avoir traversé le « pont » en devenant l'Horus. Quant au passage du nouveau roi, il était peut-être exécuté en silence pour ne pas alerter les démons. Le candidat pouvait ainsi suivre le roi défunt à travers les cieux, et apprendre la route afin de savoir à son tour guider le prochain roi à l'heure de sa propre mort.

Ultérieurement, nous découvrîmes qu'Henri Frankfort avait repéré que les rituels de renaissance pour le roi mort étaient exécutés parallèlement aux rituels de couronnement de son héritier[64]. Notre conception d'une double cérémonie pour les deux rois, le mort et le vivant, se voyait ainsi confirmée. De plus, un passage des *Textes des pyramides* montre que le nouvel Horus était considéré comme l'étoile du matin. On voyait en effet le nouvel Osiris dire :

> *La barque céleste en roseau est prête pour que je puisse traverser grâce à elle et rejoindre Rê à l'horizon [...] Je vais me tenir au milieu d'eux, car la lune est mon frère, l'étoile du matin mon enfant [...].*[65]

63. Mircea ELIADE, *Le Chamanisme : Techniques archaïques de l'extase.*
64. Henri FRANKFORT, *Kingship and the Gods.*
65. *Textes des Pyramides*, 1000-1.

Nous pensons que les Égyptiens empruntèrent une bonne partie de leur théologie et de leur technologie aux secrets des bâtisseurs de cités de Sumer et nous pensons également que les Sumériens étaient particulièrement bien versés dans l'utilisation des drogues à des fins religieuses.

Nous devions maintenant nous poser la question suivante : de tels rituels de résurrection étaient-ils ou non exclusivement réservés aux couronnements. La réponse semblait négative. À la fin de l'Ancien Empire (vers 2181 avant notre ère), on savait que quelques formes de cérémonie de résurrection royale se déroulaient annuellement, et sous le Moyen Empire, le rituel fut exécuté pour des personnes aisées, peut-être même hors du cercle central du roi. Il est pratiquement certain que ces personnes n'ayant pas la qualité royale n'accédaient pas à la connaissance secrète du cercle interne du souverain.

L'étoile du matin resplendit de nouveau

Maintenant il nous faut considérer un élément vital de la théologie égyptienne. Comme nous l'avons exposé plus haut, celle-ci se présentait très largement comme un développement des croyances sumériennes. Par ailleurs, les futures croyances hébraïques (et donc chrétiennes) furent elles-mêmes des développements de cette théologie égyptienne mêlés à des adaptations babyloniennes ultérieures issues de la même source religieuse. Nous avons déjà fait remarquer que, tant la communauté essénienne/Église de Jérusalem que la franc-maçonnerie utilisaient l'étoile du matin comme symbole de renaissance. Nous retrouvions maintenant cette idée dans l'Égypte ancienne. Les *Textes des pyramides* 357, 929, 935 et 1707 font référence à la progéniture (Horus) du roi défunt, comme étant l'étoile du matin.

Il est intéressant de noter que le hiéroglyphe égyptien désignant cette étoile du matin a pour sens littéral, « connaissance divine ». Ce constat semble conforter notre thèse selon laquelle le candidat accédait à son nouveau statut de dieu/roi Horus en partageant les secrets des dieux dans le pays des morts. Là, il apprenait les grands mystères avant de revenir sur terre sous la forme de l'étoile du matin surgissant à l'horizon juste avant l'aube.

Hiéroglyphe de l'étoile du matin

Alors que nous approfondissions cette partie de notre recherche, un livre parut. Il prétendait jeter une nouvelle lumière sur la fonction des pyramides en détaillant leurs plans et ordonnancements qui auraient été astrologiquement inspiré. Robert Bauval et Adrian Gilbert mettaient en avant un cas particulièrement bien étudié et argumenté : ils montraient comment les pyramides de Gizeh sont disposées de telle manière qu'elles imitent délibérément les étoiles de la ceinture d'Orion[66]. Les deux auteurs faisaient aussi référence aux rituels exécutés dans les ziggourats à étages de l'ancienne Mésopotamie intégrant « l'étoile du matin, vue comme la grande déesse cosmique Ishtar ». Ce témoignage – obtenu en suivant un cheminement totalement différent – confirmait ce que nous avions découvert de notre côté en remontant le cours du temps à partir des rituels de la franc-maçonnerie moderne.

En Égypte, le nouveau roi – l'Horus – est l'étoile du matin, se relevant (comme les francs-maçons se relèvent) d'une mort temporaire et symbolique. Généralement identifiée à Vénus, l'étoile du matin se révélait comme un lien très important dans notre chaîne.

Cependant, aussi fascinants que fussent les parallèles avec les esséniens et la franc-maçonnerie que nous avions découverts dans les pratiques égyptiennes, une question évidente restait en suspens : existait-il une voie faisant passer les idéaux de Ma'at, les secrets des rois égyptiens et un rituel de résurrection détaillé d'Égypte dans la maçonnerie, via les esséniens ? Pour la découvrir, nous devions étudier plus attentivement encore l'histoire d'Osiris.

Le destin singulier d'Osiris – son meurtre brutal et son démembrement par son frère Seth, suivis de sa résurrection et de son élévation vers les étoiles – fut l'un des exemples les plus anciens de justification et de récompense pour une souffrance innocente. Le destin d'Osiris rendait

66. Robert BAUVAL & Adrian GILBERT, *The Orion Mystery.*

espoir aux classes inférieures de la société ; il donnait un sens et un but à la souffrance. Le culte d'Osiris dut être un culte funéraire bienfaisant, accessible à l'Égyptien ordinaire. Quand d'autres dieux demeuraient distants dans leurs temples, Osiris pouvait être vénéré n'importe où et par n'importe qui, à côté du dieu local[67].

Changez le mot « destin » par « crucifixion » et cette description pourrait tout à fait correspondre au Christ Jésus. Nous sentions maintenant que nous avions de grandes chances de trouver les connexions que nous soupçonnions. Nous n'eûmes pas longtemps à attendre pour voir surgir une hypothèse fantastique. Nous étions en train d'étudier la période clé suivante de l'histoire égyptienne, lorsque le personnage central de notre recherche, Hiram Abif, resurgit des brumes du temps.

CONCLUSION

Pour le moins, nous sentions que les premiers bâtisseurs égyptiens étaient originaires de Sumer, et que ces immigrants sumériens avaient apporté leur technologie et leur théologie en Égypte. La civilisation égyptienne, déjà bien établie vers 3100 avant notre ère, les deux royaumes de Haute- et de Basse-Égypte avaient déjà été jumelés comme deux moitiés d'un unique État. À mesure que notre recherche progressait, cette unification des deux royaumes sous l'égide d'un souverain divin devait se révéler importante.

Le droit du roi à régner était fondé sur l'histoire du meurtre d'Osiris par Seth. Cette histoire racontait comment Isis avait reconstitué le corps d'Osiris afin d'enfanter avec celui-ci un fils, Horus. Ce dernier parvint à reprendre les royaumes d'Égypte à Seth au cours d'une farouche bataille. Dès lors, chaque roi fut considéré comme une incarnation d'Horus : littéralement le « fils de Dieu ». Quand le roi mourait, il se fondait à Osiris (Dieu le Père) et allait vivre dans le royaume des morts. Son fils devenait alors l'Horus, le nouveau roi-dieu vivant.

Nous avions découvert que la sécurité de tout l'État dépendait du fait que les deux royaumes œuvrent de concert. Cette coopération fut symbolisée par deux colonnes, l'une au nord et l'autre au sud, réunie par un linteau céleste formant une porte qui faisait face au soleil levant. Ce puissant concept de force par l'unité de deux colonnes est encore un thème central du rituel maçonnique. C'était une notion qui nous était très familière.

---

67. N. COHEN, *Cosmos, Chaos and the World to Come.*

Mais ce n'était pas le seul lien que nous avions trouvé avec la franc-maçonnerie moderne : le concept de Ma'at, signifiant rectitude, vérité et justice à l'intérieur d'une représentation symétrique nivelée et ordonnée, réunissait les principes que nous avions appris en tant que francs-maçons. Ce code humaniste et éthique n'était pas un commandement religieux ni une obligation légale – c'était une qualité positive librement consentie par chacun.

Nous savions que la franc-maçonnerie ne pouvait pas avoir emprunté directement cette idée à l'histoire égyptienne parce que le concept de Ma'at, longtemps perdu, n'était pas réapparu avant le déchiffrement de la pierre de Rosette. Or, lorsque cette pierre – ouvrant la voie de la traduction des hiéroglyphes égyptiens jusque-là incompréhensibles – fut découverte, la Grande Loge d'Angleterre existait déjà depuis presque un siècle.

À ce stade, nous avions déjà établi deux liens circonstanciels avec la franc-maçonnerie : d'abord l'existence d'une cérémonie de résurrection liée à la légende d'Osiris ; et ensuite Ma'at – originellement présentée sous la forme d'une grande vérité et plus tard d'une déesse – était la sœur de Thoth, dieu de la lune et autre figure chargée de sens dans le mythe maçonnique.

En étudiant la cérémonie de sacre, nous avons constaté que, même si la liturgie funéraire elle-même n'avait pas été conservée, elle impliquait un rituel de résurrection qui identifiait le roi défunt à Osiris. Nous avons également trouvé des preuves suggérant que de semblables cérémonies ne se limitaient pas au sacre du roi et qu'elles semblaient impliquer une société secrète. La preuve de l'existence de cette société secrète nous fut apportée par les traductions d'inscriptions figurant sur des objets du musée du Caire – or, de nouveau, ces textes ne pouvaient avoir été traduits avant la découverte de la pierre de Rosette, bien postérieure à la manifestation publique de la franc-maçonnerie.

Avec notre connaissance de la pratique maçonnique, nous avons essayé de reconstituer la cérémonie de sacre égyptien : le résultat s'ajustait parfaitement avec tous les faits connus.

Les *Textes des pyramides* nous offrirent le lien le plus exaltant avec le troisième degré maçonnique : ils faisaient référence au roi comme étant l'étoile du matin ; or celle-ci avait un rôle important dans nos cérémonies maçonnique de résurrection. Le hiéroglyphe égyptien pour l'étoile du matin et du soir était la même étoile à cinq branches utilisée pour représenter les cinq points de la confrérie du troisième degré maçonnique. Tous ces faits nous encouragèrent indubitablement à approfondir encore davantage la connexion égyptienne, car – si nous avions de forts soupçons – nous manquions encore de preuves de pratiques indiscutablement maçonniques.

CHAPITRE VIII

LE PREMIER FRANC-MAÇON

Nous avions consacré une bonne partie de notre énergie à dévoiler les mystères de l'Égypte. Mais en nous concentrant sur des personnages et événements particuliers qui avaient des significations pour nous, maçons, nous nous efforcions sans cesse de les rattacher à l'Histoire. Parfois l'interprétation conventionnelle d'événements historiques est contredite par des faits, ne s'accordant pas avec ce qui est couramment admis. Ces « accrocs » historiques permettent dans certains cas d'entrevoir une nouvelle vérité derrière la face acceptée de l'histoire. Précisément, ce fut une semblable occurrence qui attira notre attention vers la période Hyksos de l'Histoire égyptienne. Aujourd'hui, les égyptologues désignent cette époque comme la deuxième période intermédiaire (1782-1570 avant notre ère), coincée entre le Moyen Empire et le Nouvel Empire. Nous sommes confrontés ici à une perturbation majeure dans le cours tranquille de l'histoire égyptienne. Il s'agit même du type de catastrophe dont peu de civilisations se remettent. Mais nous savions que l'Égypte ne s'en était pas seulement remise : elle avait par la suite atteint de nouveaux sommets d'accomplissement, en dépit du déclin total de sa monarchie traditionnelle et de la domination – pendant six générations – de la population indigène par un groupe d'envahisseurs étrangers (la première fois que nous rencontrâmes ces derniers, ils étaient désignés sous le nom romantique de « rois pasteurs »). Pourquoi cet événement était-il survenu ? Cela demeurait un mystère majeur.

Nous pressentions que cette ère de changement – des rois égyptiens aux gouvernants hyksos, avant le retour à la monarchie thébaine – avait de fortes chances de nous fournir des indices supplémentaires. Aussi nous nous concentrâmes sur cette période en utilisant toutes les sources d'information possibles, y compris l'Ancien Testament.

Hiram Abif retrouvé

S'il existait une connexion entre l'Ancienne Égypte et les Juifs du Iᵉʳ siècle de notre ère, nous pouvions pratiquement être certains que le vecteur était Moïse, le fondateur de la nation juive qui avait été un membre adoptif de la famille royale égyptienne. La possibilité de trouver un tel lien semblait éloignée. Mais nous continuions de chercher en passant en revue tous les faits que nous connaissions.

Ayant franchi le troisième degré de la franc-maçonnerie – celui qui nous avait conféré le statut de Maître maçon –, il nous faut avouer que les références à Hiram Abif et à l'Ancien Testament nous déconcertaient. Quand il présente pour la première fois le personnage au candidat, le Vénérable Maître dit ceci :

> *La mort n'est pas aussi terrifiante que la honte du mensonge et du déshonneur. Les Annales de la franc-maçonnerie nous offrent un glorieux exemple de cette suprême vérité à travers l'inébranlable fidélité et la mort prématurée de notre Grand Maître, Hiram Abif. Il perdit sa vie juste avant l'achèvement du Temple du roi Salomon, dont il était, comme vous en êtes sans aucun doute conscient, le principal architecte.*

On suppose donc clairement que le candidat cultivé devait avoir conscience de ce personnage grâce à ses connaissances antérieures, c'est-à-dire probablement grâce à la Bible. Mais aucun de nous n'avait jamais entendu parler d'un semblable individu et aucune des versions de la Bible que nous avions lues ne mentionnait un architecte du Temple de Salomon. Comme Hiram, roi de Tyr, avait fourni les ouvriers et le cèdre, certains ont lié les deux personnages. Mais il n'existe aucun lien possible entre les deux hommes, si ce n'est leur homonymie. Comme tous les francs-maçons de notre connaissance, nous acceptions le héros maçonnique, même si nous savions qu'aucune source ne disait qu'il était impliqué dans la construction du Temple de Salomon.

Si les auteurs du Livre des Rois avaient connu le nom du maître architecte – particulièrement à la lumière de son meurtre –, il semble presque impossible qu'ils aient laissé de côté un tel personnage clé en racontant l'histoire du Temple. En premier lieu, nous en déduisîmes qu'Hiram Abif devait être une invention ultérieure et qu'il représentait peut-être un autre personnage important dont le rôle avait été soustrait à l'Histoire au profit d'un récit linéaire. Nous n'avions rencontré qu'une seule explication raisonnable concernant le nom du héros maçonnique : Hiram aurait signifié « noble » ou « royal » en hébreu, tandis qu'Abif [ou Abi] a été identifié au vieux français signifiant « perdu », ce qui donnait comme traduction littérale, « le roi qui fut perdu ». À l'époque où nous commençâmes à étudier l'ancienne Égypte, nous avions abandonné notre quête d'Hiram Abif, parce que, ne disposant d'aucune piste, nous pensions cette tâche impossible.

Mais, curieusement, ce fut Hiram Abif qui émergea du passé pour nous retrouver !

En fait, notre recherche avait été beaucoup plus large que prévue et de nombreux détails de l'Égypte ancienne nous étaient devenus familiers. Aussi, une fois cette étude accomplie, une hypothèse permettant de résoudre peut-être le plus grand de tous les mystères maçonniques se dévoila lentement. Convaincus qu'il existait une cérémonie secrète – fondée sur une « mort temporaire » et une résurrection – au cœur du processus de sacre de l'ancienne Égypte, nous nous donnâmes pour mission d'essayer de comprendre comment les Hébreux avaient pu entrer en possession de ces mystères très particuliers.

Pour relier les Hébreux à l'Égypte, nous disposions d'un point de départ évident. La Bible expose clairement l'importance de l'Égypte dans l'histoire du peuple juif : des personnages aussi importants qu'Abraham, Jacob, Isaac, Joseph et Moïse sont tous très fortement impliqués dans les événements égyptiens. Les deux derniers de cette liste sont même présentés comme des membres majeurs de la cour royale (à des époques différentes, toutefois). Les derniers chapitres du livre de la Genèse brossent un tableau de tolérance et de coopération entre les Égyptiens et les proto-Israélites. Mais, ensuite, selon l'Exode, une grande amertume s'installe entre les deux peuples. Pourquoi un changement aussi rapide ? Les raisons devinrent beaucoup plus claires quand nous nous penchâmes sur la période des rois hyksos. Et l'homme qui était Hiram Abif apparut comme le personnage central de toute l'histoire.

L'effondrement de l'État égyptien

En suivant le développement de l'Égypte, nous parvînmes au point le plus bas de son histoire, à la fin de l'âge du bronze moyen (c'est-à-dire vers la fin du troisième millénaire avant notre ère). L'Égypte était entrée dans une période de déclin continuel : gouvernement faible, crise sociale… Arrivant du désert, des étrangers se répandaient dans tout le pays. Le vol devenait une pratique ordinaire. Le style de vie ouvert et détendu des Égyptiens laissait la place à la méfiance et à une tendance à ne compter que sur soi pour sa propre sécurité au lieu de faire confiance à l'État. Lentement, l'esprit et la vigueur qui avaient fait de l'Égypte une grande nation s'évanouirent, laissant le pays exposé au regard concupiscent des étrangers. Alors, inévitablement, l'invasion suivit. Les Égyptiens passèrent sous la domination d'un peuple connu sous le nom d'« Hyksos ». Mais ces derniers ne remontèrent pas soudainement le Nil en sommant les Égyptiens de se rendre. Le processus fut beaucoup plus subtil que cela. Pendant une longue période, ils infiltrèrent la société égyptienne en douceur, attendant de se trouver dans une position assez forte pour imposer leur contrôle sur les Deux-Pays. L'Histoire nous fournit quelques dates très spécifiques pour cet affaiblissement national, appelé aujourd'hui la « deuxième période intermédiaire ». Elle la situe entre les années 1780 et 1560 avant notre ère, à la fin d'une section beaucoup plus longue de l'histoire égyptienne, aujourd'hui appelée le Moyen Empire.

Nous découvrîmes qu'« Hyksos » ne signifiait pas « rois pasteurs ». En fait, ce mot provient du terme égyptien *hikau-khoswet*, signifiant simplement « princes du désert ». On pense qu'il s'agissait d'un ensemble de peuples asiatiques distincts, principalement sémites, qui surgirent de Syrie et de Palestine. Leur prise de pouvoir rencontra inévitablement quelque résistance. Elle eut pour résultat l'incendie de quelque villes réfractaires et la destruction des temples, avec pour point culminant la complète mise à sac de Memphis, la capitale égyptienne vers 1720 avant notre ère. Les Hyksos ne croyaient pas en Ma'at. Dans leur quête de pouvoir, ils traitèrent d'abord avec cruauté tous ceux qu'ils percevaient comme des obstacles à leur cause. Mais une fois en place, ils ne furent pas de rudes oppresseurs et il apparaît clairement que les autorités égyptiennes collaborèrent largement avec eux. Au XVIIIe siècle, ils avaient déjà étendu leur loi jusqu'en Haute-Égypte.

Venant pour l'essentiel de pays que nous appellerions aujourd'hui Israël et la Syrie, les Hyksos parlaient tous la même langue sémitique de l'Ouest que le peuple qui serait plus tard connu sous le nom d'Israélites. Une question s'imposa immédiatement à notre esprit : les Hyksos étaient-ils en réalité des Juifs ? Au sens strict du terme, la réponse devait être négative, parce que le concept de judaïsme n'existait pas à cette époque. Les tribus nomades éparses que les Égyptiens appelaient Habiru (Hébreux) étaient un ensemble d'Asiatiques sémitiques qui parlaient certes la même langue, mais ne représentaient en aucune manière une race identifiable. Cependant, il est extrêmement probable qu'à une date ultérieure les peuples Hyksos/Habiru constituèrent une partie substantielle d'alliance tribale qui donna naissance aux tribus d'Israël et finalement au peuple juif. Nous pensons donc qu'il y a effectivement un lien entre les Hyksos et les Juifs, et plusieurs raisons soutiennent cette théorie (et la moindre n'est pas le fait que la première mention dans la Bible du peuple juif coïncide précisément avec l'époque où les Égyptiens chassèrent les Hyksos d'Égypte... vers Jérusalem !).

Les recherches géologiques commencent à montrer que l'état désertique d'une bonne partie du Proche-Orient est relativement récent et qu'il y a cinq ou six mille ans à peine, les terres entourant l'Égypte formaient une zone beaucoup plus verte et fertile. Les traces géologiques prouvent qu'il y eut des périodes soudaines et spectaculaires de changements climatiques au cours du deuxième millénaire avant notre ère. En résultat, la sécheresse devint un problème saisonnier dans tout le Proche-Orient. Fidèles au principe de Ma'at, les Égyptiens étaient un peuple généreux : ils procurèrent donc aux Habiru errants de l'eau et de la terre sur laquelle leurs moutons purent brouter, quand les conditions à l'extérieur du delta du Nil devinrent insupportables. La Genèse 12,10 en offre un témoignage évident :

> *Il y eut une famine dans le pays et Abraham descendit en Égypte*
> *pour y séjourner, car la famine pesait lourdement sur le pays.*

Pendant la période de déclin de la société égyptienne, il y eut peu de contrôle de ces Asiatiques assoiffés. Ils furent autorisés à venir en grand nombre et on ne leur demandait pas de repartir quand leurs besoins étaient assouvis. Sans politique d'immigration, le pays fut bientôt submergé par ces peuples nomades. En outre, un peuple beaucoup plus avancé les suivit. Et celui-ci vit l'opportunité de prendre l'avantage dans la confusion générale. Ces citadins sémitiques, les Hyksos, étaient beaucoup plus belliqueux que les Égyptiens trop confiants. En outre, ils possédaient des armes éminemment sophistiquées, incluant des chars tirés par des chevaux qui leur permirent de s'emparer de tout ce qu'ils voulaient, sans rencontrer de résistance significative de la part de la population indigène pacifique.

Les rois hyksos

Il est probable que pendant la période hyksos, les hommes des tribus habiru jouirent d'un statut social plus élevé et qu'ils s'intégrèrent à la vie citadine. Auparavant, ces bergers du désert n'avaient qu'une seule manière d'améliorer leur sort et de goûter aux bénéfices de la vie citadine : se proposer comme esclave à une famille égyptienne. En pratique, il ne faut pas voir cet arrangement comme de l'esclavage avec le sens qu'on lui connaît aujourd'hui. C'était davantage une sorte d'engagement comme domestique bénéficiant d'un contrat à vie. Les gages n'étaient peut-être pas très élevés, mais la qualité de la vie aurait dépassé de beaucoup celle de la grande majorité du peuple.

Dès que les rois hyksos se furent établis, ils commencèrent à financer la construction de temples et la création de statues, de bas-reliefs, de scarabées[68], des œuvres d'art en général, et certains des ouvrages techniques et littéraires les plus admirables de l'époque. Apparemment, ils possédaient très peu d'héritage culturel en propre et aussi adoptèrent-ils rapidement les us et coutumes égyptiens. Ces nouveaux gouvernants se mirent à écrire leurs noms en hiéroglyphes, prirent les titres traditionnels des rois d'Égypte et se baptisèrent même de noms égyptiens. Les rois hyksos étendirent d'abord leur influence sur la Basse-Égypte, le plus grand et le plus luxuriant des deux royaumes, à partir de leur cité d'Avaris – nouvellement bâtie. Là ils adoptèrent comme dieu d'État une divinité qui était spécialement vénérée dans la région où ils s'étaient initialement installés. Ce dieu était Seth ou Set ; il présentait un certain nombre de ressemblances avec Baal, leur dieu cananéen antérieur. S'ils axèrent toute leur théologie autour de Seth, ils acceptèrent aussi Rê comme dieu majeur et l'honorèrent sous les titres royaux qu'ils s'étaient conférérs. Plus tard, ils contrôlèrent les Deux-Pays depuis la vieille capitale de Memphis. Il est juste de dire qu'une relation symbiotique s'instaura entre les différents groupes : grâce à cette dernière, les envahisseurs acquirent un certain raffinement culturel et théologique, et les Égyptiens se dotèrent d'une nouvelle technologie, incluant les chariots et d'autres armes (dont des arcs et des épées de bronze sophistiqués remplaçant leurs anciens modèles simples). Et les Égyptiens empruntèrent également aux Hyksos une chose beaucoup plus importante : le cynisme. Dans le passé, ils avaient été beaucoup trop ouverts et n'avaient montré que peu d'exigence quant à leur propre bien-être ; ils n'accordaient que peu d'attention à la défense active de leur pays. L'expérience hyksos leur donna une bonne leçon. Une nouvelle perspective, positive, en émergea et posa les bases de la résurgence de l'esprit égyptien au cours de ce que nous appelons le Nouvel Empire.

Bien qu'ils eussent perdu le contrôle de Memphis, la vieille capitale,

---

68. Pierres gravées des Egyptiens, portant l'empreinte du scarabée sacré. (N.d.T.)

des éléments de la monarchie égyptienne authentique survivaient dans une ville de Haute-Égypte, Thèbes. Les témoignages montrent clairement que les Thébains reconnaissaient la souveraineté de leurs suzerains asiatiques, avec lesquels ils paraissent avoir été en bons termes. Comme les rois hyksos assimilaient la majeure partie de la culture et des pratiques religieuses égyptiennes, un problème politico-théologique finit inévitablement par surgir. En plus du pouvoir physique, les envahisseurs se mirent à revendiquer le pouvoir spirituel. Par exemple, un souverain hyksos, le roi Chian (Khyan ou Khayana) prit le nom de trône égyptien de « Se-user-en-rê » [Séouserenerê] avec les titres de « Bon Dieu » et de « Fils de Rê ». En outre, il s'attribua le nom d'Horus « Qui embrasse toutes régions », un titre qui suggérait une domination mondiale. Que cet Hyksos prétendît être « le fils de dieu » devait avoir outragé le peuple égyptien à tous points de vue.

Il s'agit là, croyons-nous, d'un sujet majeur qui n'a pas été suffisamment examiné par les égyptologues modernes. Nous savons maintenant qu'à un moment du processus de sacre quelque chose de particulier rendait le nouvel Horus incontestable. Seulement les candidats-rois hyksos, malgré toute leur puissance étatique et leur tentative d'imitation de la religion égyptienne, n'avaient pas accès à ce mystère, à cette ultime consécration. Un étranger pouvait-il vraiment changer son nom de Chian en Séouserenerê et se désigner comme l'Horus sans avoir subi le processus d'initiation éminemment secret connu seulement des vrais rois d'Égypte et de leur cercle interne ? La réponse est simple et elle est négative. On ne peut penser un seul instant que les Égyptiens eussent partagé leurs plus grands secrets avec ces étrangers brutaux. Mais Chian voulait désespérément ce puissant titre et comme il n'avait aucun moyen légitime à sa disposition, il n'avait d'autre choix que d'assumer un titre vide. En apparence, les relations entre les Égyptiens et leurs nouveaux maîtres étaient bonnes. Mais, en réalité, le ressentiment devait être grand. De plus, en dépit de leur imitation des us et coutumes égyptiens, les Hyksos demeuraient pour l'essentiel différents. Donc, au mieux, la greffe des Hyksos sur l'Égypte fut superficielle. Ils parlaient égyptien avec un accent amusant et portaient des barbes (alors que les Égyptiens se rasaient quotidiennement, sauf en période de deuil) ; ils avaient une étrange manière de s'habiller et se déplaçaient dans des véhicules à roues qu'ils appelaient chariots et qui étaient tirés par des chevaux au lieu d'ânes.

La perte des secrets originels

En continuant d'étudier la fin du Moyen Empire, nous avons acquis la certitude que les tensions entre les nouveaux rois hyksos et la lignée royale authentique avaient dû atteindre un pic lorsque les usurpateurs s'étaient présentés comme les Horus. Si nos vues concernant une cérémonie de résurrection secrète des rois légitimes étaient justes, il y eut certainement quelques frictions avec ces envahisseurs présomptueux, désireux d'acquérir les secrets royaux après avoir obtenu tout le reste. Prendre le contrôle de la vie quotidienne était une chose ; mais tenter de s'introduire dans le royaume des dieux, tant dans le ciel que sur terre, devait paraître intolérable. Lorsque la troisième ou la quatrième génération de rois hyksos naquit en Égypte, ils avaient totalement embrassé la théologie égyptienne. À ce moment, il semble presque certain qu'ils estimèrent avoir le droit de posséder les secrets des Horus, dès lors qu'ils se considéraient comme *étant* les Horus. Mais peut-être plus important encore : ils voulaient devenir Osiris dans la mort et être une étoile brillant pour l'éternité. Devenus rois d'Égypte, pourquoi devaient-ils connaître une mort cananéenne, alors que mourir en Horus leur aurait conféré la vie éternelle ?

Il s'agissait d'une époque complexe et fascinante. Nous ne cessions d'étudier et de réétudier les événements et les personnages impliqués. Or quelque chose commença à s'agiter dans un coin du cerveau de Chris, quelque chose concernant la période en général et le comportement du véritable roi égyptien – en particulier Sekenenrê Taâ II [Seqenenre Tao]. Vers la fin du règne hyksos, ce roi était cantonné à la ville de Thèbes en Haute Égypte. Pour toute une série d'infimes raisons, Chris avait le sentiment que l'histoire d'Hiram Abif avait peut-être pour origine un affrontement pour le pouvoir entre Sekenenrê Taâ II et l'un des rois hyksos importants Apepi [ou Apopi] Ier, qui monta sur le trône égyptien sous le nom d'A-user-rê ([Aouserrê] « Grand et puissant comme Rê ») et prit le titre de « Roi de la Haute- et de la Basse-Égypte – Fils de Rê ».

Pendant des mois, Chris médita sur la période, cherchant de plus en plus de preuves pouvant infirmer ou confirmer ce qui le travaillait. Lentement son hypothèse prit de la consistance. Chris raconte le cheminement de cette idée :

« Je savais que le roi hyksos Apepi était également connu sous le nom d'Apophis. Pour moi, cette terminologie avait beaucoup de sens, car elle attirait mon attention sur l'implication possible d'Apophis dans une bataille spirituelle qui n'était rien moins qu'une répétition de la fondation de la nation par Osiris, Isis et le premier Horus. Je devins convaincu qu'Apophis était un homme qui – quelles qu'en fussent les conséquences – avait délibérément tenté d'obtenir pour son propre compte les secrets des rois égyptiens authentiques

« Les Hyksos étaient belliqueux et égocentriques. Comme dieu principal, ils adoptèrent Seth, le meurtrier de son frère Osiris (le dieu que tout roi égyptien entendait devenir). En s'identifiant à Seth, les Hyksos affichaient leur mépris pour le peuple égyptien et leur allégeance aux forces du Mal. Pour Apophis, le concept de Ma'at devait paraître aberrant et symptomatique de la "mollesse" qui avait permis à ses ancêtres de prendre leur pays aux Égyptiens. L'opposé de Ma'at était appelé "Isfet". Ce terme représentait des concepts négatifs comme l'égoïsme, le mensonge et l'injustice, et d'après la mythologie égyptienne, le chef de ces personnifications d'« Isfet » était un dieu serpent monstrueux, mauvais et semblable à un dragon appelé… Apophis [ou Apopis]. Je fus fasciné de découvrir que cette puissance du Mal portait le même nom que le roi hyksos.

« Parmi les épithètes de ce monstre anti-Ma'at, on trouvait "celui d'apparence mauvaise" et "celui de caractère mauvais". Pour les Égyptiens, il était la personnification même du chaos primordial. On représentait le serpent dont le roi hyksos avait emprunté le nom comme sourd et aveugle à tout. Il ne pouvait que hurler dans la ténèbre et, chaque jour, il était chassé par le soleil levant. On note sans surprise que la plus grande peur d'un Égyptien était de voir le serpent maudit Apophis remporter, par une nuit sombre, son combat contre Rê. Ainsi, il aurait empêché le jour suivant de venir. Pour se défendre de cette menace permanente, des liturgies étaient récitées quotidiennement dans les temples du dieu-soleil pour le soutenir dans cette bataille continuelle entre les forces de lumière et de ténèbres.

« J'appris qu'une grande collection de liturgies découvertes se décrivait elle-même comme *Le Livre du renversement d'Apophis*. C'était un livre secret, conservé dans le temple, qui renfermait des centaines d'invocations magiques pour éloigner les démons d'Apophis. Il donnait aussi au lecteur néophyte des instructions lui permettant de créer des figures de cire du serpent pouvant être piétinées, détruites par le feu ou démembrées avec des couteaux. Le livre demandait au lecteur d'exécuter ces actes chaque matin, chaque midi et chaque nuit et, plus spécialement, aux moments où le soleil était obscurci par les nuages.

« À quatre cent milles au sud d'Avaris, la ville de Thèbes maintenaient la lignée des rois égyptiens, même s'ils s'inclinaient devant le pouvoir des Hyksos et payaient aux collecteurs d'impôts d'Apophis les sommes demandées. En dépit de leur isolement et de leur appauvrissement, les Thébains luttaient pour préserver les coutumes de la période du Moyen Empire qui leur étaient les plus chères. À cause des Hyksos (et de leurs marionnettes, les gouverneurs de Kush), ils étaient coupés des poutres de Syrie, du calcaire de Tura, de l'or de Nubie, de l'ébène et de l'ivoire du Soudan, et des carrières des Assouan et Ouadi Hammamat modernes. Aussi étaient-ils contraints d'improviser de nouvelles techniques de construction. En raison des sévères limitations auxquelles ils faisaient face, ils s'arrangèrent pour produire néanmoins des bâtiments excellents, même s'ils étaient plus souvent en briques de boue qu'en pierre. Pour autant, les difficultés croissantes permirent apparemment une résurgence de l'esprit et de la détermination qui avait fait la grandeur de l'Égypte à l'origine. Et, alors que leur qualité de vie était de plus en rude, leur enseignement et leur culture commencèrent à se redévelopper. Cette petite cité-royaume se mit à sortir de la dépression et du désordre et à tenir bon contre les Asiatiques et la Basse-Égypte.

« Mon hypothèse était la suivante : vers la trente-quatrième année de son règne, Apophis donna l'ordre au roi de Thèbes de lui fournir les secrets lui permettant de devenir Osiris. Ainsi, il pourrait accéder à la vie éternelle, ce qui était son dû puisqu'il était le roi « légitime » des Deux-Pays. Le roi thébain Sekenenrê Taâ II était un jeune homme tenace. Il se considérait comme l'Horus et n'avait aucune envie de partager ce droit de naissance avec quiconque – et encore moins avec un Asiatique barbu portant le nom du « serpent des ténèbres ». Il refusa immédiatement, ce qui dût entraîner rapidement une hostilité entre les deux. Le roi Apophis entreprit alors d'utiliser son pouvoir contre Sekenenrê de toutes les manières possibles. Voici un exemple particulièrement significatif de ce conflit : il s'agit d'un ordre envoyé à Sekenenrê par Apophis qui se plaignant du bruit – malgré les quatre cent milles séparant Avaris de Thèbes.

Il faut détruire la mare aux hippopotames, qui est dans l'est de la ville. Car ils m'empêchent de dormir de jour comme de nuit.[69]

« Ce message était plus qu'un jeu stupide destiné à humilier Sekenenrê. Il témoigne d'une lutte de pouvoir tout à fait manifeste pour établir rien moins que le droit divin de gouverner. Apophis possédait déjà tout le pouvoir d'État imaginable. Mais il ne possédait pas le secret de la résurrection et de la bénédiction des dieux. Son ordre était donc

---

69. W. KELLER, *The Bible as History.*

éminemment politique. Les Thébains avaient rétabli le harponnement rituel des hippopotames dans leur bassin à l'est de la ville. Il s'agissait d'un ancien rite sacré, destiné à garantir la sécurité de la monarchie égyptienne. En soi, il y avait déjà là matière à irriter particulièrement Apophis. Mais, il avait encore un motif plus important d'être ulcéré : l'hippopotame était un aspect du principal dieu hyksos, Seth. De ce fait, le souverain asiatique se voyait infliger une double insulte.

« Le rituel de l'hippopotame consistait en cinq scènes : un prologue, trois actes et un épilogue. La mise en scène avait pour but de commémorer la victoire d'Horus sur ses ennemis, son couronnement comme roi des Deux-Pays et son triomphe final sur ses adversaires. Naturellement, le roi jouait lui-même le rôle d'Horus et, au cours de l'acte I, il jetait dix harpons sur un hippopotame mâle, en qualité tantôt d'Horus, seigneur de Mesen, tantôt d'Horus de Behdet [Edfou aujourd'hui], représentant donc alternativement la Basse- et la Haute-Égypte. Au cours de l'acte III, la victime, symbolisant Seth, était deux fois démembrée.

« La lutte de pouvoir se poursuivit peut-être quelque temps encore, mais je crois qu'à un certain point Apophis décida de mettre un terme à l'impudence du roi thébain et d'arracher une fois pour toutes les secrets à Sekenenrê. Pour tout résultat, Sekenenrê fut assassiné, et ce meurtre fut suivi de peu par l'expulsion des Hyksos et le retour au pouvoir des rois égyptiens. »

Chris en était là : le soupçon qui avait commencé par l'obséder était devenu une idée à creuser, et dorénavant il sentait qu'il avait affaire à une hypothèse respectable bien que ténue. Il voulut l'exposer en détail à Robert. Celui-ci admit rapidement que nous pouvions avoir en Sekenenrê, un candidat valable pour l'Hiram Abif originel.

La preuve biblique

Nous nous attaquâmes à l'étape suivante : étudier une source d'informations complémentaires majeure pouvant nous donner une autre perspective sur le combat Apophis-Sekenenrê. Nos idées sur les événements du VIe siècle avant notre ère provenaient d'une confrontation des témoignages écrits de l'histoire égyptienne et du rituel maçonnique. Nous allions maintenant pouvoir ajouter le livre de la Genèse parce que, étonnamment, il se révéla riche d'informations sur cette période.

Les figures clés qui pouvaient potentiellement avoir un lien avec Sekenenrê et Apophis étaient Abraham, Isaac, Jacob, Joseph et, peut-être, Moïse. Tous les spécialistes ont eu beaucoup plus de mal à dater ces personnages, qu'à dater ceux des périodes ultérieures de l'histoire juive, à partir de David et Salomon, car on dispose alors de beaucoup plus de repères historiques dans l'histoire auxquels se référer. Pour essayer d'identifier le moment où ces cinq personnages célèbres interviennent dans l'histoire, nous avions un point de départ logique : Joseph, l'Asiatique ou Protojuif qui, nous dit la Bible, en vint à occuper la plus haute fonction en Égypte, juste derrière le roi lui-même.

On connaît bien l'histoire de Joseph, de sa vente comme esclave par ses frères jusqu'à son accession au pouvoir en Égypte et son célèbre manteau multicolore (dérivé d'une traduction tardive incorrecte pour un simple manteau à longues manches). Généralement, on admet désormais qu'elle est fondée sur une personne réelle. Cependant, la légende fut très largement embellie par les rédacteurs ultérieurs qui les premiers transcrivirent la tradition orale. Il est fait mention de chameaux utilisées comme bêtes de somme et de l'utilisation de pièces de monnaie, mais ces deux références sont historiquement impossibles : il fallut attendre de nombreux siècles après la datation la plus tardive possible de Joseph pour les voir apparaître.

D'après le livre de la Genèse, Abraham avait soixante-quinze ans lorsqu'il vint pour la première fois en Égypte et il n'eut son fils Isaac qu'à l'âge de cent ans, avant de mourir soixante-quinze ans plus tard. À l'âge de soixante ans, Isaac eut deux fils, Jacob et Esaü, et Jacob eut lui-même douze fils, Joseph étant l'avant-dernier. On peut légitimement penser qu'il y a là quelque exagération, particulièrement au regard de l'âge d'Abraham. Si nous voulons obtenir des durées de vie plus réalistes, nous pouvons commencer par estimer que Joseph se trouvait au sommet de sa puissance en Égypte entre son trentième et son soixantième anniversaire. Nous pouvons alors remonter le temps séparant sa haute fonction de l'arrivée originelle de son arrière-grand-père en Égypte.

Apparemment, Jacob aimait engendrer des enfants avec autant de femmes qu'il pouvait (aussi bien ses épouses que ses jeunes servantes). Joseph était l'un des plus jeunes. Il est probable que son père était relativement âgé au moment de sa naissance. Estimons donc que Jacob avait soixante ans. Nous pouvons retenir l'âge biblique de soixante ans pour Isaac engendrant Jacob. Mais dans le cas d'Abraham, nous allons ignorer ses cent ans pour la conception d'Isaac, pour revenir à un soixante-dix ans plus réaliste. Ces âges suivent l'esprit des informations fournies par la Bible, tout en refusant les chiffres extrêmes naturellement invraisemblables.

Le livre de la Genèse nous dit que Sarah, la femme d'Abraham, était une très belle femme et qu'Abraham craignaient que les Égyptiens ne veuillent le tuer pour la lui prendre. Aussi la fit-il passer pour sa sœur. La logique n'est pas facile à suivre, mais comme on dit ultérieurement qu'ils sont tous les deux aussi vieux et qu'ils faisaient l'amour depuis longtemps quand Isaac naquit, on peut en déduire qu'ils étaient jeunes quand ils vinrent pour la première fois en Égypte.

À l'autre extrémité de l'échelle, un indice dans l'histoire de Joseph nous aide à identifier une date historique : c'est la référence à l'utilisation d'un chariot tiré par des chevaux. Cette remarque situe clairement l'événement dans la période hyksos, parce que c'étaient les véhicules des nouveaux maîtres asiatiques, et non ceux des rois indigènes. Il est généralement admis que des éléments sémitiques figuraient parmi les envahisseurs. Ainsi, au cours de cette période, les immigrants sémitiques auraient été bien reçus. Pour de nombreux spécialistes, le changement de dynastie qui suivit l'expulsion des Hyksos pourrait parfaitement correspondre à l'avènement d'un « nouveau roi qui n'avait pas connu Joseph » (Exode 1, 8) et alors, tous les étrangers demeurés en Égypte auraient été susceptibles de connaître le traitement décrit dans les premiers chapitres de l'Exode[70].

On ne peut guère mettre en doute que la migration des Hébreux vers l'Égypte durant une sécheresse en Canaan et que l'accession au pouvoir des dirigeants hyksos en Égypte soient parallèles à l'ascension politique de Joseph. Le pharaon de l'époque de Joseph accueillit bien les Hébreux dans son royaume parce qu'il était un Hyksos et donc un Sémite comme eux. Il a déjà été suggéré que lorsque les Hyksos furent vaincus, le nouveau monarque égyptien regarda les Hébreux comme étant associés aux Hyksos et les réduisit donc en esclavage.

Une conclusion évidente découle de ce fait. Les spécialistes semblent pourtant avoir mis du temps à la formuler. Les versets 8 et 9 du chapitre I de l'Exode nous fournissent la datation la plus claire possible pour Joseph et le pharaon non identifié :

> *Un nouveau roi vint au pouvoir en Égypte, qui n'avait pas connu Joseph. Il dit à son peuple : « Regardez, le peuple des enfants d'Israël est devenu plus nombreux et plus fort que nous. »*

Nous sommes maintenant parvenus à la certitude que Joseph était contemporain d'Apophis, et donc de Sekenenrê Taâ.

Il faut se rappeler qu'il n'est pas possible de prendre à la lettre tout ce

---

70. *Peake's Commentary on the Bible.*

que dit l'Ancien Testament : le gouffre temporel séparant les événements des rédacteurs qui finalement les retranscrivirent ne permet pas de prendre ces textes pour une preuve absolue. Souvenons-nous des allusions aux chameaux et aux pièces de monnaie. Les détails peuvent être faux. Néanmoins, dans les grandes lignes, les textes bibliques sont probablement un bon indicateur de ce qui se passa réellement dans ce lointain passé. Très clairement, la Bible nous dit que Joseph devint l'homme le plus important de toute l'Égypte, juste après le pharaon lui-même. Nous en conclûmes donc que Joseph était le vizir du roi hyksos au long règne, Apophis, l'adversaire de Sekenenrê Taâ II.

La plupart des spécialistes datent la confrontation entre Apophis et Sekenenrê, vers 1570 avant notre ère. Nous avons retravaillé notre chronologie en estimant que le vizir Joseph devait avoir environ cinquante ans à ce moment-là. Nous obtînmes ainsi le schéma suivant :

Date (avant notre ère)	Événement
1570	Joseph (âgé de cinquante ans ?) Vizir.
1620	Naissance de Joseph (on sait que son père Jacob était vieux – disons qu'il pouvait avoir soixante ans environ).
1680	Naissance de Jacob (on dit que son père Isaac avait soixante ans).
1740	Naissance d'Isaac (son père Abraham est réputé très vieux – disons soixante-dix ans).
1780	Abraham arrive en Égypte pour la première fois (il a probablement trente ans environ).

Nous proposons ici des âges parfaitement plausibles au regard des informations fournies par la Bible. Et en remontant le temps à partir du conflit entre Apophis et Sekenenrê nous avons réussis à placer l'entrée d'Abraham en Égypte dans l'année précise identifiée comme le commencement du règne hyksos ! La formidable conclusion de tout cela nous apparaît incontournable : Abraham était lui-même un Hyksos. Il était peut-être même considéré comme un prince (souvenez-vous que le terme égyptien « Hyksos » signifiait simplement « princes du désert » et tout démontre qu'Abraham était un homme de haute naissance venant d'Ur).

Nous gardions à l'esprit que les auteurs de ces histoires étaient séparés des faits par près de mille ans et que, comme tout autre peuple superstitieux, ils avaient certainement voulu intégrer leurs préjugés et croyances dans l'histoire qu'ils interprétaient et transcrivaient. Le livre de la Genèse commence

avec des récits extrêmement anciens des origines de l'homme, mais rapidement il passe de la lointaine légende à une histoire beaucoup plus récente
pour les rédacteurs. Nulle part les auteurs ne font clairement allusion à la
conquête de l'Égypte par les Asiatiques, qui, on le sait, est intervenue
quelque part entre les époques d'Abraham et de Moïse. Ne savaient-ils rien
de cet épisode ou en avaient-ils honte ? Nous ne pouvons le savoir, mais le
fait qu'il soit apparemment absent de leur récit de ces années très significa-
tives pour leur Histoire nous parut très curieux.

Le meurtre d'Hiram Abif

Le roi Sekenenrê livrait une grande bataille mentale avec Apophis, la
force de l'ancienne ténèbre qui s'était matérialisée sous la forme d'un roi
hyksos en Basse-Égypte. Et Sekenenrê avait donc besoin de la pleine puissance du dieu-soleil Amon-Rê pour lui donner la force d'être victorieux.
Chaque jour, il quittait le palais royal de Malkata pour se rendre au
temple d'Amon-Rê à l'heure du grand midi, quand le soleil était à son
zénith et qu'un homme ne projetait pratiquement aucune ombre, aucune
zone de ténèbres, sur le sol. Lorsque le soleil était au zénith, le pouvoir de
Rê atteignait lui-même son apex et celui d'Apophis, le serpent des
ténèbres, était à son point le plus bas. L'expression – « *là où notre Maître
Hiram Abif se retirait pour honorer le Très Haut, comme il en avait l'habitude, à l'heure du grand midi.* » – tirée du rituel maçonnique du troisième
degré a été expliqué au chapitre 1. Ce commentaire demeurait alors inexpliqué. Mais, à présent, dans le contexte de Sekenenrê, un sens apparaît
pour la première fois.
Voici notre reconstitution des événements. Un jour, à l'insu de
Sekenenrê, des conspirateurs envoyés par Apophis essayèrent d'abord
obtenir les secrets d'Osiris de la bouche des deux grands prêtres. Mais
n'étant pas parvenus à extorquer les réponses désirées, ils les avaient tués.
Alors qu'ils se trouvaient chacun postés à une sortie différente du Temple,
dans l'attente du roi lui-même, ils étaient terrifiés par le forfait qu'ils
venaient de commettre. Lorsque Sekenenrê eut achevé ses prières, il se
dirigea vers la porte sud. Là, il rencontra le premier des trois hommes, qui
lui réclama les secrets d'Osiris. Le souverain tint bon et refusa à chaque
fois de livrer les secrets. La cérémonie du troisième degré maçonnique
décrit ce qui advint ce jour-là dans le temple de Thèbes, il y a plus de trois
millénaires et demi. Pour accentuer le parallèle, nous avons changé les
noms au profit des noms égyptiens :

Ses dévotions achevées, il s'apprêta à se retirer par la porte du midi, où le premier brigand l'accosta. À défaut d'une meilleure arme, celui-ci s'était muni d'une règle de plomb. D'une manière menaçante, il demanda à notre Maître, Sekenenrê, les secrets authentiques d'Osiris en l'avertissant qu'un refus entraînerait la mort ; mais fidèle à son obligation il répondit que seules trois personnes les connaissaient au monde et que sans l'autorisation des deux autres, il ne pourrait ni ne voudrait les divulguer... Mais, en ce qui le concernait, il préférerait mourir plutôt que de trahir la vérité sacrée reposant en lui.

Cette réponse ne satisfit pas le vaurien qui assena un violent coup sur le front de notre Maître. Étonné par la fermeté de son comportement, il ne frappa que la tempe droite. Mais avec une force suffisante pour le faire vaciller et tomber à terre sur le genou gauche.

Se ressaisissant, Sekenenrê se précipita vers la porte d'occident où il fut confronté au second vaurien, auquel il répondit comme précédemment. Mais sa résistance était diminuée. Quand la brute armée d'un levier lui administra un violent coup sur la tempe gauche, il tomba sur le genou droit.

Constatant que tout espoir de fuite dans ces deux directions étaient coupées, notre Maître tituba, faible et saignant, vers la porte d'orient où le troisième vaurien était posté. En recevant une semblable réponse à son insolente question – car notre Maître demeurait fidèle à son obligation même à son heure la plus sombre –, le maudit le frappa en plein front avec un lourd maillet de pierre, qui le jeta à terre sans vie....

Les secrets du sacre royal égyptien disparurent avec Sekenenrê, l'homme que nous appelons Hiram Abif... « le roi perdu ».

Nous sentions que nous tenions là le candidat le plus probable – et de loin – pour notre Maître maçonnique perdu. Alors nous commençâmes à examiner plus attentivement ce que nous savions de cet homme. Nous fûmes particulièrement sidérés la première fois que nous lûmes une description de la momie de Sekenenrê : les incroyables blessures de ce roi étaient décrites en détail :

Quand, en juillet 1881, Emil Brugsch découvrit la momie du pharaon Ramsès II, un autre corps royal se trouvait dans la même cache, mais il était plus vieux que celui de Ramsès de quelques trois cents ans, et il se distinguait par son odeur particulièrement putride. D'après le cartouche, c'était le corps de Sekenenrê Taâ, un des sou-

verains égyptiens de souche condamné à vivre loin au sud, à Thèbes,
pendant la période hyksos. Même pour un œil de néophyte, il était
évident que Sekenenrê avait connu une fin violente. Le milieu de
son front avait été enfoncé... Un autre coup avait fracturé l'orbite
de son œil droit, sa pommette droite et son nez. Un troisième avait
été porté derrière son oreille gauche, fracassant son mastoïde et ter-
minant sa course dans la première vertèbre du cou. Si, de son
vivant, il avait été un jeune homme grand et beau, avec des cheveux
noirs bouclés, l'expression de son visage prouvait qu'il était mort
dans l'agonie. Après son décès, il ne connut apparemment pas un
sort meilleur, puisque son corps semble avoir été délaissé quelque
temps avant d'être embaumé pour la momification. C'est de là que
vient l'odeur putride et les signes de premières décompositions.

Les témoignages égyptiens ne disent rien des circonstances de la
mort de Sekenenrê, mais il est presque certain qu'il mourut des
mains des Hyksos/Cananéens.[71]

L'impossible venait de se reproduire. Nous avions identifié Hiram
Abif et, mieux encore, découvert que sa dépouille existait toujours.

Les blessures concordent parfaitement. Un coup vicieux brisa l'os sur
toute la longueur du côté droit de son visage. Un tel impact l'aurait certainement fait vaciller et tomber sur un genou. Comme il était jeune,
grand et de forte carrure, il se remit sur ses pieds comme tout homme
fort le ferait en cas de nécessité. Mais sa route croisa celle d'un autre
agresseur. Celui-ci frappa le côté gauche de la tête, fracassant de nouveau
l'os. Considérablement affaibli et près de s'effondrer, Sekenenrê chan-
cela. Et le dernier coup – le coup mortel – frappa directement son front,
le tuant sur le coup. Nous avons trouvé une autre description qui
explique clairement les blessures :

Les terribles blessures sur le crâne de Sekenenrê furent causées par
deux hommes au moins, l'agressant avec une dague, une hache, une
lance et peut-être une masse.[72]

Pendant des jours, notre excitation fut à son comble, nous empêchant
de réfléchir sereinement à la suite de nos recherches. Puis, dès que cette
exaltation fut retombée à un niveau raisonnable, nous fîmes le point de
ce que nous avions obtenu.

71. Ian WILSON, *The Exodus Enigma.*
72. Peter CLAYTON, *Chronicle of the Pharaohs.*

Les outils avancés comme armes possibles du meurtre rappelaient la légende maçonnique dans laquelle il est dit qu'Hiram fut frappé avec une série d'outils servant à la construction des temples, dont un lourd maillet qui pouvait produire des blessures semblables à une masse. La description de la décomposition du cadavre de Sekenenrê montre que les embaumeurs royaux tardèrent à recevoir le corps après sa mort. Cela nous remet en mémoire le récit du troisième degré maçonnique lorsque l'on dit que le corps d'Hiram Abif avait disparu après le meurtre :

> *Les peurs du roi pour la sécurité de son premier architecte s'accrurent naturellement. Il choisit quinze Compagnons de confiance, et leur ordonna de faire une recherche diligente de la personne de leur Maître, pour s'assurer qu'il était toujours en vie, ou découvrir s'il avait souffert alors que l'on essayait de lui arracher les secrets de son haut grade.*
>
> *Un jour précis ayant été fixé pour leur retour à Jérusalem, ils se répartirent en trois Loges de Compagnons et quittèrent le temple par les trois portes différentes. Pendant plusieurs jours, la recherche fut infructueuse. En vérité, l'un des groupes revint sans avoir fait la moindre découverte d'importance. Le second groupe eut plus de chance, car un soir, après avoir enduré les plus grandes privations et fatigues individuelles, l'un des frères qui s'était allongé pour se reposer, attrapa un buisson qui se dressait à proximité, afin de se relever. À sa grande surprise, le buisson s'arracha aisément du sol. Un examen attentif lui révéla que la terre avait été récemment remuée. Il appela donc ses compagnons, et en réunissant leurs efforts, ils rouvrirent la tombe et trouvèrent là le corps de notre Maître très récemment inhumé. Ils le recouvrirent de nouveau avec tout le respect et la révérence dus, et pour repérer l'endroit, ils plantèrent une branche d'acacia à la tête de la tombe, puis ils se hâtèrent vers Jérusalem pour rapporter leur triste découverte au roi Salomon.*
>
> *Quand les premiers élans de peine se furent apaisés, le roi leur ordonna de retourner à la tombe et d'exhumer notre Maître pour lui offrir un sépulcre digne de son rang et de ses hauts talents. En même temps, il les informa que par sa mort prématurée les secrets de Maître Maçon étaient perdus. Il les chargea donc d'observer très attentivement tous les signes ou paroles symboliques fortuits qui pourraient être échangés, alors qu'ils rendraient ce dernier et triste hommage aux mérites du défunt.*

Oublions un instant de situer l'histoire d'Hiram Abif à l'époque du roi Salomon et tout concorde. Un autre élément nous intéressa vivement : nous découvrîmes que le roi Sekenenrê était le seul corps royal de l'ancienne Égypte à montrer des signes d'une mort violente.

Ainsi, nous avions dorénavant l'histoire d'un homme tué par trois coups, tandis qu'il empêchait les envahisseurs hyksos de s'emparer des secrets des rois égyptiens. Mais qu'en était-il de la question d'une résurrection ? Sekenenrê n'avait évidemment pas ressuscité, puisque son corps se trouve au musée du Caire. Nous n'avions pas encore refermé la boucle de notre histoire. En conséquence, nous décidâmes de nous pencher une nouvelle fois sur notre rituel maçonnique.

Les assassins d'Hiram Abif

Dans la légende maçonnique, les tueurs d'Hiram Abif sont nommés Jubelo, Jubela et Jubelum. Collectivement, on les appelle les « Jubes » [73]. Les noms eux-mêmes ressemblent à des inventions symboliques. Nous ne pouvions déduire qu'une seule chose : les trois noms contenaient *Jubel*, qui est un terme arabe pour « montagne ». Cela ne nous semblait absolument pas instructif.

En réalité, c'étaient les vrais assassins qui nous intéressaient, pas le symbolisme ultérieur. Comme nous l'avons déjà montré, les éléments concernant Joseph décrits dans la Bible indiquent qu'il était le vizir du roi hyksos Apophis. Il est dès lors très probable qu'il eût été impliqué dans le complot pour arracher les secrets de Sekenenrê.

La Bible nous dit aussi que le père de Joseph, Jacob, changea symboliquement de nom vers la fin de sa vie : il devint « Israël » et ses douze fils furent identifiés aux tribus d'Israël. Naturellement, il s'agit là d'une idée des auteurs ultérieurs de l'histoire juive : ils cherchaient à identifier un moment précis pour la naissance formelle de leur nation. Les fils de Jacob/Israël se virent attribuer des personnalités et des caractéristiques historiques semblant correspondre au statut des différentes tribus à l'époque où les rédacteurs de la Genèse noircirent les papyrus. Ainsi, on voit la tribu de Reuben tomber en disgrâce et la tribu de Juda devenir la nouvelle élite. Et c'est pour cela que nous appelons les descendants des Israélites des « Juifs » et non des « Rubes ». Alors que nous cherchions n'importe quoi pouvant ressembler à un indice dans ces passages de la Bible, nous tombâmes sur un verset très curieux dans la version du roi James de la Genèse 49, 6. La signification de ces lignes n'était pas appa-

---

73. En anglais, *Juwes*. Il est fréquent en linguistique que le « b » mute en « v » ou vice versa. (N.d.T.)

rente et elles ne faisaient référence à rien de connu. Ce passage intervient au moment où Jacob mourant médite sur les actions de ses fils, les nouvelles têtes des tribus d'Israël :

> *O mon âme, n'entrez pas en leur secret ; qu'à leur assemblée, mon honneur ne s'unisse pas : car dans leur colère ils ont tué un homme, et par leur volonté ils ont fait s'effondrer un mur.*[74]

Nous avions ici une référence à un meurtre qui avait été considéré comme suffisamment important pour être inclus, mais qui n'avait pas été expliqué. Quel secret se dissimulait-il là ? Qui était la victime du meurtre ? Pour l'Église catholique, il s'agit ici d'une référence prophétique au fait que les Juifs tuèrent leur Christ. Nous écartons cette interprétation. Notre thèse suggère une hypothèse plus sensée. Le membre de phrase « n'entrez pas en leur secret » n'est pas ambigu. En français moderne, nous pouvons le rendre ainsi : « Vous n'êtes pas parvenu à obtenir leur secret » ! Globalement, l'accusation est : non seulement, vous n'êtes pas parvenu à obtenir le secret, mais pour aggraver les chose vous vous êtes mis en colère et vous l'avez tué, détruisant tout et faisant retomber le monde entier sur nos têtes ! »

Les deux frères et les futures tribus d'Israël qui sont tenus pour responsables de ce meurtre inconnu sont Siméon et Lévi, les fils de Jacob/Israël et de la femme aveugle Léa qu'il méprisait. Il est parfaitement clair que ces tribus furent maudites pour ce qu'elles avaient fait en « tuant un homme ». Mais, encore une fois, qui était la victime anonyme ? Il nous semblait improbable que les assassins d'Hiram Abif aient réellement pu s'appeler Siméon et Lévi et être réellement les frères de Joseph. En revanche, il nous semblait tout à fait possible que cet étrange verset rapportent une tradition populaire : l'assassinat d'un homme anonyme qui amena la disgrâce sur deux des tribus d'Israël. Mais pourquoi le crime était-il assez important pour être inclus dans l'histoire des Juifs sans que la victime fût identifiée ?

De nouveau, nous étions plus que certains que la réponse pouvait

---

74. « O my soul, come not thou into their secret ; unto their assembly, mine honour, be not thou united : for in their anger they slew a man, and in their self will they digged down a wall ». Nous donnons ici le texte anglais (Bible du roi James, citée par les auteurs) que nous avons traduit ici, car les versions françaises de ce passage biblique ne correspondent pas à la version anglaise – elles parlent notamment de « conseil » au lieu de « secret », de « mutiler, ou tuer, des taureaux » au lieu « d'abattre un mur », et certaines traductions parlent d'« hommes tués » et jon d'un seul homme. (N.d.T.)

reposer en Sekenenrê Taâ. Nous avons déjà évoqué brièvement les événements ayant conduit à son meurtre. Mais les circonstances de ce dernier et ses suites sont si essentielles pour notre thèse qu'il nous paraît important de les étudier plus en détail ici.

Apophis était outragé. Pour qui ce petit roi de Thèbes le prenait-il ? Ne réalisait-il pas que le monde avait changé pour toujours et que son empire, aujourd'hui foulé sous le talon des Hyksos, appartenait à l'Histoire ?

Le roi appela son vizir Joseph. Celui-ci avait accédé à son haut rang par sa capacité à interpréter les rêves d'Apophis. Il lui dit que les choses avaient assez duré : l'heure n'était plus à la discussion courtoise. Les secrets devaient être arrachés sans délai à Sekenenrê. Le roi se faisait vieux et il avait bien l'intention d'avoir une après-vie égyptienne.

Joseph reçut la responsabilité de l'entreprise. Qui envoyer de mieux que deux de ses frères contre qui il était relativement indisposé, en l'occurrence Siméon et Lévi ? S'ils étaient découverts et tués, cela n'était pas grave, car ils ne méritaient pas de meilleur sort pour avoir vendu Joseph comme esclave des années auparavant. Et s'ils réussissaient, tout irait bien : Joseph serait lui-même un héros et ses frères auraient payé une vieille dette.

Les frères en question furent pleinement informés de ce qu'ils avaient à faire et on leur exposa le plan de la ville. Peut-être rasèrent-ils leur barbes hyksos trop repérables avant de pénétrer dans Thèbes pour éviter d'attirer l'attention. Une fois dans la ville, ils prirent contact avec un jeune prêtre royal du temple d'Amon-Rê, réputé ambitieux et facilement influençable. Les frères lui expliquèrent qu'Apophis était terriblement puissant et qu'il avait décidé de détruire Thèbes s'il ne pouvait obtenir le secret de Sekenenrê. Ils dirent au jeune prêtre (nous l'appellerons Jubelo) que lui seul pouvait empêcher ce désastre touchant la population entière, en les aidant à arracher les secrets et en rendant ainsi l'attaque d'Apophis inutile. En outre, ils l'assuraient qu'il serait fait grand prêtre d'Apophis dès qu'ils se seraient emparé des secrets et que le combat politique avec Sekenenrê serait terminé.

Jubelo avait très peur de ces Asiatiques menaçants. Mais il savait également ce que les Hyksos en colère avaient fait à Memphis. Peut-être n'avait-il pas d'autre choix que de trahir la confiance placée en lui. Et puis il se voyait bien grand prêtre, même si c'était pour le démon Apophis. Jubelo désigna à Siméon et Lévi les deux prêtres détenteurs du secret. Et il leur indiqua quels étaient les meilleurs moment et lieu pour les coincer. Jubelo les attira peut-être même dans un piège. Les deux Égyptiens furent attrapés, mais refusèrent de fournir le moindre détail.

Aussi furent-ils tués pour qu'ils ne dénoncent pas les conspirateurs. Maintenant, il ne restait qu'une option – désespérée : s'en prendre au roi lui-même.

Jubelo était terrifié, mais il avait dépassé le point de non-retour. Aussi conduisit-il ses complices vers le temple d'Amon-Rê alors que le soleil était sur le point d'atteindre son zénith. Peu après, le roi apparut. On lui demanda de livrer les secrets. Il refusa et le premier coup fut porté. À peine quelques minutes plus tard, le roi Sekenenrê gisait mort sur le sol du temple au milieu d'une mare de sang. Dans un accès de fureur aveugle et de frustration, l'un des frères frappa le corps étendu deux fois de plus. Jubelo était physiquement malade de peur.

Les trois savaient qu'ils se retrouvaient soudain seuls au monde, sans un ami. Les Thébains allaient les pourchasser, mais Joseph ne leur accorderait aucune sympathie. Quant à Apophis, la perte définitive des grands secrets le rendrait fou de rage. Leur échec était vraiment phénoménal. Les secrets étaient perdus pour toujours et une vraie guerre pour venger Sekenenrê allait bientôt être menée par Kamès [ou Kamose] et Ahmose, les fils du roi assassiné ; une guerre qui expulserait les Hyksos d'Égypte pour toujours. Oui, les murs certainement s'effondraient sur leurs têtes !

Qu'advint-il alors du prêtre félon ? Il fut capturé quelques jours plus tard, alors qu'il se cachait dans le désert derrière Thèbes à l'endroit qui s'appelle aujourd'hui la Vallée des Rois. On le ramena au temple, où il dut expliquer son rôle dans la traîtrise et donner tous les détails sur le plan d'Apophis et de son vizir asiatique Joseph. En entendant ce récit, Kamès, le fils de Sekenenrê fut outragé par l'acte malfaisant des Hyksos. Mais un autre constat le troubla encore plus profondément : il comprit qu'il ne pourrait être fait roi lui-même. Comme les secrets étaient perdus, il n'aurait plus la possibilité de devenir l'Horus. Pour lui et ses fidèles, c'était une catastrophe sans mesure.

Kamès rassembla un conseil des hauts prêtres survivants. L'un d'eux – destiné à devenir le nouveau grand prêtre – fit une remarquable analyse de la situation et proposa une solution extraordinairement brillante au problème qui se posait. Il observa que l'Égypte était née des milliers d'années plus tôt à l'âge des dieux et que l'apparition des Deux-Pays avait été permise par le meurtre d'Osiris de la main de son frère Seth. La déesse Isis n'avait pas baissé les bras et avait ressuscité le corps démembré d'Osiris pour qu'il engendre un fils, le fils de dieu appelé Horus. Horus était lui-même un dieu. Il grandit, devint mature et alors alla affronter Seth le maudit. Au cours d'une violente bataille, Horus perdit un œil et Seth ses testicules. Le jeune dieu pensa avoir remporté la bataille. Mais, en réalité, la victoire fut indécise avec une tension accrue s'instaurant entre le Bien et le Mal.

Le prêtre sage poursuivit en expliquant que l'Égypte était devenue forte après cette bataille, mais que le royaume des Deux-Pays avait lentement vieilli et que son déclin avait commencé. Avec l'arrivée des Hyksos qui le vénéraient à côté du serpent Apophis, le pouvoir du dieu Seth avait grandi. Il se déroula simplement sur terre une bataille reproduisant celle qui avait opposé le premier Horus à Seth. Seulement cette fois, ce dernier l'emporta et l'Horus du moment fut défait. Au cours de cet récent affrontement, le roi (l'Horus) perdit de nouveau un œil avant de mourir. L'enseignement de tout cela était qu'il fallait se souvenir de la sagesse d'Isis et refuser d'abandonner simplement parce qu'un dieu avait été abattu. Le prêtre leva lentement sa main, pointa le doigt sur son jeune collègue tremblant et cria : « Voilà la manifestation de Seth. Il nous aidera à défaire le maudit. »

Après être resté grossièrement enterré pendant de nombreux jours, le corps de Sekenenrê se trouvait dans un piètre état, mais les embaumeurs se débrouillèrent pour le préparer comme d'habitude. Pour le châtier, on commença par plonger longuement Jubelo dans du lait suri et on l'exposa en plein soleil. À la chaleur du désert, la protéine en décomposition lui infligea bientôt des piqûres, et il fut ainsi recouvert de la marque distinctive du « Mauvais ». Quand vint le moment de la cérémonie d'Osiris de Sekenenrê et la cérémonie d'Horus simultanée de Kamès, tout fut préparé. Mais on apporta deux cercueils et non un seul. Le premier cercueil anthropoïde était splendide : il était littéralement fait pour un dieu/roi parfumé. Le second était blanc uni, sans la moindre inscription.

Comme le moment des cérémonies se rapprochaient, Jubelo, recouvert de traces de piqûres et à moitié fou, fut amené nu aux embaumeurs. On retint ses mains le long de son corps. D'un adroit coup de couteau, ses organes génitaux furent arrachés et jetés sur le sol par Kamès lui-même – celui qui allait devenir le nouvel Horus. Jubelo geignant fut alors enroulé dans les bandages de la momification, en commençant par les pieds. On le laissa placer ses mains sur la blessure qui le torturait, car ainsi tout le monde pourrait voir où se trouvait la plaie de cette créature du Mal. Les bandages finirent par atteindre la tête de Jubelo. Les embaumeurs les serrèrent autour de son visage jusqu'à ce qu'il soit totalement recouvert. Alors qu'on le plaçait dans le cercueil, Jubelo sentit que la pression sur son visage était moindre. Il rejeta sa tête en arrière pour tenter de dégager sa trachée et d'ouvrir sa bouche afin de respirer à travers les bandes suffocantes. Il mourut en quelques minutes après la fermeture de son cercueil eut été scellé.

Jubelo avait payé cher sa trahison.

Dans sa sagesse, le nouveau grand prêtre avait dit à Kamès que l'on devait inventer des secrets de substitution pour remplacer les authentiques perdus avec le meurtre de son père. On conçut donc une nouvelle cérémonie pour ressusciter le nouveau roi d'une mort symbolique qui remplaça l'ancienne. De nouveaux mots magiques furent instaurer pour consacrer le nouvel Horus. La cérémonie substituée racontait l'histoire de la mort du dernier roi de la première Égypte et la renaissance de la nation avec le nouveau roi. Le corps de Jubelo voyagea vers le royaume des morts avec Sekenenrê pour que la bataille puisse continuer : Seth (sous la forme de Jubelo) n'avait plus ses testicules et le nouvel Osiris – comme le premier Horus – avait perdu un œil. Les prêtres avaient intelligemment arrangé les choses pour que la bataille reprenne là où elle avait été laissée au commencement des temps. La guerre était loin d'être achevée.

Kamès adressa clairement un défi à Apophis en choisissant pour nom de trône « Wadj-kheper-re », ce qui signifie « Resplendissante est la manifestation de Rê ». En d'autres mots : « Tu as échoué, et moi j'ai les secrets royaux ! »

De même que Kamès s'était relevé d'une mort symbolique, la nation renaissait. La période que nous appelons maintenant le Nouvel Empire allait bientôt commencer : l'Égypte allait redevenir une fière nation.

La preuve physique

Tout le monde en est conscient, l'histoire que nous venons de relater est scénarisée. Afin de mieux comprendre le déroulement des événements, nous voulions mettre en scène ce qui, selon nous, est arrivé il y a quelques millénaires. Néanmoins, nous n'avons ajouté à cette histoire que d'infimes points de détail permettant de lier les éléments découverts.

Nous avons utilisé le témoignage de la Bible pour établir l'implication de Joseph et de ses frères. Mais c'est en restant penchés de longues heures sur les documents égyptiens anciens que nous avons vu apparaître le jeune prêtre que nous appelons Jubelo. Nous n'en croyions pas nos yeux quand nous tombâmes sur les vestiges d'un jeune homme qui avait laissé perplexes les égyptologues pendant bien plus d'un siècle.

De toutes les momies trouvées en Égypte, deux présentaient des caractéristiques inhabituelles. Celle de Sekenenrê est unique car il est le seul roi à avoir connu une fin violente. Un autre corps se distinguait pour d'autres raisons liées à une fin radicale. Alors que nous cherchions des informations sur toutes les momies recensées, nous fûmes immédiatement frappés par les détails relatifs aux très étranges restes d'un jeune homme. De son vivant, celui-ci avait fait à peine plus d'un mètre soixante-douze (cinq pieds huit pouces) de haut. Des photographies de la momie sans ses bandages étaient saisissantes pour deux raisons notamment : d'abord, l'expression d'agonie extrême de son visage, et ensuite les conditions de l'inhumation, qui étaient sans précédent. Le corps n'avait pas été embaumé, en ce sens qu'il n'y avait aucune incision et que tous les organes étaient à leur place. Pourtant, si l'individu n'avait donc pas été momifié au sens usuel du mot, il avait été enroulé dans les bandages de la manière habituelle. Étrangement, on n'avait pas essayé de positionner correctement l'angle de la tête ni d'arranger les traits de son visage. En fait, à première vue, on avait l'impression de voir un homme poussant un long et terrifiant hurlement. Les bras n'étaient pas disposés le long du corps, ni croisés sur la poitrine comme c'était la coutume, mais ils étaient tendus vers le bas avec les mains en coupe couvrant la région pubienne, sans vraiment la toucher. Sous les mains – à l'endroit où les organes génitaux auraient dû se trouver –, cet homme avait été castré.

Sa chevelure nattée était inexplicablement recouverte d'une matière ressemblant à du fromage. Si l'on avait voulu qu'il sentît mauvais en le plongeant plusieurs fois dans du lait suri, on aurait incontestablement obtenu ce résultat. Et c'est ce qui nous frappa encore une fois. Les démons des ténèbres avaient un sens olfactif très développé ; par cette odeur nauséabonde, ils auraient ainsi reconnu un être de leur espèce. Les dents étaient en bonne condition et les oreilles avaient été percées. Ces deux éléments suggèrent une haute naissance. La momie fut trouvée dans un sarcophage de cèdre blanc qui ne portait pas la moindre inscription. L'identification était donc impossible, mais les spécialistes considèrent qu'il doit s'agir d'un noble ou d'un membre du clergé. Le dater s'est avéré difficile, mais on estime généralement qu'il date de la XVIIIe dynastie, qui commença peu après la mort de Sekenenrê Taâ[75]. Un autre indice important a été négligé jusqu'à maintenant : il concerne les plis qui se sont formés sur la peau du visage. Ceux-ci sont tout à fait inhabituels, mais on les retrouvent sur une autre momie : celle d'Ahmose-Inhapi, la veuve de Sekenenrê ! On pense que ces plis sont dus à un bandage extrêmement serré. Cette caractéristique commune laisse penser que la même personne à la main lourde exécuta les deux bandages. Nos dessins (illustrations 15 et 16) montrent bien que l'angle de ces plis suggère fortement que le jeune prêtre était vivant quand il fut bandé et mis dans le cercueil. Ce corps anonyme n'a pas suscité un grand intérêt chez

---

75. En fait, elle commença avec son fils Ahmose, c'est-à-dire juste après la mort de son autre fils Kamès. (N.d.T.)

les égyptologues, qui ont naturellement tendance à se concentrer sur les momies des célébrités. Mais l'hypothèse selon laquelle ce corps non embaumé montre tous les signes d'un ensevelissement vivant a été depuis longtemps avancé.

En datant cette « momie » du début du Nouvel Empire, l'estimation officielle était incroyablement proche de l'événement qui nous intéressait et nous commençâmes à nous demander si la momie du jeune homme avait été découverte dans le secteur de Thèbes. Si tel était le cas, elle pouvait avoir une connexion avec notre roi assassiné. Nous établîmes rapidement qu'elle avait été trouvée par Emil Brugsch en 1881, et non seulement à Thèbes, mais dans la tombe royale de Deir el-Bahri... juste à côté de Sekenenrê Taâ ! Ce n'était pas leur tombe originelle, mais il est probable qu'ils furent tous les deux déplacés du même site au même moment, postérieurement à leur première inhumation.

Plus l'hypothèse qu'il s'agisse d'une coïncidence s'éloignait, plus nous étions certains de ne pas seulement avoir retrouvé Hiram Abif, mais d'avoir également découvert les circonstances de son meurtre et d'avoir identifié l'un de ses assassins. Et cela, trois mille cinq cents ans après l'événement. Nous ressentions cette frénésie qui s'empare des détectives venant de résoudre une affaire difficile. Cette nuit-là, nous abusâmes plutôt du champagne.

Et l'infortuné Jubelo ne parvint jamais à échapper à la présence de sa victime. Aujourd'hui le jeune prêtre se trouve au musée du Caire, numéro de catalogue 61023, juste à côté de Sekenenrê Taâ, numéro de catalogue 61051.

La preuve maçonnique

Nous célébrâmes avec force la résolution du meurtre de Sekenenrê. Dès que nous fûmes dégrisés, nous nous assîmes autour d'une table pour faire le point et envisager l'étape suivante. De nouveau, nous retournâmes au rituel maçonnique pour rechercher un autre indice nous permettant de progresser dans notre reconstitution du développement des secrets des rois. Toute l'histoire de Sekenenrê et de ses assassins est celle de l'Égypte renaissant, se réincarnant, et c'est l'histoire d'Hiram Abif. Les deux ne font qu'une seule et même chose. La Bible comble certains blancs et les restes humains fournissent des preuves irréfutables, en dépit du gouffre de trois millénaires et demi. Mais nous avons constaté que la preuve maçonnique allait encore plus loin.

Chris s'intéressa aux mots secrets utilisés dans la cérémonie du troisième degré – la cérémonie de résurrection du Maître maçon. Les mots sont murmurés à l'oreille du Frère nouvellement relevé [« ressuscité »] ; ils ne sont jamais prononcés à haute voix. En apparence, on dirait du pur charabia. Dans leur structure et leur sonorité, ils se ressemblent beaucoup, comme s'ils étaient composés d'une série de très courtes syllabes dans le style des anciens Égyptiens. Chris les disséqua précisément en syllabe. Très rapidement, il se rassit, les yeux écarquillés : il venait d'obtenir quelque chose ayant un sens parfait. Les mots murmurés en loge ouverte sont :

Ma'at-neb-men-aa, Ma'at-ba-aa

Les lecteurs francs-maçons reconnaîtront ces mots, mais ils seront étonnés d'apprendre qu'il s'agit de pur égyptien ancien. Leur signification est stupéfiante :

Grand est le Maître de la franc-maçonnerie, Grand est l'Esprit de la franc-maçonnerie.

Nous avons traduit « Ma'at » par « franc-maçonnerie », parce qu'aucun terme moderne ne s'approche davantage du concept originel complexe qui véhiculait tout un ensemble d'idées : « vérité, justice, beauté, harmonie et rectitude morale, symbolisés par la pureté des fondations parfaitement droites et carrées d'un temple ». Comme nous l'avons vu précédemment, Ma'at était une attitude face à la vie qui fusionnaient les trois valeurs les plus importantes valeurs de l'humanité, nommément la connaissance scientifique, la beauté artistique et la spiritualité théologique. C'est l'art de la maçonnerie.

Le reste de la traduction est une restitution mot à mot.

Nous avons reconstruit ces mots en hiéroglyphes pour démontrer leur origine égyptienne (mais nous doutons qu'ils aient jamais été écrits noir sur blanc avant cet ouvrage).

Nous devions maintenant nous poser la question suivante : comment ces quelques mots avaient-ils survécu intacts sur une période aussi incroyablement longue. Selon nous, ces mots étaient parvenus à éviter une éventuelle traduction en d'autres langues ultérieures – cananéen, araméen, français, anglais.. – parce qu'ils étaient considérés comme des « mots magiques », comme l'incantation faisant que la résurrection du nouveau candidat n'était pas simplement symbolique. On avait probablement perdu depuis longtemps leur sens originel à l'époque de Salomon !

En nous retournant vers le début du Nouvel Empire, nous pouvions sentir la puissance de ces mots quand nous imaginions Kamès, premier candidat ressuscité après le meurtre de son père, le personnage que nous appelons Hiram Abif. La signification ressemble assez à l'expression « le roi est mort, vive le roi » Le candidat ressuscité *est* l'esprit de Ma'at (la franc-maçonnerie) survivant par-delà les morts.

Cette incantation fossilisée nous offrit une preuve encore plus solide pour soutenir notre thèse. Maintenant, si quelqu'un veut remettre en cause le fait que Sekenenrê était Hiram Abif, il doit expliquer pourquoi la cérémonie maçonnique moderne contient deux lignes de pur égyptien ancien au cœur même du rituel.

Les anthropologues culturels ont établi depuis longtemps que l'information est efficacement transmise de génération en génération par le rituel tribal sans que les exécutants aient forcément une idée de ce qu'ils transmettent. En fait, il est largement admis que la meilleure manière de transmettre des idées sans distorsion se fait par l'intermédiaire de personnes qui ne comprennent pas ce qu'ils disent. La survivance des poèmes pour enfants en est un bon exemple. Ils se conservent encore plus parfaitement que les vieilles histoires que des générations de « perfectionneurs » bien intentionnés ont réécrites et embellies. Par exemple, de nombreux enfants anglais chantent encore « *Eenie, meenie, minie, mo* ». Cette comptine est basée sur un système de comptage certainement antérieur à l'occupation romaine en Grande-Bretagne, et peut-être même aux Celtes. Pourtant elle a survécu intacte pendant deux ou trois mille ans. Et telle quelle, elle pourrait bien durer aussi longtemps encore.

L'incantation égyptienne fossilisée relative à Ma'at s'est transmise aux francs-maçons via deux longues traditions orales et une période d'« hibernation » sous le temple d'Hérode. La reconnaissance de ses qualités magiques lui ont permis de survivre bien après l'oubli de la signification des mots.

Cette découverte nous apporta des éléments réellement déterminants pour soutenir notre thèse. Comme nous l'avons déjà précisé, quiconque veut contester le fait que Sekenenrê fut Hiram Abif, doit maintenant expliquer comment la cérémonie maçonnique moderne peut renfermer deux lignes de pur égyptien ancien au cœur même du rituel. À notre avis, la chance que ces sons aient pu signifier quelque chose de sensé par coïncidence en langage moderne était d'un contre des millions. Or, les mots français résultant de la traduction ont un sens tout à fait précis et pertinent. Le hasard doit donc être exclu.

En étudiant la structure du clergé et des hautes fonctions du Nouvel Empire égyptien, nous avons découvert encore d'autres connexions abondantes avec la franc-maçonnerie. Les descriptions des rôles paraissent spontanément maçonniques. Le Premier Prophète de la reine Hatchepsout était également connu sous le nom de « Surveillant des Travaux » et le premier Prophète de Ptah était le « Maître Artisan » ou le « Maître Bâtisseur ». Nous savions que la maçonnerie ne pouvait pas avoir copié sur l'Égypte ces appellations parce que – nous l'avons déjà indiqué – on ne put commencer à traduire l'égyptien qu'à une date bien postérieure à la fondation de l'Art royal.

Plus nous observions, plus les connexions émergeaient. Dans l'ancienne Égypte, un homme servait dans le temple associé au dieu de son activité ou profession. Le dieu-lune Thoth était lié aux architectes et aux scribes. Or ce dieu devint plus tard un objet d'intérêt pour les premiers francs-maçons. Nous avons également trouvé des liens avec les esséniens, les fondateurs de l'Église de Jérusalem : par exemple, les prêtres égyptiens auraient porté exclusivement des robes blanches et consacré de longues périodes à se nettoyer et à se purifier. Ils s'abstenaient de relations sexuelles, étaient circoncis et respectaient des interdits relatifs à certaines nourritures, dont les crustacés. Ils utilisaient de l'eau d'une manière presque baptismale et se servaient d'encens pour purifier leurs vêtements. Les observances des esséniens étaient véritablement anciennes.

Nous pensions avoir extrait tout ce qu'il était possible d'espérer de ce secteur de notre recherche. Mais une idée vint alors à l'esprit de Robert. Le rituel maçonnique fait référence à Hiram Abif en tant que « Fils de la Veuve », ce qui n'a jamais été expliqué. Mais deux interprétations liées émergèrent soudain. Dans la légende égyptienne, le premier Horus ne fut conçu qu'après la mort de son père. Avant même sa conception, sa mère était donc veuve. Par conséquent, il semble logique que tous les Horus suivants, autrement dit les rois d'Égypte, se soient décrits comme les « Fils de la Veuve », un titre particulièrement adapté pour Kamès, le fils d'Ahmose-Inhapi, veuve de Sekenenrê Taâ II.

Sekenenrê Taâ le Sans Peur

Nous pouvions dorénavant être certains que l'histoire d'Hiram Abif était historique et non simplement symbolique, comme la plupart des maçons (y compris nous-mêmes au départ) le croyaient. Auparavant, nous avions l'impression qu'une histoire ritualisé avait été inventée pour éclairer des points symboliques importants. Mais c'était l'inverse : le symbolisme avait été extrait de la réalité. L'événement identifie un tournant très important dans la théologie égyptienne : le moment où les secrets du culte de l'étoile et de la magie du sacre royal furent perdus pour toujours. Les anciens Égyptiens reconnaissaient un caractère très spécial au roi Sekenenrê – qui mourut à l'âge de trente ans environ –, car on lui attribue le qualificatif de « Sans Peur » dans les récits qui l'évoquent. En raison de la nature violente de ses blessures, certains observateurs ont pensé qu'il mourut dans une bataille face aux Hyksos. Mais la plupart admettent qu'il existe également une forte probabilité pour qu'il ait été assassiné. L'hypothèse « bataille » fait fi des éléments prouvant que la paix régna avec les Hyksos jusqu'au règne de Kamès. Et si Sekenenrê était mort en héros au combat, les récits égyptiens ne tairaient pas les circonstances de sa fin. Manifestement, on considéra que Sekenenrê était tombé en héros pour d'autres raisons, plus inhabituelles que la conduite des troupes dans la bataille.

Nous avions désormais la certitude que ce surnom lui avait été conféré par un peuple reconnaissant d'avoir protégé les plus grands secrets des Deux-Pays, même face à la mort. La mort de Sekenenrê le Sans Peur marqua certainement le réveil de l'Égypte pour reconquérir sa liberté sur les envahisseurs : Thèbes se prépara à la guerre contre les Hyksos pour venger ce meurtre maudit. Le fils de Sekenenrê, le roi Kamès, infligea finalement des revers effroyables aux « Asiatiques misérables ». Les Hyksos furent bientôt mis en déroute et chassés de Memphis. Les femmes du dernier roi hyksos, Apepi II, le successeur d'Apophis, regardèrent avec terreur la flotte thébaine – conduite par un général du nom d'Aahmas – remonter le canal Pat'etku vers les murs mêmes de la capitale hyksos Avaris. Finalement, les Hyksos furent totalement rejetés hors d'Égypte par le jeune frère et successeur de Kamès, Ahmose, qui les renvoya à Jérusalem. Incapables de s'échapper par mer, pas moins de deux cent quarante mille familles auraient, dit-on, traversé les déserts du Sinaï et du Néguev. Étrangement, la route qu'ils empruntèrent était connue comme étant la « Wat Hor », la Voie d'Horus.

En conclusion, le drame majeur qui eut Thèbes pour cadre à la fin de la première moitié du second millénaire avant notre ère fut un moment crucial de l'histoire égyptienne. Elle répétait de manière évidente la bataille entre le Bien et le Mal qui avait créé le pays deux mille ans plus tôt. L'ancien empire d'Égypte était né ; il avait grandi, mûri, vieilli. Et finalement, il était mort des mains de Seth, le dieu maudit : ce dernier avait fait fondre ses fidèles sur le peuple égyptien comme une peste. À l'image d'Osiris lui-même, l'Égypte demeura morte un moment. Après cette période de trépas, Amon-Rê avait livré bataille contre l'ancien dieu-serpent , la puissance de ténèbres, Apophis, qui avait pris la forme d'un roi hyksos. Sentant peut-être que l'Égypte était sur le point de ressusciter, Apophis avait essayé – vainement – d'obtenir le secret d'Osiris. Il échoua en raison du courage de Sekenenrê Taâ qui préféra mourir plutôt que de trahir ces grands secrets. Il devint « le roi perdu », parce que son corps fut trouvé trop tard pour lui permettre de ressusciter et parce que les secrets d'Osiris étaient morts avec lui. À partir de ce moment, les secrets originels montrant comment Isis avait ressuscité Osiris furent remplacés par des secrets substitués et aucun roi d'Égypte n'a plus jamais rejoint les étoiles.

Dès lors, les gouvernants d'Égypte ne furent plus des rois. Ils devinrent simplement des pharaons. Ce terme, venant de l'égyptien *Per-aa*, est un euphémisme pour roi qui signifie « grande maison » (à l'image des États-Unis d'Amérique qui, parfois, pour parler du pouvoir à leur tête, font référence à la « Maison Blanche » plutôt qu'au Président lui-même). Le droit divin absolu de l'individu s'en était définitivement allé. Ce n'était pas seulement un roi qui avait été perdu, mais tous les rois, pour toujours !

En dépit de la perte des secrets, l'Égypte parvint à ressusciter brillamment et le Nouvel Empire fut la dernière grande période pour les Égyptiens. La mort et la résurrection avaient conduit à une renaissance qui permit à toute la nation d'acquérir une nouvelle force et une nouvelle vigueur.

Nous devions encore répondre à quelques questions pour confirmer totalement le lien entre Hiram Abif et Sekenenrê Taâ : Pourquoi se souvient-on de Sekenenrê Taâ comme d'un bâtisseur, d'un architecte, et comment en vint-il à être associé avec le temple du roi Salomon ? La réponse à la première question était immédiate : Sekenenrê était le plus grand protecteur du Ma'at, le principe de vérité et de justice, que l'on représente comme posant les fondations droites et carrées d'un temple. Quant à la seconde question, nous allions bientôt établir que les Israélites avaient un accès direct à cette histoire dramatique et que la maison royale de David allait leur fournir une structure de secrets royaux que leur nouvelle monarchie sans culture ne possédait pas. Quand le temps vint de mettre par écrit l'histoire de cette légende, les Juifs effacèrent l'origine égyptienne et l'attribuèrent au plus grand moment de l'histoire de leur propre nation : la construction du Temple du roi Salomon. Le héros du récit juif ne pouvait pas être roi, parce que la vie de Salomon était trop connue. Ils créèrent ainsi un rôle qui s'avéra un excellent choix : l'architecte du grand temple. Les secrets de la construction et la sagesse de l'architecte étaient compris par tout le monde, aussi ne pouvait-il y avoir une meilleure « résurrection » pour Sekenenrê le Sans Peur.

Découvrir que l'histoire d'Hiram Abif était d'origine égyptienne résolvait un autre problème. Dès lors que nous réalisons que notre personnage central, Hiram Abif, n'adorait pas Yahvé mais le dieu-soleil Rê – littéralement le « plus haut » –, nous pouvons comprendre pourquoi midi est le moment suprême du rite. Aujourd'hui, les francs-maçons prétendent qu'ils se rencontrent toujours symboliquement à midi sous prétexte que la franc-maçonnerie est une organisation mondiale et que donc « le soleil est toujours à son méridien au regard de la franc-maçonnerie ». La référence maçonnique à Dieu comme « le plus haut » est donc une description de Rê, le dieu-soleil dans sa position suprême, le zénith céleste, à midi. En outre, il est utile de noter que la Bible nous dit que, avant que les Israélites adoptent le nom de Yahvé, ils faisaient référence au « dieu de nos pères » comme *el elion*, un terme cananéen signifiant « dieu – le Très-Haut ». Ce fait renforce le lien entre l'histoire originelle égyptienne et les Israélites qui l'emportèrent avec eux.

Nous découvrîmes encore un autre élément de preuve circonstanciel mais éminemment significatif. Celui-ci concerne le roi Thoutmôsis III que nous avons rencontré au précédent chapitre. Souvenez-vous qu'il était devenu roi après que le dieu l'eut désigné dans le temple en alourdissant fortement l'arche promenée par ses porteurs. Thoutmôsis III fut le quatrième roi après le départ des Hyksos. Tous les éléments sur sa vie nous disent que les secrets de la religion fondée sur les étoiles et la création d'Osiris et Horus avaient déjà été perdus. Le fait qu'il dût recourir à l'histoire de l'« arche » pour appuyer sa prétention au trône, démontre qu'il n'avait pas la sensation de posséder un droit divin clair et absolu de régner, à la différence des rois précédents. Mais c'est le fait qu'il fut supplanté qui est particulièrement révélateur de son absence de caractère divin.

Thoutmôsis II était mort sans avoir engendré d'héritier mâle légitime avec son épouse et demi-sœur Hatchepsout. Un garçon né d'une relation avec une concubine monta sur le trône, mais ne put être fait Horus selon la technique secrète du sacre. Dans un premier temps, le jeune

Thoutmôsis III n'eut aucune difficulté à établir sa royauté. Mais les choses commencèrent à évoluer d'une manière inédite. D'anciennes inscriptions hiéroglyphiques nous montrent qu'Hatchepsout surgit soudain, prétendant d'abord à un statut égal à celui de Thoutmôsis, puis le supplantant rapidement pour devenir la première femme à justifier de l'ascendance divine légitime du dieu Amon-Rê. On cantonna alors Thoutmôsis III à la formation militaire pour bien montrer qui était la véritable détentrice du pouvoir. Comme la plupart des femmes qui parviennent au sommet, c'était une personne d'une immense puissance qui réalisa nombre de grandes choses. Son impressionnant temple mortuaire sur la rive gauche du Nil demeure aujourd'hui l'un des édifices les plus stupéfiants et les plus beaux de tous les temps.

Sans aucun doute, la noble mort de Sekenenrê Taâ marqua la résurrection de la plus grande civilisation du monde. Mais elle marqua également la perte définitive des véritables secrets de la lignée royale d'Égypte. Les secrets substitués furent créés pour procurer le rite de passage nécessaire aux futurs pharaons et à leurs conseillers les plus proches. Mais le droit absolu de régner qui était attaché aux secrets originels ne se transmit pas aux nouveaux mystères.

La réussite continuait de couronner notre recherche avec une facilité étonnante. Aussi Robert posa-t-il la question suivante : les réponses nous parviennent avec une telle densité et si vite ; se pourrait-il que nous commencions à voir ce que nous voulons voir ? Aussi nous décidâmes de repasser en revue tout ce que nous avions découvert jusqu'à maintenant et notamment les preuves que nous avions rassemblées. Après avoir considéré sans passion chaque maillon de notre théorie, nous étions plus certains que jamais de nous trouver dans une nouvelle perspective de l'histoire factuelle. Ce que nous avions découvert offrait une continuité admirable parce que c'était vrai.

Un nouveau défi se présentait à nous : comprendre comment la légende d'un roi égyptien tué par des Protoisraélites se transforma en un événement de l'histoire de la nouvelle nation des Juifs. Nous savions que nous aurions à éclaircir les circonstances de la plus grande légende de l'histoire du peuple juif : le prophète Moïse.

CONCLUSION

L'examen attentif de la période hyksos de l'Égypte ancienne nous donna des résultats au-delà de toute attente. Nous savions maintenant qui était Hiram Abif et, pour compléter notre bonheur, nous avions localisé son corps et celui de l'un de ses assassins. Nous avions considéré le rôle de l'Égypte dans l'histoire des Juifs. La Bible montrait clairement que les Égyptiens avaient, à un moment donné, totalement changé d'attitude vis-à-vis des Hébreux. Mais le plus intéressant était ce que la Bible *taisait*. On n'y trouve aucune référence à la période de l'invasion hyksos de l'Égypte. Mais une étude plus approfondie nous permit de dater la période hyksos assez précisément à partir des informations fournies par l'Ancien Testament.

L'étude attentive du livre de la Genèse nous permit également de déduire qu'Abraham était contemporain de cette invasion hyksos. Et, à notre avis, il y a de grandes chances pour qu'il ait été lui-même un Hyksos, ce qui signifie « prince du désert ». Le dernier Protojuif influent en Égypte fut Joseph. En confrontant consciencieusement les témoignages bibliques et historiques, nous découvrîmes que Joseph était le vizir d'Apophis, le roi envahisseur qui fut impliqué dans une bataille majeure pour la suprématie contre le roi thébain, Sekenenrê Taâ II. Sekenenrê était l'héritier de l'ancien rituel secret égyptien du sacre royal. Il était de droit le véritable Horus. Quant à Apophis, s'il prit un nom de trône égyptien, il n'eut jamais accès aux secrets du sacre royal.

Dans la Genèse 49 :6, nous avons trouvé une référence à l'assassinat d'*un homme* par les frères de Joseph alors qu'ils essayaient de lui arracher un secret. Nous avons aussi découvert que la momie de Sekenenrê montre tout à fait clairement qu'il a été tué par trois coups à la tête et que son corps ne fut pas immédiatement embaumé. Tous ces paramètres s'accordaient parfaitement avec ce que nous savions de l'histoire d'Hiram Abif. En creusant plus avant, nous découvrîmes qu'un jeune prêtre avait été enterré vivant près de Sekenenrê. La forme des bandages de sa momie, la trace qu'ils laissèrent nous permirent de prouver que ce corps datait exactement de la même période que Sekenenrê. En nous servant de tous ces éléments de preuve et de l'histoire maçonnique que nous connaissions si bien, nous pûmes reconstruire l'histoire du meurtre de Sekenenrê et montrer comment il avait amené la chute des Hyksos.

Sachant cela de l'assassinat d'Hiram Abif, nous pouvions maintenant enfin comprendre le sens des deux mots murmurés pendant la cérémonie de résurrection maçonnique. Phonétiquement, ils se traduisent en ancien égyptien, et ils signifient encore quelque chose en langage moderne : « Grand est le Maître de la franc-maçonnerie, Grand est l'Esprit de la franc-maçonnerie ». Nous trouvions enfin ici un lien avec la franc-maçonnerie moderne. Ces deux mots insignifiants, sans signification apparente, avaient survécu simplement parce que le rituel maçonnique est appris et répété par cœur.

Maintenant que nous avions établi ce lien avec Sekenenrê et que nous avions fermement établie la véritable histoire d'Hiram Abif, nous étions confrontés à un gouffre de près de mille cinq cents ans ; le millénaire et demi qui séparait ces événements du seul groupe ayant pu enterrer ces éléments d'information et de connaissance pour que les templiers les trouvent. Nous devions suivre la trace du judaïsme jusqu'à l'épanouissement des esséniens. Et en Égypte, c'était de Moïse que nous devions partir.

Chapitre IX

LA NAISSANCE DU JUDAÏSME

Moïse le législateur

Il nous fallait dorénavant progresser dans le temps, pas à pas, avec un objectif : vérifier s'il était possible d'établir la permanence d'une cérémonie de type maçonnique du Nouvel Empire égyptien jusqu'à l'époque de Jésus. Nous savions que ce serait difficile, parce que notre unique source d'information allait être l'Ancien Testament. Mais au moins disposions-nous de notre rituel maçonnique pour faciliter l'interprétation.

Par chance, la Bible montre sans équivoque que la nation juive commença avec un homme. Il existe peu de doute qu'un individu du nom de Moïse ait bien existé et qu'il fut relié à quelque type d'exode d'esclaves asiatiques venant d'Égypte. Après l'expulsion des Hyksos, les Sémites de toutes sortes – dont les Habiru – sont certainement devenus assez impopulaires. C'est ce qui expliquerait pourquoi les Égyptiens – d'ordinaire amicaux – réduisirent en esclavage nombre d'entre eux, voire tous ceux qui restaient dans le pays au cours des décennies 1560 et 1550 avant notre ère. On a trouvé des inscriptions des XVIe et XVe siècles avant notre ère qui livrent des détails sur ces esclaves habiru et leurs travaux forcés[76]. L'une rapporte à quel point le nombre de ces gens, forcés de travailler dans les mines de turquoise, était important. Sans ventilation et avec des flammes nues consumant l'oxygène, ce travail dans les mines devait être particulièrement dangereux et déplaisant. Nous découvrîmes avec intérêt que ces mines ne se trouvaient qu'à courte distance de la montagne de Yahvé, le mont Sinaï, dans le sud de la péninsule montagneuse du Sinaï. Nous nous sommes demandé s'il s'agissait d'une coïncidence ou si l'éva-

76. Werner KELLER, *The Bible as History.*

sion des esclaves habiru avait pu intervenir ici plutôt qu'en Égypte proprement dite.

Ces Protojuifs parlaient la langue cananéenne. Mais les témoignages découverts montrent qu'ils vénéraient les divinités égyptiennes et élevaient des monuments aux dieux Osiris, Ptah et Hathor, ce qui ne s'accorde pas avec l'image populaire des nobles fidèles de Yahvé asservis, implorant « le dieu de leurs pères » de les mener à Jérusalem.[77]

L'histoire de Moïse est racontée à chaque enfant juif et chrétien. Devenus adultes, ceux-ci ont donc tendance à l'admettre comme une sorte de fait historique, même si la plupart laissent de côté les éléments exotiques, comme la mer Rouge s'entrouvrant pour livrer passage aux Hébreux. Il est très difficile de déterminer quand cette histoire eut lieu. Mais anciennement l'opinion la plus courante voulait que Moïse ait conduit « son peuple » hors d'Égypte durant le règne de Ramsès II, ce qui placerait l'événement entre 1290 et 1224 avant notre ère. Cependant, une date plus précoce, très proche de l'époque de l'expulsion des Hyksos, est soutenue par de très bonnes preuves récemment rassemblées. Néanmoins, avant d'approfondir ce problème de datation, il est important de considérer ce que nous savons de l'homme appelé Moïse et ce que la Bible nous dit des Israélites et de leur nouveau dieu.

Le nom Moïse [*Moses*] lui-même est très révélateur. Étrangement, la Bible catholique romaine de Douai dit à ses lecteurs que c'est de l'égyptien signifiant « sauvé des eaux », alors qu'en fait ce terme signifie simplement « né de ». Normalement, il réclamait un autre nom en préfixe, comme dans Thoutmôsis (ou Thoutmose, né de Thot), Ramsès (né de Ra) ou Amenmosis (né d'Amen/Amon). Si l'élément « Moïse/Mosis » lui-même est épelé légèrement différemment en français, tous ces termes signifient toujours la même chose. Il nous semble très probable que Moïse lui-même ou quelque scribe ultérieur fit tomber le nom d'un dieu égyptien qui venait en tête de son nom. Cette suppression équivaut à amputer le nom d'un Écossais s'appelant MacDonald, en enlevant la partie essentielle « Donald » pour ne laisser que « Mac » (qui signifie également « fils de »).

La définition catholique romaine est probablement fausse. Mais si elle véhicule tout de même quelque vérité historique, il est possible que le nom complet de Moïse ait été « Né du Nil », auquel cas il se serait agi d'Hapymosis, qui se serait écrit ainsi :

---

77. *Peake's Commentary on the Bible.*

Le nom Moïse/Mosis est remarquable, car c'est l'un des très rares mots de l'ancien égyptien encore populaire de nos jours, sous sa forme hébraïque « Moshé » et sa forme arabe « Musa ». Les Égyptiens appellent encore le mont Sinaï, Jubal Musa – la montagne de Moïse.

Il est impossible aujourd'hui de savoir dans quelle proportion l'histoire de Moïse, telle que l'Ancien Testament nous la rapporte, est authentique ou romancée. D'après le livre de l'Exode (1, 22), le pharaon donna l'ordre de jeter dans le Nil tous les nouveaux nés israélites mâles. Il est pratiquement impossible d'imaginer qu'il s'agit là d'un événement historique. Un décret aussi barbare aurait été totalement en contradiction avec le concept de Ma'at si cher aux Égyptiens. Tout pharaon donnant un tel ordre aurait renoncé à son droit à une après-vie au moment de la pesée de son cœur. Par ailleurs, à un niveau pratique, il eût été très déplaisant et insalubre d'avoir des milliers de cadavres en décomposition flottant dans la seule source d'eau de la population.

D'après l'Ancien Testament, la mère de Moïse ne voulait absolument pas voir son fils mourir. Aussi le plaça-t-elle dans un panier enduit de poix qu'elle alla déposer dans les roseaux au bord du Nil. C'est là qu'il fut trouvé par la fille du pharaon. Il a été noté depuis longtemps que cet épisode de la naissance de Moïse est presque identique à celui de la naissance de Sargon Ier, roi qui régna sur Babylone et Sumer plusieurs centaines d'années avant Moïse. Une rapide comparaison démontre les évidentes ressemblances :

SARGON	MOÏSE
Ma vraie mère… me conçut ; en secret elle me porta.	une femme de la maison de Lévi… conçut et enfanta un fils… elle le cacha pendant trois mois, mais elle ne put le dissimuler plus longtemps.
Elle me plaça dans un panier de joncs ; avec du bitume, elle scella mon couvercle. Elle me jeta dans la rivière, qui ne me submergea pas.	Aussi se procura-t-elle pour lui un panier de joncs et le rendit étanche avec de l'osier et du bitume, le déposa dedans, et le mit dans les roseaux sur la rive du Nil.

Nous avons conclu que l'histoire de la naissance de Moïse était presque certainement inventée. Elle aurait été créée au VIe siècle avant notre ère, pour adapter à la naissance de la nation juive le vieux thème d'une création émergeant des eaux. Ce fut aussi une excellente manière d'expliquer rationnellement comment un général de l'armée égyptienne, membre de la famille royale d'Égypte, devint le père fondateur du peuple juif. Nous allons bientôt revenir sur cette question.

Certains aspects de cette histoire furent inventés ultérieurement. Pour nous, cela ne faisait aucun doute. La description de la mère de Moïse comme une femme de la maison de Lévi est une de ces inventions tardives. Il s'agissait d'une volonté des auteurs ultérieurs de restituer l'histoire dans un ordre qui leur convenait. Les lévites étaient devenus la tribu des prêtres. En conséquence pour les scribes, suivant la logique de leur époque, Moïse avait dû être un prêtre, donc un lévite. Le contenu du livre de l'Exode montre clairement qu'il est un assemblage de trois versions orales de l'histoire traditionnelle de la sortie d'Égypte. Ainsi on n'identifie pas toujours précisément si l'acteur principal est Moïse ou Aaron. Même le nom de la montagne où Moïse rencontra Yahvé varie entre mont Sinaï et mont Horeb.

Nous devions garder à l'esprit que les auteurs des premiers livres de l'Ancien Testament avaient couché par écrit des légendes tribales de leur lointain passé. Les histoires les plus anciennes dataient de plusieurs milliers d'années et même les plus récentes – comme celles de David et Salomon – se déroulaient des centaines d'années avant leur époque. Dans leur globalité, la forme des événements supposés était claire, mais les détails historiques faisaient totalement défaut. Les différents auteurs comblèrent les manques de diverses manières, selon leur vision politique du monde et selon leur façon d'imaginer l'enchaînement des événements. Les spécialistes ont été capables de démêler cet écheveau et d'identifier les différents auteurs ou styles. Ils leur ont attribués des désignations aussi peu exaltantes que « J », « E », « D » et « P » [78]. De nos jours, nous disposons de moyens d'information et de connaissance historiques beaucoup plus importants que ceux dont disposaient les groupes de l'époque. Grâce à ces moyens, nous pouvons rapidement repérer les détails et parties inventés. Par exemple, les auteurs parlent de l'utilisation de chameaux comme bêtes de charge et de pièces de monnaie à l'époque d'Isaac et de Joseph. Mais en réalité, les chameaux

---

78. J = Jahviste (qui désigne Dieu dès la Création sous le nom de Yahvé), E = Elohiste (qui désigne Dieu sous le nom d'Elohim), D = Deutéronome, P = Code sacerdotal. (N.d.T.)

comme les monnaies ne commencèrent à être utilisés qu'à une date beaucoup plus récente. quand en fait ni les uns ni les autres n'intervinrent avant une date beaucoup plus récente. Autre erreur significative : il est dit qu'Abraham évita le sud d'Israël, terre des Philistins, alors que nous savons aujourd'hui que ce peuple n'arriva dans cette région qu'à une date bien postérieure à la sortie des Hébreux d'Égypte.

Si le Livre de l'Exode nous avait précisé quelle fille de pharaon avait trouvé le bébé Moïse, les choses eussent été beaucoup plus aisées. Mais les auteurs n'en avaient clairement aucune idée.

Après avoir analysé le problème, nous avons conclu que trois hypothèses seulement pouvaient expliquer le fait que Moïse se fût trouvé au cœur de la famille royale d'Égypte :

1. Il fut un Asiatique ou un Habiru de naissance et, encore bébé ou petit enfant, il fut emmené dans la famille royale égyptienne, comme le suggère l'Ancien Testament. Il est notoire que les Égyptiens prenaient les enfants de pays voisins pour qu'adultes ils puissent influencer favorablement leur peuple à l'égard des Égyptiens. De prime abord, cette hypothèse semblait improbable à une époque si proche de la période Hyksos, alors que les Habiru étaient esclaves.

2. Il fut un Égyptien de haute naissance qui, adulte, dut fuir pour s'être rendu coupable de meurtre. Il fit des Habiru, hors-la-loi comme lui, ses fidèles.

3. Il fut un jeune général sémite dans l'armée du dernier roi Hyksos qui fut repoussé dans les régions désertiques avec le reste des hordes asiatiques quand la monarchie thébaine reprit le pouvoir. Il serait revenu plus tard pour mener les esclaves habiru vers la liberté. Cette théorie placerait l'histoire de Moïse beaucoup plus tôt que toutes les hypothèses avancées jusqu'à aujourd'hui. Mais il n'existe aucune raison empêchant qu'il en soit ainsi. Moïse est connu pour avoir été un général dans l'armée d'un pharaon non identifié.

Cette troisième option était séduisante. Mais, il nous fut d'abord impossible de trouver des éléments suffisants pour attester une date si précoce. En outre, pour avoir connaissance des secrets des Égyptiens, il fallait que Moïse fût en rapport avec un authentique pharaon, et non un usurpateur hyksos. Nous en conclûmes que la vérité devait résider dans l'une des deux premières hypothèses. Dans les deux cas, la version biblique des événements peut être acceptée comme globalement correcte. En fonction de nos objectifs, nous décidâmes de ne pas nous attarder sur les circonstances exactes qui amenèrent Moïse à diriger ces Protoisraélites. Il était suffisant d'admettre qu'un membre d'un rang extrêmement élevé de la cour égyptienne était devenu le chef de quelques tribus qui deviendraient la nation des Juifs.

Les Actes des Apôtres 7, 22 nous disent que :

Moïse fut instruit dans toute la sagesse des Égyptiens.

Écrivant tant d'années après les faits, les Hébreux n'avaient aucune raison d'inventer que Moïse avait été proche des adversaires de leurs ancêtres. Et ils croyaient clairement qu'il avait été investi de grands secrets ; et en vérité de *tous* les secrets. L'époque de Moïse devait être celle du Nouvel Empire d'Égypte, donc l'époque où les « secrets substitués » auraient remplacé les secrets « originels » d'Osiris. En tant que membre majeur de la cour du pharaon, Moïse dut être instruit dans les principes de résurrection reconstruits autour de la légende de Sekenenrê Taâ et de son sacrifice courageux, et qui remplacèrent les secrets authentiques perdus. Pour le jeune Moïse, ce rituel devait lui donner la connaissance des secrets du sacre, la plus haute expression du pouvoir et l'acquisition d'une marque de royauté. Ce rituel dut profondément l'impressionner, car il le conserva pour donner le nouveau rite de passage secret nécessaire au sacre royal dans le nouveau pays d'Israël.

Comme elle était secrète et communiquée au plus petit groupe possible de responsables juifs, l'histoire du « roi qui fut perdu » se transmit dans la lignée royale de David sans guère de changements. Les détails de l'Exode furent une version inférieure, « exotérique » de l'histoire, disponible pour tous. La vérité se fondit avec la fiction, et bientôt il ne demeura plus grand-chose de la réalité.

Quelle que soit la route empruntée, le récit biblique de l'Exode montre clairement que le groupe conduit par Moïse était éminemment égyptianisé et que le culte des divinités égyptiennes était la pratique normale. Il fallait absolument que Moïse reçoive les dix commandements sur des tablettes de pierre pour marquer la fondation d'un nouvel État. Tout roi devait recevoir sa « charte royale » des dieux comme preuve de sa capacité à gouverner et comme base de la loi et de l'ordre dans la nouvelle société.

Ces tablettes ne pouvaient être composée qu'en hiéroglyphes égyptiens, car Moïse n'aurait pas compris d'autre écriture. Comme nous sommes quotidiennement en contact avec l'écrit aujourd'hui, il nous est difficile de saisir à quel point l'écriture était perçue comme quelque chose de spécial au second millénaire avant notre ère. Le peuple ordinaire était fasciné par le fait que des messages puissent surgir de simples marques dans la pierre et les scribes, qui pouvaient faire « parler la pierre », étaient considérés comme des détenteurs de haute magie. On réalise aisément cela lorsque l'on sait que les Égyptiens appelaient les hiéroglyphes « les Paroles de Dieu », expression que l'on retrouvera souvent dans la Bible.

Le dieu de la guerre des montagnes du Sinaï

La lecture attentive et objective de l'histoire de l'Exode nous horrifia. Au cours de nos éducations christiano-centrées, une image de ces épisodes s'était formée dans nos esprits. Celle-ci fut totalement renversée. Au lieu de la description d'un noble et grand peuple conquérant sa liberté et trouvant sa « Terre promise », nous lisions un déconcertant catalogue de pratiques de démonologie primitive, de trahisons, de meurtres de masse, de viols, de vandalisme et de vols en tous genres. Concernant la naissance d'une nouvelle nation, nous avions là le récit le plus ignominieux imaginable.

L'histoire de Moïse commence par un meurtre. Un jour, il aperçoit un Égyptien en train de frapper un Habiru. Après avoir regardé autour de lui et s'être assuré que personne n'observait, Moïse tua l'Égyptien : c'était le premier de dizaines de milliers de meurtres dont cet ex-soldat allait se rendre responsable. Malheureusement le crime eut des témoins, d'autres Habiru qui rapportèrent l'incident aux Égyptiens. Devenu un homme recherché, Moïse s'enfuit vers l'est et le Sinaï. Là, il fut accueilli par les Madiânites (également appelés Qénites) et épousa la fille du roi, Çipporah.

Ce fut également là que Moïse approcha le dieu des tribus madiânites, un dieu des tempêtes et de la guerre dont le symbole était un motif en forme de crucifix qu'ils arboraient sur leurs fronts. Plus tard, on appela ce signe la « marque de Yahvé ». À la suite des conversations que Moïse eut avec Lui sur le mont Horeb, ce dieu vivant dans les montagnes inspira et fournit le thème central du Dieu des Juifs.

Les dieux surgissent rarement – pour ne pas dire jamais – spontanément. Ils se développent naturellement et subissent des métamorphoses en absorbant les qualités d'autres divinités. La première rencontre mentionnée avec le futur Dieu des Juifs et des chrétiens paraît étrangement froide et menaçante. En lui demandant qui Il était, quel était Son nom, Moïse fit preuve d'habileté. Mais ce fut sans résultat. De par son éducation égyptienne, Moïse savait que les dieux n'étaient pas toujours supérieurs aux humains et que si un homme pouvait obtenir le nom d'une divinité, il aurait un pouvoir sur celle-ci. En Égypte, les dieux possédaient généralement de nombreux noms : à côté d'un nom commun, largement connu, on en comptait bien d'autres beaucoup moins répandus. Mais leur désignation essentielle, véritable, n'était donnée à personne, pas même aux autres dieux. Si Moïse avait obtenu la réponse à sa question portant sur le principal nom du Dieu, il aurait dans les faits réduit la divinité en son pouvoir.

Jusqu'à une époque relativement récente, la théologie et la magie ont toujours été des concepts totalement synonymes. Cette situation a changé lorsque nous avons voulu tracer une ligne imaginaire entre les deux parties du mysticisme humain primitif. Le concept d'un dieu des Israélites vivant dans son arche n'est pas différent de celui d'un génie dans une bouteille qui réalise les vœux de ses amis. Tant le dieu que le génie accomplissent des prouesses comme voler dans les airs, diviser les mers, projeter des boules de feu et, en règle générale, ils ignorent les lois de la Nature. Aujourd'hui, nous séparons quelque peu les contes arabes des *Mille et une Nuits* et les histoires de la Bible, mais il ne fait aucun doute qu'ils ont une origine commune. Si nous lisons la Bible littéralement, le personnage du Créateur – que le monde occidental appelle simplement « Dieu » – commence comme un simple génie vivant d'expédients dans les montagnes du nord-est de l'Afrique et le sud-ouest de l'Asie. Beaucoup auront du mal à accepter ce fait, mais c'est une réalité.

Craignant pour sa liberté, le dieu madiânite refusa de répondre à Moïse sur la question de son nom. En revanche, il essaya de faire valoir sa propre importance en demandant à Moïse d'enlever ses chaussures et de ne pas s'approcher sous prétexte qu'il se serait trouvé sur un sol sacré. Le livre de l'Exode nous dit que la réponse du Dieu à la question portant sur Son nom fut :

Ehyeh asher ehyeh

Cette réponse est généralement traduite par « Je suis celui que je suis[79] ». Mais dans le style des auteurs de cette œuvre, il faut comprendre quelque chose de beaucoup fort qui serait mieux rendu par « Occupe de toi de tes maudites affaires ! ». Les noms Yahvé [*Yahweh*] ou Jéhovah sont tous les deux des prononciations modernes de la description hébraïque de Dieu, YHWH (la langue hébraïque n'a pas de voyelles). Ce terme n'était *pas* le

---

79. Restitution la plus littérale de la formule ci-dessus et formulation des auteurs du présent ouvrage, qui laisserait effectivement penser que Dieu ne veut pas donner son nom. Mais les exégètes veulent ordinairement croire que Dieu donne vraiment son nom et ils traduisent plus ordinairement sa réponse par « Je suis celui qui suis » ou « je suis celui qui est », insistant sur le fait que Dieu est l'« existant », le « Je suis », le seul être vraiment réel (voir par exemple la note concernant ce passage, « Révélation du nom divin », Exode 3,13-15, in *La Bible de Jérusalem*, Cerf, Paris, 1973, p. 87). (N.d.T.)

nom du dieu. C'était plus probablement un titre issu de la réponse signifiant « Je suis ».

D'après la Bible, Moïse retourna finalement en Égypte pour libérer de l'esclavage les communautés d'Asiatiques que les Égyptiens désignaient collectivement sous le nom d'Habiru. Il aurait soi-disant utilisé les pouvoirs de son nouveau djinn/génie/dieu de la tempête pour amener misère et mort sur les infortunés Égyptiens. On nous raconte que six cent mille Israélites seraient partis pour un périple de quarante années à travers le désert. Mais tout observateur sensé aura clairement compris que seule une infime fraction de ce nombre aurait pu participer à un tel exode. Il n'existe pas la moindre trace d'un tel événement dans l'histoire égyptienne. Or si un événement de l'ampleur que rapporte la Bible avait vraiment eu lieu, l'histoire égyptienne le rapporterait. Si le groupe avait été de cette importance, il aurait représenté un quart de la population totale de l'Égypte. Vu l'incidence d'une telle migration sur les besoins alimentaires et la main d'œuvre disponible, les Égyptiens auraient certainement évoqué son impact social.

Néanmoins, quel que soit le nombre réel, Moïse commença par conduire son peuple dans le Sinaï, vers le campement madiânite, et revint voir son beau-père, Jéthro. Celui-ci souhaita la bienvenue aux Israélites et donna un sage conseil à Moïse. Le prophète remonta alors sur la montagne sacrée pour rencontrer le dieu de la tempête qui vivait toujours là. Enveloppé dans une nuée sombre, le dieu dit à Moïse que si l'un des Israélites ou de leurs animaux posait le pied sur la montagne ou se contentait même de la toucher, il le tuerait en le lapidant ou en le transperçant d'une flèche. Il informa alors ses nouveaux fidèles qu'ils avaient l'obligation de le vénérer sinon il se vengerait d'eux. Et le châtiment ne retomberait pas seulement sur les individus concernés, mais aussi sur leurs enfants, leurs petits-enfants et les générations suivantes. Il poursuivit en demandant que les Israélites lui fassent des dons d'or, d'argent, de cuivre, de lin fin, de peaux de béliers, de bois de Shétim (acacia) et qu'ils lui construisent une arche totalement recouverte d'or pour qu'il puisse résider parmi eux. Cette arche était de style égyptien classique, avec deux « chérubins » à ses extrémités. Il est aujourd'hui unanimement admis que ces deux figures étaient une paire de sphinxs ailés, c'est-à-dire des lions ailés à tête humaine (voir fig. 6).

Ce nouveau dieu ne dut pas franchement impressionner la majorité des Israélites, car ils fondirent un veau d'or dès que Moïse fut reparti sur sa montagne pour parler à Yahvé. Cette effigie était probablement une représentation du dieu égyptien Apis, ce qui contraria très fortement le nouveau dieu. Il somma Moïse d'ordonner à ses prêtres de tuer autant de « pécheurs » que possible. On nous dit que trois mille Israélites furent tués.

Et les murs tombèrent

Lorsque les Israélites prirent la route de leur « Terre promise », un seul obstacle se dressait entre eux et leur but : la population indigène. Mais Yahvé devait les conduire et leur donner la victoire sur les fermiers de Canaan.

Le livre du Deutéronome (version de Douai, chapitres 2 et 3) raconte les événements qui se déroulèrent lorsque le peuple élu de Dieu commença à menacer les États-cités de Canaan :

> *Et Sihôn sortit et marcha à notre rencontre avec tout son peuple pour livrer bataille à Yahaç [Jasa]. Et le Seigneur notre Dieu nous le livra et nous le tuâmes, lui et ses fils et tout son peuple.*
>
> *Et nous avons pris toutes ses villes à ce moment, tuant leurs habitants, hommes, femmes et enfants. Ne laissant rien échapper.*
>
> *Sauf le bétail qui fut le butin de ceux qui les attrapèrent ; et les dépouilles des cités que nous prîmes.*
>
> *Depuis Aroër, qui se trouve sur la rive du torrent Arnon, une ville située dans une vallée, jusqu'à Galaad, il n'y eut pas une ville, pas un village, qui nous échappa : Le Seigneur notre Dieu nous les livra toutes [...]*
>
> *Nous prîmes alors le chemin du Bashân et nous y montâmes. Og, le roi de Bashân, sortit et marcha à notre rencontre avec tout son peuple pour livrer bataille à Edreï.*
>
> *Et le Seigneur notre Dieu me dit : « Ne le crains pas, par ce que je l'ai livré en ton pouvoir, avec tout son peuple et son pays. Et tu le traiteras comme tu as traité Sihôn, le roi des Amorites, qui habitait à Heshbôn. »*
>
> *Ainsi le Seigneur notre Dieu livra en notre pouvoir Og, le roi de Bashân, et tout son peuple. Et nous les avons totalement détruits.*
>
> *Prenant toutes les cités en ce temps. Pas une ville ne nous échappa : soixante villes, tout le pays d'Argob, le royaume d'Og en Bashân.*
>
> *Toutes les villes étaient ceintes de très hautes murailles, avec des portes et des barres ; sans parler des innombrables petites villes non fortifiées.*
>
> *Et nous les avons totalement détruites, comme nous l'avons fait à Sihôn, le roi d'Heshbôn : détruisant chaque cité, avec ses hommes, ses femmes et ses enfants. Mais le bétail et les dépouilles des villes saisis furent notre butin.*

Ces passages ne décrivent pas tant des batailles que de véritables massacres au cours desquels tous – les hommes, les femmes, les enfants, mais aussi les moutons, les bœufs et les ânes – étaient passés par le fil de l'épée. L'Ancien Testament contient beaucoup d'autres violents et cruels passages du même type. Par ailleurs, Yahvé rappelle à son peuple qu'il est tout-puissant, omnipotent, et toujours prêt à férocement punir ceux qui refusent de le vénérer et de vivre selon sa Parole. Le Deutéronome 8 : 19-20 cite l'avertissement suivant :

> *Mais si tu oublies le Seigneur ton Dieu, si tu suis d'autres dieux, si tu les sers et les vénère : je te prédis que tu périras irrémédiablement.*
> *Comme les nations, que le Seigneur a détruites à ton entrée, ainsi toi-même tu périras, si tu désobéis à la voix du Seigneur ton Dieu.*

Quelle que fût la véritable identité de Moïse, il devint un meurtrier en Égypte et passa le restant de ses jours à tuer un nombre considérable d'êtres, tant parmi les étrangers que parmi ceux qui lui faisaient confiance. Il nous parut difficile de concilier cet homme et sa vision de Dieu, avec le Dieu des juifs et des chrétiens modernes. Pour nous, cette distorsion prouve que l'idée de Dieu n'est pas un concept statique, mais un point de vue social qui croît et évolue à mesure qu'Il s'entrecroise avec d'autres dieux ; cette image de Dieu se forme lentement jusqu'à devenir la personnification majeure idéalisée reflétant la moralité et les besoins du temps. Ce n'est pas tant ce Dieu qui a fait l'homme à *Son* image ; c'est plutôt l'homme qui continuellement remodèle Dieu à *son* image.

La datation de l'Exode

Certains chercheurs pensent aujourd'hui que les victoires sanglantes relatées dans l'Ancien Testament sont des exagérations et que l'installation des Israélites fut davantage une lente absorption dans la société cananéenne plutôt qu'un remplacement sanguinaire de celle-ci. Cependant, de récentes fouilles archéologiques ont mis à jour les vestiges d'un grand nombre de villes et cités détruites. Celles-ci dateraient l'Exode de la fin de l'âge du bronze moyen. Une telle datation placerait donc cet épisode de l'histoire du peuple juif quelque part entre l'expulsion des Hyksos et le milieu du XVe siècle avant notre ère. La probabilité serait ainsi d'autant plus grande que Moïse ait été intégré à la famille royale d'Égypte très peu de temps après la reconquête du pays par les Thébains.

Nous pensons que ce fut la formation qu'il reçut en Égypte qui lui donna l'idée et la capacité de créer son propre dieu et d'établir une nouvelle nation tout en faisant face à de grandes difficultés. Ses méthodes cruelles pourraient avoir été la seule manière pour lui de réussir. Il existe beaucoup de témoignages d'une forte influence égyptienne sur les événements de l'Exode, de la forme de l'arche d'Alliance aux tablettes hiéroglyphiques données par Yahvé à Moïse. En outre, nous pensons qu'il est parfaitement logique d'imaginer que les secrets de la cérémonie de résurrection ont été également empruntés à l'Égypte. De manière tout à fait manifeste, Moïse traitait son peuple comme s'il avait affaire à des simples d'esprit. Dans les faits, ils étaient certainement très frustes, non sophistiqués, comparativement à leur chef qui était, comme nous le savons, versé dans tous les secrets des Égyptiens.

David et Salomon

Les tribus d'Israël existèrent indépendamment pendant quelques centaines d'années au cours d'une période appelée la période des Juges. Ces Juges n'étaient pas primordialement des justiciers ou des magistrats, mais des héros locaux ou, plus précisément, des « sauveurs » [80].

On croit couramment que les douze tribus d'Israël furent impliquées dans l'Exode. Mais c'est une idée certainement fausse. Aujourd'hui on ne connaît que deux, voire trois tribus qui seraient arrivées de cette manière. À l'époque des Juges, les tribus de Siméon et Lévi avaient quasiment disparu et la tribu capitale de Juda commençait à peine à être reconnue comme israélite.

Les tribus nomades habiru se transformèrent lentement en la nation hébraïque des Israélites. Ils abandonnèrent l'errance pour se sédentariser et devenir fermiers ou artisans. Les membres de la population cananéenne plus avancée qui n'avaient pas été tués dans l'invasion se fondirent aux nouveaux venus et leur apprirent les techniques qu'ils avaient mises au point et maîtrisées pendant des millénaires de société rurale.

Le plus ancien livre de l'Ancien Testament est le Cantique de Déborah[81]. Celui-ci nous raconte que certaines tribus coopéraient quand elles avaient à faire face à un ennemi commun comme les Philistins. Les tribus qui ne fournissaient pas de soldats pour le combat étaient répri-

---

80. On les appelait « Juges », parce qu'ils exécutaient le « jugement de Dieu », son action en faveur de Son peuple. (N.d.T.)

mandées. Le rôle des Juges était différent de celui d'un roi. Le juge avait un pouvoir très localisé sur une ou plusieurs tribus. Il n'avait que peu d'autorité en matière politique ou économique. Enfin, l'allégeance au juge était volontaire. En bref, les rois étaient divinement désignés, alors que les juges ne l'étaient pas.

Cependant, tous les juges n'étaient pas égaux. Yerubbaal fut l'un des plus anciens héros de l'époque de l'invasion initiale. Il changea plus tard son nom en Gédéon (Son nom originel – certainement cananéen – rendait hommage au dieu Baal et montre qu'à l'époque, Yahvé n'était vraisemblablement pas aussi implanté que les auteurs ultérieurs de l'Ancien Testament voudraient nous le faire croire) [82]. On offrit la royauté d'Israël à Gédéon, mais il la refusa en considérant que Yahvé était le roi au-dessus de tous. Il est néanmoins clair qu'il occupait une position spéciale et qu'il doit être perçu comme un héritier de Moïse.

Même si Gédéon refusa la royauté, son autorité découlait donc directement de Moïse et il l'emporta certainement en importance sur d'autres juges. À Ophra, il fonda un centre religieux, où il créa un objet de culte, une sorte d'arche appelée « éphod » [83], qui laisse penser qu'il honorait un autre dieu, à côté de Yahvé. En tant qu'homme d'influence et de pouvoir, Gédéon possédait un vaste harem (incluant peut-être des vierges madianites capturées). Il est connu pour avoir eu soixante-dix fils. Le principal s'appelait Abimélek. Pour de nombreux spécialistes de la Bible, ce nom suggère une idéologie royale en pleine croissance. Ils est considéré comme une évidence que, dans les faits, Gédéon accepta la royauté. Mais, que ce fût le cas ou non, son fils Abimélek transcenda définitivement le statut de juge et devint roi. Son temple dédié à Baal-Berit a été exhumé. On a ainsi pu constater qu'il s'agissait d'un *migdal*, autrement dit d'un temple fortifié, avec

---

81. Livre des Juges 5. Plus précisément, il est intitulé *Cantique de Débora et de Baraq*. Ils est admis qu'il a été composé peu après les événements mentionnés. (N.d.T.)

82. Le Livre des Juges 6, 32 dit que l'on donna en second lieu le nom de Yerubbaal à Gédéon « car, disait-on, "Que Baal s'en prenne à lui, puisqu'il a détruit son autel" », mais les commentateurs de la Bible de Jérusalem (*op. cit.*) précisent bien en note (p. 287) qu'« originairement, le nom signifie au contraire : "Que Baal prenne parti pour, qu'il défende (le porteur du nom)". » (N.d.T.)

83. On rencontre divers « éphod » dans la Bible. Il s'agit ici de l'« éphod » idôlatrique – peut-être effectivement en forme d'arche et comportant une statuette. Si l'on suit notamment le premier livre de Samuel (2, 28 + et 23, 6), l'éphod avait une taille relativement importante et pouvait être porté. A l'intérieur, on conservait différents objets divinatoires. Mais, le terme « éphod » désigne également un attribut de grand prêtre (pectoral ou vêtement sacerdotal, voir Exode 28, 6 + et 1 Samuel 2, 18). (N.d.T)

des murs de dix-sept pieds d'épaisseur. Et de chaque côté de la porte des bases pour des piliers sacrés ont été découvertes[84].

Remarquons bien que Moïse n'est alors mort que depuis une génération et – plus important encore – que le Temple de Salomon ne sera pas construit avant des siècles. Pourtant, nous avons déjà deux piliers sacrés de chaque côté de la porte d'un temple appartenant au premier roi des Juifs. Les instructions relatives à la signification des piliers et à la cérémonie qui devait leur être associée n'avaient pu venir que de Moïse pour atteindre Abimélek via Gédéon. Il semble raisonnable de penser que la cérémonie de résurrection fondée sur l'histoire de Sekenenrê a été utilisée par cette « famille royale » : la seule procédure de sacre royal dont ils pouvaient avoir eu connaissance était celle que Moïse avait apprise en Égypte. Les piliers représentaient ici la connexion avec Dieu et la stabilité du nouvel État.

Malheureusement pour Abimélek, cette stabilité fut de courte durée. Sa monarchie balbutiante se désagrégea peu après son avènement et lui-même perdit la vie au cours d'une bataille avec la population réfractaire de la ville de Tébèç [*Thebez*]. Le roi mort, la période dite des Juges continua. Mais la connaissance des secrets de la maison et du sacre royaux perdura chez les juges de la lignée de Gédéon.

Pendant toute cette période, la ville de Jérusalem continua d'appartenir à ses anciens fondateurs, les Jébusites. Le centre religieux et politique des Israélites était la ville de Silo [*Shiloh*], à une trentaine de kilomètres au nord. Les fouilles ont montré que Silo fut détruite vers 1050 avant notre ère, au cours de la guerre entre les Israélites et les Philistins. Samuel – qui fut un important juge, prophète, prêtre et « faiseur de roi » – fut témoin de cet événement.

La guerre entre les Israélites et les Philistins est mentionnée dans l'histoire biblique de Samson, qui fut un nazir (ou nazarite, c'est-à-dire un saint homme) d'une force immense. Il détruisit trois mille Philistins à lui tout seul en écartant leurs piliers gauche et droit et en les faisant s'effondrer par sa seule force physique (ce qui, selon nous, est une métaphore signifiant que Samson sapa leur stabilité nationale).

Ce fut Samuel qui sacra roi le benjaminite[85] Saül, lors d'une cérémonie privée. La Bible n'explique absolument pas comment Samuel savait ce qu'il avait à faire. Et naturellement, on ne trouve aucune description de la cérémonie elle-même. Telle qu'elle se présente, la relation entre

---

84. *Peake's Commentary on the Bible.*
85. De la tribu de Benjamin. (N.d.T.)

Samuel et Saül est celle des pouvoirs jumeaux du prêtre et du roi, les deux piliers d'une société harmonieuse s'unifiant pour créer la stabilité. Une tension perturba rapidement cette relation, quand, à Gilgal, Saül fit un sacrifice sans faire appel au ministère de Samuel. Et quand Saül décida d'épargner le bétail des Amalécites, contrairement à l'instruction de Samuel, ce dernier commença à regretter son choix.

Un nouveau candidat émergea bientôt. Cette fois, il venait de la principale tribu, celle de Juda, et non de la tribu la plus petite, celle de Benjamin. Son nom était David et il était originaire d'une petite ville appelée Bethléem.

Selon tous les récits, David était un homme éminemment accompli doté de grands talents, qu'il exerça d'abord comme courtisan, puis comme soldat et enfin comme homme d'État. On considère généralement que la célèbre victoire contre Goliath est authentique. Seulement ce ne fut pas David qui tua le géant philistin de Gat ; le vainqueur, lui aussi originaire de Bethléem, s'appelait Elhanân[86], fils de Jaareoregim[87].

On attribua ultérieurement cet épisode à David pour tenter de le représenter en simple berger, ignorant des choses de la guerre. Mais la vérité, c'est qu'il fut tout au long de sa vie un grand soldat et un politicien émérite.

Saül vit la menace que représentait David. Il essaya de le faire supprimer, mais finalement ce fut Saül qui perdit la vie et Samuel sacra son second roi. On néglige souvent que David, alors qu'il fuyait Saül, servit dans les armées philistines contre les Israélites. Voilà bien une étrange circonstance pour le fondateur de la plus grande lignée de l'histoire d'Israël.

C'est vers 1000 avant notre ère que David devint roi d'Israël. Pour la première fois, il unifia véritablement les tribus pour ne faire qu'un peuple. On peut noter un parallèle frappant avec le rôle des rois d'Égypte : comme cette dernière nation, Israël était formé de deux pays, un au nord et un au sud, unifiés sous la gouverne d'un seul chef. Pendant les sept premières années de son règne, David gouverna depuis Hébron dans le sud du pays de Juda. Mais son rôle le plus important fut celui du roi qui prit Jérusalem et y établit la nouvelle capitale, sise entre les deux moitiés du royaume uni. Là il se fit bâtir un palais. Il déplaça aussi la tente abritant l'arche d'Alliance et son autel vers le site d'un temple qu'il proposait de construire à Yahvé.

---

86. 2 Samuel 21, 19.

87. *Peake's Commentary on the Bible.* [Dans la traduction française, 2 Samuel 21, 19, dit qu'Elhanân est fils de Yaïr. (N.d.T.)]

David instaura une armée bien entraînée, largement composée de mercenaires étrangers. Avec celle-ci, il défit les Philistins, qui tenaient encore des villes dans la région, et finalement il prit le contrôle de tous les territoires s'étendant de l'Euphrate au golfe d'Aqaba. La paix sembla enfin assurée quand David signa un traité de paix avec Hiram, roi de Tyr. Mais le comportement indiscipliné de David et de sa famille ramena bientôt l'instabilité.

À la lecture de la Bible, les événements ont quelque chose d'une épopée hollywoodienne. David tomba amoureux de Bethsabée et fit assassiner son époux Urie [*Uriah*] [88]. Le fils de David, le prince héritier Amnon, viola sa propre demi-sœur Tamar, puis il fut tué par Absalom, le frère de Tamar. Ce dernier tenta ensuite de s'emparer du royaume par la force. Au terme de ce qui ne fut rien d'autre qu'une guerre civile, David conserva son royaume et son fils Absalom perdit la vie en restant pendu par les cheveux aux branches d'un arbre.

Toutes ces diversions empêchèrent David de construire le temple voulu pour abriter son Dieu, Yahvé. Bientôt David approcha de sa dernière heure. L'héritier au trône, Adonias [*Adonijah*], se fit couronner roi. Cependant, avant même la fin de la fête du couronnement, Salomon, un autre fils de Bethsabée, fut sacré roi par Sadok [*Zadok*] [89], avec le soutien de David lui-même. Le sacre de Salomon fut considéré comme la véritable cérémonie de couronnement. Très peu de temps après, le nouveau roi fit supprimer son frère et ses fidèles au cas où ils essaieraient de le défier de nouveau.

Salomon avait soif de grandeur. Sous son règne, Israël atteignit des sommets jamais atteints auparavant ni même depuis lors. Il épousa la fille du pharaon et reçut en dot la ville stratégique de Gaza[90] à la frontière égyptienne. Il fit construire des ouvrages dans tout le pays. Et par-dessus tout, il fit bâtir la maison de Yahvé, le Temple sacré qui l'a particulièrement rendu célèbre. Comme nous l'avons déjà évoqué, le Temple fut en réalité une construction relativement mineure, mais les plus beaux matériaux furent utilisés et on avait choisi un site central pour l'édifier. Il se dressait au sommet d'une colline. Son porche faisait face à l'est et au soleil levant. Et comme il était plus ou moins situé sur la ligne de partage des deux pays, les deux piliers du porche – un au nord et un au sud, en conséquence – représentaient l'harmonie et l'équilibre du royaume uni. On avait là la reconstitution du concept égyptien de stabilité politique par l'unité.

---

88. Urie était l'un des généraux étrangers (hittites) de David. (N.d.T.)

89. Le grand-prêtre. (N.d.T.)

90. Les auteurs ont écrit ici Gézer (ville qui se trouve à quelques kilomètres à l'ouest de Jérusalem), mais il s'agit plus probablement de Gaza. (N.d.T.)

Boaz, le pilier gauche, se dressait au sud et représentait le pays de Juda ; il signifiait la « force ». Jakin se dressait au nord et représentait la terre d'Israël ; il symbolisait l'« établissement ». Et les deux réunis par le linteau de Yahvé créaient la « stabilité » [91]. Comme dans l'Égypte ancienne, tant que les deux pays seraient reliés par les piliers appropriés, la stabilité politique durerait. Totalement emprunté des Égyptiens, ce concept indiquait que la structure de la monarchie et de la théologie israélites n'avait pas encore perdu ses anciennes origines.

Il fallait naturellement payer la construction de cet ouvrage, d'autant que quasiment tous les artisans qualifiés venaient de l'étranger : Hiram, le roi de Tyr, fournit les ouvriers et l'essentiel des matières premières. Pour le tout jeune royaume, ce fut une grande dépense. Très vite, Salomon commença à manquer d'argent. De nombreuses cités étaient contraintes de payer des dettes ne cessant de croître. Par ailleurs, la population devait également supporter le travail forcé : chaque mois, des groupes de dix mille personnes étaient envoyés au Liban pour travailler pour Hiram, roi de Tyr. Le royaume fut alors divisé en douze régions ; chacune devait fournir au palais des impôts correspondant aux dépenses d'un mois de l'année. Mais le taux de l'imposition ne cessait de s'élever et les sujets de Salomon commencèrent à perdre leur enthousiasme ; ils ne suivaient plus les rêves de grandeur de leur roi.

Même si les auteurs ultérieurs de la Bible s'efforcent de présenter les choses autrement, il existe des preuves abondantes démontrant que l'intérêt pour Yahvé fut toujours assez relatif. Pour la majorité du peuple, d'autres dieux étaient tenus en égale – voire en plus haute – estime. Pour beaucoup, Yahvé n'était rien de plus que le dieu israélite de la guerre ; s'il était donc utile en temps de guerre, il n'était qu'une figure modeste au regard de l'ensemble du panthéon divin. Les noms donnés aux notables Israélites au cours des temps indiquent une grande estime pour Baal. Même le Yahviste le plus ardent ne pourrait prétendre que les Juifs de cette époque ne croyaient qu'en un seul Dieu.

Et il en allait ainsi de Salomon. Mieux : vers la fin de son règne, Salomon se détourna complètement de Yahvé pour ne plus vénérer que d'autres dieux, ce qui eut l'heur de mécontenter certains groupes, et par-

---

91. Le Rite Écossais situe Boaz à gauche et Jakin à droite. Le rite français fait l'inverse. La Bible (I Rois 7) se contente de dire que Jakin est à droite et Boaz à gauche, sans préciser où se situe l'observateur, à l'intérieur (rite français) ou à l'extérieur du temple (Rite Écossais). Les archéologues quant à eux inclinent à situer Jakin au sud et Boaz au nord (Cf. Daniel LIGOU (ed.), *Dictionnaire de la Franc-maçonnerie*, PUF, Paris, 1987, p. 273). (N.d.T.)

ticulièrement les prêtres du Temple de Jérusalem. Plus tard, cette péripétie fut rationalisée après coup par les rédacteurs de la Bible : ils expliquèrent que ce comportement coupable de Salomon ne fut pas puni par Yahvé par seul égard pour son père David. Pour résumer, de l'époque de Moïse jusqu'à celle de Salomon, Yahvé ne semble pas avoir beaucoup impressionné son « peuple élu ». Quand Salomon – roi réputé pour sa sagesse – mourut, le pays n'était pas seulement quasiment en faillite, il était sans Dieu.

Roboam [Rehoboam], le fils de Salomon, reçut une éducation qui l'amenait à croire dans le pouvoir de la royauté. On lui conseilla d'adopter une ligne conciliante avec les nordistes mécontents, qui ne le reconnaissaient pas comme roi. Mais lui continua de réclamer la coopération du Nord et du Sud. L'unité des deux pays se disloqua rapidement et le royaume nordiste d'Israël n'eut plus rien à faire avec Juda, qu'il voyait comme la source de ses problèmes.

Résumons ce que nous avons appris sur les Israélites de cette période. La nouvelle nation aspiraient à devenir une civilisation majeure. Mais elle eut pour base une théologie à demi-structurée, du travail forcé et de l'argent emprunté. Comme toute entreprise mal préparée, elle échoua. Quoi qu'il en soit, elle laissa une empreinte dans les cœurs et les esprits des futures générations qui compléteraient rétrospectivement cette théologie et lutteraient pour reconstruire la gloire éphémère qui avait marqué leur émergence en tant que peuple avec un Dieu et une destinée. Cette vision n'atteindrait jamais son but, mais ce qu'elle réaliserait devait dépasser en grandeur tout ce qui avait pu être envisagé.

Pendant ce temps, au sein du groupe royal se transmettaient les secrets de la cérémonie d'initiation par la résurrection et de rectitude morale fondée sur les principes de l'érection d'un temple. Mais ce n'était plus un concept abstrait emprunté à l'histoire égyptienne et apporté par Moïse. C'était un concept bien réel ; aussi réel que leur Temple à Jérusalem qui contenait l'arche et leur Dieu.

Tout au long de cette étape de notre recherche, nous n'avons pas trouvé la moindre référence à un architecte du Temple de Salomon assassiné. Néanmoins, nous commencions à voir les preuves s'accumuler pour confirmer notre hypothèse : Moïse aurait emportés en Israël les deux piliers et la cérémonie de résurrection conjointe de Sekenenrê Taâ et il en aurait fait le secret de la Maison royale d'Israël.

Nous avions maintenant une tâche à accomplir : identifier le moment où le nom du personnage central se transforma de Sekenenrê Taâ en Hiram Abif. Pour comprendre comment ces secrets bien gardés avaient pu survivre et finalement revenir à la surface par l'intermédiaire de cet homme que nous appelons Jésus Christ et pour comprendre comment le Nouveau Testament pouvait être réinterprété à la lumière de nos découvertes, nous avions besoin d'approfondir notre recherche en nous intéressant à l'étape suivante de l'histoire de la nation juive.

CONCLUSION

Il nous était apparu que l'histoire de la naissance de Moïse était fondée sur une légende sumérienne. Nous avions le sentiment qu'il s'agissait là, de la part des rédacteurs de la Bible, d'une volonté de justifier *a posteriori* un épisode particulier : comment un général égyptien majeur, membre de la famille royale égyptienne, était devenu le père de la nation juive. Nous étions presque sûrs que Moïse avait été initié aux secrets substitués de Sekenenrê Taâ et que l'histoire des deux piliers lui était familière. Il utilisa ces secrets pour établir un nouveau rituel de sacre à l'intention de ses successeurs. Les Juifs sans État et sans culture héritèrent ainsi d'une identité et d'un rituel secret qui fut transmis à la lignée de David.

Ce fut Moïse qui adopta le turbulent dieu qénite[92] de la tempête, appelé Yahvé et identifié par le symbole du tau, connu originellement comme la « marque de Yahvé ». Lorsqu'il eut établi le contact avec son nouveau dieu, Moïse revint en Égypte où il était recherché pour meurtre afin de guider un groupe d'Habiru. Le voyage des Juifs vers le pays de Canaan est décrit dans la Bible comme un processus ininterrompu de massacres de la population indigène.

Dès que la religion de Yahvé fut établie, le peuple de Yahvé – les Israélites – fut mené par une série de juges. Le premier fut Josué [*Josuah*], le célèbre chef de la bataille de Jéricho. Un certain nombre d'autres juges lui succédèrent. Or, tant la Bible que les découvertes archéologiques montrent que le symbole des deux piliers était utilisé aussi bien par Abimélek, le fils de Gédéon[93], que par Samson le Nazir. Il s'agissait là pour nous d'un indice manifeste prouvant que les secrets égyptiens de Moïse continuaient d'être utilisés par les chefs des Israélites.

Le prophète Samuel consacra Saül le premier roi des Juifs. David lui succéda. Ce dernier eut un règne marqué par une très grande réussite, vers 1000 avant notre ère. Il unifia les deux royaumes de Juda et d'Israël

---

92. Qénites : l'un des peuples cités par Genèse, 15, 19. (N.d.T.)
93. *Peake's Commentary on the Bible.*

avec une nouvelle capitale, Jérusalem, sise entre les deux pays. Il revint à son fils Salomon d'édifier le premier Temple de Jérusalem avec les deux piliers représentant l'union des deux royaumes et formant une porte qui faisait face à l'orient – un pilier au nord représentant Juda et un pilier au sud représentant Israël. Les piliers jumeaux se dressaient sur le seuil ou l'entrée de son Temple, démontrant que les racines et les rituels égyptiens de la monarchie israélite étaient encore très présents. Lorsque Salomon mourut, son pays était quasiment en faillite, mais il laissait les secrets de la cérémonie d'initiation par une résurrection symbolique et les secrets de la rectitude morale, fondés sur le principe de l'érection d'un temple. Ces secrets allaient se transmettre au sein du groupe royal.

Nous ne doutions plus que nous avions découvert le modèle secret qui avait présidé à l'édification de l'État juif. En revanche, nous n'avions trouvé aucune référence à un architecte assassiné du Temple de Salomon. Nous avions maintenant besoin de découvrir comment et quand Sekenenrê était devenu Hiram Abif.

CHAPITRE X

MILLE ANS DE LUTTES

Les débuts de la nation juive

La mort du roi Salomon intervint presque exactement mille ans avant celle du dernier et plus célèbre prétendant au titre de « roi des Juifs » entre les mains des Romains.

Pour les Juifs, ce fut un millénaire de souffrances, de combats et de défaites, mais jamais de reddition. Ces mille années se caractérisèrent aussi par la recherche désespérée d'une identité raciale et par un ardent désir d'élaborer une théologie et une structure sociale qui leur fut propres. Ils disposaient d'un lointain et légendaire père fondateur en la personne d'Abraham et d'un législateur avec Moïse. Mais en dehors de cela, ils n'avaient pas grand-chose qui se rapportât à une culture. Avec les premiers rois juifs, ils n'héritèrent que d'une impression d'héritage vide. David – représenté à tort comme un tueur de géants – leur fournit un modèle à suivre pour vaincre leurs puissants voisins, et Salomon – humble et né sous une mauvaise étoile quels qu'eussent été ses exploits – devint le cœur de la fierté nationale. Cependant, ce ne fut pas un homme qui finalement parvint à synthétiser toute leur quête de sens, d'objectif et d'estime de soi ; ce fut un petit édifice de peu d'importance que Salomon érigea pour le dieu de la guerre, Yahvé.

Après la mort de Salomon – nous l'avons vu –, les deux pays des Juifs se séparèrent de nouveau : Israël au nord et Juda au sud. Chacun retourna à ses propres conceptions sur le développement, ce qui bientôt conduisit à la guerre entre les deux États. Dans le royaume du Nord, l'assassinat du roi devint presque un sport national et, au cours des siècles qui suivirent, la guerre, le meurtre et la traîtrise furent la norme. L'individu le plus infâme de cette époque fut peut-être Jéhu, un général qui parvint au pouvoir en assassinant lui-même Joram [ou *Jehoram*], roi d'Israël. Puis il fit tuer Ochozias [ou *Ahaziah*] de Juda, qui avait eu la malchance de se trouver en visite dans le Nord. Il ordonna aussi le massacre de l'infortunée Jézabel [ou *Jezebel*] sous les sabots de chevaux, à un point tel qu'il ne resta plus que son crâne, ses pieds et ses mains à ensevelir. Cent vingt opposants potentiels furent également tués et les adorateurs de Baal furent arrêtés dans tout le pays et massacrés. On nous dit que ces « nobles » actions réjouirent Dieu. Ainsi dans le deuxième livre des Rois 10, 30 :

> *Yahvé dit à Jéhu : « Parce que tu as bien exécuté ce qui m'était agréable et que tu as accompli tout ce que j'avais dans le cœur contre la maison d'Achab, tes fils jusqu'à la quatrième génération s'assiéront sur le trône d'Israël. »*

Au sud, le royaume de Juda continuait d'être gouverné depuis Jérusalem. Le contraste avec Israël au nord n'aurait pu être plus grand. Après la scission, Juda s'efforça de maintenir une véritable stabilité presque trois siècles et demi durant. La lignée davidique perdura sans interruption pendant plus de quatre cents ans au total, ce qui, là aussi, contraste fortement avec Israël et ses huit changements dynastiques révolutionnaires rien qu'au cours des deux premiers siècles.

Nous devions nous poser la question suivante : pourquoi les deux moitiés de l'État éphémère avaient-elles évolué si différemment ?

La géographie put avoir une influence sur ce phénomène. Juda, le royaume du Sud, se trouvait à l'écart du principal axe de communication est-ouest et son territoire était plus difficile d'accès pour des envahisseurs étrangers. Ainsi le royaume du Sud pouvait bénéficier d'un plus grand sentiment de sécurité nationale que son voisin du Nord. Cependant, nous soupçonnions fortement une autre explication : à notre avis, la continuité de la lignée royale davidique sur une période si longue s'explique principalement par le fait qu'on leur reconnaissait un « droit divin de régner ». Ce droit reconnu apportait une cohésion incontestable et il était conféré au cours d'une cérémonie mystique et secrète. De même que les premiers rois égyptiens auraient été installés au pouvoir par les dieux, on considérait que les descendants de David résultaient du choix de Yahvé et l'alliance fondamentale entre le Dieu et son peuple était la continuité de la royauté. Si notre hypothèse était juste, nous avions le sentiment que la famille régnante et son entourage auraient été unis par leur appartenance à un groupe (loge) détenteur de secrets, et quand ils « relevaient » (« ressuscitaient ») leur candidat choisi au statut de roi, toute insurrection devenait très improbable en raison du pouvoir et de l'autorité de ce groupe.

Dans le royaume de Juda, les rituels de Nouvel An – qui suivaient les modèles égyptiens et babyloniens – démontraient l'importance centrale du roi. Certains des actes rituels les plus importants avaient pour but de démontrer que le pouvoir du roi ne s'interrompait pas. Par exemple, le roi participait à une reconstitution de la bataille originelle ayant vu le triomphe des forces de lumière sur les forces de ténèbres et de chaos[94]. Le roi et ses prêtres chantaient l'*Enuma Elish* – l'histoire qui raconte comment le dragon-chaos Tiamat fut vaincu pour permettre à la Création de prendre place. Ce rituel peut être comparé à celui de l'hippopotame égyptien (évoqué au chapitre VIII), qui réaffirmait le droit ancien et sacré du roi à gouverner.

L'exil à Babylone

Le royaume d'Israël au nord lutta du début à la fin et il s'effondra finalement en 721 avant notre ère, quand les Assyriens l'envahirent. Juda tint encore plus d'un siècle et demi. Les 15 et 16 mars 597 avant notre ère, le grand roi babylonien Nabuchodonosor [*Nebuchadnezzar*] s'empara de Jérusalem. Il captura le roi et désigna un nouveau roi appelé Sédécias [*Zedekiah*], qui était sa marionnette. Le véritable roi, Joiakîn [*Jehoiachin*], fut emmené en exil avec toute sa cour et les intellectuels du pays. On pensait qu'ainsi, ceux qui restaient n'auraient pas l'intelligence suffisante pour fomenter une rébellion contre leurs nouveaux maîtres.

La Bible nous livre des chiffres divers. Mais dans les faits, il est probable que plus de trois mille personnes furent emmenées à Babylone. Des tablettes cunéiformes retrouvées dans les ruines de cette ville font l'inventaire des rations d'huile et de grain fournies aux captifs, et nomment spécifiquement le roi Joiakîn et ses cinq fils comme récipiendaires.

Le fait que Joiakîn n'avait pas été exécuté fit penser à de nombreux Juifs qu'ils seraient autorisés à retourner chez eux. Il existe effectivement des éléments prouvant que cela put fort bien être l'intention première de Nabuchodonosor. Le nouveau roi fantoche n'était pas aussi docile que les Babyloniens l'avaient imaginé et celui-ci fut tenté de se mettre du côté de l'ennemi de Babylone, l'Égypte, afin de libérer Juda. Dans un premier temps, il avait suivi le conseil de ses fidèles et n'avait causé aucune difficulté à ses maîtres. Malheureusement les pressions pro-égyptiennes au sein de sa cour provoquèrent une rébellion en 589 avant notre ère.

94. *Peake's Commentary on the Bible.*

Nabuchodonosor réagit immédiatement et décida d'attaquer les villes de Juda. En janvier suivant, le siège de Jérusalem commença. Sédécias savait que cette fois, il n'y aurait pas de pitié et il parvint à résister pendant deux ans et demi. Mais, en dépit d'une tentative des forces égyptiennes pour repousser les Babyloniens, la ville tomba en juillet 586 avant notre ère. Jérusalem et son temple furent détruits dans une proportion considérable.

Sédécias fut amené devant Nabuchodonosor à Ribla dans le royaume de Babylone. Là, on le força à assister à l'exécution de ses fils et alors qu'il regardait horrifié, ses yeux furent crevés. Avec cette dernière vision terrifiante gravée dans sa mémoire, le roi marionnette fut emmené à Babylone enchaîné. D'après Jérémie 52, 29, huit cent trente-deux nouveaux captifs furent emmenées en exil au même moment.

Pour les exilés de Juda, la ville de Babylone dut être un spectacle merveilleux. C'était une splendide ville cosmopolite qui s'étendaient sur les deux rives de l'Euphrate. Elle avait la forme d'un carré, qui, dit-on, faisait près de vingt-cinq kilomètres de côté. L'historien grec Hérodote visita la ville au Ve siècle avant notre ère et décrivit sa formidable échelle, avec son quadrillage de routes parfaitement rectilignes et ses bâtiments hauts, pour la plupart, de trois voire quatre étages. En lisant cette description, notre première réaction fut de penser que cet éminent Grec s'était rendu coupable d'exagération. Mais nous découvrîmes ensuite qu'il prétendait que les murs de la ville étaient si larges qu'un chariot tiré par quatre chevaux pouvait circuler dessus, or de récentes fouilles ont montré que c'était parfaitement exact.

L'archéologie vient donc appuyer le témoignage d'Hérodote et le confirme comme un témoin digne de foi. Cela nous permit d'apprécier les dimensions impressionnantes de la Babylone de l'époque. À l'intérieur des murs de la ville gigantesque, lisions-nous encore, se trouvaient de vastes parcs et au milieu des grands édifices se dressait le palais du roi avec ses célèbres « jardins suspendus » – qui étaient d'énormes collines en terrasses artificielles recouvertes d'arbres et inondées de fleurs provenant de tout le monde connu. Dans Babylone, s'élevait aussi la haute ziggourat de Bel, pyramide à sept niveaux – aux couleurs du soleil, de la lune et des cinq planètes – en forme de tour, et au sommet de laquelle se trouvait un temple. Cette magnifique structure fut sans aucun doute la source d'inspiration de l'histoire de la tour de Babel. C'est là, dit-on dans la Bible, que l'humanité aurait perdu sa capacité à communiquer dans un langage unique. Ba-Bel, terme sumérien, signifiait « porte de dieu » et fournissait au clergé babylonien un lien entre les dieux et la terre. Étonnamment la tour de Babel existe encore, bien qu'elle ne soit plus qu'une ruine informe.

Lorsque les exilés approchèrent de la cité pour la première fois, ils durent écarquiller les yeux en découvrant la voie processionnelle qui conduisait à la grande porte d'Ishtar. Sa taille était monumentale et elle était recouverte de tuiles émaillées resplendissantes qui représentaient des lions, des taureaux et des dragons en relief. Ces animaux symbolisaient les dieux de la ville : Mardouk la divinité-dragon était la plus en vue, à côté d'Adad le dieu du ciel sous forme de taureau et Ishtar elle-même, la déesse de l'amour et de la guerre, symbolisée par un lion.

Pour les prêtres et les nobles déportés de Jérusalem, cette nouvelle existence dut être très étrange. Ils éprouvaient sans doute une certaine reconnaissance à l'endroit de leurs vainqueurs pour ne pas avoir été passés par le fil de l'épée, et en même temps une certaine tristesse pour la perte de leur pays et de leur Temple. Mais ils furent très probablement impressionnés par tout ce qu'ils voyaient et entendaient dans la plus grande ville de Mésopotamie, métropole à côté de laquelle Jérusalem et son Temple devaient sembler extrêmement humbles. Pour faire un parallèle, on peut penser au type de choc culturel que les juifs immigrants de petites villes européennes ressentirent certainement en débarquant à New York au début du XXe siècle.

Si le mode de vie à Babylone leur était probablement étranger, ils allaient bientôt découvrir que la théologie leur était étonnamment familière. Leurs propres légendes fondées sur celles des Égyptiens et des Cananéens et celles des Babyloniens dérivaient d'une ancienne source commune sumérienne. Plus important encore, les Juifs allaient constater qu'ils pouvaient maintenant combler les vides dans leur propres histoires tribales de la Création et du Déluge.

Jusque-là, les dignitaires déracinés avaient l'habitude de diriger un royaume, et dorénavant ils se retrouvaient dispersés sur une terre étrangère, où on ne leur réclamait généralement que des tâches très subalternes, voire de domestiques. Pour ces hommes habitués à diriger un État, ils n'avaient désormais presque rien d'autre à faire que méditer sur l'injustice de l'existence. Néanmoins la grande majorité d'entre eux se contentaient d'accepter la cruauté de la vie et s'efforcer simplement de tirer le meilleur parti possible d'une mauvaise situation. En vérité, un nombre significatif de familles juives – peut-être même la majorité – se laissèrent totalement absorber dans le mode de vie de la « grande ville ». Et quand la captivité s'acheva, ils demeurèrent là.

Contrairement à la croyance populaire, les Juifs de cette période n'étaient pas monothéistes. Même s'ils voyaient encore Yahvé comme le dieu particulier de leur nation, ils auraient adoré les dieux babyloniens dès leur arrivée forcée dans leur nouvelle demeure. Il était alors assez ordinaire de montrer du respect à l'endroit du dieu ou des dieux du lieu que l'on visitait, dans une optique de simple prudence. On pensait, en effet, que toutes les divinités possédaient une puissance s'exerçant sur un territoire donné. La zone d'influence de Yahvé se trouvait à Jérusalem et toutes les preuves disponibles semblent démontrer que même ses plus fervents partisans ne lui élevèrent jamais de sanctuaire pendant tout le temps de leur captivité.

Tandis que la plupart de ces Juifs prenaient la vie comme elle venait, un petit nombre de déportés étaient des prêtres philosophes et fondamentalistes du Temple de Salomon, que l'on peut simplement décrire comme « des personnes inspirées avec un sens de la destinée contrarié ». Ils cherchèrent à expliquer et justifier la situation du mieux qu'ils pouvaient. Il est désormais généralement admis que ce fut ici, pendant la captivité à Babylone, que la plupart des cinq livres de la Bible furent écrits. L'esprit prévalant était la quête passionnée d'un but et d'un héritage. En se servant des informations sur le commencement des temps qu'ils obtenaient de leurs ravisseurs, les Juifs furent en mesure de reconstruire la Création du monde et de l'humanité par Dieu, et en même temps, ils purent enrichir de détails des événements ultérieurs comme le Déluge.

Les écrits de ces premiers Juifs furent un curieux mélange : ils mêlaient des fragments de faits historique précis à des parties plus importantes de mémoires culturelles et de mythes tribaux déformés, le tout cimenté par leurs propres inventions chaque fois qu'ils rencontraient un trou gênant à combler dans leur histoire. Il est évidemment très difficile de séparer ces différents parties, mais les spécialistes modernes ont acquis une remarquable habileté pour séparer du mieux possible le vrai du faux, et pour identifier les styles et influences des auteurs. Les récits les plus importants ont été analysés en profondeur par des équipes d'experts. Mais pour nous, ce sont les petits détails, les récits les plus accessoires, qui fournissent souvent certains des indices les plus importants pour remonter aux origines.

Ainsi nous avons retrouvé l'influence tant de Sumer que de l'Égypte dans des endroits inattendus. Par exemple, le personnage de Jacob, le père de Joseph, devrait être antérieur à l'influence égyptienne, pourtant il existe des signes clairs montrant que ceux qui ont dressé son portrait avaient une vision du monde bien postérieure à l'Exode hors d'Égypte. Dans la Genèse 28,18, on nous dit que Jacob dresse une pierre comme une stèle pour relier le ciel et la terre à Béthel, à quelque quinze kilomètres au nord de Jérusalem. Plus tard, dans cette même Genèse 31,45, il en élève une seconde, peut-être à Miçpa [*Mizpah*] qui se trouvait dans les montagnes de Galéed, à l'est du fleuve Jourdain. Cette identification de deux piliers véhicule de fortes réminiscences de la théologie que Moïse rapporta des royaumes jumeaux de la

Haute- et de la Basse-Égypte. Par ailleurs, il est improbable que ces deux villes identifiées dans la Bible aient existé à l'époque de Jacob. Quand on regarde la signification littérale de leurs noms, il est clair qu'elles furent inventées pour s'accorder aux besoins de l'histoire. Béthel signifie « Maison de Dieu », ce qui suggère un point de contact entre le ciel et la terre. Quant à Miçpa, ce nom signifie « Tour de guet », c'est-à-dire un lieu de protection contre l'invasion.

La plupart des Occidentaux pensent aujourd'hui que les noms sont des étiquettes vides de sens, abstraites. Les parents qui attendent un bébé peuvent acheter un livre de prénoms où ils en chercheront un qui leur plaise. En revanche au cours des temps passés, les noms n'étaient pas de simples désignations populaires plaisantes et fantaisistes, mais ils véhiculaient des significations importantes. Notons significativement que le regretté John Allegro, philologue spécialiste des langues sémitiques, découvrit que le nom Jacob découlait directement du sumérien IA-A-GUB, signifiant « pilier » ou plus littéralement « pierre levée ».

Quand ils écrivirent l'histoire de leur peuple, les Hébreux donnèrent aux personnages clés des titres et appellations destinés à transmettre des significations spécifiques, alors que les lecteurs modernes ne voient là que des noms de personne. Nous pensons que les auteurs de la Genèse communiquèrent quelque chose de très important en appelant ce personnage « Jacob ». Et quand le texte biblique changeait son nom en « Israël », cela signalait au lecteur contemporain que les piliers du nouveau royaume étaient en place et que la nation était prête à recevoir son propre nom. Cet antécédent était nécessaire à l'établissement d'une vraie royauté.

Le prophète de la nouvelle Jérusalem

Le prophète Ézéchiel apparaît comme l'une des figures les plus étranges – mais des plus importantes – dans notre reconstitution de l'exil babylonien. Son style de rédaction – oppressant, répétitif et souvent difficile – a conduit de nombreux observateurs à conclure qu'il était probablement assez fou. Mais il n'importe pas vraiment de savoir s'il a ou non existé et s'il fut ou non sain d'esprit ou totalement schizophrène. Ce qui nous importe, en revanche, c'est que les écrits qui lui sont attribués, à tort ou à raison, ont nourri la théologie de Qoumrân, autrement dit des personnes qui formèrent l'Église de Jérusalem[95]. Ézéchiel fut l'architecte

---

95. R. Eisenman & M. Wise : *The Dead Sea Scrolls Uncovered.*

du Temple imaginaire et idéalisé de Yahvé, et, selon nous, ce Temple fut le plus important de tous !

De nombreux spécialistes du XXe siècle ont considéré que ces écrits étaient dus à plusieurs auteurs beaucoup plus tardifs (précisément à partir de 230 avant notre ère environ). Cette datation placerait le livre d'Ézéchiel à proximité de l'époque de rédaction des plus anciens manuscrits de la mer Morte, puisque l'on estime que les textes trouvés à Qoumrân ont été écrits entre 187 avant notre ère et 70 de notre ère environ. Si tel était le cas, cela aurait une incidence sur notre thèse, car cela ne ferait que confirmer les liens déjà considérables entre ces écrits et la communauté de Qoumrân. Aussi, par souci de commodité, nous avons considéré à ce stade que le livre d'Ézéchiel avait été écrit pas un seul homme durant sa captivité à Babylone.

La chute de Jérusalem et la destruction du Temple avaient une signification très importante pour Ézéchiel, qui était un prêtre du Temple et un membre de l'élite envoyée en exil en 597 avant notre ère. Les visions étranges qu'il eut au cours de sa captivité concernent ces événements. Présage très significatif pour le prophète, sa femme mourut la veille de la destruction du Temple. Le désastre ne surprit cependant pas Ézéchiel : il y vit la punition de Yahvé châtiant Israël pour son Histoire misérable et indigne qui n'avait pas oublié ses origines païennes et le culte des idoles égyptiennes des commencements. L'infidélité à Yahvé avait perduré jusqu'à l'époque où Dieu avait abandonné Israël aux mains de ses ennemis. Car malgré tout ce que Yahvé avait fait pour Son peuple élu, Israël avait persisté dans un comportement de rébellion, effronté et insensible, ne se préoccupant ni de l'appel sacré de Yahvé ni de l'Alliance contractée. Les Juifs avaient désobéi aux lois divines et profané les choses sacrées, y compris le Temple lui-même – le Temple où résidait Sa gloire dans le Saint des Saints. La destruction de Jérusalem et celle du Temple représentaient une mort, tandis que la nouvelle cité attendue et le Temple reconstruit seraient une résurrection, une renaissance, et la tache de la culpabilité aurait alors disparu.

Ézéchiel se considérait comme l'architecte du Nouveau Temple, celui qui accomplirait la promesse et créerait l'élément central d'une nation qui serait si pure et si bonne, qu'elle incarnerait le « Royaume des cieux sur terre ». Ses visions abondaient en allégories et symboles obscurs. On y rencontrait des images d'hommes, de lions et d'aigles à plusieurs faces, et des objets aussi curieux que des ustensiles de cuisson en fer. Il volait dans les airs pour se rendre au Temple et exécutait de curieux rituels. Par exemple, il se rasa les cheveux et la barbe, puis pesa les poils pour en faire trois tas. Il brûla le premier tas, frappa de l'épée le deuxième et dispersa aux vents le troisième. À cette époque, la chevelure d'une personne représentait sa dignité, sa force et sa puissance, et il nous semble que cette scène soit symbolique du destin que venait de connaître le peuple de Juda et d'Israël.

En novembre 591 avant notre ère, Ézéchiel eut une vision particulièrement intéressante et importante. Il se trouvait alors assis dans sa maison près du grand canal dans la cité de Nippur en Mésopotamie (Sumer). Les Anciens de Juda en visite étaient assis en face de lui. Ces Anciens (parmi lesquels se trouvait peut-être l'ancien roi lui-même) étaient venus pour entendre des messages de Yahvé quand le prophète tomba en transes. Il vit un homme vêtu de lumière et de feu qui tendait la main. L'homme attrapa Ézéchiel par une mèche de cheveux et le ramena au porche intérieur du Temple dans Jérusalem. Ézéchiel eut des visions de cultes païens rendus aux dieux Tammuz, Baal et Adonis. Puis il fut emmené à l'entrée du parvis. Là l'homme lui ordonna de creuser un trou dans le mur, à travers lequel il vit un spectacle stupéfiant.

> *En regardant dans le trou, il vit toutes sortes d'images murales représentant de « misérables abominations » et toutes sortes de scènes mythologiques, autant de motifs qui semblaient restituer des pratiques syncrétistes d'origine égyptienne. Soixante-dix anciens de la maison d'Israël participaient aux mystères secrets et tenaient des encensoirs.*[96]

Les lettres en gras sont de notre fait, car nous avons voulu insister sur ces Anciens de Jérusalem (ces mêmes personnes qui étaient assises en face d'Ézéchiel en transes) accusés de détenir des « mystères secrets » d'origine égyptienne et d'exécuter des cérémonies privées dans le Temple de Salomon. Ézéchiel 8, 12 dit que la cérémonie se déroulait dans l'obscurité comme pour le troisième degré maçonnique moderne.

À quoi le prophète faisait-il allusion ?

Cette partie de la vision n'a jamais eu beaucoup de sens pour les spécialistes de la Bible (au-delà du fait évident que l'on attribue la destruction du Temple à une relation défaillante avec Yahvé). L'élément égyptien en particulier n'a jamais été expliqué, alors que la vision montre clairement que c'étaient les Anciens eux-mêmes qui étaient impliqués dans ces rites secrets. Le verset (Ézéchiel 8, 8) qui introduit cette vision, explique comment le prophète put espionner ce qui se passait. On notera une similitude remarquable avec la Genèse 49, 6 – que nous avons mis plus tôt en

---

96. *Peake s Commentary on the Bible.*

rapport avec le vain complot de Joseph pour obtenir les secrets de Sekenenrê – où l'on dit que les traîtres firent « s'effondrer un mur ». Souvenez-vous que le verset de la Genèse dit :

Ô mon âme, n'entrez pas en leur secret ; qu'à leur assemblée, mon honneur ne s'unisse pas : car dans leur colère ils ont tué un homme, et dans leur volonté ils ont fait s'effondrer un mur.

Le verset du Livre d'Ézéchiel semble reposer directement sur les circonstances de la tentative infructueuse pour obtenir de Sekenenrê Taâ les secrets du sacre. On lit :

Puis il me dit : « Fils d'homme, fais un trou dans le mur. » Une fois fait le trou dans le mur, il y avait une porte.

La Genèse raconte comment la tentative d'extorsion des secrets échoua. Mais dans sa vision, Ézéchiel découvrit une porte. Il vit ce qui se passait. Seulement cette fois, il ne s'agissait pas du Temple de Thèbes avec les secrets originels, mais du Temple de Jérusalem avec les secrets substitués. Ézéchiel est horrifié par les images égyptiennes sur les murs, qui désignent le roi Josias [Josiah] comme principal coupable. Au cours du siècle précédent, il avait fait restaurer le Temple et redécorer ses murs. La description ressemble beaucoup au symbolisme que l'on trouve sur les murs et le plafond d'un temple maçonnique moderne, lui-même fondé sur le Temple du Roi Salomon. Or même aujourd'hui encore, la plupart de ces motifs sont indéniablement égyptiens.

Les anciens dirigeants du royaume de Juda étaient venus voir Ézéchiel en exil à Nippur en quête d'un conseil du saint homme ; il le leur donna. Tandis que nous lisions et relisions Ézéchiel, nous n'arrivions pas à croire à la signification phénoménale de ce livre obscur. Pourtant notre excitation grandit dès qu'il devint clair que nous avions découvert un maillon essentiel dans notre reconstitution de la chaîne des événements reliant Sekenenrê à la communauté de Qoumrân. Le message que le prophète transmit aux Anciens exilés, concernait ce cérémonial secret, qui venait de Moïse et qui leur était parvenu par la lignée de David. Dans son essence, le message du prophète était quelque chose comme :

« Je vous dis que nous avons perdu notre royaume à cause de ceux qui se sont montrés infidèles à Yahvé, en vénérant d'autres dieux. Et c'est vous qui avez été les plus grands transgresseurs parce que vous avez exécuté vos "mystères secrets", venant de l'Égypte païenne, fondés sur le culte du soleil et n'accordant aucune place au Dieu de nos Pères. Vous êtes les plus grands pécheurs de tous et il est juste que Yahvé vous ait punis. »

Nous pouvions imaginer la réponse de ces hommes brisés :
« — Mais ce sont les secrets donnés à la Maison royale de David par Moïse lui-même !
— Et c'est pour cela que vous n'avez plus de Maison royale ; souvenez-vous que Yahvé est le Dieu du ciel, répondit Ézéchiel.
— Que devons-nous faire, prophète ? Dis-nous comment regagner ce que nous avons perdu.
— Vous devez d'abord reconstruire le Temple dans vos cœurs et le Temple de pierre suivra. Vivre selon la Loi et adorer Yahvé seul. Vous pouvez garder vos secrets, mais vous devez expurger l'histoire égyptienne, et utiliser les grandes vérités qui y sont tout de même contenues pour votre œuvre de reconstruction du Temple. Ayez connaissance de vos secrets… mais ayez d'abord connaissance de votre Dieu. »

Il est impossible de trouver une explication plus claire ou plus simple de cette vision importante d'Ézéchiel. Nous pensons que ce fut à ce moment de l'histoire du peuple juif que l'histoire de Sekenenrê devint celle d'Hiram, l'architecte du premier Temple qui fut perdu, parce qu'Ézéchiel voulait à tout prix enlever autant de traces du rituel égyptien qu'il pouvait.

Le livre d'Ézéchiel continue en racontant comment, dans une autre vision, il lui fut ordonné de prendre deux bâtons, d'inscrire dessus les noms « Juda[97] » et « Joseph[98] » et de les réunir pour ne plus faire qu'un bâton dans la main, unifiant symboliquement les deux royaumes. Il n'y aura plus qu'un seul roi à leur tête Un roi gouvernera sur eux. Yahvé les sauvera de l'apostasie (renier son Dieu pour retourner vers d'autres dieux), il les purifiera de toute impureté et conclura avec eux une nouvelle Alliance. Alors que David, son serviteur, régnera sur eux, ils vivront dans l'obéissance et l'observance des lois divines et ils occuperont le pays de leurs pères. L'alliance de paix, comme toutes les bénédictions et les bienfaits du nouvel âge, sera éternelle. Mais par-dessus tout, Yahvé habitera au milieu de son peuple. La présence de Son sanctuaire au milieu

---

97. Exactement « Juda et les Israëlites [ou Judéens] qui sont avec lui ». Voir Ézéchiel 37, 16. (N.d.T.)
98. Exactement « Joseph et toute la maison d'Israël qui est avec lui ». Cf. *Ibid.* (N.d.T.)

d'eux est la preuve que l'Alliance a été renouvelée et ainsi les nations verront que Yahvé a sanctifié son peuple et que, de ce fait, il a fait de lui *Son* peuple.

La plus célèbre vision d'Ézéchiel intervint au début de l'an 573 avant notre ère. Il venait déjà de passer près d'un quart de siècle en captivité et, à ce moment, sa vision du monde était devenue particulièrement épurée. Dans cette vision, il est transporté sur une haute montagne où il peut contempler ce qui ressemble à une ville, avec des murailles et des portes. Il se retrouve d'abord à la porte est, où il rencontre un homme dont l'aspect est semblable à de l'airain ; c'est son guide-architecte. Il a dans la main une canne de mesure de dix pieds quatre pouces de long[99]. Il dit à Ézéchiel de prêter une grande attention, car il a pour devoir de rapporter aux exilés tout ce qu'il voit.

Ézéchiel va ainsi découvrir en premier lieu le porche oriental, également connu comme le porche de rectitude ; il se trouve directement dans l'axe de l'accès principal au Temple. Le Temple lui-même est légèrement surélevé de manière à séparer le sacré du profane. Sept marches leur permettent d'accéder au seuil du porche, puis ils passent sous le porche lui-même. De chaque côté de celui-ci, trois loges se font face. Toutes trois sont un carré parfait de mêmes dimensions.

On retrouve très clairement l'écho de cette vision en franc-maçonnerie où la porte d'orient et le carré son importants. Mais les sept marches du seuil ont une signification toute particulière. Au cours de la cérémonie du troisième degré, il est demandé au candidat de gravir sept marches jusqu'à la chaire du Maître à l'orient du temple maçonnique.

Après avoir franchi le porche, ils passent un second seuil et atteignent le vestibule qui conduit au parvis. À une profondeur correspondant à la longueur des porches, un grand dallage s'étend le long du mur du parvis extérieur. Trente chambres sont disposées de manière symétrique tout autour. L'élévation progressive des différentes parties du temple représentent les degrés de sainteté. La description du Temple se poursuit. On constate qu'il y a trois porches et qu'ils se trouvent à l'orient, à l'occident[100] et au midi, exactement comme dans la tradition maçonnique. Finalement Ézéchiel est conduit vers le parvis intérieur où se trouve deux

---

99. Six coudées d'une coudée plus un palme. Ezéchiel 40, 5. La coudée traditionnelle fait six palmes. La coudée ancienne qu'utilise Ézéchiel fait sept palmes (soit « une coudée et un palme ») = 52,5 cm. Total de la canne du guide : 315 cm. (N.d.T.)

100. Les auteurs semblent ici faire un lapsus, Ézéchiel parlant de porte à l'est, au sud et au *nord*. D'ailleurs, juste après les auteurs vont parler d'une chambre du côté du porche septentrional. Il y a donc bien une porte au nord et non à l'ouest. (N.d.T.)

chambres, l'une sur le côté du porche septentrional, l'autre sur le côté du porche méridional. La première est destinée aux prêtres qui contrôlent l'enceinte du Temple, et la seconde pour ceux qui assurent le service de l'autel. Le parvis intérieur est un carré parfait. Depuis le parvis, on gravit dix marches pour atteindre le vestibule [*Ulam*] du Temple. Les deux piliers qui s'y dressent sont assimilés à Boaz et Jakin, les piliers du Temple de Salomon. La vision culmine avec le retour de Yahvé ; comme le roi-Horus de l'ancienne Égypte, il apparaît comme une étoile à l'orient et pénètre dans sa nouvelle maison par la « porte de rectitude ».

Finalement l'imagination d'Ézéchiel établit les règles du clergé qui deviendraient celles des esséniens de Qoumrân[101]. Les prêtres légitimes du sanctuaire sont les fils de Sadoq [*Zadok*], le grand prêtre de jadis. Les membres de Qoumrân les appelleraient les Sadoquites [ou *Zadokites*]. Ces fils de Sadoq doivent porter des vêtements de lin blanc quand ils pénètrent dans le parvis intérieur. Ils ne peuvent ni se raser la tête ni avoir des cheveux libres et trop longs. Ils n'ont pas le droit de boire de vin les jours où ils doivent pénétrer dans le parvis intérieur. Ils ne peuvent épouser que des vierges de race israélite et doivent enseigner au peuple la différence entre le pur et l'impur. La liste des prescriptions se poursuit encore et inclut l'interdiction de posséder un patrimoine ou de s'approcher d'un mort.[102]

Le modèle du nouvel ordre est né et l'image du « temple à venir » va devenir plus important que le Temple perdu.

Le temple de Zorobbabel

Le 12 octobre 539 avant notre ère, Ugbaru, un général du roi perse Cyrus, s'empara de la ville de Babylone sans effusion de sang. Dix-sept jours plus tard, Cyrus lui-même s'avança devant la porte d'Ishtar dans son chariot, suivi par les armées alliées des Perses et des Mèdes. Le roi ne permit pas seulement aux Juifs de retourner à Jérusalem ; il leur restitua les trésors que Nabuchodonosor avait pris dans le Temple. Les Juifs regagnèrent leur ville, mais Juda[103] devint simplement une province des Perses au lieu d'être celle de l'Empire babylonien.

101. R. EISENMAN & M. WISE, *The Dead Sea Scrolls Uncovered.*
102. *Peake's Commentary on the Bible.*
103. À partir du retour d'exil, Juda va commencer à être appelé la Judée, terme qui deviendra pleinement officiel avec inscription sur les pièces de monnaie au IXe siècle avant notre ère. (N.d.T.)

Ceux qui avaient quitté enfants Jérusalem y revenaient en vieillards. Ils ne devaient avoir que de très vagues souvenirs de leur ville natale et, après toute une vie à Babylone, la réalité de la communauté partiellement reconstruite fut certainement un choc pour les exilés. Mais la population demeurée pendant tout ce temps à Jérusalem ressentit très probablement un choc équivalent à la vue de ces milliers d'« étrangers » revenant de l'Est. Ceux-là ne demandaient pas seulement le gîte et le couvert, mais ils s'attendaient à reprendre possession des anciennes terres et demeures familiales. Ce qui ne put que créer une situation pour le moins assez difficile. Par ailleurs, ils rapportaient avec eux des idées qui avaient incubé en captivité, et ces parents, ces frères raffinés et à l'esprit sophistiqué entreprirent bientôt de bâtir une nouvelle et puissante alliance avec Yahvé.

Avant la fin du VIᵉ siècle avant notre ère, le Temple fut reconstruit par Zorobbabel [*Zerubbabel*], petit-fils du dernier roi et héritier du trône de David. Le nom de ce chef illustre bien l'impact considérable que la captivité eut sur les Juifs : Zorobbabel signifie « fils de Babylone ». Alors que de nouvelles pierres étaient posées, des règles « religieuses » plus strictes étaient élaborées, non seulement pour les prêtres, mais aussi pour les hommes laïcs. Nous précisons délibérément ici « hommes », parce que, si les femmes étaient impliquées dans différents aspects de la nouvelle religion autour du second Temple, elles ne pouvaient accéder à la prêtrise. Le livre de la Loi que les exilés imposèrent requérait des obligations très précises de la part du peuple de Yahvé. Les lois alimentaires étaient extrêmement exigeantes, avec leurs longues listes de produits qu'ils n'avaient pas le droit de consommer. La liste des animaux impurs était détaillée et incluait les chameaux, les blaireaux, les crabes, les homards, les coquillages, les squales, les serpents, les chauve-souris, les insectes vivant en essaim, les rats, les lézards, les lièvres, les autruches et, naturellement, les porcins... La liste des animaux jugés acceptables pour la consommation allait de l'intelligible — comme les moutons, les boucs, les chèvres, les colombes et les pigeons — jusqu'à des aliments beaucoup moins savoureux, à notre sens, comme les crickets, les locustes et les sauterelles.

Il est important de se rappeler qu'avant le retour des exilés, les peuples d'Israël et de Juda n'étaient généralement ni des monothéistes ni même de fervents fidèles de Yahvé, le dieu de Moïse. En fait, le terme « juif » (signifiant « membre de la tribu de Juda ») fut instauré pendant la captivité babylonienne. Avec lui se développa un nouveau et puissant sentiment de nationalité qui fut marqué par la construction du temple de Zorobbabel. Les bâtisseurs de la nouvelle Jérusalem se virent comme un peuple ayant une relation très particulière avec Yahvé. Pour protéger cette spécificité, ils prirent des mesures comme la proscription des mariages avec des non Juifs. De cette manière, les tribus du Levant – autrefois distinctes – devinrent une race.

Nouvelle menace pour Yahvé

Avec leur nouvelle conscience identitaire affirmée, les Juifs avaient échappé à leurs maîtres babyloniens grâce à l'intervention des Perses et ils étaient dorénavant absorbés dans l'empire de ces derniers. L'influence de ces deux grandes puissances est manifeste dans les écrits de l'Ancien Testament. Mais au milieu du IVe siècle avant notre ère, une culture radicalement nouvelle apparut. Celle-ci devait avoir un impact beaucoup plus profond sur l'avenir du judaïsme. Il s'agit moins d'une influence que d'un choc avec la conception spirituelle introvertie des Juifs. Ces hommes à la pensée radicalement différentes étaient les Grecs.

Ces derniers possédaient leur propre panthéon divin, mais à la différence des Juifs fermés et tournés sur eux-mêmes, ils étaient cosmopolites, avec des esprits ouverts et éclectiques, et un vif intérêt pour les dieux des autres peuples. Les Juifs avaient élaboré une théologie qui se fondait originellement sur des croyances issues de Sumer, de l'Égypte, de Babylone et d'ailleurs. Mais maintenant ils voulaient simplement la consolider et la concentrer autour de leur dieu spécifique, Yahvé. À l'inverse, même s'ils avaient une semblable approche superstitieuse des influences de l'autre monde, les Grecs étaient ouverts à de nouvelles idées. Ils avaient élaboré une séparation plus claire entre le rôle des dieux et le droit des hommes à développer une pensée créative, en estimant que leur destinée était dépendante de la science, de la politique, de la finance et de la puissance militaire.

Pendant qu'à Jérusalem, l'ordre social s'organisait autour du clergé et de l'apaisement d'un Dieu exigeant, les penseurs grecs produisaient une nouvelle classe de philosophes, de scientifiques et de poètes. Le monde prit connaissance de cette nouvelle puissance majeure grâce aux exploits militaires de l'un des plus grands chefs que la terre ait jamais porté : le roi macédonien, Alexandre le Grand.

Alexandre se mit à la tête d'une armée qui conquit l'Égypte, la totalité de l'Empire perse et qui traversa l'Afghanistan jusqu'au sous-continent indien. Lorsqu'en 323 avant notre ère, il mourut de fièvre à Babylone, il n'était âgé que de trente-trois ans. L'empire qu'avait bâti ce jeune roi remarquable instaura un mode de vie véritablement international : tant la connaissance que les marchandises étaient échangées dans le monde entier, de sa nouvelle cité d'Alexandrie, en Égypte, jusque dans la vallée de l'Indus. La langue grecque devint la langue du commerce, de la diplomatie et du savoir. Le mode de vie et de pensée hellénistiques fut adopté unanimement et exclusivement par tous les intellectuels. Ceux qui ne pouvaient lire et écrire en grec se retrouvaient de fait exclus de la nouvelle élite internationale.

La société égyptienne divisée répondit à l'arrivée des Grecs en déclarant Alexandre, alors âgé de vingt-quatre ans, fils de dieu et pharaon incarné. Le jeune guerrier qui débarrassa l'Égypte des envahisseurs perses – mais qui venait lui-même de l'autre côté de la Méditerranée –, prit le nom de trône Haa-ibb-re Setep-en-amen, que qui signifie « Exultant est le cœur de Rê, Élu d'Amon ». Le séjour d'Alexandre en Égypte fut bref, mais son influence s'avéra considérable car il restaura les anciens temples et fit construire la ville, qui porte toujours son nom. L'influence hellénistique en Égypte perdura grâce à la lignée des pharaons ptolémaïques qui, en dépit de leurs atours royaux traditionnels, étaient eux-mêmes Grecs. Le plus célèbre d'entre eux fut une femme, Cléopâtre, réputée autant pour sa sagesse que pour sa beauté. Elle fut certainement l'une des très rares membres de cette dynastie à pouvoir également parler égyptien.

Dans la ville d'Alexandrie, les vieux dieux égyptiens se fondirent aux dieux grecs pour engendrer des divinités hybrides, conformes aux goûts du jour. Les colonnes jumelles représentant les deux pays devinrent les piliers d'Hermès et ce dernier absorba les attributs de l'ancien dieu-lune égyptien Thoth. Ce dernier incarnait la sagesse et il était – souvenez-vous – le frère de Ma'at. On disait que ce dieu possédait toute la connaissance secrète sur 36535 rouleaux cachés sous la voûte céleste (le ciel) et qui ne pouvaient être découverts que par des hommes dignes qui utiliseraient une telle connaissance pour le seul bien de l'humanité (il nous sembla remarquable que le nombre de manuscrits soit presque exactement le nombre de jours dans un siècle [36525]). Hermès récupéra la fonction de Thoth en tant qu'inventeur de l'écriture, de l'architecture, de l'arithmétique, de l'arpentage, de la géométrie, de l'astronomie, de la médecine et de la chirurgie.

Thoth et Hermès sont extrêmement importants dans les légendes de la franc-maçonnerie et, dans le mythe maçonnique, leurs noms sont indifféremment utilisés pour désigner en fait la même personne :

« Dans la tombe d'Osymandias furent déposés vingt mille volumes... tous, au regard de leur antiquité ou de l'importance de leurs sujets, étant attribués à Thoth, ou Hermès, qui, on le sait bien, réunissait dans son personnage l'intelligence d'une divinité et le patriotisme d'un ministre fidèle. »[104]

---

104. J. FELLOWS A.M. : *The Mysteries of Freemasonry.*

Les Anciens Devoirs [*Old Charges*] de la franc-maçonnerie nous rapportent l'implication d'Hermès/Thoth dans le développement initial de la science, comme le montre cette citation du texte d'Inigo [ou Nigo] Jones[105] :

> « *TU me demandes comment cette Science fut inventée, Ma Réponse est la suivante : Avant le Grand Déluge, qui est communément appelé le Déluge de NOÉ, il y eut un Homme appelé LAMEK [LAMECH, ou Lemech], comme tu peux le lire dans le chapitre IV de la Genèse. Il avait deux épouses, l'Une appelée ADA, l'autre ÇILLA [ZILLA]. D'ADA, il eut deux fils, YABAL [JABAL] et YUBAL [JUBAL] ; de ÇILLA, il eut Un FILS appelé TUBAL-CAIN et une Fille appelée Naama [Naamab]. Ces quatre Enfants furent à l'origine de tous les arts du monde : YABAL fonda la GÉOMÉTRIE, et il Divisa les Troupeaux de Moutons. Il fut le premier à construire une Maison de Pierre et de Bois.*
>
> *SON Frère YUBAL fonda l'ART de la MUSIQUE ; Il fut le Père de toutes les pratiques musicales, comme Jouer de la Harpe et du Chalumeau[106].*
>
> *TUBAL-CAIN fut l'Instructeur de Tous les Artisans travaillant le Cuivre et le Fer, Et la Fille fonda l'ART du Tissage.*
>
> *CES Enfants savaient bien que DIEU se Vengerait des PÉCHÉS soit par le Feu, soit par l'Eau. C'est pourquoi ils Gravèrent les SCIENCES qu'ils avaient découvertes sur Deux Colonnes, pour qu'elles puissent être retrouvées après le Déluge de NOE.*
>
> *L'UN des Piliers était en marbre, pour qu'aucun Feu ne puisse le brûler, Et l'autre était en Later[107], pour qu'aucune eau ne puisse l'engloutir.*
>
> *Ensuite, NOUS Voulons vous Dire Vraiment comment et de Quelle manière furent découverts ces PILIERS, sur lesquels ces SCIENCES avaient été Écrites.*
>
> *LE Grand HERMÉS (Surnommé TRISMÉGISTE, ou le trois fois Grand) Étant à la fois Roi, Prêtre et Philosophe, trouva l'Un d'eux (en ÉGYPTE), et Vécut dans l'Année du Monde Deux Mille Soixante-Seize,*

---

105. Nous conservons ici la graphie (capitales) du texte original. (N.d.T.)

106. Nom générique ancien pour tous les instruments à vent, de type flûte, pipeau, hautbois et autres instruments champêtres. (N.d.T.)

107. Il s'agit d'une matière insubmersible. Mais comme le note le rédacteur du *Dictionnaire de la franc-maçonnerie*, (sous la direction de Daniel LIGOU), op. cit., « on ne sait pas trop comment traduire *later*, car la brique ne flotte pas. » (N.d.T.)

sous le règne de NINUS ; Certains pensent qu'il était le Petit-fils de CUSH, lui-même Petit-fils de NOÉ ; Il fut le premier à apprendre l'Astronomie, à Admirer les autres Merveilles de la Nature ; Il prouva qu'il n'y avait qu'Un DIEU, Créateur de toutes Choses ; Il Divisa le Jour en Douze Heures ; On pense aussi QU'IL fut le premier à Diviser le Zodiaque en Douze Signes. Il fut le ministre d'OSIRIS Roi d'ÉGYPTE ; On dit encore qu'il inventa l'Écriture Ordinaire, et les Hiéroglyphes, les premières Lois des Égyptiens ; Et diverses Sciences, et qu'il les Enseigna à d'autres hommes. (Anno Mundi. MDCCCX.) »[108]

La franc-maçonnerie rappelle ici comment les Grecs élaborèrent leurs croyances à partir des légendes égyptiennes. La datation « *Anno Mundi* » signifie depuis le commencement du monde, ce qui, selon la franc-maçonnerie, correspondrait à l'année 4000 avant notre ère – autrement dit l'époque où la civilisation sumérienne serait sortie apparemment de nulle part ! (Notons avec intérêt que le texte cité nous dit que Thoth/Hermès inventa l'écriture et enseigna les sciences à l'humanité à une date qui correspond donc à 3390 avant notre ère. Comme nous le savons maintenant, cette date précède d'un peu plus de deux cents ans la consolidation du premier royaume unifié de l'ancienne Égypte et l'apparition des plus anciens hiéroglyphes connus.)

Au IVe siècle avant notre ère, la théologie juive était parvenue à maturité : elle possédait ses propres légendes détaillées et son clergé refusait la moindre intrusion des Grecs ou de qui que ce soit d'autre. Cependant, une bonne partie de son peuple oublia promptement les aspects les plus contraignants de leur Alliance avec Yahvé et se tourna avec un grand empressement vers ce nouvel ordre du monde cosmopolite. Bientôt la nouvelle race qui se donnait le nom de Juifs se répandit et établit un quartier propre dans presque chaque ville hellénistique. Les Juifs avaient peu de compétences techniques dans la mesure où leur jeune culture ne possédait pas d'héritage architectural ou manufacturier. Mais au gré de circonstances cruelles, il avaient appris à se débrouiller et à tirer le meilleur parti de toute situation. Une inclination naturelle à faire face à l'adversité les avaient rendus particulièrement aptes à devenir commerçants, acheteurs et vendeurs, ou encore des affairistes qui pouvaient faire un bon et honnête bénéfice en repérant une opportunité que d'autres auraient peut-être manqué. Les Juifs devinrent rapidement des agents respectés du nouveau commerce qui animait l'Empire grec. Un com-

108. *L'Inigo Jones*, daté de 1607.

mentateur les décrivait comme des « Grecs non seulement en paroles mais en esprit ».

Les Juifs apportèrent avec eux leur croyance en Yahvé et leurs livres sacrés furent traduits en koiné, la version citadine commune du grec classique. Ce recueil de textes fut connu sous le nom de *Septante* : le « Livre des Soixante-dix » [109]. Les premières Écritures existaient maintenant en hébreu, en araméen de l'Empire perse et en koiné (grec), et à partir de ce moment, les nouvelles œuvres religieuses pourraient être lues – et même être conçues – dans l'une ou l'autre de ces trois langues.

Cependant, une langue est une chose étrange. C'est un moyen de communication vivant, créatif et particulier qui fonctionne au sein d'une communauté à un moment donné. La traduction est un art imprécis ; ce n'est pas le remplacement scientifique d'un mot par sa contrepartie exacte que beaucoup imaginent. La langue grecque se développa au sein d'un peuple cosmopolite, rationnel et libre penseur qui utilisait la rhétorique et la philosophie avec la plus grande efficacité. Par contraste, le peuple inspiré et irrationnel qui manifesta l'hébreu avait une conception différente du monde. Avec les meilleurs intentions, les Juifs grécophones d'Alexandrie, d'Éphèse et d'autres villes qui traduisaient leurs Écritures ne pouvaient manquer d'en modifier l'atmosphère et le sens.

On appela Diaspora le monde juif hors de Judée et la minorité fidèle restée à Jérusalem fut effrayée par ce que se passait dans ces nouveaux cadres au-delà des frontières. Ils en vinrent à appeler ces Juifs de la Diaspora les « chercheurs de facilités » ou, comme nous dirions aujourd'hui, « la belle vie ». Ils voulaient l'héritage de leur origine juive, mais ils recherchaient aussi toutes les bonnes choses qu'offrait la vie à la grecque. Ils interprétaient la Loi à leur guise et, le pire de tout, ils « transgressèrent » l'Alliance avec l'invention de la synagogue.

« Synagogue » n'est pas du tout un terme hébreu ; c'est un mot grec signifiant « rassembler ». Originellement, c'était un lieu où les Juifs pouvaient se rencontrer et organiser les besoins de leur communauté en vue de respecter les différentes lois, particulièrement leurs règles alimentaires. Cependant, à un moment donné, la synagogue se transforma de lieu d'assemblée en temple, c'est-à-dire un endroit où l'on pouvait réellement vénérer Yahvé. Pour ceux qui croyaient que leur Dieu ne pouvait être adoré que dans Sa maison à Jérusalem, c'était une idée scandaleuse. Dans la Cité sainte, les fidèles de Dieu furent épouvantés par le relâchement croissant des Juifs et ils commencèrent à s'attendre au pire : Yahvé allait horriblement les punir, sauf s'ils retrouvaient une voie beaucoup plus sainte.

109. Voir note 23 p. 60. (N.d.T.)

La religion de Yahvé attirait dorénavant l'attention des occultistes, fascinés par les propriétés magiques qu'ils décelaient en elle et qui lui conféraient une tout autre signification. Les éléments numérologiques les intéressaient et, pour eux, le nom même de Dieu – prononcé Yahvé mais écrit YHVH – revêtait une signification particulière. Les Grecs appelaient ce nom divin le « Tetragrammaton » et ils considéraient les textes juifs comme la source d'une ancienne sagesse ésotérique supposée. De nouveaux cultes se fondant sur les écritures saintes de Yahvé apparurent dans l'empire hellénistique ; mais ceux-là n'étaient pas juifs. Ces Gentils (non Juifs) prenaient ce qu'ils voulaient dans le judaïsme. Comme nous allons le voir, ces groupes vont former le terreau d'un culte à mystères grec ultérieur appelé christianisme.

CONCLUSION

Dans le Temple construit par Salomon pour Yahvé, on avait incorporé l'une des représentations symboliques les plus importantes de la puissance et de la stabilité de la monarchie égyptienne revitalisée : les deux colonnes. Par l'intermédiaire de Josué, Gédéon, Abimélek et Samson, nous savions à présent que ce symbole avait un lien direct avec l'Exode de Moïse. Si les aspects les plus externes du rituel de Sekenenrê avait été transmis aux Israélites par Moïse, on pouvait raisonnablement penser que les cérémonies initiatiques du sacre les plus importantes avaient, elles aussi, survécu. Une fois de plus, un fait historique singulier attira notre attention : après la mort de Salomon, tandis que le royaume d'Israël au nord connaissait de nombreux bouleversements à sa tête, au sud, dans le royaume de Juda, la lignée de David restait ininterrompue pendant plus de quatre cents ans. Nous en sommes arrivés à considérer cette stabilité comme une preuve circonstancielle de la survivance du rituel de résurrection de Sekenenrê, conférant à la lignée de David un « droit divin à régner ». Nous avions trouvé la preuve soutenant cette hypothèse dans la reconstitution rituelle par le roi de la bataille originelle ayant vu le triomphe des forces de lumière sur les forces de ténèbres et de chaos. Cette bataille avait été décrite dans l'« *Enuma Elish* » et nous rappelait fortement le rituel égyptien de l'hippopotame.

Cependant, ce fut notre étude approfondie de la période de l'exil des juifs à Babylone, qui expliqua finalement comment le nom de Sekenenrê avait disparu. Ézéchiel, l'architecte du second temple – imaginaire – de Yahvé, avait dit aux Anciens de Jérusalem exilés de supprimer les pratiques égyptiennes de leurs mystères secrets exécutés dans l'obscurité du

Temple de Salomon. Pour l'avoir tous les deux expérimenté, nous savions que, aujourd'hui encore, le rituel de résurrection de Sekenenrê s'exécute dans l'obscurité.

Nous avions été frappés par les ressemblances avec ce verset ancien de la Genèse (49, 6), qui est la seule référence dans la Bible au meurtre du roi thébain. Le livre d'Ézéchiel continue en racontant comment le prophète avait purgé les enfants d'Israël de leurs pratiques égyptiennes et les avait ramené vers la voie de Yahvé. Nous savions donc maintenant comment Sekenenrê Taâ était devenu Hiram Abif, le roi qui fut perdu. C'était l'œuvre d'Ézéchiel, ce personnage autoritaire, qui cherchait à expliquer pourquoi Dieu n'était pas parvenu à protéger son propre Temple face à ses ennemis.

CHAPITRE XI

LE PESHER DE BOAZ ET JAKIN

Les manuscrits de la mer Morte

Au cours des cinq derniers chapitres, nous avons reconstitué en détail le développement du peuple juif. Nous en étions arrivés à la période précédant directement les événements qui donnèrent naissance à l'Église chrétienne. Creuser au plus profond du lointain passé des esséniens/nazôréens s'était révélé très riche et instructif. Sur la base de tout ce que nous avions découvert, nous avions le sentiment que cette partie de notre quête pouvait s'avérer particulièrement intéressante. Jusque-là, notre concept de royaumes fondés sur la puissance de piliers terrestres jumeaux reliés par un linteau ou une arche céleste n'était qu'une hypothèse ; nous ne pouvions alors qu'espérer qu'une preuve ultime viendrait enfin confirmer ce paradigme.

De tous les groupes existant en Israël à cette époque (c'est-à-dire autour de la naissance du Christ), nous pensions que le plus important était la communauté de Qoumrân qui vivait dans les collines de Judée. Même si elle ne dépassa jamais vraiment un nombre de deux cent personnes à un moment donné, son influence sur le monde futur fut immense.

Nous avions déjà une bonne raison de croire que les auteurs des manuscrits de la mer Morte – cette communauté de Qoumrân – étaient des esséniens, et que ce groupe, les nazôréens et l'Église originelle de Jérusalem ne formaient qu'une seule et même entité. Cette affirmation était appuyée par un important faisceau de preuves et de nombreux spécialistes majeurs l'ont déjà envisagée très sérieusement. Mais nous disposions d'un élément supplémentaire – que nous avait fourni la clé d'Hiram – qui, selon nous, rendait cette assimilation de plus en plus incontestable.

Dans les chapitres IV et V, nous avions exposé notre hypothèse de base, selon laquelle la franc-maçonnerie s'était développée à partir de ce groupe. Mais dorénavant, en raison de la filiation que nous avions trouvée entre cette communauté et les anciens Égyptiens, cette hypothèse devenait plus que probable. Nous devions alors chercher des preuves directes de comportements et de rites maçonniques. Si, comme nous le pensions, il y avait effectivement un lien direct entre la franc-maçonnerie et les Qoumrâniens, et si ces derniers furent bien les premiers chrétiens, le Christ aurait été, en un certain sens, un franc-maçon lui-même. Nous avions conscience que cette affirmation horrifierait de nombreux chrétiens modernes, et particulièrement les catholiques romains. Pourtant, comme nous l'avons découvert et prouvé, c'est exactement ce qu'il fut.

On s'est longtemps demandé si les esséniens de Jérusalem n'étaient pas quelque sorte de protochrétiens, et si Jésus Christ n'avaient pas été l'un d'eux. Seulement on manquait de preuves réelles. Les choses changèrent radicalement lorsque l'on exhuma quelques fragments de manuscrits défraîchis sur le site de l'ancien établissement de Qoumrân (nous avons déjà évoqué cette découverte au chapitre IV). Peu après, tout le site fit l'objet de fouilles massives, orchestrées par le *Jordan Department of Antiquities* [Département des antiquités de Jordanie], l'École archéologique française et le *Palestine Archaelogical Museum* (sous la direction de G.L. Harding et du père R. de Vaux), au cours de cinq campagnes entre 1951 et 1956. Pour un théologien, leur découverte fut de l'ordre de la nitroglycérine : le monde du christianisme pouvait exploser si tout cela n'était pas manipulé avec le plus grand soin. Seulement, malgré tous les efforts entrepris dans ce sens par l'Église chrétienne, il ne fut pas possible de garder sous le boisseau cette matière explosive. Ceux qui avaient la responsabilité de cette recherche n'étaient pas des érudits indépendants : ils avaient une foi à protéger et une organisation à maintenir. Les spécialistes qui avaient accès aux manuscrits et qui trouvaient des éléments semblant modifier la perception commune du Christ et du Nouveau Testament étaient efficacement réduits au silence ou discrédités.

On hurla au scandale contre les détenteurs des manuscrits ; on les accusa de dissimulation de preuves, d'occultation de la vérité. Les accusés répondirent par des dénégations et contre-attaquèrent en parlant d'« imagination débordante » et de « sensationnalisme délibéré ». De fait, après leur découverte, plus de la moitié des huit cents manuscrits exhumés ne furent pas publiés pendant plus de quarante ans. La communauté intellectuelle était outragée par cette occultation sans précédent d'une connaissance qui aurait dû être publique. Aussi, après de vastes protestations, conduite par la Huntington Library of San Marino (Californie), les autorités israéliennes rendirent public en octobre 1991 leur contenu en levant les restrictions d'accès aux manuscrits.

On avait trouvé différentes versions des textes bibliques. Toutes étaient antérieures de plus d'un millénaire aux plus anciens manuscrits hébreux survivants dus à Aaron ben Moses ben Asher (1008 de notre ère). Avant la découverte des manuscrits de Qoumrân, les mondes juif et chrétien ne savaient pas avec certitude dans quelle mesure l'Ancien Testament actuel était ou non exact. Nous savions simplement que, pendant l'ère chrétienne, même la plus infime variation était désapprouvée. Le monde disposait désormais d'une grande quantité de textes concurrents qui tous avaient été soigneusement entreposés dans les grottes de Qoumrân. Grâce à ceux-là, nous savions donc maintenant qu'il y avait eu un grand nombre de variantes et que le texte traduit en grec pour la *Septante* n'était que l'une d'elles. En somme, il n'existe pas de version « exacte » de la Bible.

Tout le domaine d'investigation relatif à Qoumrân est un champ de mine pour les chrétiens, beaucoup ont donc préféré ne pas s'approcher du sujet. Alors que le judaïsme et la plupart des autres religions se fondent sur un large corpus social et théologique, le christianisme repose entièrement sur l'idée qu'un jour, un dieu fait homme est mort (bien que temporairement) sous la torture pour la rémission des péchés des hommes qui Le vénéraient. Jusqu'à une date récente, nous ne disposions que d'un unique témoignage relatif à cet événement charnière : les trois Évangiles synoptiques du Nouveau Testament. Mais ceux-ci furent écrits longtemps après les événements qu'ils décrivent par des personnes qui n'étaient pas elles-mêmes impliquées et qui ne pouvaient être correctement identifiées. On sait maintenant que l'histoire de Jésus racontée par ces Évangiles est dans une large mesure une fiction mise en scène pour habiller ses enseignements et les rendre plus « accessibles » aux lecteurs. L'analyse des Évangiles de Matthieu et de Luc ont montré qu'ils sont un amalgame de deux traditions distinctes de l'Église, fondé sur une combinaison de l'Évangile de Marc et d'un Évangile perdu plus ancien auquel on fait maintenant référence sous la lettre « Q » (dérivant du terme allemand *Quelle*, signifiant « source »). On sait également aujourd'hui que le récit de la naissance de Jésus dans Marc et Luc est une totale invention due à des personnes qui ne connaissaient et ne comprenaient pas les circonstances historiques et politiques de l'époque. Tels qu'ils sont décrits, les événements n'ont tout simplement pas pu exister. Un exemple parmi d'autres : on associe le roi Hérode au recensement romain réalisé sous Quirinius, alors qu'Hérode mourut en 4 avant notre ère, soit dix ans au moins avant l'entrée en scène de Quirinius[110]

D'autres spécialistes, comme Morton Smith, ont détecté l'existence

---

110. G. W. BUCHANAN, *Jesus : The King and His Kingdom.*

d'un Évangile secret, dont des éléments seraient sous-jacents dans les quatre Évangiles du Nouveau Testament et qui serait, pense-t-on, antérieur à l'Évangile de Marc[111]. Si cet Évangile secret de Jésus exista jamais sous une forme écrite, nous ne pouvions nous empêcher de penser qu'il devait être – avec une forte probabilité – le document se trouvant au cœur de notre quête : le manuscrit trouvé par les chevaliers du Temple !

Cette hypothèse est corroborée par les manuscrits de Qoumrân, qui démontrent qu'il existait une tradition secrète que les membres devaient jurer de ne jamais divulguer. Ces secrets étaient écrits et gardés prêts pour le jour où Dieu rendrait visite à son peuple à la fin des temps.[112].

En dehors des textes que nous venons de voir, on ne trouve quasiment aucune référence à Jésus dans les documents connus. C'est très surprenant, surtout quand on sait que des historiens comme Flavius Josèphe, Philon et Pline l'Ancien recensaient presque tout ce qu'il y avait à noter à l'époque. Comme nous l'avons déjà précisé, on peut normalement comprendre un personnage historique à travers ce qu'en disent les sources indépendantes ou même ses ennemis. Mais, dans le cas présent, on peut considérer que les premiers inventeurs du christianisme firent du bon travail en supprimant presque toute preuve de l'existence mortelle d'un personnage qu'ils voulaient représenter comme un dieu. Cependant, leur entreprise ne réussit pas totalement. Et grâce à la chance et à l'analyse déductive moderne, nous disposons de nouveau de nombreuses informations ressorties soudainement. De ce fait, les étranges interprétations de l'Église romaine originelle sont mises à mal par la vérité.

Cette mise à nu du christianisme, cette menace qui pèse sur lui, est unique. Aucun afflux soudain d'informations les concernant ne pourrait fondamentalement porter atteinte au judaïsme, à l'islam, au bouddhisme, ou même, en cette matière précise, aux systèmes de croyances des Aborigènes australiens ou des Indiens d'Amazonie : manifestation d'une compréhension spirituelle profonde, toutes ces religions émanant d'une culture propre et ont évolué lentement à partir de celle-ci. Le bouddhisme n'a pas besoin de Gautama Bouddha pour exister, et sans Mahomet, l'islam vit quand même. Mais sans la résurrection de Jésus, le christianisme (tel qu'il se présente actuellement) n'est rien. On comprend donc pourquoi l'Église traite avec un grand soin toute nouvelle information concernant cet infime moment de l'Histoire relativement récente qui vit, selon elle, le créateur de tout l'univers décider de s'incar-

---

111. M. SMITH, *The Secret Gospel.*
112. D.S. RUSSELL, *The Method and Message of Jewish Apocalyptic*

ner dans un Juif vivant. Le christianisme est aujourd'hui exposé à la lumière de la vérité.

Or, si l'on peut démontrer que toute le fondement du christianisme est une stupide méprise, le Vatican demandera-t-il pardon pour l'inconvénient qu'il a causé, proclamera-t-il son auto-dissolution et transmettrat-il sa richesse et sa puissance au grand rabbin ? Non. Aucune preuve ne pourrait entraîner cela, et c'est peut-être une juste chose parce que l'Église est trop grande et trop importante pour disparaître soudainement. Mais, par ailleurs, il ne peut être juste de dissimuler la vérité, parce que la vérité est certainement l'essence de Dieu. Il existe probablement un moyen pour que l'Église survive en repensant ses idées et principes qu'elle sait faux. Il doit exister un moyen pour l'Église de survivre en repensant ce qu'elle sait être des idées fausses. Il existe une vieille histoire juive qui illustre bien l'affaire :

À un rassemblement de rabbins, les sages débattaient d'un passage de la Sainte Loi. L'un d'eux se retrouva en désaccord avec le reste du groupe sur un point d'interprétation. Une grande pression s'exerça sur lui pour qu'il se range à l'avis des autres, mais il savait qu'il avait raison et que Dieu serait donc de son côté. Il invoqua alors le Tout-Puissant pour qu'il l'aide à prouver ce qu'il avançait. « S'il te plaît, Dieu, si j'ai raison, fais que les rivières d'Israël inversent leurs cours », implora le rabbin. Immédiatement les eaux du pays changèrent de direction. Malheureusement ses adversaires restèrent sur leur position. « S'il te plaît, Dieu, demanda encore le rabbin exaspéré, si j'ai raison, fais que les arbres s'inclinent jusqu'au sol. » C'est ce qu'ils firent. Mais de nouveau ses coreligionnaires demeurèrent intransigeants. « Cher Dieu, invoqua-t-il en sentant croître sa frustration, pourrais-tu parler haut et fort et me soutenir. » Les nuages se séparèrent promptement et une grande voix tomba des cieux. « Mes amis, je dois vous dire que vous avez tort et qu'il a raison. C'est ce que j'ai voulu. » L'Ancien isolé sourit triomphalement... mais le groupe ne fut pas pour autant impressionné. « Oh, nous n'accordons aucune attention aux voix célestes, répondirent-ils, parce que l'interprétation correcte de cette question a été écrite il y a bien longtemps. »

Cette histoire humoristique dit tout. Même imprécises, les anciennes Écritures ont acquis une vie propre et finalement la religion n'a rien à faire avec la vérité historique, mais avec la foi. Seulement, dans notre monde moderne, la foi aveugle n'est plus suffisante... plus tout à fait suffisante. Si la religion veut survivre, elle ne doit pas se détourner des informations nouvelles.

Mettre le dogme au-dessus de la vérité n'est pas une bonne manière d'honorer Dieu.

Les livres des Maccabées manquants

L'histoire officielle considère la révolte des Maccabées comme une cause juive ayant le droit de son côté et voit l'accession de Jonathan Maccabée à la haute prêtrise comme un événement populaire. Le premier postulat est probablement exact. En revanche, grâce aux manuscrits retrouvés à Qoumrân, nous savons aujourd'hui que les hassidims[113] (ou les juifs de stricte observance) estimaient que Jonathan était un choix scandaleux qui plaçait la politique devant Yahvé.

Quand Jonathan fut assassiné, son frère Simon devint le grand prêtre. Il poussa les choses encore plus loin en proclamant un « droit » héréditaire de sa famille à occuper la charge de grand prêtre. Cette prétention fut gravée dans le bronze et placée dans le temple. La Bible catholique romaine de Douai nous raconte comment Simon commença à se voir comme un acteur sur la scène mondiale quand il envoya un ambassadeur et des offrandes à Rome. On peut trouver une allusion à l'accession illégitime de Simon à la haute prêtrise dans le Psaume 110.

Les passages suivants des manuscrits montrent clairement ce que la communauté de Qoumrân pensait du clergé de Jérusalem :

> *Les prêtres de Jérusalem, qui entasseront richesse et injuste gain en pillant le peuple. (1 QpHab 9 : 4-5)*
> *La Cité est Jérusalem dans laquelle le prêtre maudit exécutait ses abominations et profanait le Temple de Dieu. (1 QpHab 12 : 7-9)*

On se perd dans les noms utilisés pour désigner la famille qui s'empara de la haute prêtrise. Le fondateur est appelé Mattathias, mais le terme « Maccabée » est utilisé pour son fils Judas et la littérature rabbinique nomme collectivement la lignée qu'ils engendrèrent « les Hasmonéens [ou Asmonéens] ». D'après l'historien Flavius Josèphe, ce nom venait de l'arrière-grand-père de Mattathias, Ashmon [*Hashmon*]. Quand Simon fut assassiné, son fils Jean Hyrcan le remplaça et régna pendant trente ans ; puis son fils, Aristobule, triompha brièvement et fut le premier Asmonéen à se dire roi des Juifs autant que grand prêtre. La lignée perdura jusqu'à ce que les rôles de roi

---

113. De l'araméen *Hassidim*, « pieux ». On utilise également le nom d'Assidéens, Assidiens, Hasidéens, voire Chasidim. Il s'agit des juifs qui, à partir du IIIᵉ siècle avant notre ère, se sont opposés aux innovations grecques dans le sein du judaïsme. Au XVIIIᵉ siècle, une secte juive a repris ce nom en Pologne et reste vivace – bien que minoritaire – aujourd'hui. (N.d.T.)

et de grand prêtre se séparent de nouveau à la mort de la reine Alexandra en 67 avant notre ère, quand son plus jeune fils Aristobule II devint roi et que son aîné, Hyrcan, devint grand prêtre.

La Bible catholique romaine de Douai fournit une histoire très complète de cette période d'intrigue politique, de meurtre et de corruption généralisée et elle décrit les Asmonéens comme des héros juifs. En revanche, la Bible du roi James est muette sur cette question. Les deux derniers livres de la Bible de Douai sont les premier et deuxième livres des Maccabées – textes totalement absents de l'Ancien Testament protestant.

Pourquoi en est-il ainsi ? Le fait que ces deux livres soient manquants dans la Bible du roi James est très révélateur. Une raison très importante doit expliquer pourquoi la Bible catholique présente l'histoire de la révolte maccabéenne et la haute prêtrise asmonéenne comme légitime, alors que la Bible du roi James ne retient pas ces Écritures. Pourquoi ces textes étaient-ils mal venus et quels éléments venus à leur connaissance incita les compilateurs – beaucoup plus tardifs – de la Bible protestante à rejeter ces œuvres depuis longtemps acceptées et inspirées – suppose-t-on – par Dieu ?

Les seules personnes qui savaient que le règne des grands prêtres et rois asmonéens était illégitime étaient les membres de la communauté de Qoumrân qui méprisaient ces faux grands prêtres et leur soumission politique aux Romains. Mais les Qoumrâniens furent pratiquement exterminés pendant la guerre contre les Romains en 66-70 de notre ère et on laissa les juifs/chrétiens de la Diaspora (les « chercheurs de facilités ») raconter l'histoire à leur façon. Cependant, si les Qoumrâniens avaient perdu une bataille, ils remportèrent la guerre. En enterrant la véritable histoire juive sous la forme de manuscrits, le message parvint finalement entre les mains des auteurs de la Bible protestante... grâce aux fouilles des chevaliers templiers au début du XIIe siècle.

Les élus de Juda

Les Juifs revenant de leur captivité à Babylone furent ramenés à Jérusalem par Zorobbabel, l'homme qui, dans un autre contexte, aurait pu être leur roi. Lui et les membres de son groupe intérieur – nommés dans la Bible[114], Josué [*Jeshua*], Néhémie [*Nehemiah*], Seraya [*Seraiah*], Réélaya [*Reelaiah*], Mordokaï [*Mordecai*], Bilshân, Mispar, Bigvaï, Rehum et Baana [*Baanah*] –, revenaient chez eux avec la cérémonie secrète de la lignée royale de David. Elle était maintenant un peu diffé-

---

114. Livre d'Esdras, 2, 2. (N.d.T.)

rente parce que, suivant le conseil d'Ézéchiel, les éléments les plus ouvertement égyptiens avaient été échangés contre des éléments spécifiquement hébreux. Mais globalement, elle demeurait intacte. En reconstruisant le Temple selon le plan indiqué par Ézéchiel, une nouvelle confiance les envahit : ils allaient bâtir un nouveau Temple et contracter une nouvelle Alliance avec Yahvé. Inébranlable, celle-là. Plus jamais, Son peuple ne pécherait et plus jamais leur Dieu n'aurait besoin de les châtier si durement.

Lorsque l'on entame quelque chose, on ressent toujours une confiance particulière : « Cette fois ça va marcher ! » C'est dans la nature humaine de se sentir plus fort parce que l'on croit que l'avenir sera plus facile que le passé. Mais comme beaucoup en ont fait l'expérience, c'est rarement le cas.

Il est très probable que les descendants de Zorobbabel et de son groupe intérieur – ceux que l'on appelle les hassidims – quittèrent Jérusalem quelque part entre 187 et 152 avant notre ère. Le manuscrit appelé *Écrit de Damas* (ainsi dénommé parce que la communauté se présentait parfois à elle-même comme « ceux de Damas » [*Damascus*]) nous livre le meilleur indice sur la fondation de la communauté de Qoumrân :

> Car dans leur déloyauté, quand ils le quittèrent, Il détourna son visage d'Israël et de Son Temple, et Il les livra aux glaives. Puis Il se souvint de l'Alliance des Patriarches, Il laissa un vestige d'Israël et ne les laissa pas totalement annihiler. Au terme de sa colère – 390 années après qu'Il les eut livrés aux mains de Nabuchodonosor, roi de Babylone – Il leur rendit visite et fit jaillir d'Israël et d'Aaron une racine pour qu'elle envahisse Son pays et croisse admirablement sur sa terre féconde.
>
> Alors ils comprirent leur iniquité et surent qu'ils étaient coupables. Depuis vingt ans, ils étaient comme des aveugles, comme des hommes cherchant leur route à tâtons. Et Dieu considéra leurs actes, Il vit qu'ils Le cherchaient de tout leur cœur, alors Il leur envoya un maître de Justice [ou de rectitude] pour les guider sur la voie de Son cœur. Puis Il fit savoir à tous ce qu'Il avait fait de la dernière génération, la congrégation des traîtres, ceux qui s'étaient détournés de la voie. (*CD* 1, 3-13)

Nous disposons ici d'une allusion temporelle lorsque l'on dit que les Juifs étaient « aux mains de Nabuchodonosor ». Si nous considérons que cette référence correspond à la première prise de Jérusalem en 597 avant notre ère et non à la destruction de la ville en 586 avant notre ère, nous enlevons 390 années et vingt années de « tâtonnements » et nous obtenons 187 avant notre ère comme date la plus précoce pour la fondation de Qoumrân. Cette datation ne doit pas être prise trop littéralement, mais nous pouvons être certains que la communauté était en place en 152 avant notre ère, quand les Qoumrâniens s'élevèrent contre l'accession de Jonathan, le chef des Maccabées, à la haute prêtrise. Les manuscrits récupérés dans les grottes de Qoumrân – particulièrement le *Manuel de Discipline* et le Commentaire sur les deux premiers chapitres du *Livre d'Habacuc* – évoquent leur aversion particulière pour cette désignation. Ils s'exilèrent de leur plein gré. Retirés dans le désert, ils se voyaient comme le peuple de la nouvelle Alliance avec Yahvé, les « élus de Juda », s'imposant une rude existence monastique qui deviendrait le modèle des ordres chrétiens. Ils se définissaient comme « les hommes qui s'engagèrent dans une nouvelle Alliance au pays de Damas ». (Il est aujourd'hui largement admis que Damas était le nom qu'ils utilisaient pour désigner Qoumrân plutôt qu'une référence à la ville syrienne[115]).

Les fouilles ont démontré que la population de Qoumrân vivait probablement dans des tentes et utilisait les grottes des falaises alentour comme greniers à provisions et abris occasionnels lors des très rares pluies hivernales. Sur le site, on trouvait des bâtiments, incluant une tour de guet, des salles d'assemblées publiques, un réfectoire avec cuisines et garde-mangers, un scriptorium, une boulangerie, un établissement de potier avec son four, différents ateliers et de grandes citernes pour les ablutions cérémonielles. Pour entretenir sa pureté sacrale, les ablutions rituelles étaient essentielles, aussi de grandes quantités d'eau étaient-elles nécessaires dans cette région à très faible pluviométrie.

Les membres de la communauté étaient divisés en trois groupes : « Israël », « Levi » et « Aaron ». Israël désignait l'appartenance ordinaire ; les lévites étaient les prêtres de rang inférieur et Aaron désignait les prêtres les plus élevés et les plus saints. Comme en franc-maçonnerie, tout homme capable d'affirmer sa croyance en Dieu pouvait demander à rejoindre la communauté – la « multitude », selon leur propre terme. Il existe un certain nombre de ressemblances spécifiques entre la franc-

---

115. On dit aussi qu'« entre 67 et 63 avant notre ère, Qooumrân est attaqué par les Asmonéens ; le Maître de Justice, capturé par eux, est condamné à l'exil, et est suivi ou rejoint, à Damas, par les membres fidèles de sa communauté. L'exil de Damas dura depuis les années 67-63 jusqu'à l'année 24 ou 23 avant notre ère. Pendant cet exil, une "Nouvelle Alliance" est conclue par Yahweh avec le Maître de Justice. » Ernest-Marie Laperroussaz, « Les manuscrits de la mer Morte : Témoins d'une communauté », in Revue *Notre Histoire*, n°119, Paris, Février 1995, p. 31. (N.d.T.)

maçonnerie et Qoumrân dans le traitement des nouveaux membres – à commencer par l'entretien avec un Conseil pour examiner la candidature et établir la rectitude du postulant, après quoi on procédait au vote. S'il était accepté, le candidat était admis à un grade inférieur pour la durée d'un an – période au cours de laquelle il ne devait pas mêler sa richesse à celle de « la multitude ». Le premier degré en maçonnerie, celui d'« Apprenti », est censé durer un an, et au cours de la cérémonie d'initiation, on demande au candidat de ne porter ni pièces de monnaie, ni d'autres objets métalliques. Pendant l'initiation, on le prie de donner de l'argent. Il répond naturellement qu'il n'en a pas, et alors on lui dit qu'il s'agissait d'un test pour s'assurer qu'il n'avait pas introduit de pièces de monnaie ou d'autres valeurs dans la loge.

Après un an de présence dans la communauté de Qoumrân, le candidat subissait un examen pour évaluer sa connaissance des livres de la Torah ; avant de pouvoir accéder au statut de compagnon, un frère maçon doit être testé sur sa connaissance du rituel. Comme en franc-maçonnerie jadis, la majorité des membres de Qoumrân ne pouvait dépasser le second degré d'appartenance. Mais, au terme d'une année supplémentaire, quelques individus élus pouvaient accéder à un troisième degré, ce qui leur permettait d'« approcher du Conseil secret de la Communauté ». Cela nous rappelle les secrets d'Hiram Abif révélés au franc-maçon qui devient Maître maçon en étant élevé au troisième degré. Comme chez les chevaliers templiers, au terme de leur première année, les initiés devaient remettre toute leur richesse. C'est naturellement une procédure que la franc-maçonnerie ne pourrait adopter sans disparaître en tant qu'organisation du jour au lendemain !

Les vertus positives enseignées dans la communauté de Qoumrân sont clairement exposées dans les manuscrits : vérité, rectitude, bonté, justice, honnêteté et humilité associées à l'amour fraternel. Les trois degrés de la communauté de Qoumrân ressemblent tant à ceux de la franc-maçonnerie qu'il ne peut s'agir d'une pure coïncidence. Reprenons notre technique consistant à utiliser le rituel maçonnique en modifiant simplement les quelques mots identifiant. En appliquant cette méthode à ce discours s'adressant à un initié du troisième degré, on pourrait aisément croire qu'il s'agit d'une citation des manuscrits concernant un homme venant d'être élevé au troisième degré qoumrânien, la « Pureté de la Multitude » :

Le zèle que vous avez montré pour l'institution de la Communauté de la Multitude, le progrès que vous avez accompli dans l'Art et votre soumission aux règlements généraux, vous ont désigné comme un sujet digne

*de notre faveur et de notre estime. En qualité de membre du Conseil
Secret, vous êtes désormais autorisé à corriger les erreurs et irrégularités des
Frères et Compagnons et de les mettre en garde contre tout manquement
à leur fidélité.*

*Améliorer la moralité des hommes dans la société et corriger leurs com-
portements doit être votre souci constant. À cette fin, vous devez donc toujours réclamer des inférieurs, obéissance et soumission ; des égaux, cour-
toisie et amabilité ; des supérieurs, bienveillance et condescendance. Vous
devez inculquer la bienveillance universelle et être, par la régularité de
votre comportement, un exemple pour les autres.*

*Vous devez préserver le caractère sacré et inviolable des anciennes lois
[Landmarks] d'Israël, qui sont ici confiées à votre garde, et ne jamais
supporter une transgression de nos rites ou une déviation des us et coutumes établis.*

*Devoir, honneur et gratitude vous engagent maintenant à être fidèle
à vos obligations ; à assumer avec une dignité bienséante votre nouveau
personnage et à faire respecter les dogmes du système de Dieu par l'exemple
et le principe.*

*Donc, ne laissez aucune raison vous détourner de votre devoir, vous
amener à violer vos vœux ou à trahir la confiance placée en vous, mais
soyez authentique et fidèle et imitez l'exemple de Taxo, cet artiste célébré,
que vous avez incarné.*

Avant d'étudier leurs secrets comparés, on peut remarquer qu'il existe
certains handicaps étrangement similaires interdisant l'appartenance chez
les deux ordres. Un homme ne pouvait rejoindre la communauté de
Qoumrân, s'il était simple d'esprit ou « tourmenté dans sa chair, affligé
dans ses pieds ou ses mains, boiteux ou aveugle, sourd ou muet, frappé
d'un défaut sur sa peau visible à l'œil nu, ou un vieillard branlant incapable de se tenir droit au milieu de la Congrégation. » Bien que la règle
ne soit plus rigoureusement appliquée, la franc-maçonnerie requiert des
candidats qu'ils soient sains de corps et d'esprit, et tout handicap physique est supposé empêcher l'admission[116].

116. De nombreuses explications ont été avancées pour expliquer ces disqualifica-
tions. Par exemple : « Une infirmité, même corporelle, peut conduire le sujet qui veut
surmonter son état à un autre climat psychique préjudiciable aux dispositions naturelles, et même agir sur le plan initiatique. C'est encore René Guénon qui a montré que
nous devions prononcer les mots dans leur cadence propre, dans une prononciation
rythmée ; que nos gestes, notre respiration devaient laisser passer les courants subtils
qui traversent notre corps ; des infirmités, même peu apparentes, peuvent empêcher le

La Communauté qui vécut à Qoumrân pendant environ deux cent cinquante ans est souvent qualifiée de monastère essénien par les observateurs modernes. Il est aujourd'hui parfaitement admis par la plupart des spécialistes qu'ils aient été des esséniens. Mais le terme « monastère » peut prêter à confusion, en ce sens que Qoumrân n'était pas un rassemblement d'hommes célibataires mâles passant presque tout leur temps « libre » en prières. Les manuscrits relatifs à la communauté nous montrent que le célibat était tenu en haute estime, mais il n'était pas une condition *sine qua non* de l'appartenance. Quoi qu'il en soit, les relations sexuelles étaient considérées comme profondément souillantes et si un homme avait le moindre contact avec une femme pendant sa menstruation, il allait devoir se livrer à une quantité impressionnante de purifications avant de pouvoir se mêler de nouveau à la communauté. L'esprit occidental moderne aime les étiquettes. Nous voulons pouvoir mettre dans une case tout ce que nous rencontrons : est-ce un « A » ou est-ce un « B » ? Nous avons bâti tant de définitions et de catégories que nous sommes quelque peu déconcertés s'il est impossible de ranger quelque chose dans une boîte. Mais ce qu'il y a de particulier avec la communauté de Qoumrân, c'est qu'elle changea spectaculairement au cours de son quart de millénaire d'existence, particulièrement vers la fin sous l'influence de Jésus et Jacques.

Midrash, pesher et parabole

Tous ceux qui étudient l'ancien judaïsme s'aperçoivent que l'esprit juif d'il y a deux mille ans et plus était assez différent de celui d'aujourd'hui et ils ont besoin de comprendre les principes des *midrash, pesher* et parabole. Le terme *midrash* correspond pratiquement au mot « exégèse » et il peut être défini comme « l'étude et l'interprétation des Écritures hébraïques dans le but de découvrir les vérités et instructions théologiques à suivre ». C'est un concept intimement lié à une technique de compréhension des événements appelée *pesher*. Celle-ci peut se traduire comme l'interprétation ou l'explication d'un verset des Écritures dans

profond déroulement de ce travail rituélique. » (Jean-Pierre Bayard, *La Spiritualité de la franc-maçonnerie : De l'ordre initiatique traditionnel aux obédiences*, Dangles, Saint Jean de Braye, 1982. p. 210). Et Jean-Pierre Bayard ne manquait pas de signaler que l'Église catholique elle-même appliquait des critères d'exclusion à l'ordination sacerdotale, notamment la « règle des B » : bancal, bossu, borgne, bigle, bègue, etc. (*ibid*). (N.d.T.)

lequel une formulation donnée serait censée avoir une signification concernant un événement (ou une personne) présent ou futur. Le *midrash* était donc un processus actif et permanent pour les prêtres et les prophètes d'Israël cherchant des instructions pour améliorer le bien-être spirituel du peuple, et le *pesher* était une méthode pour donner du sens à tout ce qui survenait autour d'eux. Ils croyaient que les événements ne devaient rien au hasard, mais qu'ils se conformaient à des schémas type structurés pouvant être déchiffrés grâce à l'étude des Écritures. Du fait de ces deux principes, lorsqu'ils écrivaient l'histoire d'un événement récent, ils s'assuraient probablement qu'il reproduisait bien un schéma ancien. C'est pourquoi, tant dans le Nouveau Testament que dans les manuscrits de Qoumrân, nous trouvons autant de références qui font écho à des passages de l'Ancien Testament.

Le terme « parabole » est familier des chrétiens, parce que le Nouveau Testament nous dit que Jésus Christ utilisait cette forme narrative pour communiquer son enseignement moral à la population simple de Judée. La méthode peut se définir comme « une explication imagée pouvant contenir soit une allégorie, soit une métaphore, soit les deux, permettant de transmettre un enseignement plus profond dissimulé sous le récit apparent ». Ces histoires n'étaient pas seulement utilisées comme de simples analogies[117] pour aider les Juifs incultes à comprendre la Loi, elles étaient aussi une technique pour expliquer les événements d'une manière allégorique et donc secrète. Il est absolument incontestable que le christianisme était un culte juif et que tous ses « acteurs originels » (Jésus, Jacques, Simon-Pierre, André, Judas, Thomas, etc.) étaient des gens qui pensaient en termes de *midrash, pesher* et parabole. Par contraste, ce que nous pourrions appeler la « seconde génération » (Paul, Matthieu, Luc, etc.) était assez différente et utilisait des processus intellectuels plus hellénistiques, donc plus proches du mode de pensée moderne. Les Évangiles du Nouveau Testament furent presque certainement tous écrits après la destruction de Jérusalem et de Qoumrân et la mort des « acteurs originels » (ou « première génération »). Ces textes furent conçus pour un public d'esprit grec. Leurs auteurs prirent les enseignements qu'ils considéraient comme ceux de leur Christ, puis ils brodèrent autour une histoire pour ce Christ, sans bénéficier de l'aide du moindre témoin oculaire réel. Pour séparer le fait de la fiction dans le Nouveau Testament, il faut enlever le littéralisme grec pour retrouver en dessous le courant de pensée juif et protochrétien radical sous-jacent.

---

117. « Parabole » vient du grec, *parabolê*, « comparaison ». (N.d.T.)

Il existe des ressemblances fondamentales entre ce que la communauté de Qoumrân et l'Église primitive disaient d'elles-mêmes. Présentée comme une secte distincte, cette dernière se désignait comme « Ceux de la Voie » ou la « Voie de Dieu » (Actes 24, 14[118]). Les membres de la communauté de Qoumrân utilisaient ce même terme pour se décrire. Mieux, les deux groupes se définissaient comme les pauvres, les enfants de lumière, les élus de Dieu, une communauté du Nouveau Testament ou de la Nouvelle Alliance[119]. Ce concept d'Église comme nouveau Temple de Dieu avec un sacrifice rédempteur exécuté une fois pour toutes pour le monde entier, vient du huitième chapitre de l'Epître aux Hébreux, qui cite intégralement le passage de Jérémie qui lui est antérieur :

Un édifice éternel, une sainte maison d'Israël, une très sainte assemblée pour Aaron, témoins de Vérité dans les jugements, et choisi par la faveur divine pour racheter la terre, et pour renvoyer les mauvais dans leurs déserts. C'est le mur éprouvé, la précieuse pierre d'angle, dont la fondation ne sera ni ébranlée ni déplacée.

Nous ne pouvons nous empêcher de noter l'extraordinaire ressemblance avec cette description de Pierre[120] :

Vous aussi, comme pierres vivantes, participez à l'édification d'une demeure spirituelle, pour être un saint sacerdoce, en vue d'offrir des sacrifices spirituels, agréables à Dieu par Jésus Christ. Parce que cela se trouve dans les Écritures : "Voici que je pose en Sion une pierre d'angle maîtresse, choisie, précieuse [...] Mais vous êtes la race élue, un sacerdoce royal, une nation sainte, le peuple de Dieu" [...][121]

C'est en 1956 que cet étroit parallèle fut noté pour la première fois, quand il devint clair qu'il existait une connexion très particulière entre les Qoumrâniens et l'Église de Jérusalem. En revanche, à l'époque, on n'avait pas remarqué à quel point ces citations s'accordaient aussi avec une autre organisation, la franc-maçonnerie. Alors que toute la franc-

---

118. « C'est suivant la Voie, qualifiée par eux de parti, que je sers le Dieu de mes Pères ». (N.d.T.)

119. Le terme « testament » dans les expressions « Ancien et Nouveau Testaments » est la traduction des mots hébreux et grec correspondant au latin *testamentum*, qui serait mieux rendu par Ancienne et Nouvelle Alliances. (N.d.T.)

120. 1 P 2, 5-6 ; 2, 9. (N.d.T.)

121. John ALLEGRO, *The Dead Sea Scrolls*.

maçonnerie tourne autour de la construction d'un temple spirituel sur le modèle de celui de la vision d'Ézéchiel, l'« adresse dans l'angle nord-est » vient immédiatement à l'esprit[122] :

> *Lors de l'érection de tout édifice majestueux ou grandiose, il est coutumier de poser la première pierre ou pierre de fondation dans l'angle nord-est du bâtiment.*
>
> *En tant que nouvel admis au sein de la franc-maçonnerie, vous êtes placé dans l'angle nord-est de la loge, pour représenter symboliquement cette pierre et, à partir de cette fondation posée ce soir, puissiez-vous construire un édifice, parfait dans sa structure et honorable pour son architecte.*

Les secrets de Qoumrân

Quand les esséniens furent d'abord contraints de quitter Jérusalem, on nous dit qu'ils « errèrent à l'aveuglette » pendant vingt ans jusqu'à ce qu'un homme appelé le Maître de Justice [ou de Rectitude] leur montrât « la Voie ». La communauté s'établit alors sur des bases solides à Qoumrân. La difficulté avec les manuscrits de Qoumrân, c'est qu'ils nous donnent rarement les noms des individus. Il est dès lors impossible d'identifier les personnages en comparant les manuscrits avec d'autres sources. À côté du Maître de Justice, des personnages majeurs reviennent dans les manuscrits, comme le « prêtre impie » et le « menteur », dont les identités ont fait l'objet de nombreux débats entre spécialistes.

Quelle que fût l'identité du Maître de Justice, il fut très probablement un pieux saint homme et apparemment un descendant sacerdotal de Sadok. Il révéla à sa communauté qu'ils vivaient à une époque qui verrait « la fin des jours » comme l'avaient prédit les anciens prophètes. Bientôt, il leur dit que Dieu écraserait Ses ennemis au cours d'une ultime bataille cosmique et inaugurerait un nouvel âge de justice et de rectitude, et comme la communauté était le dernier vestige du véritable Israël – le peuple de l'Alliance de Yahvé –, ce seraient eux qui combattraient dans cette bataille et retourneraient à Jérusalem pour purifier le Temple et réinstaurer un culte convenable.

Les Qoumrâniens utilisaient plusieurs expressions pour se décrire, dont « la Communauté », « la Multitude », « la Congrégation d'Israël »

---

122. Le nord-est est la place de l'Apprenti dans le rite Émulation (rite de la Grande Loge Unie d'Angleterre). (N.d.T.)

et « les Fils de Lumière ». En outre, l'homme qui les conduirait « à la fin des temps », le Messie davidique, portait des titres comme « le Puissant », « l'Homme de Gloire » et le « Prince de Lumière » qui vaincrait le « Prince des Ténèbres » et la « Congrégation de Bélial » (Satan). Un manuscrit intitulé *Midrash sur les derniers jours* nous raconte comme les « Enfants de Bélial » allaient fomenter des complots démoniaques contre les « Fils de Lumière » pour les abattre et, aux derniers jours, les rois des nations se précipiteraient contre les élus d'Israël. Cependant, Dieu sauvera Son peuple grâce à deux hommes qui se lèveraient à la fin des temps : l'un serait du « Rameau de David » et l'autre serait « l'Interprète de la Loi » [123].

Les manuscrits nous apprennent qu'il existait certains livres secrets contenant des informations sur les événements futurs et des références à certains rituels révélés par Dieu. Normalement tous ces éléments étaient transmis oralement aux personnes choisies seulement, mais dorénavant ils avaient été couchés par écrit sous forme codée. L'accès à ces secrets était éminemment confidentiel. On disait qu'ils avaient été transmis selon une longue ligne de tradition secrète, pour être fidèlement préservé « jusqu'aux derniers jours ». Le père J.T. Milik, qui dirigea une bonne partie des premiers travaux sur les documents de Qoumrân, constata que certains rouleaux secrets utilisaient des procédés de cryptage. Par exemple, on pouvait utiliser deux alphabets où des signes arbitrairement choisis remplaçaient les lettres hébraïques habituelles. Autre exemple : l'écriture allait parfois de gauche à droite alors que l'hébreu se lit ordinairement de droite à gauche.

Tout ce que nous découvrions sur la communauté de Qoumrân venait renforcer notre conviction qu'ils étaient les descendants spirituels des rois égyptiens et les prédécesseurs des templiers et de la franc-maçonnerie. Une élément de preuve majeur fut relevé par un autre membre de l'équipe originelle des manuscrits de la mer Morte (et nominé pour le Prix Nobel de la Paix). Dans de nombreux manuscrits, le Dr Hugh Schonfield découvrit un code hébreu – qu'il appela le « code *Atbash* » –, utilisé pour crypter les noms d'individus.[124] De manière stupéfiante, peu avant sa mort en 1988, Schonfield s'aperçut que des mots clés utilisés tant par les templiers que par la franc-maçonnerie étaient eux-mêmes des codes *Atbash* qui, une fois déchiffrés, révélaient un sens caché. Par exemple, les templiers avaient la réputation d'adorer une chose portant le curieux nom de

123. D.S. Russell, *The Method and Message of Jewish Apocalyptic*
124. H. Schonfield, *The Essene Odyssey*.

« Baphomet ». Ce terme ne fut jamais compris avant d'être retranscrit en hébreu et de se voir appliqué le code *Atbash* pour laisser apparaître le terme *Sophia* – le mot grec pour « sagesse ».

Il y avait donc ici une connexion positive avec les templiers, et une autre – avec la franc-maçonnerie – allait suivre. En appliquant le code *Atbash* au mot maçonnique « Tajo » (prononcer « Tacho – pseudo-nyme donné, dit-on, au Grand Maître en Espagne –, on obtenait « Asaph », le nom d'une homme qui, d'après un certain nombre de psaumes, participa à la construction du premier Temple de Jérusalem.

Le sujet de certains de ces mystérieux textes de Qoumrân concerne Noé et Énoch. On dit qu'ils furent les récipiendaires des secrets divins du ciel et de la terre, transmis par certains initiés. Selon une ancienne croyance, les ancêtres mythiques de la race humaine furent des hommes d'une formidable sagesse et nombre de contes présentent Énoch et Noé comme des détenteurs de secrets divins. On retrouve ces récits dans une bonne partie de la littérature apocalyptique, et bien qu'ils soient aussi anciens que le livre de la Genèse, ils proviennent clairement de quelque autre source non identifiée. Nous pensons que cette dernière pourrait précisément être les secrets oraux de la cérémonie de résurrection, dans la mesure où il y eut longtemps une tradition secrète inexpliquée attachée au nom d'Énoch. Dans la littérature maçonnique, on connaît de vieux rituels évoquant la tentative de Sem, Japhet et Ham pour ressusciter Noé. Et nous avons déjà mentionné un Haut Grade [*Side degree*] maçonnique, le degré de Noachite [*Ark Mariners*], qui continue cette tradition des secrets de Noé.

Mais il existe un aspect encore plus important des enseignements secrets de la tradition apocalyptique qui est liée tant avec Moïse qu'Ezra (connu comme le second Moïse). On pense maintenant qu'il y avait jadis beaucoup plus d'écrits attribués à Moïse qu'il n'en subsiste aujourd'hui[125]. *L'Assomption de Moïse* – considérée comme une œuvre essénienne – fait partie de ces écrits[126]. Il contient l'instruction suivante donnée par Moïse à Josué :

> *Prends cet écrit pour savoir comment préserver les livres que je vais te confier : tu les mettras dans l'ordre, tu les oindras avec de l'huile de cèdre et tu les placeras dans des récipients de terre à l'endroit qu'Il fit dès le commencement de la création du monde.*

125. E. SCHÜRER, *The Jewish People at the Time of Jesus-Christ.*
126. H. SCHONFIELD, *The Essene Odyssey.*

Cette citation parle de livres secrets que Moïse donne à Josué pour qu'il les cache.

> *... Jusqu'au jour du repentir où le Seigneur te visitera en consom-mation de la fin des jours.*

Les œuvres secrètes liées à Moïse attirèrent immédiatement notre attention, parce qu'il était le seul homme à connaître de première main les secrets des rois égyptiens. Il donne ici des instructions pour qu'à un moment, avant la « fin des jours », ces secrets soient déposés « dans l'endroit qu'Il fit dès le commencement de la création du monde ».

Pour les Juifs, cela ne pouvait désigner qu'un endroit : le rocher sous le Saint des Saints dans le sanctuaire du Temple de Jérusalem, parce que c'était le l'endroit de la Première Création. Nous savions que les Qoumrâniens cachèrent dans les grottes derrière leurs bâtiments la principale série de rouleaux qu'ils avaient écrits, avec d'autres textes provenant de toute la Judée. Mais nous savions également qu'ils étaient de fervents étudiants de la Loi. Ils avaient donc dû suivre cette instruction de Moïse parce qu'il est certain qu'ils pensaient voir la « fin des temps » de leur vivant. De ce fait, si – comme nous en étions de plus en plus persuadés – les chevaliers templiers fouillèrent autour et en dessous du Saint des saints, ils durent trouver des rouleaux secrets.

Imaginez la vive excitation qui s'était alors emparée de nous : avions-nous réellement trouvé une instruction explicite indiquant d'enterrer sous le Temple d'Hérode les secrets transmis par Moïse ? Une telle découverte transformerait instantanément une hypothèse en une très forte probabilité ! Nous décidâmes immédiatement d'étudier plus attentivement l'arrière-plan de *L'Assomption de Moïse*. Nous découvrîmes que les spécialistes autorisés considèrent que ce texte fut probablement écrit du vivant de Jésus. Il passe en revue l'histoire juive jusqu'à l'ère séleucide, puis traite de la période asmonéenne jusqu'à un personnage décrit comme « un roi insolent ». On estime généralement que ce qualificatif dissimule Hérode le Grand. Ensuite le livre décrit une période de persécution, qui cadrerait parfaitement avec l'époque d'Antiochus Épiphane[127], un prédécesseur d'Hérode. De nombreux spécialistes pensent que ce chapitre a été mal placé et qu'il devrait

---

127. Les auteurs par lapsus ont écrit qu'Antiochus Épiphane était « le successeur » d'Hérode – ce qui au demeurant est bien contredit par la phrase suivante expliquant que le passage devrait venir plus tôt. Antiochus IV Épiphane, un Séleucide, a régné sur la Syrie et la Babylonie de 175 à 164 avant notre ère environ. Il fit notamment profaner

intervenir plus tôt. Puis apparaît un mystérieux personnage, Taxo. Celui-ci presse ses fils de se retirer avec lui dans une grotte, pour y mourir sans avoir trahi leur foi. Leur mort doit être le déclencheur de l'intervention attendue de Dieu dans le monde et de l'avènement de Son royaume. Apparemment ce dernier est perçu comme un royaume céleste, plutôt qu'un royaume sur terre. De nombreuses tentatives ont essayé d'identifier Taxo à un personnage historique. Mais, jusqu'ici, personne n'y est réellement parvenu. Selon certains auteurs, il aurait pu s'agir du Maître de Justice.

Nous avions maintenant la confirmation que Moïse avait bien donné une instruction visant à l'enterrement des manuscrits. Nous disposions en outre d'une datation et, selon celle-ci, cette *Assomption de Moïse* n'était pas antérieure au vivant de Jésus, autrement dit à une époque où toute la communauté se préparait pour la grande bataille avant la « fin des temps ». Mais ce qui nous excitait le plus, c'était la mention de ce personnage non identifié appelé « Taxo ». Nous savions déjà que Taxo et Tacho étaient des formes différentes du même nom et que le code *Atbash* traduisaient Tacho en Asaph (l'homme qui assista Salomon pour la construction du premier Temple de Jérusalem et un nom utilisé par des francs-maçons pour leur Grand Maître).

Le nom « Taxo » n'était plus un mystère, car la découverte du code *Atbash,* utilisé par les Qoumrâniens dans leurs manuscrits, confirme ce que nous soupçonnions : ce nom fait référence au Maître de la communauté, c'est-à-dire le Maître de Justice des dernières années de leur existence[128]. L'exhortation dans le texte, « mourir plutôt que trahir sa foi », rappelle aussi fortement le troisième degré de la franc-maçonnerie. Celui-ci tourne totalement autour de l'idée de rester « fidèle même dans la mort », ce qui est résumé dans les paroles d'Hiram Abif lorsqu'il est menacé par le premier agresseur :

Je préfère mourir plutôt que trahir la vérité sacrée dont je suis le gardien.

Ce témoignage nous conduisit à la conclusion suivante : le chef de

---

le Temple de Jérusalem (voir le premier livre des Maccabées). À moins que le lapsus ne concerne l'identité même du personnage et que les auteurs aient voulu parler d'Archelaüs au lieu d'Antiochus Épiphane. Archelaüs fut effectivement le successeur d'Hérode (mais sans le titre de roi, que l'empereur Auguste lui refusa). Il fut ethnarque de Judée de 4 avant notre ère à 6 de notre ère et fit face à un certain nombre de séditions. (N.d.T.)
128. *Peake's Commentary on the Bible.*

la communauté de Qoumrân était considéré comme le descendant spirituel de l'architecte originel du Temple de Salomon, autrement dit l'homme que les francs-maçons appellent aujourd'hui Hiram Abif.

Les liens que nous avions trouvés avec le rituel du troisième degré maçonnique semblaient maintenant s'ajuster parfaitement dans notre puzzle historique. Mais l'autre motif principal du symbolisme maçonnique nécessitait une explication complémentaire. Nous avions besoin de découvrir comment l'histoire des deux piliers – si importante pour les deux premiers degrés de la franc-maçonnerie – pouvait avoir été transmise aux templiers.

Les piliers jumeaux

L'Église romaine s'est positionnée, à tort, comme l'héritière des enseignements de Jésus. Pour ce motif et parce que les chrétiens modernes pensent aussi faussement qu'ils ont quelque droit à se sentir supérieurs à tous les autres et à étudier les autres groupes depuis cette position élevée, ils voient les esséniens/qoumrâniens comme un simple groupe parmi beaucoup d'autres existant en Terre sainte à l'époque du Christ. Ce jugement sur la communauté de Qoumrân est désespérément inadéquat. Ses membres étaient la quintessence de quelque chose d'important pour les Juifs en tant que nation, les gardiens de l'alliance avec leur Dieu et la personnification de toutes les aspirations de ce peuple. Ils étaient la judéité incarnée.

Tout au long des années, l'un des grands débats clés porta sur l'identité de l'individu appelé le Maître de Justice. Or, au vu de la somme d'informations aujourd'hui disponible, de nombreux spécialistes pensent que ce ne fut pas un, mais *deux* individus qui se virent conférer ce titre : le premier à la fondation de la communauté et l'autre à « la fin des temps »[129]. La difficulté avec la communauté de Qoumrân réside dans le fait qu'elle n'était pas une entité statique mais un groupe se développant et évoluant rapidement, et qui devait continuellement changer pour faire face aux pressions s'exerçant contre elle. Par conséquent, les plus anciens manuscrits parlent du premier Maître de Justice et les plus récents du chef spirituel ultérieur, identifiable sous le nom de « Jacques le Juste ». En qualité d'observateurs indépendants, les professeurs Robert Eisenman et Michael Wise ont conclu que ce chef des Qoumrâniens était Jacques, le frère du Christ

---

129. W.S. LASOR, *The Dead Sea Scrolls and the New Testament.*

et le chef de l'Église de Jérusalem. Il s'ensuit que cette dernière était la communauté de Qoumrân.

Au IIᵉ siècle, on trouve l'une des premières références à cette idée sous la plume de l'historien Hegésippe [Hegesippus] : il appelait le frère du Christ « Jacques le Juste », le décrivait comme un « Nazirite » et disait qu'il intercédait dans le sanctuaire du Temple pour le salut des hommes. Ce même observateur présentait Jacques comme le « droit », disant qu'il ne buvait pas de vin, ne mangeait pas de chair animale, qu'il portait les robes de lin blanc des prêtres et qu'il avait des genoux durs comme un chameau à force de constamment s'agenouiller pour prier.

D'après le *Manuel de discipline*, un autre manuscrit, le Conseil de la communauté consistait en douze parfaits saints hommes qui étaient les « piliers » de la communauté. Nous pensons que les deux principaux « piliers » de ce Conseil étaient hautement symboliques, et qu'ils représentaient les aspects royal et sacerdotal de la création et du maintien du « Royaume des cieux ». Nous gardions à l'esprit que ce terme n'avait jamais désigné une sorte d'autre monde. Au contraire, il désignait une existence terrestre où Yahvé aurait régné sur les Juifs dans un état permanent de paix et de prospérité. Ces piliers spirituels étaient, naturellement, les descendants des piliers de la Haute- et de la Basse-Égypte unifiées, introduits dans la communauté sous la forme des légendaires Boaz et Jakin ayant orné la porte orientale du Temple de Salomon. Pour ces Juifs pieux et marginalisés, les colonnes représentaient à la fois le pouvoir royal de *mishpat* et le pouvoir sacerdotal de *tsedeq*, et, quand elles étaient réunies, elles soutenaient la grande arche du ciel, la pierre de voûte d'où venait le troisième grand mot de l'aspiration profonde hébraïque, *shalom*.

Grâce aux très nombreuses informations fournies par les manuscrits, la Bible et d'autres textes de l'époque, cette conception du monde qoumrânienne devint particulièrement claire pour nous dans la mesure où nous avions un avantage : notre connaissance de la franc-maçonnerie et des origines d'Hiram Abif. D'autres chercheurs ont considéré toutes les parties d'une manière fragmentée et confuse. Mais lorsque l'on a une vision complète et correcte de la communauté de Qoumrân/Église des premiers temps, toutes les confusions et les apparentes contradictions s'évanouissent. Le dessin ci-dessous illustre cet important paradigme des deux piliers jumeaux.

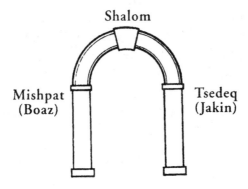

Les francs-maçons appellent la colonne de droite « Jakin » ; Jakin fut le premier grand prêtre du Temple. On ne sera donc pas surpris d'apprendre qu'il s'agit de la colonne sacerdotale qui, pour les Qoumrâniens, était la personnification de la sainteté, incorporée dans le concept fondamental de *tsedeq*. Ce terme (parfois écrit « zedek ») représentait le principe sous-tendant l'ordre divin et que l'on traduit généralement par « vertu », bien que l'on ait parfois proposé comme meilleure traduction « rectitude » ou « faire le bien pour les autres en toutes occasions ». En d'autres termes, ce concept est fondamentalement le même que l'ancien concept égyptien de Ma'at. Nos lectures avaient clairement montré que, pour les Cananéens, *tsedeq* était un terme associé au dieu-soleil. Cette divinité solaire cananéenne était vue comme le grand juge qui veillait sur le monde, réparait les injustices et projetait de la lumière sur les crimes cachés. Quand les Juifs fusionnèrent les croyances cananéennes avec leur concept de Yahvé, *tsedeq* devint une des caractéristiques de ce dernier. Toutes les vertus de Yahvé – de la sustentation de son peuple en faisant croître les cultures à la destruction des ennemis d'Israël – participaient de *tsedeq*. Le mot conserva son association avec la lumière solaire et contribua à marquer l'opposition avec les ténèbres et le chaos[130].

Le culte du soleil est trop commun dans les nombreuses théologies issues de la civilisation sumérienne pour que l'on en tire des conclusions particulières. En revanche, on remarque ici des ressemblances intéressantes entre la principale divinité égyptienne Amon-Rê et Yahvé : tous les deux utilisent leur pouvoir solaire bénéfique pour combattre les forces de ténèbres et de chaos.

---

130. Norman COHEN, *Cosmos, Chaos and the World to come.*

La colonne gauche du Temple de Salomon était appelée Boaz. Comme tous les francs-maçons le savent, celui-ci était l'arrière-grand-père de David, roi d'Israël. Pour les Qoumrâniens aussi, c'était le pilier royal qui symbolisait la maison de David et le concept de *mishpat*. Celui-ci est souvent traduit par « jugement », mais il représentait beaucoup plus que cela : il incarnait la loi et l'autorité régulières de Yahvé, et donc l'ordre divin lui-même.

L'autorité gouvernementale et l'administration de la justice étaient toujours reliés à ce pilier : ce fut à Miçpa [*Mizpah*] (une autre orthographe de *mishpat*) que Jacob érigea une colonne, et c'est là que Saül fut proclamé premier roi d'Israël.

Quand ces deux piliers spirituels sont en place avec le Maître de Justice (*tsedeq*) à gauche de Dieu et le roi davidique terrestre (*mishpat*) à sa droite, l'arche de l'autorité de Yahvé est en place avec la clé de voûte du « *shalom* » fermant le tout au centre. Ce terme juif est peut-être le plus célèbres de tous les mots hébreux. Il est compris dans le monde entier comme une forme de salut signifiant « paix », autrement dit l'état de non-belligérant. Mais il est inutile de préciser que, pour les Juifs de la Bible, il possédait un sens beaucoup plus complexe. Pour les Qoumrâniens, *shalom* signifiait beaucoup plus que la simple idée de « paix » : il induisait la bonne fortune, la prospérité, la victoire au combat, et la chance et le bien-être en général. Mais *shalom* n'était pas un don gratuit : on l'obtenait en établissant la loi de Yahvé, c'est-à-dire en établissant un ordre moral de gouvernement, supporté simultanément par les deux piliers, le royal et le sacerdotal.

Pour les membres supérieurs de Qoumrân, toute l'essence et la mission de la communauté étaient rendues compréhensibles par son symbolisme. Ils transcrivirent celui-ci – comme nous avons vu que ce fut le cas pour les instructions midrashiques de Moïse – et l'enterrèrent sous le Temple d'Hérode, où les chevaliers templiers le retrouvèrent plusieurs siècles après.

Les francs-maçons ont hérité des symboles, mais ont oublié leur signification en cours de route. Quand les Qoumrâniens surent que la « fin de ce temps » approchait, il devint urgent de trouver des hommes correspondant à ces piliers, parce que Dieu ne pouvait détruire l'ancien ordre avant que la nouvelle structure fût en place. Et comme ces fonctions étaient « nominales » et ne pouvaient être immédiatement occupées, en raison de l'occupation romaine et du faux clergé supérieur à Jérusalem, les candidats étaient appelés messies, autrement dit fondamentalement des chefs à venir.

Plus nous découvrions d'éléments sur le paradigme du « pilier » qoumrânien, plus nous acquérions la certitude que leurs cérémonies avaient été les précurseurs de la franc-maçonnerie moderne. Nous fûmes particulièrement surexcités en découvrant les ruines de Qoumrân et en constatant que les Qoumrâniens avaient érigé une imitation de l'entrée du Temple avec leurs propres copies des colonnes Boaz et Jakin. Les deux bases des piliers existent encore à l'extérieur de la porte orientale d'un vestibule, qui mène à ce qui est souvent présenté comme le Saint des Saints de Qoumrân. Il ne pouvait s'agir d'une coïncidence : les deux seules bases de colonnes trouvées dans les ruines de l'établissement se trouvent de chaque côté de la porte est menant à leur lieu de culte de remplacement. Ces deux piliers ont certainement été le lieu de l'importante cérémonie d'initiation des membres supérieurs et de l'intronisation des deux messies qui allait intervenir peu avant la « fin des temps ». Les œuvres qoumrâniennes que nous appelons les manuscrits de la mer Morte regorgent d'informations essentielles pour notre enquête et nous fûmes particulièrement contents de trouver une référence au « secret des piliers » dans le fragment quatre d'un manuscrit connu sous le nom de *Brontologion*.

On considère ordinairement que le nom « Qoumrân », le mot arabe moderne désignant le site du monastère essénien, n'a pas de sens particulier. Cependant, nous avons découvert que c'était inexact en ayant la chance de trouver un exemplaire du livre du regretté John Allegro, qui livrait une traduction complète du Rouleau de cuivre. Allegro, philologue spécialiste des langues sémitiques, pensait avoir retrouvé clairement l'étymologie racine du mot « Qoumrân ». Il décrit son origine et déclare que le site se serait appelé « Qimrôn » à l'époque de Jacques et Jésus. La signification qu'Allegro détecta n'avait aucun sens pour lui et il ne la mentionna dans son livre qu'à titre anecdotique. Mais pour nous, elle s'avérait du plus haut intérêt !

La racine de « Qoumrân » aurait pour signification « voûte, arche, porte... ». Les Qoumrâniens s'identifiaient eux-mêmes à une « porte en forme d'arche » ; autrement dit et pour être plus précis, ils étaient le peuple aux piliers surmontés d'une arche ! La porte était formée par les colonnes de *tsedeq* et de *mishpat* avec la sainte arche du *shalom*.

Nous tenions ici une preuve incontestablement puissante de notre thèse, reliant la communauté de Jésus et Jacques à la franc-maçonnerie moderne. La ressemblance allait beaucoup plus loin que nous ne nous y étions attendus.

Les francs-maçons disent que le sens du mot Jakin est « établir ». Or, la fonction du messie sacerdotal ou *tsedeq* était d'établir la justice sur la terre d'Israël, pour que le Temple puisse être reconstruit. Quant au pilier gauche, Boaz, il signifie « Force » pour les maçons. C'est le pilier du Messie royal ou *mishpat*, responsable de la force du royaume, tant en matière de défense contre les ennemis qu'en matières civiles, légales et gouvernementales. Et les francs-maçons disent que l'union des deux donne la « stabilité ». Il ne pourrait y avoir de meilleur mot pour traduire *shalom*. Le point essentiel à retenir est que les francs-maçons utilisent les deux piliers du Temple du roi Salomon exactement de la même manière que la communauté de Qoumrân et Jésus Christ jadis. Des fragments d'un Testament à Lévi [*Lévitique*], probablement plus ancien que la version du Lévitique que l'on trouve dans la Bible, ont été découvert dans les grottes de Qoumrân. Dans ce texte, il est fait allusion au Messie, ce qui semble indiquer que cet écrit émanait de cercles attendant un messie lévitique (sacerdotal) plutôt qu'un messie davidique (royal). Les traductions du document que nous avons vues sembleraient montrer que les rédacteurs espéraient un chef religieux aux côtés d'un chef civil, mais avec le civil subordonné au sacerdotal[131].

Beaucoup d'autres textes qoumrâniens, comme l'*Écrit de Damas* [*Damascus*] avec ses références aux « Messies d'Aaron (sacerdotal) et Israël (royal) », confirment ces idées, mais le *Testament à Lévi* – moins connu et néanmoins d'une grande force – finit d'emporter la conviction. Dans l'Évangile de Matthieu 3, 3, Jean le Baptiste est décrit comme une « voix qui crie dans le désert ». C'est la formulation précise utilisée par la communauté de Qoumrân, ce qui suggérait, à notre avis, que les auteurs des Évangiles avaient dû avoir quelque difficulté à manipuler le texte des Saintes Écritures pour faire de Jésus le Messie attendu. Et cela rappelait également qu'encore à l'époque de la rédaction de l'Évangile de Luc, on se souvenait que beaucoup considéraient Jean le Baptiste comme le Messie. Ainsi Luc dit-il au chapitre 3 verset 15 :

> *Comme le peuple était dans l'attente et que tous se demandaient en leur cœur au sujet de Jean, s'il n'était pas le Christ.*

Ce verset a été probablement survolé par la plupart des chrétiens qui utilisent les Écritures pour leur inspiration personnelle plutôt que pour comprendre l'Histoire. Pourtant, il communique un point clé : le choix du mot « tous » au lieu de « certains » indique que Jean était unanimement considéré comme le premier candidat au statut de Messie. Au cours des quarante dernières années, bon nombre de membres de la communauté théologique traditionnelle ont admis que Jean et Jésus avaient pu être des messies conjoints[132]. Comme nous l'avons déjà évoqué, les man-

---

131. *Peake's Commentary on the Bible.*
132. K.G. KUHN, *Die Beiden Messias Aarons und Israel.*

déens du sud de l'Irak sont des descendants des nazôréens et ils prétendent que Jean le Baptiste fut l'initiateur de leur secte. Celle-ci apparut
quand les Qoumrâniens devinrent un culte distinct, et non plus une
simple communauté introvertie de type essénien, comme celle que l'on
trouve à Éphèse en Turquie ou sur l'île d'Éléphantine en Égypte.

Cette évidence effraiera de nombreux chrétiens, parce que cette idée
leur semblera à la fois étrangère à leur croyance en un Jésus Christ seul
et unique Messie et terriblement menaçante pour celle-ci. Mais ce n'est
un problème que pour ceux qui s'accrochent à la corruption surnaturelle
et hellénique du terme hébreu. Si l'on prend ce dernier dans son accep-
tion correcte originelle, il est assez naturel de voir Jean comme le Messie
sacerdotal et Jésus comme le pilier *mishpat*, le messie royal.

Dans le désert, Jean vécut très durement, purifiant l'esprit des gens en
les immergeant dans l'eau du Jourdain. Il s'agissait là de la technique
favorite des Qoumrâniens. Mais eux devaient généralement se contenter
de l'eau statique de leurs citernes. Jean était la personnification de la rectitude qoumrânienne, ne mangeant que les nourritures autorisées comme
les sauterelles locustes et le miel sauvage, et ne portant qu'un manteau en
poil de chameau fermé par une lanière de cuir. Dans l'esprit de Jean,
toutes les autorités en place à Jérusalem étaient corrompues, aussi prê-
chait-il de cinglants sermons à leur encontre. Il pressait les fidèles qui
venaient l'écouter de se repentir et d'accepter le rite esséno-qoumrânien
de purification par le baptême. Certains observateurs pensent que Jean
était le Maître de Justice. C'est peut-être exact, mais nous avons été incapables de trouver des preuves suffisantes pour le confirmer.

L'histoire du baptême de Jésus décrit dans le Nouveau Testament est
un récit délibérément mis en scène par les auteurs ultérieurs des Évangiles pour entretenir le caractère magique des événements afin de satisfaire un public de Gentils. Mais le matériel original reconstitué peut projeter une utile lumière sur les relations entre ces deux hommes
importants[133].

On découvre ainsi que l'idée d'un Jésus baptisé par Jean fut une
invention de Marc. Jean n'apprit l'existence de Jésus que lorsque ses disciples lui parlèrent d'un nouveau maître, qui était arrivé du Nord et qui
prétendait que même un centurion romain montrait plus de foi dans le
pouvoir de Dieu qu'un Juif moyen. Jésus dut être un personnage central
de la communauté de Qoumrân et étant de la lignée de David aussi bien
qu'un étudiant de valeur, il est probable que le prétendu baptême admi-

---

133. Burton L. MACK, *The Lsot Gospel.*

nistré par Jean fut en réalité le premier degré d'initiation au sein de la communauté. Lorsque l'on dit que Jésus vit une colombe descendre sur lui, c'est tout simplement une manière ordinaire pour les Hébreux d'exprimer l'acquisition de sagesse.

Mais il est encore plus intéressant d'examiner ce qu'il advint de Jésus après son baptême. D'après le Nouveau Testament, il partit dans le désert, où il jeûna quarante jours et quarante nuits. Il n'est pas dit qu'il quitta le désert après son jeûne. Et en réalité, la Bible du roi James nous dit même qu'il demeura là pendant trois ans, précisément de 27 à 31. Il est important de noter que le terme « désert » est utilisé tout au long des manuscrits de la mer Morte pour désigner la communauté de Qoumrân. Ce fut une incapacité à comprendre l'usage du terme « désert » à l'époque, qui amena les chrétiens à imaginer Jésus, seul, dans un véritable désert. Nous pouvons maintenant clairement saisir la signification de cela : Jésus demeura à Qoumrân où il franchit les trois degrés de l'initiation pour atteindre le plus haut niveau de la fraternité – et l'on se souviendra que chaque degré durait précisément un an ! Là, à Qoumrân, il apprit comment faire face aux tentations de Satan et à ne pas se laisser séduire par les présents des chefs des autres nations. Lors de son initiation du dernier degré, au terme de ses trois années de séjour, on lui enseigna la technique et les mots secrets de résurrection transmis depuis Moïse et qui permettent au candidat de se relever de sa tombe symbolique pour vivre une existence fidèle et droite dans l'attente du royaume de Dieu.

Il est assez probable que Jésus passa encore une année à respecter les règles sectaires strictes de la communauté. Mais après la mort de Jean, au début de 32, il décida que la manière la plus rapide et la plus efficace de préparer le peuple d'Israël à la venue du « royaume de Dieu » était d'assouplir ces règles ; le cas type de la fin justifiant les moyens.

À partir de toutes les informations disponibles, nous pouvons conclure que Jésus et son jeune frère Jacques durent être des élèves brillants et des Qoumrâniens hautement qualifiés. En tant que maître doué de la lignée de David, Jean le Baptiste demanda à Jésus s'il pouvait être « celui qui doit venir », c'est-à-dire le Messie royal, l'autre pilier à côté de lui. Jésus répondit à la question par un *pesher* : « Les aveugles voient, les boiteux marchent, les lépreux sont purifiés et les sourds entendent ; les morts sont ressuscités et les pauvres reçoivent l'annonce de la Bonne Nouvelle. » [134] En aucune façon, cela veut dire qu'il exécuta toutes ces choses : il ne faisait qu'évoquer les guérisons miraculeuses qui,

---

134. Luc, 7, 27. (N.d.T.)

selon la prophétie d'Isaïe, surviendraient au moment de la restauration d'Israël. C'était la confirmation que Jésus était d'accord avec Jean sur le fait que la « fin des temps » était imminente et qu'il était l'homme qui aiderait à préparer la « Voie ». On considérait toutes les maladies physiques et mentales comme la conséquence d'une existence pécheresse et l'expulsion du péché devait guérir le malade.

Quand, dans l'Évangile reconstruit, Jésus explique comment il voit Jean, le message est clair.

> *Vous saviez que Jean était un prophète et vous ne vous attendiez pas à le trouver dans des habits royaux. Mais ce que vous ignoriez et ce que je vous dis maintenant, c'est que Jean était beaucoup plus qu'un prophète. C'était celui dont il est écrit : « Voici que j'envoie mon messager en avant de toi. Il préparera la route devant toi. »* [135]

Ce texte chrétien primitif laisse entendre de manière erronée que c'est Jésus qui désigna Jean comme le Messie sacerdotal, au lieu de dire que c'est Jean qui reconnut Jésus comme le Messie royal. Le passage dit clairement que Jean avait été préordonné et que l'on ne devait pas s'attendre à le trouver dans des « habits royaux », parce qu'il n'était pas le roi. Beaucoup ont été troublés parce que dans certains passages Jésus décrit Jean comme « celui qui doit venir » et dans d'autres c'est Jean qui décrit Jésus avec les mêmes mots. Dès que l'on a compris qu'ils étaient tous deux les piliers de la porte céleste, il devient clair qu'il n'y a ni incompatibilité ni conflit : ils avaient besoin l'un de l'autre.

Jean le Baptiste ayant été décapité en 32, son ministère messianique ne dura que six années. Dans ses *Antiquités judaïques*, Flavius Josèphe rapporte qu'il fut exécuté par Hérode Antipas, qui avait peur que les activités de Jean puisse conduire à une révolte en raison de sa nature « messianique ». Lorsque Jésus apprit que son copilier avait été assassiné, ce dut être pour lui un choc majeur. La communauté de Qoumrân et tous ses fidèles furent probablement terrassés par la perte de l'un de ses piliers, avant la « fin des temps » et l'arrivée du « royaume de Dieu ». Extrêmement peu de personnes étaient considérées comme assez saintes pour remplacer Jean. Pourtant, en dépit de ce nombre infime, deux candidats semblent s'être rapidement mis en avant pour reprendre cette fonction clé. L'un des deux devait devenir le chef de la communauté de Qoumrân, connu sous le nom de

---

135. Burton L. MACK, *The Lost Gospel*.

« Jacques le Juste ». L'autre était son frère plus âgé, l'homme que nous appelons Jésus !

Notre connaissance de l'importance des piliers jumeaux était désormais solide comme le roc. Dès que nous avons commencé à étudier le Nouveau Testament et les manuscrits de la mer Morte en ayant celle-ci à l'esprit, tout devenait clair. Nous nous sommes demandé comment tout le monde avait pu passer à côté de l'évidence. Mais en réalité, personne n'avait jamais jusque-là relié les rituels de la franc-maçonnerie et les anciens Égyptiens à cette période. Le domaine de recherche que nous creusions alors s'était révélé d'une richesse extraordinaire, dépassant tout ce que nous avions pu imaginer. Nous ne pouvions qu'espérer que notre chance continue alors que nous nous apprêtions à examiner plus attentivement la vie du pilier royal, le Christ Jésus lui-même.

CONCLUSION

En étudiant la Terre sainte à l'époque de Jésus, nous étions parvenus à la conclusion que la Communauté de Qoumrân était – en dépit de sa taille extrêmement réduite – le groupe le plus important pour notre recherche. Nous savions déjà qu'ils étaient les auteurs des manuscrits de la mer Morte. Dorénavant nous avions acquis la ferme certitude que la communauté de Qoumrân, les esséniens, les nazôréens et l'Église de Jérusalem étaient autant d'appellations pour un unique groupe.

En examinant la période hasmonéenne, nous constatâmes que la Bible catholique romaine diffère de la Bible du roi James ; les premier et second livre des Maccabées ont été supprimés de cette dernière. Les catholiques représentent les Asmonéens comme des héros juifs. Pour les Protestants, ce n'est clairement pas le cas. Cela traduisait nettement une connexion entre les Qoumrâniens anti-asmonéens et l'*establishment* anglais du XVIIᵉ siècle. Seule une filiation templier/franc-maçonnerie pouvait avoir suscité un tel phénomène.

Nous avions trouvé de nombreuses connexions entre les Qoumrâniens et la franc-maçonnerie, depuis leur système de gradation jusqu'à l'exclusion de toute pièce de monnaie ou autre objet métallique au cours de la cérémonie d'initiation. Grâce aux manuscrits de la mer Morte, nous savions encore qu'ils se focalisaient sur la vérité, la rectitude, la bonté, la justice, l'honnêteté et l'humilité à côté de l'amour fraternel. De ce fait, il nous semblait certain qu'ils se positionnaient comme les descendants spirituels des rois égyptiens et comme les précurseurs des templiers et de la franc-maçonnerie.

D'après les manuscrits, nous avions également appris l'existence de livres secrets qui contenaient des références à certains rituels révélés par Dieu. Normalement, ceux-ci n'étaient transmis que de bouche à oreille à des personnes élues, mais ils avaient été retranscrits sous forme codée. Ces secrets étaient éminemment confidentiels ; on pense qu'ils furent transmis grâce à une longue tradition secrète ininterrompue. Par ailleurs, nous avions trouvé une référence claire au « secret des piliers ».

Au début de notre recherche, nous soupçonnions que les chevaliers templiers avaient fouillé le Saint des Saints et trouvé des écrits secrets. Cette hypothèse était renforcée par l'*Assomption de Moïse*, un texte qoumrânien qui donnait instruction à la communauté de dissimuler ses manuscrits les plus précieux dans ce lieu précis.

Sans aucun doute, le chef de la communauté de Qoumrân était considéré comme le descendant spirituel de l'architecte originel du Temple de Salomon, cet homme que les francs-maçons connaissent aujourd'hui sous le nom d'Hiram Abif. Et nous étions convaincus que Jacques, le frère du Christ, était ce « Jacques le Juste » des manuscrits de la mer Morte et le chef de l'Église de Jérusalem.

L'essence du paradigme qoumrânien du « pilier » devenait claire : *tsedeq* se trouvait à gauche de la porte, *mishpat* à droite, et Yahvé, la pierre de voûte du *shalom*, fermait le tout au centre. Jean le Baptiste et Jésus avaient été des Messies conjoints pendant un temps. Mais après l'assassinat de Jean, tout avait été bouleversé. Nous devions à présent découvrir exactement ce qui s'était passé au cours de cette période clé, et plus particulièrement quels avaient été les rapports de Jésus et Jacques.

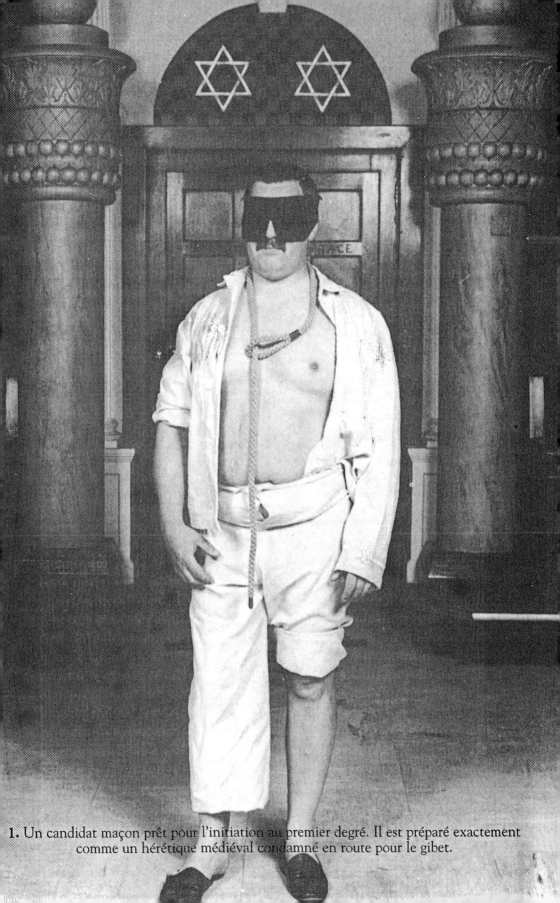

1. Un candidat maçon prêt pour l'initiation au premier degré. Il est préparé exactement comme un hérétique médiéval condamné en route pour le gibet.

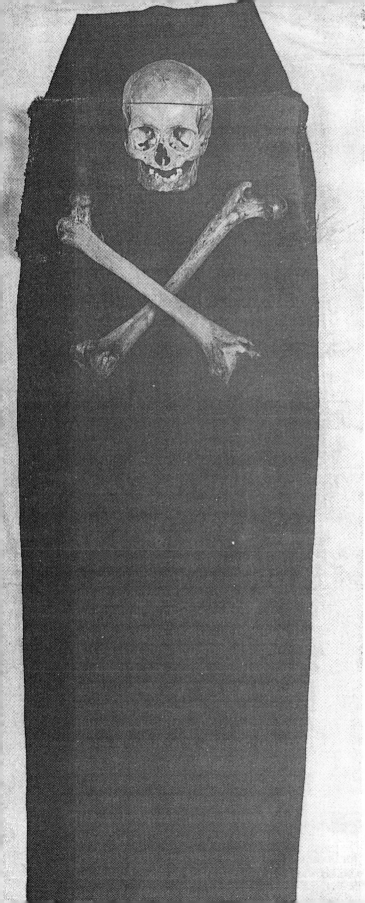

2. Lorsque le nouveau Maîtr
est relevé (« ressuscité »), il
regarde dans sa tombe et voi
un crâne et des os croisés su
son linceul mortuaire,
rappelant sa dépouille morte
terrestre. Ce symbole était
utilisé par les chevaliers du
Temple comme pavillon de
combat marin.

3. En face. Un candidat
au troisième degré est relevé
d'une mort symbolique
par le Vénérable Maître
– à partir de ce moment, il es
un Maître maçon.

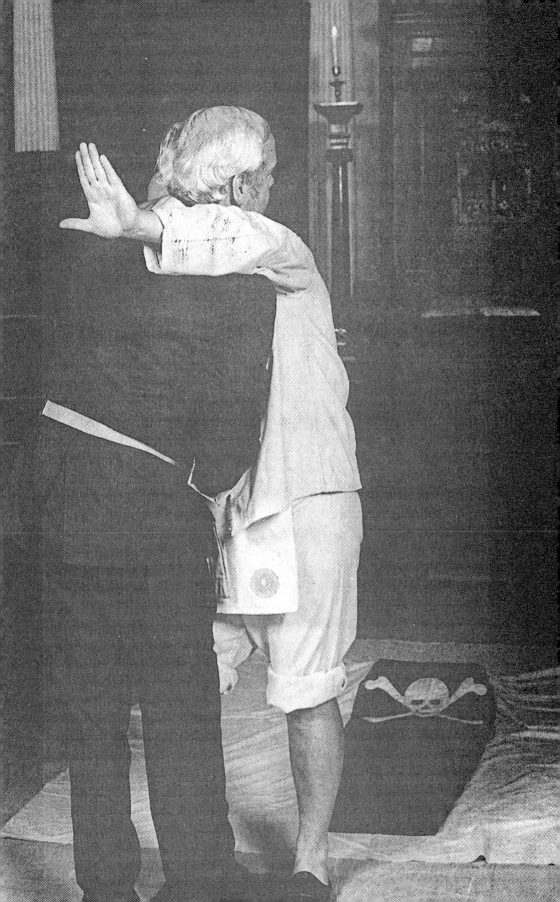

4. *En haut à gauche.*
Un chevalier du Temple.

5. *Ci-dessus.* Un baptême
mandéen au XXᵉ siècle – il y
a deux mille ans
Jean le Baptiste ressemblait
probablement à cela
quand il baptisa Jésus.

6. Un chérubin à Jérusalem,
semblable à ceux
qui se trouvaient sur l'arche
d'Alliance : il montre
l'influence de l'Égypte
dans la théologie juive **des**
premiers temps.

7 et 8. Les plants de maïs américains *(à gauche)* et d'aloès *(à droite)* gravés dans la structure de la chapelle de Rosslyn plusieurs années avant que Colomb ne fasse voile vers le Nouveau Monde.

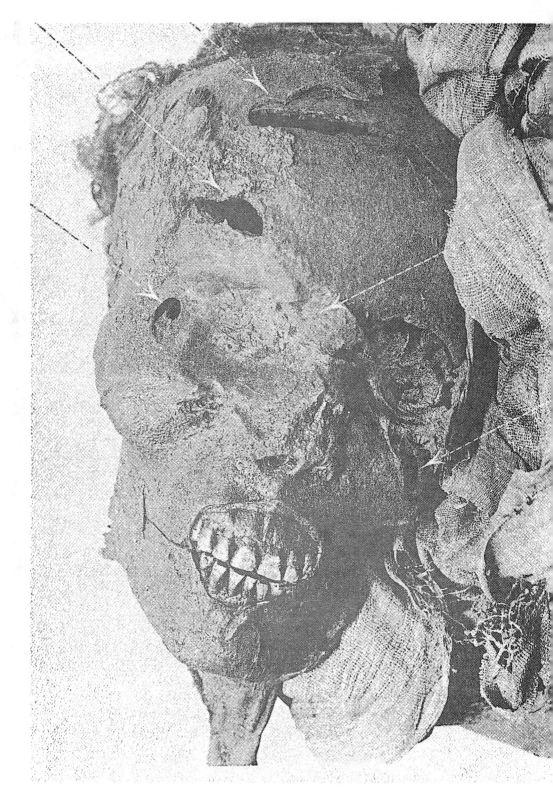

9. La tête du roi Sekenenré Taâ II montrant les blessures fatales,
parfaitement conformes aux coups qu'Hiram Abif reçut de ses agresseurs,
d'après la tradition maçonnique.

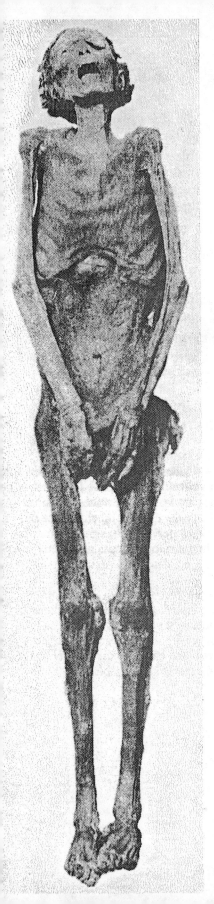

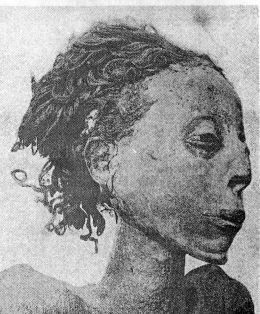

10. *À gauche.* Le corps nu d'un homme momifié inconnu qui a été castré et brûlé vif – était-il le Jubelo de la légende maçonnique ?

11. *En haut.* Détail de la tête de « Jubelo », les traits déformés du visage montrent qu'il dut mourir dans l'agonie.

12. *En bas.* Une momie typique montrant que les traits faciaux étaient recomposés avec soin – à la différence de l'infortuné « Jubelo ».

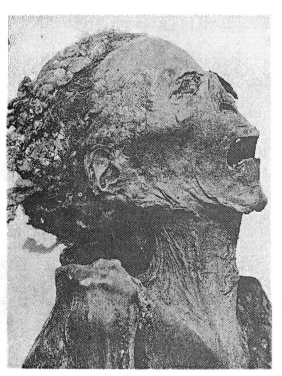

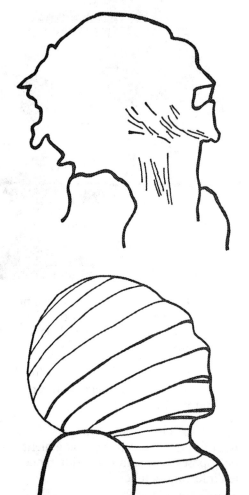

13. *En haut à gauche.* « Jubelo ».

14. *Ci-dessus.* La tête d'Ahmose-Inha
la veuve de Sekenenrê Taâ, dont la pe
montre les mêmes traces inhabituelles
de bandage que « Jubelo » – ce qui
laisse à penser que le même individu
à la main lourde banda les deux corps

15 et 16. À *gauche et ci-dessous.*
Les lignes sur le visage de Jubelo
montrent comment il rejeta sa tête
en arrière, bouche grande ouverte, ap
avoir été bandé, dans une tentative
désespérée pour respirer.

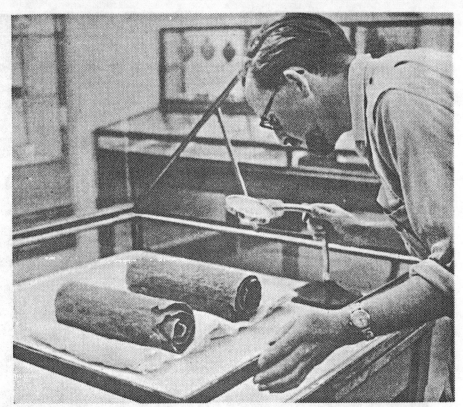

17. Le rouleau de cuivre trouvé à Qumrân, qui identifie l'emplacement de tous les rouleaux manuscrits et trésors enterrés par la communauté peu avant sa destruction par les Romains en 70 de notre ère. On voit ici John Allegro, qui l'examine avant son ouverture.

18. *Ci-dessus.* Une vue des ruines de l'établissement essénien de Qumrân. Il a été démontré que la racine de ce nom avait pour signification « piliers jumeaux surmontés d'une arche ».

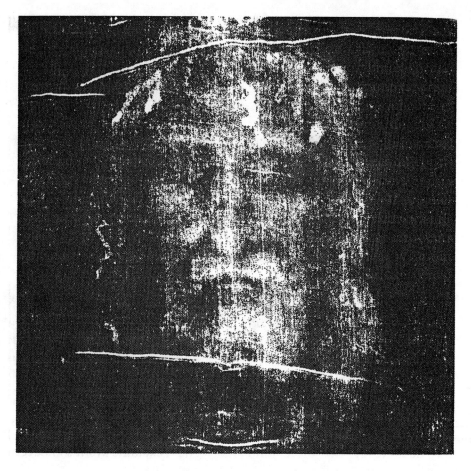

19 et 20. Le visage sur le Linceul de Turin (*ci-dessus*) montre une troublante ressemblance avec Jacques de Molay (*ci-dessous*).

21. La représentation de la « Jérusalem céleste » par Lambert,
qui mourut vers 1121 de notre ère. Était-ce une copie hâtivement réalisée
de l'un des manuscrits nazôréens, découverts sous le Temple d'Hérode par les chevaliers
templiers, et apporté à Lambert par Geoffroy de Saint-Omer.

22. On peut retrouver le compas et l'équerre maçonniques dans le dessin de la « Jérusalem céleste » de Lambert.

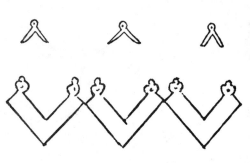

23. À l'intérieur de la chapelle de Rosslyn on peut observer de nombreux motifs qui ont manifestement été inspirés par le même symbolisme que celui de la « Jérusalem céleste » de Lambert.

. La chapelle de Rosslyn,
nstruite au XVᵉ siècle pour
riter les manuscrits nazôréens,
: en fait une reconstitution
sée sur les fondations du
mple d'Hérode et la
scription nazôréenne de la
ouvelle Jérusalem. Elle est
ouverte de gravures
mplières, maçonniques et
ltiques, mais ne présente pas
magerie chrétienne.

25. Les auteurs devant
la chapelle de Rosslyn.

26. La tête blessée, dite « tête de l'Apprenti assassiné », dans la chapelle de Rosslyn. Est-ce une représentation de Sekenenrê Taâ ?

27. Le trépied avec un bloc de marbre suspendu – que l'on appelle « Louve » (en anglais *Lewis*) – qui se trouve sur le sol de toute loge maçonnique de métier. Est-ce un rappel du bloc de marbre avec un anneau en son centre qui, nous le savons, donnait accès au caveau souterrain sous l'autel sacrificiel du Temple d'Hérode – caveau dans lequel l'un des importants Rouleaux de cuivre fut caché ?

3. Le « Pilier de l'Apprenti » dans la cha-
lle de Rosslyn, qui est en fait le pilier royal
paz.

29. Le pilier Jakin dans la chapelle
de Rosslyn.

30. Le côté oriental de la chapelle de Rosslyn montre ses nombreuses flèches, qui font écho au manuscrit de la Jérusalem céleste.

31. Les auteurs devant les ruines du château de Rosslyn, qui fut détruit par le général Monk pendant la guerre civile anglaise. Comme Cromwell, Monk était franc-maçon et il épargna la chapelle de Rosslyn de la profanation que toutes les autres églises du secteur subirent.

CHAPITRE XII

L'HOMME QUI CHANGEA L'EAU EN VIN

La course contre le temps

Nous étions sur le point d'aborder la partie la plus sensible de notre investigation du passé. Aussi nous décidâmes de nous asseoir autour d'une table et de passer soigneusement en revue la matière que nous nous apprêtions à étudier. Il semblait certain que nos conclusions allaient, pour le moins, être l'objet de controverses. Nous sentions qu'il serait plus important que jamais de prouver solidement tout ce que nous allions avancer. Les chrétiens connaissent un Jésus très différent de celui qui a émergé de notre recherche. Nous avions conscience que le contraste serait profondément perturbant pour beaucoup d'entre eux. Mais la vérité était notre première préoccupation, et, après quelques discussions, nous décidâmes d'exposer aussi clairement que possible tout ce que nous pouvions trouver. En fait, les éléments que nous découvrîmes révélèrent un personnage immensément puissant et exceptionnellement impressionnant.

Concernant Jésus, la première chose qui nous étonna fut la durée totale de son ministère : un an seulement, de la mort de Jean le Baptiste à sa propre crucifixion. Au vu de tous les témoignages disponibles, il devint rapidement clair que, malgré sa brièveté, ce laps de temps avait été riche en violence et en lutte politique interne, particulièrement entre Jésus et Jacques. Tous les éléments vont dans le même sens : Jésus – ou Yehoshua ben Joseph, nom sous lequel ses contemporains le connaissaient – fut un homme très impopulaire à Jérusalem et à Qoumrân. Son programme était beaucoup plus radical que ce que sa famille et la plupart des autres Qoumrâniens pouvaient admettre. Comme nous allons continuer à le démontrer, toutes les preuves laissent entendre que la plupart des membres de leur communauté – y compris Marie et Joseph – soutenait Jacques.

Tant que Jean le Baptiste fut vivant, il est probable que Jésus observa les mêmes règles sectaires strictes que lui. Mais après la disparition du Messie sacerdotal, la stratégie de Jésus devint plus radicale[136]. Il décréta qu'il était préférable de violer la loi pour le bien de la nation. Jésus croyait que le temps de la bataille finale avec les Romains et leurs alliés était proche, et il pensait que c'était lui qui avait la meilleure chance de remporter la guerre pour Yahvé.

Les Qoumrâniens étaient heureux que Jésus fût le pilier gauche de *mishpat*, c'est-à-dire le Messie royal, ou le roi des Juifs à venir. Mais ils ne pouvaient l'accepter comme pilier droit. La Bible dit que Jésus s'assoira à la droite de Dieu le Père. Cela signifie qu'il est le pilier gauche : si l'on regarde à l'intérieur du Temple à travers la porte orientale, on voit Dieu faisant face à l'est, le pilier *mishpat* étant à sa droite, mais sur notre gauche.

Au regard des circonstances, il paraît très probable que Jacques le Juste dit à son frère qu'il n'était pas jugé assez saint pour être simultanément les deux piliers. Mais Jésus ignora cette appréciation : il proclama qu'il était les deux axes de connexion terrestres de la sainte trinité qui avait Dieu à son apex. Alors que l'idée de ces trois points de pouvoir cheminait dans notre esprit, nous ne pouvions éviter de nous demander si c'était là l'origine de la Trinité catholique : Dieu le Père – Dieu le Fils – Dieu le Saint-Esprit.

Nous avions toujours trouvé ce curieux concept de « Saint-Esprit » très difficile à comprendre, dans la mesure où il ne semble pas du tout avoir de sens. Aucun de nos amis chrétiens n'avait été capable d'expliquer ce que signifiait vraiment cette étrange désignation. Si l'Église romaine primitive avait emprunté l'importance de sa trinité divine à l'Église de Jérusalem, il paraissait possible qu'elle en ait mal traduit le sens. Jésus Christ prétendait être simultanément les deux éléments (piliers) terrestres du triangle. Nous comprenions comment la confusion avait pu naître.

Comme nous l'avons vu précédemment, Jésus avait un programme militaire. Cela ne s'accorde peut-être pas vraiment bien avec l'image traditionnelle que l'on a de lui. Mais G. W. Buchanan a fait observer que Jésus était un guerrier, avant de conclure qu'il n'était pas possible pour un historien objectif d'écarter toutes les implications militaires liées aux enseignements de Jésus ou relatifs à lui. C'était le rôle de Jésus de mener au combat et de devenir le nouveau roi[137].

---

136. G.W. BUCHANAN, *Jesus : the King & his Kingdom*.
137. G. W. BUCHANAN, *Jesus : the King & His kingdom*.

Le professeur Eisenman a dit des manuscrits de la mer Morte :

Ce dont nous parlons dans notre nouvelle approche des manuscrits de la mer Morte, c'est d'un mouvement messianique en Palestine beaucoup plus agressif, beaucoup plus apocalyptique, beaucoup plus militant et beaucoup plus orienté sur les choses de ce monde : une sorte d'armée de Dieu dans des camps sis au bord de la mer Morte, ou dans le désert, un groupe se préparant pour une guerre apocalyptique ultime contre tout mal sur terre.[138]

Du fait de sa grande intelligence, Jésus savait depuis le commencement que le temps ne jouait pas en sa faveur. Il avait besoin d'accélérer la « fin des temps » et de se protéger des puissants ennemis, qui avaient déjà abattu un pilier. Il commença par désigner quelques gardes du corps attachés à sa personne. Puis il appliqua une stratégie de déplacement permanent, ne s'arrêtant que très brièvement en chaque endroit. Ses cinq principaux « gardiens » étaient : Jacques et Jean, qu'il appelait les « fils du tonnerre » ; deux Simon, l'un appelé « le zélote » et l'autre « le terroriste » (*barjona*), enfin Judas « l'homme au couteau » (*sicarius*, sicaire). Ce n'était pas des hommes de paix – dans l'Évangile de Luc 22, 35-38, on nous dit que Jésus leur demande de vendre leurs vêtements pour acheter des armes et qu'ils répondent qu'ils possèdent déjà deux glaives.

Et il leur dit : « Quand je vous ai envoyés sans bourse, ni besace ou sandales, avez-vous manqué de quoi que ce soit ? » « De rien », répondirent-ils.

Puis il leur dit : « Mais maintenant, que celui qui a une bourse la prenne, et que celui qui a une besace fasse de même. Quant à celui qui n'a pas de glaive, qu'il vende son manteau et en achète un.

« Car je vous le dit, il faut encore que s'accomplisse en moi ce qui est écrit : "Et il fut compté parmi les scélérats." Car les choses qui me concernent ont une fin. »

Alors ils dirent : « Seigneur, voyez, il y a ici deux glaives. » Et il leur répondit : « C'est assez. »

Pour que le plan de Jésus réussisse, deux conditions étaient indispensables : il leur fallait davantage de partisans et davantage d'argent. S'il voulait un jour s'asseoir sur le trône à Jérusalem, ils devaient rapidement

138. Robert EISENMAN s'exprimant dans le programme de la BBC « Horizon », 22 mars 1993.

réunir les deux. Le clergé de Jérusalem était riche : dans tout l'Empire romain, il faisait payer aux Gentils l'adhésion à la religion juive et il leur vendait une pierre du Jourdain en échange de grandes quantités d'argent. Jésus devait renverser le pouvoir ces gens. Sa première idée fut un coup de génie, mais elle effraya et scandalisa beaucoup de membres de Qoumrân. Partout où il allait, il se mit à élever les individus ordinaires qu'il rencontrait au statut d'initié qoumrânien de premier degré. Pire encore, il décida unilatéralement de « ressusciter » nombre de ses plus proches fidèles au degré d'initiation le plus élevé, en leur délivrant les secrets de Moïse.

Le Nouveau Testament indique que Jésus disposait autour de lui d'une élite détentrice de secrets spéciaux. Pratiquement depuis le début de son ministère, il semble avoir existé un cercle intérieur des plus proches partisans de Jésus avec lesquels il partageait des secrets particuliers. Certains chercheurs ont identifié trois cercles successifs : 1. le premier cercle ; 2. un groupe composé de partisans moins intimes, qui incluait la famille et les proches bien disposés (personnes auxquelles le secret n'avait pas été révélé) ; et les étrangers, toutes les personnes indifférentes ou hostiles du monde environnant[139].

Il existait clairement un mystère secret réservé à un très petit nombre d'élus parmi les fidèles de Jésus. Mais jusqu'à présent personne n'a pu expliquer ce qu'était ce secret. Nous étions persuadés de connaître la réponse, mais nous devions rester objectifs, autrement dit ne pas tenter d'appliquer systématiquement notre solution aux faits. Par chance, nous n'en avions même pas besoin, car les Évangiles l'avaient fait pour nous.

Le premier miracle de Jésus fut sa transformation de l'eau en vin lors des noces de Cana. En examinant cette histoire dans le contexte que nous avions mis en lumière, nous étions certains qu'il ne s'agissait pas là d'une vulgaire démonstration de magie ou de prestidigitation. En fait, ce fut la première tentative de Jésus pour recruter hors de la communauté, à l'occasion d'une réunion probablement conséquente. Nous découvrîmes que le terme « changer l'eau en vin » était une expression commune, équivalant à l'expression « faire d'une oreille de truie une bourse de soie » ou « changer du plomb en or ». Dans le présent contexte, cela signifie que Jésus utilisa le baptême pour transformer des individus ordinaire en personnes prêtes à pénétrer dans le « royaume des Cieux », en vue de la « fin des temps ». Dans la terminologie qoumrânienne, les profanes étaient l'« eau », quant aux initiés et aux purifiés, ils étaient le « vin ». Prendre

139. Morton SMITH, *The secret Gospel.*

littéralement cette phrase – comme le font certains chrétiens ignorants –, revient à penser qu'un individu a le pouvoir de changer des oreilles de porc en véritables bourses de soie.

Croire que Jésus venait ressusciter d'une mort récente quelques personnes élues, dans un pays où des centaines d'individus mouraient quotidiennement, est encore une lecture littérale d'un phénomène beaucoup plus terre-à-terre. Comme nous le savions maintenant, la méthode permettant à un individu de devenir membre du *sanctum* interne de Qoumrân était la cérémonie issue du meurtre de Sekenenrê à Thèbes, vieille de mille cinq cents ans. Et, comme nous nous souvenons, elle découlait elle-même des cérémonies de sacre de l'ancienne Égypte remontant au quatrième millénaire avant notre ère. Nous étions familiarisés avec cette idée d'appeler les initiés les « vivants », alors que tous les autres êtres humains étaient les « morts ». Religieusement parlant, la communauté de Qoumrân pensait qu'il ne pouvait y avoir de « vie » qu'au sein de la communauté et, selon certains Juifs, la « vie » ne pouvait même exister que sur la terre de Palestine une fois libérée de la loi romaine. Nous avons découvert qu'il était courant à cette époque qu'une secte juive considère que tous les Juifs d'autres sectes étaient religieusement « morts » [140].

Nous avons déjà rencontré cette idée de résurrection de vivants en étudiant les Évangiles gnostiques. Dans ce contexte, il n'était donc pas si incongru d'employer le terme de « mort » pour un être non ressuscité.

Nos recherches nous avaient appris que les Qoumrâniens utilisaient manifestement un simulacre de résurrection comme moyen d'admission au « troisième degré » de la secte. Par ailleurs, grâce aux manuscrits de la mer Morte, il a été incontestablement établi que les membres de la communauté considéraient toutes les personnes à l'extérieur de leur ordre comme des « morts ». À la lecture du Nouveau Testament, on peut clairement considérer que Jésus utilisait les mêmes techniques. Quand il faisait de quelqu'un un membre de ce culte dissident de la secte qoumrânienne, il changeait « l'eau en vin » et chaque fois qu'il initiait un nouveau candidat dans le cercle intérieur, celui-ci était « relevé – ou ressuscité – d'entre les morts ». Cette structure à deux étages fut rapportée par les premiers chrétiens : ils disaient que Jésus offrait un enseignement simple à « la multitude », mais délivrait un savoir secret aux « élus ». Nous avons déjà mentionné une lettre de Clément d'Alexandrie où il mentionne cette tradition secrète. Valentin [*Valentinus*], un maître chré-

---

140. G.W. Buchanan, *The King & his Kingdom*.

tien du milieu du IIe siècle, affirmait aussi que Jésus partageait avec ses disciples « certains mystères qu'il ne révélait pas aux étrangers ». Le Nouveau Testament (Marc 4, 11) le confirme :

> *Et il leur dit : « À vous le mystère du Royaume de Dieu a été donné ; mais à ceux-là qui sont dehors tout arrive en paraboles [...] »*

Après l'initiation-résurrection, on disait de l'individu revenu d'entre les « morts » qu'il avait été « ressuscité » ou « relevé ». Cette initiation était réversible pour ceux qui contrevenaient aux règles de la secte ; dans ce cas, on disait, assez logiquement, que l'individu concerné était « enterré » ou « tombé ». Dans le Nouveau Testament encore une fois, nous trouvons un exemple classique de ce processus avec l'histoire d'Ananie (*Ananias*) et Saphire (*Sapphira*), deux membres de la secte dans le temps de crise qui suivit la Crucifixion. Jacques ordonna que tout l'argent possible fût rassemblé pour organiser la défense de la secte. On demanda à chaque membre du cercle intérieur de vendre toutes les terres ou propriétés qu'ils possédaient et de remettre le produit des ventes dans le fonds commun. Ananie et sa femme Saphire réalisèrent leur vente. Mais on découvrit qu'ils avaient conservé une partie de l'argent pour eux, aussi furent-ils à tour de rôle amenés devant Pierre. Celui-ci décida de faire un exemple pour dissuader d'autres personnes d'avoir de semblables pensées. L'histoire est racontée dans les Actes des Apôtres (5, 1-11) :

> *Un certain Ananie, d'accord avec sa femme Saphire, vendit une propriété. De connivence avec son épouse, il détourna une partie du prix, puis il apporta le reste et le déposa aux pieds des apôtres. Mais Pierre demanda à Ananie : « Pourquoi Satan a-t-il rempli ton cœur, que tu mentes à l'Esprit Saint et détournes une partie du prix de la terre ? Quand tu avais ton bien, n'étais-tu pas libre d'en disposer ? Et après sa vente, n'étais-tu pas maître de son produit ? Comment as-tu pu concevoir une telle décision en ton cœur ? Ce n'est pas aux hommes que tu as menti, c'est à Dieu. » En entendant ces paroles, Ananie tomba et rendit l'esprit. Une grande peur s'empara alors de tous ceux qui apprirent la chose. De jeunes hommes vinrent envelopper Ananie et ils l'emportèrent pour l'enterrer.*
>
> *Au bout d'environ trois heures, sa femme ignorant ce qui s'était passé, vint aux nouvelles. En guise de réponse, Pierre lui demanda : « Dis-moi, le champ que vous avez vendu c'était telle somme ? » « Oui, répondit-elle, c'était cette somme-là. » Alors Pierre lui dit : « Comment avez-vous pu vous concerter pour mettre l'Esprit du*

Seigneur à l'épreuve ? Mais voici à la porte les pas de ceux qui ont enterré ton mari et qui vont t'emporter. »

Elle tomba à l'instant à ses pieds, et rendit l'esprit. Les jeunes hommes entrèrent. Ils la trouvèrent morte, et l'emportèrent pour l'enterrer près de son époux. Et une grande peur s'empara de toute l'Église et de tous ceux qui avaient appris la chose.

Pour tous ceux qui lisent la Bible sans connaissance de la terminologie de la période, on a l'impression qu'un Dieu en colère a assassiné un mari et son épouse, en utilisant des pouvoirs surnaturels, parce qu'ils n'avaient pas soutenu Son cercle d'élus avec suffisamment de ferveur. C'est l'image du Yahvé des premiers temps, partial et violent, très différent du Dieu d'Amour et de Pardon apparemment exalté par Jésus. Cependant, dès lors que l'on connaît les procédures de la communauté de Qoumrân/Église de Jérusalem, nous pouvons interpréter cet épisode pour ce qu'il fut : une audience disciplinaire qui aboutit à l'exclusion de deux morts, c'est-à-dire au renvoi parmi les « morts ». Le terme « jeunes hommes » utilisé dans ce passage n'était pas une référence superfétatoire à l'âge de ces acolytes : c'était simplement la description qoumrânienne pour « novices », l'opposé d'« anciens ». tre rejeté parmi les morts en ce moment crucial était un châtiment terrible pour ceux qui croyaient que le « royaume de Dieu » n'était plus éloigné que de quelques jours. Ils avaient perdu leur billet pour le nouvel ordre qui allait se lever sur Israël.

Parfois, certains ne subissaient qu'une « mort temporaire » en étant exclu du cercle intérieur, avant d'y être réadmis. Lazare en est un exemple : il flancha lorsque les événements commencèrent à se durcir vers la fin de la vie de Jésus. Il expliqua à ses sœurs Marie et Marthe qu'il avait peur et qu'il allait quitter le cercle interne. Quatre jours plus tard, Jésus arriva sur les lieux. Marie lui dit que Lazare ne serait pas « mort » si Jésus s'était trouvé là pour lui parler. Alors Jésus alla trouver Lazare. Il le persuada d'être courageux et de revenir parmi les « vivants ». La résurrection de Lazare a toujours été considérée comme le miracle de Jésus le plus stupéfiant de tous ceux que rapportent les Évangiles. Mais maintenant que nous connaissons la terminologie des Juifs du Ier siècle, nous pouvons sans risque oublier la vaine interprétation nécromantique.

Au-delà de tout doute possible, il a été démontré que ce type d'expression, les « vivants » et les « morts », était la terminologie utilisée à l'époque de Jésus. Ceux qui s'obstinent à prendre ces épisodes au pied de la lettre, non seulement nient l'évidence, mais ils desservent grandement un maître unique et brillant. L'idée de ramener à la vie un corps en décomposition eût été un concept révoltant et écœurant pour tous les

Juifs de l'époque. Pour les chrétiens modernes, il est aussi ridicule de croire que de telles choses passaient pour réelles à une époque donnée, que de penser que les tapis volants étaient le moyen de locomotion ordinaire à Bagdad. Des personnes, passant généralement pour pragmatiques, semblent disposées à croire que le ridicule a pu exister dans un passé lointain, dans quelque âge d'or oublié.

En réalité, Jésus n'était pas un homme tendre, doux, dispensant l'amour et la bonté partout où il allait. Selon les normes d'aujourd'hui, il était extrêmement dur et demandait à ses principaux partisans, son cercle intérieur, de rompre tous liens avec leurs familles comme lui-même l'avait fait. On en trouve un exemple dans l'Évangile de Matthieu 8, 21-22, passage qui a toujours paru étrange et qui a défié toute explication de la part de l'Église :

> Un autre de ses disciples lui dit : « Seigneur, permets-moi de m'en aller d'abord enterrer mon père. » Mais Jésus lui répondit : « Suis-moi, et laisse les morts enterrer les morts. » [141]

L'interprétation littérale de ce passage est pratiquement plus difficile que de « changer l'eau en vin ». Il est clair que Jésus voulait dire : « Laisse le monde extérieur [" les morts"] se débrouiller seul, parce que nous avons des choses plus urgentes à faire au sein de la communauté. » Si un lecteur croit que nous suraccentuons cet aspect de l'enseignement de Jésus, il n'a qu'à aller lire Luc 14, 26, où Jésus demande explicitement à ses fidèles de « haïr » leurs familles :

> Si quelqu'un vient à moi sans haïr son père, sa mère, sa femme, ses enfants, ses frères, ses sœurs, et jusqu'à sa propre vie, il ne peut être mon disciple.

La Bible fait un certain nombre d'allusions aux relations tendues entre Jésus et sa mère et ses frères. La plus claire se trouve dans Matthieu 12, 46-50 :

> Comme il s'adressait encore aux foules, sa mère et ses frères se tenaient dehors, cherchant à lui parler. Quelqu'un lui dit : « Voici ta mère et tes frères qui se tiennent dehors et désirent te parler. » Mais il répondit : « Qui est ma mère ? Et qui sont mes frères ? »
>
> Alors il tendit sa main vers ses disciples et dit : « Voici ma mère et mes frères ! Car quiconque fait la volonté de mon Père qui est aux cieux, celui-là est mon frère et ma sœur et ma mère. »

---

141. Luc 9, 59-60 relate cette même circonstance (N.d.E.).

Ce passage montre que Jésus n'avait pas de temps pour les membres de sa famille. Mais il révèle aussi que ces derniers tentaient de faire la paix avec lui après la fracture, née de la décision unilatérale de Jésus d'endosser simultanément les fonctions de Messie « sacerdotal » et de messie « royal ». Il est certain qu'à un moment donné avant la Crucifixion, Jacques, le frère de Jésus et son concurrent pour le rôle « sacerdotal », avait perçu la sagesse des étranges actions de son frère et qu'il s'était préparé à accepter ces nouveaux enseignements.

On connaissait Jésus sous le nom de Yehoshua ben Joseph, c'est-à-dire « Sauveur, fils de Joseph ». Mais dans le Nouveau Testament, jamais Jésus ne mentionne son propre père. Ce n'est pas vraiment surprenant, dès lors qu'il demandait à ses disciples de n'appeler aucun homme « père » sur la terre (Matthieu 23, 9). Les disciples devaient rejeter leurs familles et vivre comme si celles-ci n'avaient jamais existé. Ainsi toute leur loyauté pouvait se concentrer sur le groupe. Dans la *Prière du Seigneur* [le « Notre Père »], Jésus apprend à ses apôtres qu'ils doivent appeler Dieu notre « Père », comme une sorte de complet remplacement de leur géniteur naturel. À partir de là, il est aisé de comprendre comment les chrétiens gentils [non-juifs] et hellénisés prirent cela littéralement, par méconnaissance totale de l'esprit juif : ils crurent que Jésus était physiquement le « fils de Dieu » – bien qu'il se fût également dit « fils de l'homme » –, alors que c'était un titre ordinaire, à cette époque, pour un homme prétendant être le Messie. On s'aperçoit que cette description de Dieu en tant que Père et de lui-même, Jésus, en tant que fils aîné ou premier fils a une signification très précise : aspirant à être le nouveau roi davidique des Juifs, il se présentait comme le régent terrestre de Yahvé, qui ne pouvait être que le dirigeant suprême inamovible de cet état théocratique.

Le « Notre Père » apparaît comme suit dans la Bible :

« *Notre Père qui es aux cieux*
Que ton Nom soit sanctifié,
Que ton Règne vienne,
Que ta Volonté soit faite
Sur la terre comme au ciel.
Donne-nous aujourd'hui notre pain de ce jour.
Remets-nous nos dettes[142],

---

142. Nous citons ici (jusqu'à « délivre-nous du mal ») le *Pater* de Matthieu 6, 9 - 13, conforme à la Bible du roi James citée par les auteurs. On parle donc de « dettes » (qu'il faut sans doute entendre dans le sens de manquement) et non d'« offenses » ou de « péchés », comme dans la version classique aujourd'hui (« Pardonne-nous nos offenses,

Comme nous les remettons à nos débiteurs.
Et ne nous soumets pas à la tentation,
Mais délivre-nous du mal.
Car c'est à toi qu'appartiennent
Le règne, la puissance et la gloire,
Pour les siècles de siècles.
Amen. »

Grâce à la connaissance que nous avons acquise de la terminologie et des intentions de Jésus et de son groupe dissident, nous pouvons traduire ainsi cette « prière » :

Yahvé, ton nom est grand. Israël deviendra ton royaume. La vie sainte que tu réclames de nous et que tu t'imposes dans le ciel sera instaurée en Israël. Soutiens-nous tant que ton royaume n'est pas arrivé. Pardonne-nous, si nous manquons parfois quelque peu à tes saintes recommandations, comme nous pardonnons à ceux qui nous déçoivent. Ne nous rend pas la vie trop dure pour éprouver notre résolution, mais aide-nous plutôt à éviter les erreurs dans nos saintes entreprises.
Car c'est à toi qu'appartiennent Israël, le pouvoir de nous diriger et la splendeur, pour l'éternité. Qu'il en soit ainsi.

Il est important de comprendre que le mot « tentation » avait jadis une connotation quelque peu différente. Il signifiait alors « épreuve », « test », dans le sens d'augmenter la pression pour voir jusqu'à quel point un individu pouvait supporter une punition. Il n'y a donc pas cette idée moderne de « résistance au plaisir »[143].

À partir de là, on comprend qu'il est assez curieux que des non-juifs utilisent cette prière totalement israélite pour leurs propres objectifs. Dans la mesure où Jésus n'a jamais eu d'intérêt pour qui que ce soit hors de son petit royaume, il ne s'est jamais agi d'autre chose que d'une requête à l'endroit d'un dieu juif pour qu'il crée les conditions de l'auto-détermination en Israël. Les autres termes qu'il utilisait – comme « frères » et « prochains » – n'était censé s'appliquer qu'aux membres de sa communauté, et en aucune manière au monde au sens large. Notre traduction du *Notre Père* entendait

---

comme nous pardonnons aussi à ceux qui nous ont offensés »). Luc (11, 2-4) quant à lui dit bien « Remets-nous nos péchés », tout en poursuivant avec cette idée de « dette », « comme nous remettons à celui qui nous doit ». En revanche, le *Notre Père* de Luc est plus court que celui de Matthieu. (N.d.T.)
143. Le mot « tentation », vient du latin ecclésiastique signifiant « tentative ». (N.d.T.)

restituer le *sens* originel, et non simplement les mots, comme se contente de le faire la Bible. Mais ce n'est pas nous qui avons découvert que les paroles de Jésus n'avaient qu'une signification politique juive strictement locale ; c'est aujourd'hui largement admis, même par des ouvrages chrétiens parfaitement dans la ligne comme le *Peake's Commentary on the Bible*. Il est désormais tout à fait clair que Jésus n'a jamais parlé que de son combat politique de libération définitive des Juifs de toute tutelle étrangère.

La nouvelle voie vers le royaume de Dieu

Pour que s'achève le temps présent et qu'advienne le « royaume de Dieu », une condition était requise : le grand prêtre *tsedeq* devait se trouver au Temple et le roi davidique *mishpat* sur le trône pour que Yahvé soit assuré que *shalom* reste en place pour toujours. Yahvé ne ferait rien pour que cela survienne tant qu'un plus grand état de sainteté n'existerait pas en Israël. Alors pour Jésus, sa tâche principale était d'amener une amélioration dans le peuple.

Dans le cadre de son ministère, la première action de Jésus fut de se rendre à une grande noce (ce qui pouvait être un énorme événement durant plusieurs jours) afin de trouver des recrues pour sa cause. La véritable chose fantastique qu'il réalisa – laissant les Qoumrâniens abasourdis – fut d'accepter les « impurs », comme les hommes mariés, les invalides et même, plus surprenant encore, les femmes. Pour Jésus, ils étaient tous également capables de pécher devant Dieu et avaient donc autant que d'autres – si ce n'est davantage – besoin d'être sauvé. Cette idée d'égalité, révolutionnaire pour l'époque, devint la marque de ses enseignements.

Plus que toute autre chose, Jésus avait besoin d'argent et pour en obtenir, il dut assez logiquement aller vers les riches. Malheureusement, c'était *a priori* cette catégorie d'individus qui était considérée comme la plus pécheresse. À la suite de la destruction du Temple en 586 avant notre ère, la demeure du Seigneur avait été souillée. Aussi les Juifs pieux essayaient-ils de conserver leurs propres maisons aussi pures que l'autel dans le Temple et leurs propres personnes aussi dénuées de taches que celles de ses prêtres. Cela voulait dire respecter très consciencieusement les règles de pureté du Lévitique et les prescriptions alimentaires du Pentateuque. Un membre de la communauté de Qoumrân ne serait jamais entré dans la maison d'un homme de l'« extérieur » (un « mort »), parce qu'il aurait pu s'exposer à toutes sortes d'impuretés. Jésus choqua les Juifs « dignes » en pénétrant dans les demeures d'individus tels que les collecteurs d'impôts ou publicains[144]. En conséquence, il fut accusé de frayer avec les « pécheurs », les « ivrognes » et les « courtisans » ou les « prostituées ». En vérité, ces personnes étaient parfaitement respectables et saines, mais leur dévouement à la « Voie » n'était pas établi, on les affublait dès lors de tous les noms méprisables imaginables. Les termes « prostitué » et « courtisan », par exemple, signifiait simplement qu'ils avaient des contacts avec les Gentils dans leur travail ou leur vie sociale, et n'avait pas de connotation sexuelle.

Un publicain devint un apôtre de Jésus[145] et un autre, Zachée [*Zaccheus*], fut même un chef des publicains avant d'être « ressuscité » d'entre les « morts ». Ce Zachée donna la moitié de ses biens en réparation de ses injustices passées et l'autre moitié, il la distribua aux « pauvres », qui était l'un des termes utilisés pour désigner la communauté de Qoumrân.

Les enseignements de Jésus se présentent parfois comme une sorte de liste dans certains des Évangiles gnostiques et il est certain que l'Évangile originel « Q »[146] n'était pas construit comme une histoire. Si les auteurs du Nouveau Testament se sont efforcés d'assembler une bonne partie des enseignements de Jésus sous la forme d'une sorte de biographie, un nombre non négligeable de ceux-ci sont restés sous forme de liste dans que l'on appelle le « Sermon sur la montagne »[147]. On peut légitimement penser que la veine de Matthieu pour scénariser les enseignements de Jésus s'était ici tarie. Aussi se contenta-t-il de mettre bout à bout toutes sortes de citations et passages, faisant croire qu'ils étaient prononcés devant une foule du haut d'une montagne. S'il s'était véritablement agi d'un sermon unique délivré oralement, les pauvres spectateurs seraient probablement restés bouche ouverte, tentant de retenir un tel déluge d'information. Nous pensons donc que la plupart de ces déclarations et instructions furent rassemblées ici, sous la forme de cet « événement » unique, pour éviter d'interrompre le cours de l'histoire.

Tout au long des siècles, l'esprit des chrétiens s'est concentré sur les paroles que Jésus aurait prononcées en cette « occasion » et elles ont suscité toutes sortes d'interprétation. Cependant, à la lumière de ce que nous savons maintenant, leurs significations sont devenues très claires. Les Béatitudes [Matthieu, 5, 3-12] sont particulièrement simples à interpréter :

144. Homme riche chargé du recouvrement des impôts. (N.d.T.)
145. Matthieu, identifié à Lévi le publicain, et à qui est attribué le premier Evangile. (N.d.T.)
146. Rappelons que « Q » vient de l'allemand *Quelle*, « source » (voir début du chapitre 11, p. 221). (N.d.T.)
147. Voir Matthieu 5 à 7, ou Luc, 6, 17-49. (N.d.T.)

Heureux les pauvres en esprit, car le Royaume des cieux est à eux.

Très clairement, Luc se contente de parler des « pauvres », et dans les deux cas, ce terme désigne simplement, comme nous l'avons vu, la communauté de Qoumrân, car c'est ainsi qu'ils qualifiaient leurs initiés du « troisième degré ».

Heureux les affligés, car ils seront consolés.

Chez Luc, « les affligés » deviennent « ceux qui pleurent ». Dans ces deux cas, c'est encore une allusion à la communauté de Qoumrân et aux autres Juifs pieux qui pleuraient le Temple de Jérusalem tombé aux mains des indignes. Cette formule se retrouve dans un psaume qoumrânien.

Heureux les doux[148], car ils hériteront de la terre.

De nouveau, le terme « doux » était communément utilisé par les membres de la communauté de Qoumrân pour se désigner. On leur demandait de se comporter d'une manière douce et humble, pour que le « Royaume de Dieu » (leur héritage) arrive. À la lumière des manuscrits de la mer Morte, prétendre qu'il pourrait s'agir de *toute* personne douce ou humble serait un détournement délibéré de la vérité.

Heureux ceux qui ont faim et soif de justice, car ils seront rassasiés.

Nous savons que les membres de la communauté de Qoumrân étaient ceux qui en toutes occasions cherchaient *tsedeq* (la justice ou la rectitude). Mais nous savons aussi qu'avant l'avènement du « royaume de Dieu », ils ne seraient pas comblés.

Heureux les miséricordieux, car ils obtiendront miséricorde.

Comme dans le *Notre Père*, Dieu pardonnera aux justes de Qoumrân leurs erreurs mineures, parce qu'eux-mêmes pardonnent les plus petites fautes de leurs frères.

Heureux les cœurs purs, car ils verront Dieu.

148. Parfois traduit par « humbles ». (N.d.T.)

On enseignait aux membres de la communauté de Qoumrân de garder les mains propres et le cœur pur, parce que c'était la condition pour pénétrer dans le Temple de Sion : ils seraient ainsi les témoins de la venue du « Royaume de Dieu ».

Heureux les artisans de la paix, car ils seront appelés fils de Dieu.

Rien n'a été plus mal interprété que cette formule. Ici les « artisans de la paix » ne désignent absolument pas des pacifistes de quelque sorte que ce soit. C'est simplement une allusion à ceux qui œuvrent pour l'instauration du *shalom*, l'état de paix, de prospérité et de bien-être en général qui surviendrait, lorsque les piliers de *tsedeq* et de *mishpat* seraient enfin en place. Une nouvelle fois, cette référence s'applique exclusivement à la communauté de Qoumrân. Comme nous le savons déjà, Jésus demandait à ses partisans de se couper de leurs familles et de considérer Yahvé comme leur Père. Ils devenaient donc les fils de Dieu.

Heureux ceux qui sont persécutés pour la justice, car le Royaume des cieux est à eux.

La communauté de Qoumrân a toujours souffert de nombreuses persécutions. Jean le Baptiste, par exemple, avait été capturé l'année précédente.

Heureux êtes-vous lorsque l'on vous insulte ou que l'on vous persécute, ou lorsque l'on prononce faussement toute sorte d'infamie contre vous à cause de moi.

Cette formule est légèrement différente des autres, car elles semblent s'appliquer exclusivement à Jésus et à son groupe dissident. Luc utilise le mot « haïr » à la place d'« insulter ». C'est probablement une allusion à l'hostilité émanant des partisans de Jacques au sein de la communauté de Qoumrân. Si c'est bien le cas, ce texte dût être rédigé quelques mois à peine avant la Crucifixion, quand la fracture entre les frères était la plus grande.

Les Béatitudes perdent beaucoup de leur splendeur, lorsqu'elles sont prises pour ce qu'elles sont : une série de slogans recruteurs qui se résument finalement à « devenez l'un des nôtres et entrez dans le Royaume de Dieu… ou ne soyez rien. » On peut penser qu'ils ont bien travaillé. Jusqu'à une date récente, les chrétiens n'ont jamais compris le contexte juif complexe qui formait la toile de fond de cette campagne de recrutement inspirée. Aussi ont-ils utilisé le texte littéral du discours de Jésus pour soutenir leur propre système de croyance. Il est fort probable que, dans la plupart des cas, ce fut une bonne chose, mais ce n'était certainement pas ce que Jésus voulait dire.

Pendant un court laps de temps – peut-être deux ou trois mois à peine –, il fut considéré que Jésus, avec ses étranges activités, s'était séparé du cœur de la communauté de Qoumrân. Mais Jacques réalisa rapidement que son frère était en train de construire un groupe substantiel. Certains des principes essentiels des enseignements de Jésus peuvent être glanés dans les ouvrages contemporains qui ont été exclus du Nouveau Testament. Dans le *logia* 114 de l'*Évangile de Thomas* (le frère jumeau de Jésus), Jésus explique sa croyance selon laquelle les femmes sont égales aux hommes :

> *Simon-Pierre leur dit : « Laissez Marie nous quitter, car les femmes ne sont pas dignes de vivre. » Alors Jésus dit : « Je vais personnellement la guider, afin de faire d'elle un mâle, pour qu'elle puisse devenir un esprit vivant semblable à vous, les mâles. Car toute femme qui sera faite mâle, pénétrera dans le Royaume des cieux. »*

Inutile de préciser que Simon Pierre ne voulait pas dire que toutes les femmes devaient être tuées, quand ils prétendaient qu'elles n'étaient pas « dignes de vivre ». C'était encore une allusion au fait qu'elles devaient quitter la pièce où les membres de l'ordre supérieur du mouvement (les « vivants ») discutaient des matières secrètes. Jésus provoqua certainement la stupéfaction chez ses partisans quand il répondit qu'il allait personnellement la « ressusciter d'entre les morts » afin de faire d'elle la première femme membre de l'élite et quand il ajouta que toutes les femmes pourraient faire de même. Ce passage provient certainement de la bouche même du maître radical que les chrétiens appellent Jésus Christ et il est assez triste de constater que de nombreux prêtres continuent de s'opposer vigoureusement à l'ordination des femmes.

Dans le *Livre secret de Jacques* – censé avoir été écrit après la Crucifixion par Jacques, le frère de Jésus –, on voit Jésus expliquer comment ses partisans doivent suivre ses enseignements :

> *Faites attention aux mots. Comprenez ce que vous apprenez. Aimez la vie. Et personne d'autre que vous-mêmes ne pourra vous persécuter ou vous opprimer.*

Cet homme était étonnant. Pour nous, il était incroyable qu'une telle sagesse ait pu naître au milieu d'un tel climat de guerres et dissensions.

Pour nous, ces paroles procurent encore une merveilleuse philosophie de vie.

L'arrestation du pilier royal

Jésus savait qu'il avait besoin de temps et que l'heure était aux actions secrètes. Il devait susciter une révolte de masse à Jérusalem contre les Romains et les Sadducéens. Pour cela, il lui fallait armer autant de personnes qu'il pouvait, sans pour autant alerter l'ennemi sur la force du mouvement. Jésus et ses partisans se rencontraient donc en secret et prêchaient dans des lieux à l'écart. Même si Jacques refusait toujours à son frère le droit de se prétendre simultanément Messie sacerdotal et Messie royal, les choses allaient mieux. Par ailleurs, le réseau d'espions de Jésus lui rapportaient qu'il n'y avait pas d'action spéciale planifiée contre lui à Jérusalem.

Il avait besoin d'une manifestation de force dans la capitale pour démontrer qu'il n'avait pas peur de défier les autorités de front et d'affirmer son droit au trône d'Israël. Un plan précis fut élaboré pour montrer au peuple de Jérusalem qu'il était le roi, annoncé par les prophètes, qui devait se dresser pour les sauver de la domination étrangère. Son entrée dans Jérusalem, juché sur un ânon, fut une mise en scène délibérée de la prophétie célèbre que l'on trouve dans Zacharie 9, 9. Celle-ci prédisait que la population de la ville verrait :

> [...] *ton roi (qui) vient à toi : il est juste et triomphant ; humble, et monté sur un âne, et sur un ânon, le petit d'une ânesse.*

Les spécialistes de la Bible s'accordent à dire que les rameaux de palmier n'avaient aucune signification, mais qu'ils furent probablement utilisés simplement par les partisans de Jésus pour attirer l'attention sur un événement qui autrement serait passé inaperçu. Pour être sûr d'obtenir le plus grand retentissement public, Jésus se dirigea vers le Temple. Là, il provoqua une émeute en renversant les tables des marchands et des changeurs qui faisaient injure au lieu saint. Il avait probablement fait placer un groupe de ses hommes tout autour du périmètre pour surveiller l'endroit. À un signal donné, signifiant que la voie était libre, le Messie royal s'avança entouré de ses cinq « garde du corps ». Il entreprit immédiatement de renverser les tables, alors que ses fidèles jetaient les marchands à terre. La foule dissimula sa terreur, lorsque Jésus se mit à clamer haut et fort ce qu'il pensait de leur comportement impie. Puis, il s'éclipsa rapidement pour gagner Béthanie, à environ trois kilomètres à l'est de la ville[149]. Sans aucun doute, tous devaient penser que la mission avait été un grand succès. En réalité, c'était le commencement de la fin. À partir de ce moment-là, les autorités juives et romaines décidèrent d'agir rapidement pour mettre un terme aux troubles émanant de cette secte de Qoumrân avant qu'ils ne prissent trop de volume et devinssent difficilement maîtrisables.

Jacques fut arrêté et un avis de recherche concernant Jésus fut placardé. Celui-ci fournissait une description visuelle de l'homme. Tous les exemplaires de celui-ci – et même les moindres allusions à portrait – furent détruits il y a bien longtemps : la description d'un dieu moins que parfait n'était sûrement pas une bonne chose pour une Église naissante. Cependant, Flavius Josèphe l'évoque dans sa *Prise de Jérusalem*. L'historien juif tirait directement son information de l'affiche des officiers de Ponce Pilate ; le document-même qui contenait la description de l'homme recherché et dont une copie devait être conservée à Rome. D'après le Nouveau Testament, un mandat d'arrêt fut lancé contre l'homme qui se disait roi des Juifs et c'est Judas qui livra son maître.

En dépit de la censure chrétienne, une copie de la description de Josèphe survécut dans les textes slavons. Elle a été redécouverte au cours du dernier siècle. Nous ne pouvons être certains qu'elle est authentique, mais de nombreux spécialistes le pensent, et il n'y a aucune raison de les mettre en doute. Elle brosse le portrait d'un homme assez différent de l'image traditionnelle :

> [...] *Un homme de simple apparence, d'âge mûr, à la peau sombre, de petite taille, haut de trois coudées, bossu avec un long visage, un long nez, et des sourcils se rejoignant, à tel point que l'on peut être effrayé en le voyant, et enfin une chevelure clairsemée avec une raie au milieu, à la mode des Nazarites, et une barbe courte.*

Une hauteur de trois coudées donnerait une taille d'un mètre cinquante. Si l'on ajoute le dos voûté et les traits sévères du visage, Jésus Christ devait être un individu aisément reconnaissable. Cette description choquera peut-être certains chrétiens, mais nous voudrions insister sur le fait qu'il ne devrait pas être plus important pour un dieu d'être de belle apparence ou de haute stature que d'être né dans un palais. Cependant, il s'agit là d'un point de vue moderne ; jamais le monde hellénisé n'aurait accepté comme dieu un Jésus hideux et de petite taille. Ainsi les premiers chrétiens eurent donc probablement à dissimuler ce fait. Pour se convaincre que Jésus était un

---

149. La Bible dit précisément « quinze stades » (un stade équivalant à 185 m). (N.d.T.)

homme de très petite taille, on peut encore ajouter d'autres témoignages. Les Actes de Jean (exclus du Nouveau Testament) disent de Jésus :

Je fus effrayé et hurlai, et lui, faisant volte-face, apparut comme un homme de petite taille. Il attrapa ma barbe et la tira en me disant : « Jean, ne sois pas sans foi, mais crois. Et ne sois pas curieux. »

Luc 19, 3 parle d'une homme, Zachée, qui tente d'apercevoir Jésus au milieu d'une foule.

Et il cherchait à voir qui était Jésus, mais il ne pouvait y parvenir à cause de la foule, car il était de petite taille.

On peut lire ce verset de deux façons : soit le commentaire sur la taille s'applique à Zachée, soit il s'applique à Jésus. Cette ambiguïté explique pourquoi elle a échappé à la lame du censeur. Jésus était-il ce petit homme ? On ne pourra jamais le savoir avec certitude.

Quelle que fût sa taille, Jésus fut rapidement arrêté dans le jardin de Gethsémani [le mont des Oliviers]. Tous ceux qui ont reçu une éducation chrétienne connaissent bien le nom de cet endroit, théâtre de l'une des scènes les plus dramatiques de l'histoire de Jésus. Mais en étudiant l'emplacement de ce petit jardin, il devint clair que le choix de ce lieu ne fut pas un accident. Dans l'Évangile de Marc, 14, 32, l'auteur donne l'impression qu'il s'agit d'une halte fortuite au cours d'un trajet, quand il dit :

Ils parviennent en un lieu appelé Gethsémani et il dit à ses disciples : Asseyez-vous ici, tandis que je prierai. »

Pour autant, ce choix ne fut pas arbitraire : Gethsémani fut un lieu délibéré et prédestiné pour changer le cours de l'Histoire. Ce jardin se trouve à trois cent cinquante mètres face à la porte orientale du Temple – la porte « juste ». Alors que Jésus priait, peut-être pouvait-il apercevoir de l'autre côté de la vallée les deux colonnes physiques qu'il représentait dans la construction de la nouvelle Jérusalem et du « Royaume de Dieu » proche. Regardant le soleil descendre sur le Temple récemment reconstruit, il savait très bien qu'il serait arrêté cette nuit-là. D'après les passages de la Bible, il ressort clairement que Jésus était inquiet et tendu dans l'attente de son arrestation. Mais il faisait confiance à Yahvé pour que tout se passe bien, en disant : *Père, tout t'est possible !*

Jésus avait choisi le moment et le lieu avec un grand soin. La porte orientale, la porte de *tsedeq* ou de justice, était l'entrée principale pour la célébration très importante du Nouvel An, c'est-à-dire la Pâque (dont la date était fixée d'après la nouvelle lune suivant l'équinoxe de printemps et qui tombait donc entre la fin mars et le début avril). Cette porte, si importante dans la vision d'Ézéchiel, était chère au cœur de Jésus et de tous les Qoumrâniens. Dans les chapitres 43, 44 et 46 d'Ézéchiel[150], nous voyons l'importance particulière de la porte Est dans sa vision, qu'il débute (ch. 40) en disant qu'elle intervint « au commencement de l'année » :

> *Et la gloire du Seigneur [ndt. Yahvé] entra dans le Temple par le porche qui fait face à l'orient... (43, 4)*
>
> *[...] Il me ramena vers le porche extérieur du sanctuaire qui fait face à l'orient. Il était fermé. Alors le Seigneur me dit : « Ce porche sera fermé ; on ne l'ouvrira pas ; aucun homme n'y passera, car le Seigneur, Dieu d'Israël, est entré par ici. Donc il restera fermé. Seul le prince y aura accès ; il s'y assiéra pour manger le pain devant le Seigneur ; il entrera par le vestibule de ce porche. (44, 1-3)*
>
> *[...] Ainsi parle le Seigneur Yahvé. Le porche du parvis intérieur, qui fait face à l'orient, sera fermé les six jours de labeur, mais le jour du sabbat, on l'ouvrira, ainsi que le jour de la nouvelle lune[151]. Et le prince entrera par le vestibule de ce porche extérieur, et il se tiendra debout contre les montants de la porte. Alors les prêtres prépareront son holocauste et ses offrandes de paix, et il se prosternera sur le seuil du porche. Puis il ressortira [...] (ch. 46, 1-2)*

C'est exactement ce que fit Jésus. La nuit de la nouvelle lune du début de l'année, il vint se prosterner aussi près du seuil du porche oriental qu'il pouvait l'oser. Il se voyait comme le prince d'Israël, attendant d'être couronné pour exécuter les instructions d'Ézéchiel, et donc « établir la justice et la rectitude » (*mishpat* et *tsedeq*). Cette nuit-là, Jésus attendait que l'étoile du matin apparaisse, l'astre qui se lève à l'Orient et qui, jadis, annonçait l'arrivée du nouveau roi d'Égypte. Dans la croyance qoumrânienne, cette étoile devait également être la marque de leur nouveau roi. Cette « prophétie de l'étoile » – que l'on retrouve tout au long des manuscrits et dans le livre des Nombres 24, 17 – dit que « va se lever une étoile issue de Jacob va se lever, un sceptre pour gouverner le monde ». Pour Jésus, cela avait un sens précis. Mais plus tard, les chrétiens gentils, par confusion, en firent une caractéristique de sa naissance et non celle de son bref moment de royauté. L'auteur de *l'Apocalypse*, le dernier livre du Nouveau Testament, appelait Jésus :

---

150. Numérotation de la Bible française. Faisant référence à la Bible anglaise du roi James, les auteurs parlent ici des chapitres 14 et 15. (N.d.T.)

151. Jour de la néoménie, selon sa terminologie grecque. (N.d.T.)

Le rejeton et la lignée de David et l'Étoile brillante du matin. [152]

Le « manuscrit de la Guerre » [153], trouvé dans la grotte 1 de Qoumrân, nous dit qu'ils voyaient la « prophétie de l'étoile » en termes de levée des « doux » dans quelque guerre apocalyptique ultime. Il semble fortement possible que Jésus se soit imaginé qu'en respectant les étapes menant à la guerre, selon la prophétie, il provoquerait un soulèvement populaire ; insurrection qui serait le coup d'envoi de la « guerre pour la fin des temps ».

Les disciples de Jésus savaient qu'il ne pensait pas survivre à la confrontation qu'il préparait avec le Temple et les autorités romaines. On peut glaner d'autres informations encore dans l'Évangile de Thomas. Il se présente comme les dits secrets de Jésus, retranscrit par Judas Didyme – qui passe pour être le frère jumeau de Jésus et qui fut donc appelé Thomas, qui signifie « jumeau » [154]. Cet évangile n'était pas structuré comme un récit. C'est une liste de paroles prononcées par Jésus en qualité de chef. Dans le dit 16, Thomas nous dit :

> *Les disciples dirent à Jésus : « Nous savons que tu vas nous quitter. Qui doit devenir notre chef ? »*
> *Jésus leur répondit : « Où que vous soyez, vous devez rejoindre Jacques le Juste, pour qui le ciel et la terre furent créés. »*

Cela indique clairement que les frères avaient oublié leur division et que Jésus avait une vision sombre de son propre avenir. On comprend aisément pourquoi, trois siècles plus tard, Constantin devait exclure l'Évangile de Thomas de sa Bible « officielle », dans la mesure où l'Église romaine préférait faire de Pierre, et non de Jacques, le successeur de Jésus. On peut voir aujourd'hui que cette affirmation est une erreur manifeste.

Cette nuit-là Jésus – qui ne pensait pas être découvert avant l'aube par les gardes du Temple – entendait donc attendre que l'étoile du

---

152. 22, 16 (*Épilogue*). On peut aussi penser à cet autre passage de l'Apocalypse (2, 26-28), où Jésus dit : *Le vainqueur, celui qui restera fidèle à mon service jusqu'à la fin, je lui donnerai pouvoir sur les nations : c'est avec un sceptre de fer qu'il les mènera comme on fracasse des vases d'argile ! Ainsi moi-même j'ai reçu ce pouvoir de mon père. Et je lui donnerai l'étoile du matin.* L'étoile du matin est donc bien là le symbole d'une sorte de puissance « royale ». (N.d.T.)

153. Plus précisément intitulé *Règlement de la Guerre des Fils de Lumière contre les Fils de Ténèbres*. (N.d.T.)

154. Déformation de son surnom, *Didyme*, qui en grec signifie « jumeau ». (N.d.T.)

matin se lève. En dépit de son arrestation imminente, il se mit à exécuter, là, sur la colline, une cérémonie de résurrection de « troisième degré », pratiquement en vue des deux grands piliers du Temple. Nous ignorons qui était le jeune initié, mais il est possible que l'arrestation soit intervenue avant la fin de l'initiation. Marc 14, 51-52 nous dit :

> *Un jeune homme le suivait, n'ayant pour tout vêtement qu'un drap de lin. On se saisit de lui, mais il lâcha le drap et s'enfuit nu.*

L'incident a jusqu'ici défié toute explication, mais maintenant sa signification est claire.

Le procès et la crucifixion

Les autorités de Jérusalem avaient atteint leur objectif : elles s'étaient emparées des deux piliers de ce dangereux mouvement messianique bien décidé à renverser le Sanhédrin et le procurateur romain, Ponce Pilate [*Pontius Pilatus*]. Les prêtres juifs craignaient la remise en cause par Jacques de leur droit sur le Temple. Quant au Romain, la situation politique le mettait très mal à l'aise. Il connaissait la réputation de ces Juifs et les savaient capables de provoquer des troubles phénoménaux lorsqu'ils s'abandonnaient à une sorte de folie collective. Pilate disposait bénéficier de nombreuses troupes bien entraînées. Malheureusement, la plupart d'entre elles se trouvaient à deux jours de marche à Césarée. Tout soulèvement pouvait donc être réduit en trois jours, mais il savait également que ce laps de temps était suffisamment long pour qu'il se retrouve pendu sur les murs de la ville. Pilate n'était pas fou. Le plan qu'il élabora contentait tout le monde.

Le procurateur romain avait fait arrêter Jacques et Jésus, les deux hommes qui prétendaient être les piliers de la secte subversive. Les deux frères s'apprêtaient à être exécutés. En réalité, Pilate savait qu'il lui suffisait de faire tomber une seule tête pour saper le plan. Aussi proposa-t-il d'en libérer un et il donna le choix à la foule importante massée devant son palais. Il faut se rappeler que le nom Jésus, que nous prêtons au « Messie royal », n'était pas son véritable nom : c'était une simple référence à son rôle de « Sauveur » qui, en hébreu, se dit Yehoshua. Le nom hébreu de Jacques était certainement J'acov, mais il pouvait également être appelé « sauveur »... autrement dit « Jésus ». Ainsi, comme nous l'avions soupçonné dès que le véritable sens du nom Barabbas nous était apparu, les deux hommes mis en balance étaient appelées Jésus : l'un

Jésus « le roi des Juifs » et l'autre Jésus « le fils de Dieu ». Jacques était Barabbas – littéralement « le fils de Dieu » – parce qu'il passait pour le Messie sacerdotal, c'est-à-dire l'homme le plus proche de son « père », le plus en contact avec celui-ci.

La prétendue coutume de libérer un prisonnier pour la Pâque est une totale invention de l'Église ultérieure. Cette pratique n'a tout simplement jamais existé. Au demeurant, si cela avait été le cas, il se serait agi d'une procédure judiciaire tout à fait étrangère à l'esprit romain et donc parfaitement aberrante dans ce contexte. En réalité, ce fut une décision exceptionnelle de Pilate pour répondre au besoin d'une situation délicate. Pour l'essentiel, la foule venait de Qoumrân et soutenait Jacques, ou plutôt – pour utiliser sa désignation du jour – « Jésus Barabbas ».

Trop peu de voix s'élevèrent en faveur de « Jésus, le roi des Juifs ». Il fut donc déclaré coupable, fouetté, couronné d'épines et crucifié sur une croix en forme de « T », avec les mots « Roi des Juifs » placés au-dessus de sa tête. Il mourut inhabituellement vite pour une mise en croix. Mais, s'il était bossu comme le signalait l'avis de recherche, cette rapidité peut s'expliquer. Le processus de crucifixion rend la respiration très difficile : il nécessaire de soulever sa poitrine continuellement, pour expulser l'air des poumons. Avec un dos voûté ou bossu, ce mouvement devenait particulièrement ardu, et l'on peut imaginer que la suffocation intervenait rapidement.

Grâce à nos recherches sur le Ier siècle de notre ère, nous avons récupéré quantité d'informations qui nous ont permis de dresser un tableau précis de la situation de l'époque en Israël. Du fait de notre perspective inédite, nous voyions se mettre en place devant nous une vie de Jésus totalement nouvelle, unique. Et ainsi, des détails, qui pour d'autres n'auraient pas signifié grand-chose, pouvaient se révéler être des pièces majeures dans notre puzzle gigantesque. L'une des découvertes les plus importantes provint d'obscurs passages d'un texte rabbinique, le *Tosefta Shebuot*, qui date des tout premiers siècles de notre ère. Ce document rapporte les souvenirs des Juifs de Jérusalem survivants et fait le récit des événements qui précédèrent la calamité de 70 de notre ère. Comme il est issu d'une tradition non chrétienne, nous pensons qu'il est authentique et n'a pas été retouché. Dans le *Tosefta Shebuot* 1, 4, nous tombâmes par hasard sur une évocation déterminante. Celle-ci projetait une nouvelle lumière remarquable sur ce qui s'était produit entre Jésus et Jacques au moment de la crucifixion. Le passage commence ainsi :

> *Deux prêtres qui étaient frères montèrent la pente en courant coude à coude, et l'un d'eux arriva à quatre coudées de l'autel avant l'autre.*

Cette première phrase est une allusion aisément identifiable à la course entre les deux frères pour savoir lequel des deux serait le Messie sacerdotal. Jésus avait presque atteint son but lorsqu'il mourut sur la croix

> *Il prit un couteau [pour l'exécution de l'animal sacrificiel] et se le plongea dans le cœur.*

Il est intéressant de noter que cette phrase corrobore l'idée chrétienne d'un Jésus se sacrifiant volontairement devant Dieu. Nous ne souscrivions pas à cette idée, avant d'avoir reconstitué les dernières heures de Jésus et constaté qu'il s'était en fait délibérément livré aux gardes venus l'arrêter. Quand Jésus mourut sur la croix, il fut assimilé à un « agneau pascal », comme en témoigne la première épître de Pierre 1, 19.

La dernière partie du passage du *Tosefta Shebuot* se révéla vraiment une découverte majeure !

> *Rabbi Tsedeq vint et se tint sur les marches du portique du mont du Temple et dit :*
> *« Ecoutez-moi, ô frères, Maison d'Israël ! Vous savez, dit-il, que lorsque le cadavre d'un homme assassiné est trouvé, vos anciens et vos juges viennent mesurer. À l'heure présente, en ce qui nous concerne : de quel côté devons-nous mesurer ? Vers le sanctuaire ? Ou vers le parvis ? »*
> *Tout le peuple se mit à gémir et à pleurer à cause de ce qu'il avait dit.*

Nous avons ici des paroles d'une importance vitale, prononcées par Jacques, le frère de Jésus, peut-être quelques minutes après la descente de croix de ce dernier. Ce passage devrait figurer dans la Bible, pourtant ce n'est pas le cas.

La première partie de ce texte juif rabbinique décrit la course entre Jésus et Jacques pour être reconnu comme le Messie sacerdotal – même si tous deux reconnaissaient Jésus comme messie royal. Ce récit stylisé dit que Jésus avait presque atteint son but – devenir simultanément les deux piliers – quand il se sacrifia. Son frère Rabbi Tsedeq (littéralement le « Maître de Justice ») fut manifestement profondément bouleversé par cette perte. En se tenant sous le portique de Salomon, qui surplombait le parvis des Gentils, il s'adresse avec passion et colère aux membres de la communauté de Qoumrân présents. Jacques fait référence à une instruction du Deutéronome (21, 1-9) qui explique comment attribuer la culpabilité d'un meurtre en mesurant en préalable la distance séparant le corps des villes voisines et en déterminant quelle est la plus proche. Quand il demande aux Juifs de la communauté assemblés s'il faut à l'heure présente mesurer vers le sanctuaire ou le parvis, il veut signifier qu'eux, les prétendus Juifs dignes, étaient aussi coupables que le Sanhédrin qui avait réclamé la mort de Jésus, dès lors qu'ils avaient désigné Jésus pour mourir.

Nous pensâmes judicieux d'essayer de savoir si le temple d'Hérode disposait d'une rampe menant à l'autel. La réponse était positive. L'autel lui-même se trouvait à quinze pieds de haut avec une rampe de cinquante-deux pieds de long montant du sud, autrement dit une pente de trente-six coudées de long. Ce qui veut dire – en suivant le *Tosefta Shebuot* – qu'au moment où le frère qui était en tête choisit de se sacrifier, il avait déjà, très symboliquement, franchi onze douzièmes du chemin vers le succès.

Cette information signifie que la « course » de ces frères intervint à une date située entre 20 et 70, car nous savons que le temple d'Hérode fut détruit en juin de l'an 70 de notre ère, très peu de temps après son achèvement. De ce fait, il est pratiquement certain que notre interprétation est correcte, lorsque nous identifions les frères comme étant les hommes appelés aujourd'hui Jésus et Jacques, dans la mesure où ils étaient les chefs de la communauté essénienne à l'époque.

Nous pûmes noter avec intérêt qu'au sommet de la rampe, dans l'angle sud-ouest de l'autel, se trouvaient deux orifices d'évacuation pour le sang sacrificiel et un grand bloc de marbre avec un anneau en son centre. Ce bloc pouvait être soulevé grâce à cet anneau, ce qui livrait accès à un caveau sous l'autel. Dans la cérémonie de premier degré de la franc-maçonnerie, un Frère, se tenant dans l'angle sud-ouest du temple maçonnique, s'adresse au candidat et l'exhorte de vivre une existence morale et droite. Devant le Frère livrant le passage, il y a un bloc de marbre avec un petit anneau en son centre, suspendu à une poulie fixée à un système de levage en forme de trépied (voir fig. 27). Pouvait-il y avoir une connexion ?

Nous sentions que la citation du discours de Jacques devant ses partisans rassemblés était d'une grande importance, car elle confirme son rôle et son attitude à l'endroit de son frère à l'époque de la crucifixion. D'une manière ou d'une autre, ces paroles furent omises dans les récits du Nouveau Testament. Mais il est plus probable que ce fut plus une omission délibérée qu'un accident. Comme nous l'avons noté, une politique délibérée entendait disqualifier son rôle de leader de l'Église après la mort de Jésus, au profit de Pierre, qui passa sous l'influence de Paul.

L'histoire de Ponce Pilate apporte la preuve que le texte rabbinique contient bien les paroles prononcées par Jacques : en se lavant les mains, le Procurateur montre que s'il autorisait la crucifixion, il n'acceptait pas la responsabilité de cette mort. Or le fait de se laver les mains pour exprimer son innocence n'était pas une pratique romaine, mais une coutume qoumrâno-essénienne. Il s'agit donc d'un ajout ultérieur, plutôt que d'une description exacte des événements. Ce lavement de mains vient précisément du passage du Deutéronome qu'évoquait Jacques, mais il y est dit qu'il ne s'appliquait, comme signe d'innocence, qu'*après* un meurtre, et sûrement pas *avant* son exécution. Dès qu'un corps avait été découvert et que les mesures avaient été effectuées pour identifier la ville la plus proche, les anciens de cette localité devaient prendre une génisse qui n'avait jamais porté de joug, la faire descendre dans un cours d'eau et lui briser la nuque. Puis ils devaient se laver les mains au-dessus du corps en récitant les mots suivants : « Nos mains n'ont pas versé ce sang et nos yeux n'ont rien vu. » Le verset suivant implorait le Seigneur Yahvé de « ne pas laisser verser un sang innocent au milieu d'Israël ton peuple, et le sang leur sera pardonné. »

Les auteurs des évangiles synoptiques avaient clairement à l'esprit cette manière vétéro-testamentaire de clamer son innocence. Matthieu, par exemple, place ces paroles dans la bouche de Pilate (27, 24-25) :

> *Voyant alors qu'il n'aboutissait à rien, mais qu'il s'ensuivait plutôt du tumulte, Pilate prit de l'eau et se lava les mains en présence de la foule, en disant : « Je suis innocent du sang de cet homme juste ; voyez le vous-même ! »*
>
> *Alors tout le peuple dit : « Que son sang soit sur nous et sur nos enfants ! »*

Si nous comparons le passage du Deutéronome avec celui de Matthieu, le parallèle est évident :

Le Deutéronome dit : *Nos mains n'ont pas versé ce sang et nos yeux n'ont rien vu.*

Matthieu dit : *Je suis innocent du sang de cet homme juste ; voyez le vous-même !*

Dans l'Ancien Testament, nous avons des personnes qui clament leur innocence en disant qu'elles n'ont ni commis ni vu le meurtre. Dans le Nouveau Testament, Pilate s'affirme non coupable de la mort et ce sont les Juifs qui sont les *témoins* du forfait. Quel que soit l'auteur initial de cette version des événements, il était certainement au courant des paroles que Jacques avait prononcées après la crucifixion et il restitua à sa manière cette accusation de responsabilité partielle portée contre la foule assemblée. Jacques ne pouvait savoir à quel point les Gentils déformeraient ses mots pour rendre coupable de « théocide » toute la nation juive pour l'éternité. L'affirmation selon laquelle la foule se serait damnée en disant « Son sang est sur nous et sur nos enfants » est un affreux mensonge, responsable de deux mille ans d'antisémitisme.

Comme nous l'avons déjà noté, la transcription du discours de Jacques dans le *Tosefta Shebuot* est importante, car elle confirme le rôle exact de cet homme dans le mouvement et son attitude à l'égard de son frère au moment du supplice. Et par ailleurs, elle explique les prétendues actions de Pilate. L'omission des paroles de Jacques dans le Nouveau Testament fut une disqualification délibérée de la position primordiale de celui-ci vis-à-vis de Jésus.

En étudiant plus avant l'œuvre rabbinique, nous avons découvert une référence dans *Mishnar Sotah* 6, 3 qui, une nouvelle fois, nous fit écarquiller les yeux de stupéfaction :

> *Quarante ans avant la destruction du Temple, la lumière occidentale s'éteignit, le fil cramoisi demeura cramoisi et la masse au nom du Seigneur Yahvé se leva contre la main gauche.*

Pour les Juifs de l'époque, quarante années était un nombre spécial, mais c'est pratiquement le laps de temps qui sépare la mort de Jésus de la destruction du Temple. La lumière qui s'éteignit, c'était le Messie royal, ce qui est confirmé par la couleur royale – le rouge cramoisi. Et la masse qui au nom du Seigneur Yahvé se lève contre la main gauche , c'est une allusion à la décision de la foule (la masse) de voter pour Jacques, le pilier droit (c'est-à-dire à « main droite ») de préférence à Jésus, le pilier gauche ou « à main gauche ». Le fil cramoisi demeurant cramoisi nous fait comprendre que Jacques héritait du droit de son frère défunt à être considéré comme le nouveau chef de la lignée royale de David, tout en étant le Maître de Justice.

Un débat n'a jamais cessé sur le point de savoir si Jésus était mort sur la croix ou si un autre avait été crucifié à sa place. Les musulmans ont toujours considéré que le mort de la croix n'était pas Jésus. Dans la sourate 4 : 156, le Coran dit :

> *Ils disent : « Nous avons mis à mort le Messie, Jésus fils de Marie, l'apôtre de Dieu. » Non, ils ne l'ont pas tué, ils ne l'ont point crucifié ; un autre individu qui lui ressemblait lui fut substi-*

tué, et ceux qui se disputaient à son sujet ont été eux-mêmes dans le
doute. Ils n'en avaient pas de connaissance précise, ce n'était qu'une
supposition. Ils ne l'ont point tué réellement.[155]

Comment se fait-il que certaines personnes soient convaincues que
Jésus fut crucifié, alors que d'autres sont autant persuadées qu'il ne le
fut pas ? La réponse est remarquablement simple. Ils pensent tous
avoir raison parce qu'ils ont tous raison. Deux fils de Marie furent
jugés ensemble. Tous deux avaient récemment prétendu être le
Sauveur ou le Messie et portaient donc le nom de « Jésus ». L'un mourut sur la croix ; l'autre pas. Le survivant fut Jacques, le moindre des
deux, mais celui qui était le plus en vue. Il n'est pas étonnant que certaines personnes aient pensé qu'il avait échappé à la croix.

Les symboles de Jésus et Jacques

L'étoile de David est aujourd'hui unanimement considérée comme
le symbole du judaïsme. Mais cet hexagramme est en réalité la super-
position de deux symboles qui, combinés, créent une nouvelle signification, et son origine n'est absolument pas juive. Les pointes du sommet et de la base de cette étoile sont les apex de deux pyramides
superposées. La pyramide pointée vers le haut est un ancien symbole
du pouvoir royal (dont la base repose sur la terre et dont le sommet
atteint le ciel). L'autre pyramide incarne le pouvoir du prêtre (établi
dans le ciel et descendant sur terre). Dans cette forme complexe, on
retrouve la marque du double messie : le messie sacerdotal ou *tsedeq* et
le messie royal ou *mishpat*. En tant que tel, c'est le seul véritable signe
de Jésus, et en plus de ce symbolisme, il représente l'étoile lumineuse
de la lignée de David qui se lève le matin.

Si on l'appelle étoile de David, ce n'est pas parce que David l'inventa,
mais parce que Jésus l'utilisa et qu'il se positionna comme l'« étoile de

155. *Le Coran*, coll. GF, Flammarion, Paris, 1970, p. 103. (N.d.T.)

David » prophétisée. De ce fait, il n'est pas surprenant que ce symbole n'apparaisse pas dans les anciens livres religieux hébreux. Elle ne fut utilisée dans le lointain passé du judaïsme qu'en qualité de motif décoratif occasionnel parmi d'autres images moyen-orientales, incluant – ironiquement – le svastika, ou croix gammée. Ce n'est qu'au Moyen Âge qu'elle commença à être popularisée sur un grand nombre d'églises chrétiennes. Nous fûmes stupéfaits de constater que les plus anciens exemples se trouvaient sur des édifices construits par les chevaliers templiers. Elle n'apparut que beaucoup plus tard dans les synagogues. Alfred Grotte, un célèbre architecte de synagogue du début du XXᵉ siècle, écrivit ceci à propos de l'étoile de David :

> *Quand au XIXᵉ siècle, on commença à construire des synagogues avec une véritable politique architecturale, les architectes principalement non juifs s'efforcèrent de bâtir ces maisons de culte sur le modèle des églises. Ils crurent devoir chercher autour d'eux un symbole correspondant à celui des églises, et leur attention se porta sur l'hexagramme. Étant donné la totale ignorance (y compris de la part de théologiens juifs érudits) en matière de symbolisme juif,* la magen David *fut exaltée comme l'insigne extérieur du judaïsme. Dès lors que sa forme géométrique se prête aisément à toutes les fonctions structurelles et ornementales, il est désormais établi depuis plus de trois générations – et même déjà consacré par la tradition – que la* magen David *est le symbole sacré équivalant pour les juifs à la croix et au croissant des autres fois monothéistes.*

Nous ne pouvions nous empêcher de nous émerveiller en voyant comment l'Histoire naissait souvent d'une extraordinaire série de malentendus ou de détours inattendus.

Si l'on enlève les deux lignes horizontales de l'étoile de David pour ne laisser que les flèches pointant vers le haut et le bas, on obtient le compas et l'équerre des francs-maçons. La pyramide sacerdotale ou céleste devient l'équerre du tailleur de pierre, un instrument utilisé pour mesurer et vérifier l'exactitude et la rectitude des bâtiments, et, de manière figurée, la bonté humaine – la qualité que les égyptiens appelaient Ma'at, comme nous l'avons vu. La pyramide royale ou terrestre est représentée sous la forme du compas qui, d'après la franc-maçonnerie, marque le centre du cercle autour duquel aucun Maître maçon ne peut matériellement s'égarer ; c'est-à-dire, l'étendue du pouvoir du roi ou du chef.

Si l'étoile de David est un symbole de la messianité unifiée de Jésus, elle devrait être la marque du christianisme. Alors une question se pose : quel devrait être le symbole du judaïsme ? Réponse : la Croix.

Nous parlons du Tau. C'est la forme de la croix sur laquelle Jésus fut crucifié, et non la croix à quatre branches avec une branche plus courte au-dessus de la verticale. Nous avons vu au chapitre IX que le Tau était la marque de Yahvé et que les Qénites le portaient sur leur front bien avant que Moïse ne les rencontrât dans le désert du Sinaï. C'est également le symbole magique qui fut peint sur les portes au moment de la Pâque de l'Exode.

Nous fûmes étonnés de découvrir que la croix de type crucifix utilisée par l'Église chrétienne était un ancien hiéroglyphe égyptien, mais nous fûmes carrément abasourdis d'apprendre qu'il véhiculait le sens très précis de... « Sauveur » (traduit en hébreu par « Josuah », et en grec par « Jésus » !). Bref, la forme du crucifix n'est pas un symbole de Jésus : c'est son nom lui-même !

Cela nous ramène à la franc-maçonnerie. Le symbole le plus important du degré de *Royal Arch* (Arche royale ou Sainte Arche royale de Jérusalem) est le Triple Tau. On peut le voir sur la principale bannière du grade sur la planche à tracer entre les bannières de Ruben et Juda[156]. Ces trois Tau attachés représentent le pouvoir du roi, du prêtre et du prophète[157]. L'Ordre explique ce symbolisme ainsi :

> *Les trois Sceptres réunis symbolisent les Offices royal, prophétique et sacerdotal, qui étaient tous – et devraient l'être encore – conférés d'une manière spéciale, et qui s'accompagnaient de la possession de secrets particuliers.*

Le dernier symbole que nous voulons évoquer à ce stade est celui du poisson. Au cours des dernières années, il a fait l'objet d'une sorte de renouveau comme marque du christianisme.

156. Sur la bannière du grade sont représentées les bannières des douze tribus d'Israël. (N.d.T.)
157. Respectivement Zorobbabel, Josué et Aggée dans le symbolisme du grade. (N.d.T.)

Bien que ce dernier soit perçu comme un symbole chrétien, c'est un très ancien insigne de la prêtrise et il fut indubitablement le symbole des nazôréens. Et quand les chrétiens l'utilisèrent pour identifier leurs lieux saints dans Jérusalem vers la fin du Ier siècle, ce fut leur unique symbole. Il est fort possible qu'il ait été adopté par Jean le Baptiste, et, comme nous l'avons déjà évoqué (ch. V), le terme « nazôréen », est une forme du mot *Nazrani* (ou *nasrani*) qui signifie à la fois « petits poissons » et « chrétiens » en arabe moderne, exactement comme il y a deux mille ans, en araméen.

Nous savions que Jacques le Juste devint le premier évêque (ou, en hébreu, le *Mebakker*), et qu'il se mit à porter une mitre comme insigne de sa charge. Cette coiffe est aujourd'hui portée par tous les évêques et son origine ne laisse aucun doute : elle est venue d'Égypte avec Moïse[158].

La mitre, avec sa forme de cône fendu [avec la fente portée d'avant en arrière] et sa queue, est identique à la coiffure des évêques modernes, certainement venue des anciens Égyptiens via les nazôréens. C'était exactement le hiéroglyphe représentant « Amen » [ou « Amon »], le dieu créateur de Thèbes, qui, plus tard, se fondit au dieu-soleil de Basse-Égypte, Rê, pour devenir Amen-Rê. Une fois de plus, il n'y a, à notre avis, pas place ici pour la coïncidence. Les fils reliant l'Égypte à Jérusalem puis aux temps modernes se sont combinés au cours de notre recherche pour former une véritable corde !

Pour finir, nous nous souvînmes à quel point le nom d'Amen est encore vocalisé aujourd'hui. Il est utilisé quotidiennement par les chrétiens pratiquants à la fin de chaque prière. Était-il possible qu'à l'origine il se soit agi de faire venir la bénédiction du dieu Amen sur la requête pour que celle-ci se réalise ? Comme Thèbes était la ville de Sekenenrê Taâ, il était concevable qu'une telle prière eût été transmise aux Israélites

158. Le mot « mitre » lui-même vient de l'égyptien *mythra*, « bandeau ». (N.d.T.)

par l'intermédiaire de Moïse et de la cérémonie de résurrection. Et ensuite la langue hébraïque utilisa certainement ce terme « Amen » pour clore une prière avec le sens d'« ainsi soit-il », et c'est aux Hébreux que les chrétiens l'empruntèrent.

L'ascension du menteur

Après la mort de Jésus, Jacques le Juste était devenu l'unique Messie, c'est-à-dire qu'il assumait désormais simultanément la charge des deux Messies, le royal et le sacerdotal. Il se retira alors à Qoumrân pour considérer son avenir. Jacques paraît avoir été un chef puissant et fanatique sur le point de respecter une vie parfaitement droite. Il se tenait rigoureusement à l'écart de toute chose ou personne susceptible de souiller sa pureté. Il était si dépourvu de tout péché ou « impureté », qu'il était exempté, à la différence de tous les autres membres de Qoumrân, de lustration. On nous dit qu'il « ne se lavait jamais », mais nous pensons qu'il s'agit simplement d'une allusion à l'usage rituélique de l'eau. Sinon il se lavait normalement pour des questions d'hygiène personnelle. Les Actes des Apôtres 12, 17 confirment que Jacques était désormais important dans l'Église primitive. On y voit Pierre envoyer des nouvelles de sa sortie de prison à Jacques et à ses frères :

> *Mais il leur fit signe de la main de se taire et leur raconta comment le Seigneur l'avait tiré de prison. Il ajouta : « Allez l'annoncer à Jacques et aux frères. » Puis il s'en alla, et se rendit dans un autre endroit.*

La mise à mort du « roi des Juifs » par un procurateur romain avait eu un large retentissement, dans tout Israël et au-delà. Alors les gens commencèrent à s'intéresser au mouvement messianique. Un citoyen romain du nom de Saül était de ceux-là. Il venait d'une région qui fait aujourd'hui partie du sud de la Turquie. Ses parents étaient devenus des Juifs de la Diaspora. Il fut donc élevé en Juif mais sans la culture et les attitudes de fidèles de Yahvé aussi purs que la Communauté de Qoumrân. L'idée que sa mission ait été de persécuter les chrétiens est un non-sens évident dans la mesure où un tel culte n'existait pas à l'époque. Les nazôréens, désormais dirigés par Jacques, étaient juifs les plus juifs que l'on puisse imaginer ; la tâche de Saül était simplement de réprimer pour le compte des Romains tout mouvement d'indépendance subsistant. Comme nous l'avons montré, les mandéens du sud de l'Irak sont des nazôréens qui furent chassés de Judée et dont la migration peut être précisément datée de 37 de notre ère. Il semble dès lors presque certain que l'homme qui les persécuta était Saül (alias Paul) lui-même.

Pendant près de dix-sept ans, Saül fut manifestement le fléau du mouvement d'indépendance juif, jusqu'à ce qu'il fût frappé de cécité en 60 sur la route de Damas. On pense maintenant que l'autorité de Saül ne se serait pas étendue jusqu'à Damas et ainsi qu'il n'aurait pas eu le droit d'arrêter des activistes dans cette ville ; si tant est qu'il y en ait eu, ce qui paraît très douteux. En réalité, la plupart des spécialistes estiment aujourd'hui que sa destination était probablement Qoumrân, à laquelle on faisait souvent référence sous le nom de « Damas » [*Damascus*]. Sa cécité puis son recouvrement de la vue symbolisent sa conversion à un groupe de la cause nazôréenne. Le fait que la destination de Saül fut en réalité Qoumrân est corroboré par les Actes des Apôtres 22, 14. Il est dit dans ce passage qu'il fut présenté au « Juste », ce qui est une référence transparente à Jacques.

> *Il dit alors : "Le dieu de nos pères t'a choisi pour connaître sa volonté et voir le Juste, et pour entendre la voix sortant de sa bouche.*

Ainsi c'est directement de la bouche de Jacques que Paul entendit l'histoire des nazôréens. Mais étant un Juif de l'étranger et un citoyen romain, il ne comprit pas le message qui lui était délivré, et il développa immédiatement une fascination hellénistique pour l'histoire de la mort de Jésus et son rôle d'agneau sacrificiel. Il est certain que Paul ne fut pas admis à partager les secrets de Qoumrân, parce qu'il ne fit là qu'un bref séjour. Comme nous le savons, trois années de formation et d'évaluation étaient nécessaires pour devenir un frère. La relation entre le nouveau-venu et Jacques fut rapidement très tendue.

Paul avait à son actif dix-sept années de chasse des Juifs potentiellement rebelles. Il ne se convertit jamais à la cause de Jean le Baptiste, Jésus et Jacques. Au lieu de cela, il inventa un nouveau culte auquel il donna un nom grec : « chrétiens », qui se voulait la traduction du mot hébreu « messie ». Il appela Jésus – un homme qu'il n'avait jamais connu – « Christ » et il commença à réunir des disciples autour de lui-même. Comme Paul n'avait aucune compréhension de la terminologie nazôréenne, il fut le premier à prendre littéralement ce qui n'était qu'allégorie dans les enseignements de Jésus et c'est ainsi qu'un patriote juif devint un dieu-homme faiseur de miracle. Il prétendit avoir le soutien de Simon-Pierre, mais ce n'était qu'un mensonge parmi tous les autres. Simon-Pierre mit en garde contre toute autorité, sauf celle du chef des nazôréens :

> *Où que tu sois, observe la plus grande prudence, ne crois aucun*
> *maître, à moins qu'il n'apporte de Jérusalem une attestation de*
> *Jacques, le frère du Seigneur.*[159]

Après avoir lu les interprétations des textes de Qoumrân de Robert Eisenman, nous n'avions plus de doutes concernant l'identité de Paul avec le « verseur de mensonges » qui s'opposait à Jacques, le « Maître de Justice ». L'utilisation du mot « verseur » est un jeu de mots typiquement qoumrânien, faisant allusion aux procédures baptismales associées à cet adversaire. Le *Commentaire d'Habacuc* [*Habakkuk Pesher*] dit clairement que cet individu « versait sur Israël les eaux du mensonge » et « les détournait vers un désert sans Voie ». Le jeu de mots sur « Voie » est une allusion à la « suppression des repères » de la Loi[160].

Nous pensons que le « Menteur », l'ennemi de Jacques, était Paul, qui mentit à propos de sa prétendue éducation pharisienne et de la mission du Christ, qui enseigna que la Loi des Juifs n'était pas importante et admit les non-circoncis. D'après les épîtres de Paul, il est clair que des Apôtres furent envoyés de Jérusalem dans le territoire qu'il avait choisi pour contester son autorité et contredire son enseignement. Paul parle d'adversaires d'un prestige indiscutable, « réputés être quelque chose », « piliers notoires », et il déclare qu'il n'est pas dépendant des « archiapôtres » ou inférieur à eux[161]. Il les décrit comme des « serviteurs de Satan », de « faux apôtres » et de « faux frères ». Il s'étonne que ses convertis galates se tournent vers un « évangile différent », « un second évangile »[162], et il leur dit « si quelqu'un vous annonce un évangile différent de celui que vous avez reçu, qu'il soit anathème ! »[163] Il appelle les émissaires de Jacques de « faux frères qui se sont glissés pour espionner la liberté que nous avons dans le Christ Jésus, afin de nous réduire en servitude »[164].

Certains commentateurs, tel Hyam Maccoby, ont avancé de solides arguments pour montrer que Paul ne fut jamais un rabbin pharisien, mais un simple aventurier d'origine obscure. Les écrits ébionites[165]

---

159. Hugh SCHONFIELD, *Those Incredible Christians*. [Traduit en français sous le titre : *Jésus, Messie ou Dieu : ces incroyables chrétiens*, Pygmalion/Gérard Watelet, Paris, 1991. Le passage cité par H. Schonfield (p. 192 de l'édition française) est tiré des *Reconnaissances*.(N.d.T.)]

160. Robert EISENMAN, *The Habakkuk Pesher*.

161. Voir notamment Deuxième épître aux Corinthiens, 11. (N.d.T.)

162. Voir Épître aux Galates, 1, 6. (N.d.T.)

163. Épître aux Galates, 1, 8. (N.d.T.)

164. Épître aux Galates, 2, 4. (N.d.T.)

165. Sur les ébionites, voir début du chapitre 13, p. 295. (N.d.T.)

confirment que Paul n'avait aucune origine ou éducation pharisienne ; né à Tarse de parents gentils, il s'était converti au judaïsme[166]. Il vint adulte à Jérusalem et devint un homme du grand prêtre. Ses espoirs d'avancement ayant été déçus, il se sépara de ce dernier et fonda sa propre religion.

Paul reconnaît qu'il y avait deux versions opposées de la vie et de la mission du Christ : les « faux » enseignements de Jacques, le frère du Christ ; et son propre roman à mystères hellénistiques qui ne se préoccupait pas des croyances fondamentales du judaïsme. Dans la Première Epître aux Corinthiens, 9, 20-25, il n'a pas peur d'admettre son dédain pour l'Église de Jérusalem et montre ouvertement qu'il est un menteur sans scrupules :

> *Je me suis fait Juif avec les Juifs, afin de gagner les juifs [...] Je me suis fait un sans-loi avec les sans-loi [...] Je me suis fait tout à tous [...] Et c'est bien ainsi que je cours, moi, pour gagner ; c'est ainsi que je me bats, sans frapper dans le vide.*

Ce mépris ouvert pour la Loi et cet empressement à dire et faire tout ce qu'il était possible en vue d'atteindre ses étranges fins expliquent parfaitement pourquoi Jacques et la communauté de Qoumrân appelait Paul le « verseur de mensonges ». Dans l'Epître aux Romains 10, 12 et ailleurs, Paul exprime son désir de fonder une communauté qui ne « ferait aucune distinction entre Juif et Grec ». C'est précisément le type d'ambition qui caractérisait la famille hérodienne[167] et ses partisans. Paul s'est donné du mal pour légitimer les forces d'occupation qui avaient chassé de Jérusalem la branche de David et assassiné leur roi messie. Il expliquait : « Vous devez obéir aux autorités en charge. Comme il n'y a point d'autorité qui ne vienne de Dieu, toutes celles qui existent ont été désignées par Dieu. » [168]

Comme on le voit, Paul méritait bien sa citoyenneté romaine.

Ce pilleur de culte engendra probablement la peur et la haine. Son accès aisé au cercle du pouvoir hérodien à Jérusalem est explicite dans les Actes des Apôtres, et identifie Paul comme un probable conspirateur contre Jacques. Ce dernier dut clairement sentir le danger, car il prit

---

166. Hyam MACCOBY, *the Mythmaker*.

167. Une secte hérodienne, recrutée parmi les partisans de la famille des Hérode, est citée dans les Evangiles (notamment Matthieu, 22, 16). On les disait Juifs de naissance et païens de cœur. (N.d.T.)

168. Epître aux Romains, 13, 1. (N.d.T.)

grand soin de ne pas retourner contre Paul le type de calomnies qui étaient dirigées contre lui. Paul continua de voler les « secrets » de la communauté de Qoumrân au profit de ses propres enseignements. Dans la Première Épître aux Corinthiens, 3, 9sq., Paul utilise l'imagerie de la « construction » et de la « pose de fondations » du *Commentaire d'Habacuc* [*Habakkuk Pesher*], quand il décrit sa communauté comme l'« édifice de Dieu » et qu'il se présente comme « l'architecte » et décrit Jésus Christ comme la « pierre angulaire[169] » [170]. Ce sont, naturellement, des termes utilisés par Jésus et tous les nazôréens qui ont été transmis à la franc-maçonnerie.

Nous avons déjà traité de la colère des nazôréens de Qoumrân contre Paul parce qu'il ne voulait pas reconnaître Jacques le Juste comme le Messie incontesté et racontait fallacieusement que Pierre était le chef de l'Église de Jérusalem. Il ne fait aucun doute que Paul voulut récupérer à son compte le commandement en prétendant aussi mensongèrement qu'il avait reçu une solide formation pharisienne avec Gamaliel (un grand docteur de la Loi) pour maître. Mais son instinct politique lui souffla qu'il n'y parviendrait pas lui-même. Le chapitre 21 des Actes des apôtres montre à quel point Paul était impopulaire pour la population de Jérusalem : il évalue mal son autorité et pénètre dans le Temple, mais il fut traîné hors du sanctuaire par la foule assemblée qui chercha à le mettre à mort ; ils l'avaient reconnu comme l'homme qui avait prêché contre le peuple de l'Alliance et contre la Loi, quand il se trouvait à Éphèse. L'émeute qui éclata dut atteindre des proportions considérables, car la Bible nous dit que « tout Jérusalem était en effervescence… sens dessus dessous » et que plusieurs centaines de soldats romains sortirent de la forteresse Antonia qui, heureusement pour Paul, jouxtait le parvis du Temple.

Chris visita l'amphithéâtre d'Éphèse où Paul s'était adressé aux foules et où il avait déjà là mal évalué la situation. À cette époque, Éphèse avait une population cosmopolite, incluant l'une des plus grandes communautés juives hors d'Israël. Comme les Juifs d'Alexandrie, beaucoup étaient des thérapeutes, une secte de guérisseurs étroitement liées aux esséniens de Qoumrân. Dans les ruines grossièrement reconstruites, Chris trouva une grande pierre sur laquelle était gravé le signe des *Therapeutai*, un bâton et un serpent, ce caducée qui est devenu le symbole universel de la médecine. Ces Juifs d'une grande intelligence et bien informés n'avaient aucun temps à accorder à Paul et à sa stupidité : le prêcheur autodésigné fut incarcéré dans un petit bâtiment au sommet

---

169. Voir aussi Épître aux Ephésiens, 2, 20. (N.d.T.)
170. Robert EISENMAN, *The Habakkuk Pesher*.

d'une colline nue à peine visible depuis l'amphithéâtre. Chris ne put s'empêcher de penser à quel point le monde aurait pu être un endroit meilleur s'ils avaient gardé l'homme enfermé là.

Paul échappa à l'émeute de Jérusalem, mais en 62, ce fut au tour de Jacques d'être attaqué dans le Temple de Jérusalem. Dans ses écrits, Épiphane, évêque de Constantia (dans l'île de Chypre, 315-403) rapporte les propos de témoins oculaires : ceux-là prétendaient que Jacques avait revêtu le pectoral et la mitre d'un grand prêtre et qu'au titre d'évêque de Jérusalem, il revendiquait le droit de pénétrer une fois par an dans le Saint des Saints. Il semble probable que Jacques suivit les traces de son frère aîné, se fraya inopinément un passage dans le Temple et fut rapidement arrêté. Le Nouveau Testament a été constitué de manière à exclure les détails de l'assassinat. Mais un évangile rejeté par l'empereur païen Constantin, *La Seconde Apocalypse de Jacques,* rapporte l'événement comme suit :

> *[…] les prêtres […] le trouvèrent debout à côté des colonnes du Temple et de la majestueuse pierre d'angle. Alors ils décidèrent de le faire descendre de là et se mirent à l'œuvre. Et […] ils s'emparèrent de lui et le [frappèrent] alors qu'ils le jetaient à terre. Ils l'étendirent sur le sol et posèrent une pierre sur son ventre. Puis ils vinrent tous se mettre debout sur lui en disant : « Tu as péché ! ». Ils le relevèrent, alors qu'il était encore en vie, et ils lui firent creuser un trou. Ils l'obligèrent à se tenir debout dedans. Après l'avoir enterré jusqu'au ventre, ils le lapidèrent.*

À cette date, des parties du Temple étaient encore en construction La pierre placée sur le ventre de Jacques était donc certainement une pierre destinée à l'édifice. En tant que telle, il y a de fortes chances pour qu'il se soit agi d'une pierre brute, qui est le terme utilisé pour décrire un bloc encore mal taillé arrivant de la carrière. Il est intéressant de noter qu'en loge maçonnique, une pierre brute est placée dans l'angle nord-est de la loge[171].

Une autre histoire relative à la mort de Jacques pourrait avoir des connexions maçonniques. Hégésippe, une autorité de l'Église du IIe siècle, écrivait :

---

171. Cette pierre brute de l'angle nord-est est plus couramment appelée « pierre angulaire ». La pierre littéralement appelée « pierre brute » se trouve sur les marches de l'autel du Vénérable, près de la colonne Nord (colonne des Apprentis, c'est-à-dire Boaz en rite écossais et Jakin en rite français). (N.d.T.)

> *Alors ils projetèrent à terre Jacques le Juste et ils commencèrent à le lapider, car il n'avait pas été tué par la chute. Mais il tomba à genoux en disant « Ô Seigneur Dieu, mon Père, Je t'implore de leur pardonner, car ils ne savent pas ce qu'ils font. » Tandis qu'ils continuaient de le lapider, l'un des prêtres de la famille de Rékab[172], dont le prophète Jérémie porte témoignage, cria : « Arrêtez ! Que faites-vous ? Le Juste est en train de prier pour vous. » Mais l'un d'eux, qui était de forte taille, frappa violemment la tête du Juste avec son gourdin.*

Ce coup mortel porté par le gourdin du colosse sur la tête de Jacques n'est pas considéré comme un fait historique. Il nous semble être une tradition ultérieure, ajoutée par les Qoumrâniens pour créer un parallèle exact avec Hiram Abif. De cette manière, le martyre de Jacques, le Maître de Justice, aurait été perçu comme une répétition de la mort de l'architecte du premier Temple, celui de Salomon, (et donc de la mort de Sekenenrê Taâ). Un coup au front tua tant Hiram qui se tenait dans le premier Temple presque achevé que Jacques qui lui se trouvait dans le dernier Temple lui aussi presque achevé. Les parallèles sont trop évidents pour être de pures coïncidences.

La connexion avec le Temple se poursuivit après la mort. On pense aujourd'hui que la tombe de Jacques est sise dans la vallée du Cédron qui s'étend juste à l'est du Temple. Taillée directement dans la haute falaise, on voit encore son entrée spectaculairement marquée par une paire de splendides colonnes.

Josèphe raconte que les habitants de Jérusalem furent très choqués par l'exécution de Jacques et qu'ils contactèrent secrètement le roi Agrippa II, en le pressant de punir le grand prêtre Anan [*Ananus*] pour ses actions cruelles et illégales. Apparemment la démarche des Juifs aboutit et Anan fut révoqué.

Une partie significative de notre recherche demeurait un mystère : l'origine des noms maçonniques des meurtriers d'Hiram Abif, à savoir Jubelo, Jubela et Jubelum. En dehors du fait – apparemment sans rapport – que *jubal* est un terme arabe signifiant « montagne », nous ne parvenions pas à trouver de sens. Cependant, en étudiant plus attentivement la mort de Jacques, le Maître de Justice, nous tombâmes sur une analyse instructive du professeur Eisenman. Évoquant le *Commentaire d'Habacuc* [*Habakkuk Pesher*] trouvé à Qoumrân, il dit :

---

172. D'après Jérémie, 35, Yahvé donna en exemple les descendants de Rékab, à tous les Juifs et principalement les prêtres qui avaient failli dans l'observance de la Loi, alors que les Rékabites avaient scrupuleusement respecté les commandements de leur ancêtre (ne pas boire de vin, ne pas bâtir de maison...). (N.d.T.)

Le Pesher, qui traite de la référence à la « colère » et aux « jours de fête » dans les textes sous-jacents, évoque comment « le Prêtre impie poursuivit de sa furieuse colère le Maître de Justice pour le confondre (ou « le détruire ») dans la maison où il s'était retiré » (ou « dans la maison où il fut découvert » ; l'usage de « leval'o » n'apparaît pas dans le texte présent, mais il indique une action puissante, et comme il est utilisé dans un contexte apparemment violent, il signifie probablement « détruire ».)

Eisenman poursuit en observant :

Dès lors que c'est une idée de vengeance divine et de châtiment pour la destruction du Maître de Justice qui sous-tend l'allusion à la « coupe de colère » du Seigneur (ce qu'exprime le Pesher lui-même dans la section suivante relative à la destruction du « Pauvre » : « comme il conspira lui-même de manière criminelle à détruire le Pauvre, Dieu va le condamner à être détruit » / « tu recevras le même salaire que le Pauvre »), le sens de teval'enu dans ce passage – et, par conséquent, celui de leval'o/leval'am plus tôt –, est certainement une idée de destruction...

Était-il possible que les trois mots dont parle ce *pesher* évoquant la mort de Jacques dans les manuscrits de la mer Morte, *leval'o*, *leval'am* et *teval'enu*, fussent l'origine de Jubelo, Jubel et Jubelum ?

Le trésor des Juifs

Il nous semblait probable que la guerre juive de 66-70 résultat des tensions engendrées par le meurtre de Jacques le Juste. Nous découvrîmes que Flavius Josèphe confirmait cette hypothèse. Même si le document originel n'existe plus, nous en avons connaissance parce qu'Origène (un père de l'Église du IIIe siècle) fit référence aux observations de Josèphe qui le troublaient. Origène écrivait :

Josèphe ne croyait pas que Jésus fût le Christ. Mais, en cherchant la véritable cause de la chute de Jérusalem, il dut admettre que ce fut la persécution de Jésus qui fut la raison de la ruine, parce que le peuple avait tué le Messie prophétisé. Mais, comme à contrecœur et pour ne pas s'éloigner de la vérité, il raconta que ce malheur avait frappé les Juifs en châtiment pour la mort de Jacob le Juste, qui était le frère de Jésus, le soi-disant Christ, parce qu'ils l'avaient tué, alors qu'il était un homme parfaitement juste.

De nombreux chrétiens aujourd'hui ne savent pas grand-chose du sujet qui leur est si cher. Lorsque l'on réalise que le ministère de Jésus ne dura qu'un an et celui de Jacques vingt ans, il paraît évident que ce dernier devait être la personnalité la plus populaire à l'époque. Les anciens textes évoquent bien la position et l'influence de Jacob, le frère de Jésus, mais l'enseignement catholique a fait l'impasse sur celles-ci. Ainsi les laïcs et même de nombreux ecclésiastiques se sont vus refuser toute véritable information à son propos[173].

La guerre qui éclata en 66 fut le théâtre de quatre années de férocité et de sauvagerie : des actes terribles furent commis par des Juifs contre les Romains, par les Romains contre les Juifs et par des Juifs contre des Juifs. Les horreurs perpétrées font partie des pires que la terre ait jamais vues, à égalité avec les épisodes les plus effroyables des révolutions françaises et russes. Josèphe, l'historien des Juifs, fut le commandant juif en Galilée, avant de changer de camp et de pourchasser avec une grande ferveur ses anciens officiers. D'abord les Juifs connurent quelques succès et défirent la légion syrienne marchant sur Jérusalem. Mais ils ne purent vaincre la puissance de l'armée romaine.

Les nazôréens qui croyaient dans le pouvoir du glaive pour restaurer la loi de Dieu étaient appelés zélotes. Il est certain qu'ils s'emparèrent de Jérusalem et du Temple en novembre 67. Sous la conduite de Jean de Gischala, les zélotes découvrirent que de nombreux prêtres du Temple et de notables de la ville voulaient pactiser avec les Romains. De telles pensées leur étaient intolérables et ils mirent immédiatement à mort tous ceux qui s'en rendaient coupables. Les forces romaines ne cessaient de se rapprocher et il devint évident, même pour les zélotes les plus ardents, que la fin arrivait. Au printemps 68, la décision fut prise de dissimuler les trésors du Temple, les manuscrits et vases sacrés et l'argent du culte, pour qu'ils ne tombent pas entre les mains des Gentils. Cette opération fut exécutée juste à temps, parce qu'avant l'été, les Romains détruisirent Jéricho et l'établissement de Qoumrân. Deux ans plus tard, Titus s'empara de Jérusalem. Les zélotes furent tués ou emmenés en captivité, et finalement les derniers Juifs qui connaissaient les secrets des nazôréens moururent quand toute la population réfugiée dans la forteresse de Massada se suicida au lieu de se rendre aux Romains.

Les secrets venus de Moïse et transmis aux nazôréens furent donc déposés, comme l'avait prescrit le prophète, dans une cache sous les fondations du Temple, aussi près du Saint des Saints que possible.

---

173. Hugh SCHONFIELD, *The Essene Odyssey*.

D'autres ouvrages furent dissimulés dans au moins cinq autres lieux du pays, dont les grottes des collines entourant Qoumrân. L'un des manuscrits trouvés dans ces grottes était gravé sur une feuille de cuivre de huit pieds de long sur un pied de large. La feuille avait été roulée depuis ses bords vers le centre pour former deux colonnes jumelles. À force le manuscrit s'était séparé en son centre et formait désormais deux tubes distincts. Dans un premier temps, l'équipe de chercheurs ne put donc lire ce rouleau, car il était totalement oxydé. Aussi fut-il coupé en bandes puis reconstitué par une équipe du Manchester College of Technology en 1955[174]. John Allegro évoqua la vive exaltation qui s'empara de lui quand le contenu du rouleau de cuivre devint évident.

> *Alors que je voyais les mots succéder aux mots et le sens de tout le document apparaître clairement, je ne pouvais en croire mes yeux. En réalité, je refusai même d'admettre l'évidence, jusqu'à ce que d'autres bandes aient été découpées et nettoyées. Cependant avant même qu'une autre colonne du manuscrit – peut-être deux – ait été déchiffrée, je me précipitai pour envoyer par avion une lettre à Harding. Je lui annonçai que les grottes de Qoumrân avaient révélé la plus grande surprise de toutes : un inventaire de trésors sacrés, de quantités d'or, d'argent, d'urnes d'offrandes consacrées, et de vases sacrés de toutes sortes...*

L'interprétation que John Allegro donna du « Rouleau de cuivre », indiquait qu'il y avait au moins un autre exemplaire de cette liste, déposé dans le Temple lui-même :

> *Dans la cavité (Shîth) contre le côté nord, dans un trou ouvrant vers le nord, et enterré près de son ouverture : une copie de ce document, avec une explication et leurs quantités, et un inventaire de chaque chose, et d'autres choses.*

Était-ce le premier document que les templiers avaient trouvé ? Si tel était le cas, ils se seraient trouvé en mesure d'établir une carte parfaite du trésor. Dans ses notes détaillées, Allegro en vint à montrer que le *Shîth* (signifiant cavité ou grotte) se trouvait directement sous l'autel du Temple ; c'était le caveau qui, nous le savions, était recouvert d'un bloc de marbre avec un anneau en son centre.

---

174. Il vient d'être parfaitement restauré par la société française EDF. (N.d.T.)

Le « Rouleau de cuivre » dresse la liste de quantités d'or, d'argent, d'objets précieux et d'au moins vingt-quatre rouleaux manuscrits à l'intérieur du Temple. Des directions sont fournies pour trouver soixante et une caches différentes. Voici un extrait typique de cet inventaire :

> *Dans la chambre intérieure des colonnes jumelles soutenant l'arche de la double porte, face à l'Orient, dans l'entrée, est dissimulée une cruche, enterrée à trois coudées ; un rouleau manuscrit se trouve dedans, et sous elle quarante-deux talents.*
>
> *Dans la citerne à dix-neuf coudées devant le porche oriental se trouvent des vases et dedans dix talents.*
>
> *Dans la Cour de [?]…, à neuf coudées sous l'angle sud : des vases d'or et d'argent pour l'argent du culte, des vasques d'aspersion, des calices, des bols sacrificiels, des vases de libation, six cent neuf en tout.*
>
> *Dans la cavité [?] qui est dans le MLHM, de son côté nord : des vases pour l'argent du culte et des vêtements. Son entrée se trouve sous l'angle occidental.*
>
> *Dans les passages souterrains des Trous, dans le passage regardant vers le sud, enterrés dans le plâtre à seize coudées : 22 talents.*
>
> *Dans la bouche de la source du Temple : des vases d'argent et des vases d'or pour l'argent du culte et autres monnaies, le tout s'élevant à six cents talents.*[175]

Nous savions que les chevaliers templiers avait découvert des manuscrits avant 1119. Maintenant nous comprenions pourquoi ils avaient passé encore huit années à fouiller sous les ruines du Temple. Brusquement, tout devenait clair : la soudaine notoriété de l'Ordre et son enrichissement subit n'étaient plus un mystère !

* * *

Après la défaite des Juifs dans la guerre contre les Romains et l'ultime destruction du Temple, les manuscrits enterrés furent oubliés et les enseignements de Jésus et des nazôréens furent remplacés par le christianisme – qui serait mieux désigné sous le nom de « Paulinisme ». Or on remarque que la théologie chrétienne ne parvient pas à refléter le contenu des enseignements de Jésus qui ont survécu. Ce constat laisse penser que le dogme chrétien est un ajout beaucoup plus récent.

---

175. John ALLEGRO, *The Treasure of the Copper Scroll*.

Les doctrines que Paul inventa étaient totalement différentes des idées égalitaires révolutionnaires de Jésus[176].

Jésus avait été un révolutionnaire et un pionnier de la pensée démocratique. À cause de Paul et du culte hiérarchique non juif qu'il développa, les vrais enseignements de Jésus furent enterrés et oubliés. Mais nous savions qu'ils étaient destinés à ressusciter.

Nous avions rassemblé les pièces de l'histoire racontant comment les manuscrits avaient fini par être enterrés et nous avions élaboré une hypothèse cohérente concernant leur probable contenu. Grâce à nos recherches historiques, nous avions pu distinguer un fil ininterrompu, partant du meurtre de Sekenenrê Taâ, accompagnant le développement de la nation juive, pour permettre enfin au concept de Ma'at de s'épanouir au sein de la communauté de Qoumrân. Dans l'*Assomption de Moïse,* nous avions retrouvé les instructions demandant de cacher les manuscrits secrets dans le Saint des Saints sous le Temple. Enfin nous avions lu les récits relatifs à la destruction des esséniens et du Temple. Il nous restait encore un gouffre de plus de mille ans à combler.

À ce stade, nous décidâmes de nous tourner de nouveau vers tous les rituels maçonniques que nous connaissions, du *Royal Arch* aux rites du 33e degré. Peut-être que dans la vaste littérature maçonnique et dans les variantes de rituels, nous pourrions découvrir de nouveaux indices susceptibles de nous aider dans notre quête. Vers les tout débuts de notre recherche, nous nous étions intéressés de près à l'Église celtique, qui avait exercé une très forte influence sur le développement de la société écossaise à cette époque ancienne. Selon nous, elle pouvait fort bien avoir eu quelque influence sur Robert Bruce et sa renaissance celtique, qui coïncida avec la chute des templiers. Mais nous devions aussi réexaminer la possibilité de combler ce trou béant de mille ans. Alors nous décidâmes de poursuivre notre recherche en étudiant plus attentivement ce qui était arrivé aux survivants de l'Église de Jérusalem après la destruction du Temple par les Romains : il s'agissait de voir comment celle-ci – si tant est que ce fut le cas – était reliée à l'Église celtique.

CONCLUSION

Nous avions réétudié la vie de Jésus à la lumière des informations fournies par la Bible, les manuscrits de la mer Morte, la franc-maçonnerie, le secret des piliers reconstitués et des textes juifs obscurs. Cet exa-

176. Rupert FURNEAUX, *The Other Side of the Story.*

men s'était révélé extraordinairement fécond. Nous avions découvert que le ministère réel de Jésus – ou Yehoshua ben Joseph pour utiliser le nom sous lequel il était connu à l'époque – n'avait duré qu'un an, période pendant laquelle il s'était rendu très impopulaire tant à Qoumrân qu'à Jérusalem en prétendant qu'il incarnait les deux piliers à la fois.

Nous avions pu confirmer que Jésus disposait d'une élite autour de lui qui détenait des secrets spéciaux et qu'il utilisait des expressions métaphoriques comme « changer l'eau en vin » pour traduire des événements ordinaires. Nous comprenions maintenant d'autres dénominations – comme « pécheurs », « courtisanes », « ivrognes » ou « prostitués » – qui désignaient simplement des individus frayant avec les Romains. On put même restituer à la *Prière du Seigneur* – le « Notre Père » – son sens véritable.

Nous avions établi qu'au cours de leur cérémonie d'admission au grade le plus élevé de leur ordre, les Qoumrâniens simulaient des résurrections. Ils appelaient les initiés les « vivants » et tous les autres les « morts ». L'histoire d'Ananie et Saphire illustre parfaitement comment les partisans de Jésus utilisaient cette résurrection « vivante » comme moyen d'entrée dans leur cercle interne. Elle montrait également que l'on pouvait être exclu de cette élite et que l'admission était réversible. De son côté, l'histoire de Lazare montrait qu'une personne pouvait être admise, exclue, puis de nouveau admise ; l'exclu était présenté comme un « mort temporaire ».

Les piliers et leur symbolisme occupaient une place centrale dans tout ce que Jésus accomplissait. Quand il fut arrêté dans le jardin de Gethsémani, il exécutait une cérémonie de résurrection « vivante » à trois cent cinquante mètres à peine des piliers jumeaux du Temple de Jérusalem. L'imagerie de l'« étoile du matin » – « l'étoile (qui) va se lever issue de Jacob, un sceptre pour gouverner le monde » – fournit une autre connexion directe avec la franc-maçonnerie.

Notre hypothèse initiale selon laquelle il y avait eu deux Jésus Christ était maintenant avérée. Et nous savions que celui qui mourut était Yahoshua ben Joseph – le « roi des Juifs » – et son frère Jacques, ou Yacob ben Joseph, était Jésus Barabbas – que l'on a qualifié de « fils de Dieu » jusqu'à aujourd'hui. Nous découvrîmes le discours – longtemps perdu – que Jacques prononça sur le parvis des Gentils après la crucifixion de son frère. Ce discours fut ultérieurement déformé par les chrétiens pour fonder près de deux mille ans d'antisémitisme.

Nous avions la sensation d'avoir compris l'origine de ce curieux concept chrétien qu'est la Sainte Trinité (qui décrit le Père, le Fils et le Saint-Esprit comme trois personnes en une seule figure divine). Pour nous, cette triple figure divine avait toujours fait du christianisme une religion non-monothéiste. Par ailleurs, nous n'avions jamais vraiment compris qui était le Saint Esprit : était Jésus ? Ou quelqu'un d'autre ? Les chrétiens semblent vouloir éviter de trop réfléchir à ce concept de Trinité, parce qu'il n'a pas de sens. Il nous apparut que l'origine de ce concept devait être le paradigme du pilier. Dieu le Père est la pierre de voûte *shalom*, le fils de Dieu est le pilier *tsedeq* et le roi des Juifs est le pilier *mishpat*. Les deux piliers sont totalement terrestres et quand l'arche céleste ou linteau est en place, une harmonie parfaite entre Dieu et Ses sujets est obtenue.

L'utilisation des piliers et certaines descriptions présentant par exemple Jésus Christ comme la « pierre angulaire » fournissent des connexions puissantes avec la franc-maçonnerie. Mais nous avions en outre trouvé des traces manifestes de l'origine égyptienne des secrets des Juifs. Il apparut que le symbole de la croix chrétienne ne ressemblait pas à la structure sur laquelle Jésus était mort. En revanche, elle avait la forme d'un ancien hiéroglyphe égyptien signifiant « sauveur ». L'attribut que les évêques portent encore aujourd'hui et que Jacques portait déjà s'est révélé être un autre hiéroglyphe désignant Amen/Amon, le dieu créateur de Thèbes.

Même le nom Qoumrân signifiait « arche au-dessus de deux piliers », ce qui confirmait que cette imagerie était centrale dans la conception du monde de la communauté.

Nous constatâmes que la naissance de l'Église chrétienne n'avait rien à voir avec Jésus. Elle fut l'invention d'un étranger appelé Saül, et plus tard Paul. Nous avons la certitude que c'est lui que les manuscrits de la mer Morte désignent comme le « verseur de mensonges » et que c'est lui qui affronta Jacques pour piller le culte nazôréen. Et ce furent Paul et ses partisans qui, incapables de comprendre le paradigme du pilier, inventèrent cette idée singulière et éminemment non juive de Sainte Trinité, en voulant trouver une explication à ces concepts juifs qui leur échappaient.

Plus important encore : nous savions maintenant que les nazôréens de Qoumrân croyaient que la fin des temps était arrivée et qu'ils dissimulèrent donc leurs manuscrits les plus secrets dans un caveau sous les fondations du Temple, aussi près du Saint des Saints que possible. Au cours de la guerre qui éclata alors, la plupart des Juifs autour de Jérusalem moururent ou s'enfuirent. Ainsi les manuscrits enterrés reposèrent là, oubliés jusqu'à ce qu'un levier templier soulève les ruines pour les récupérer.

CHAPITRE XIII

LA RÉSURRECTION

Les survivances de l'Église de Jérusalem

En se développant, la fausse croyance christique absorba les enseignements nazôréens de Jésus. Mais nous avons trouvé des éléments clairs prouvant que quelques survivants échappèrent à la guerre juive de 66-70 et qu'ils transmirent le message de Jésus aux régions étrangères, dont les îles Britanniques, à partir d'Alexandrie en Égypte. Une secte, dont les membres étaient appelés ébionim ou ébionites, descendait directement de l'Église de Jacques. Ce nom d'ébionim est identique à l'un de ceux que les Qoumrâniens utilisaient pour eux-mêmes et qui signifiait, comme nous le savons bien désormais, « les Pauvres ». Cette secte tenait les enseignements de Jacques le Juste en haute estime, et croyait que Jésus avait été un grand maître, mais un mortel et non un dieu. Ils se considéraient encore comme des Juifs et ils croyaient que Jésus était devenue le Messie après son « couronnement » par Jean. Des témoignages écrits montrent qu'ils détestaient Paul, qu'ils voyaient comme l'ennemi de la vérité. Pendant longtemps après la mort de Jésus et Jacques, les termes « ébionites » et « nazôréens » demeurèrent totalement interchangeables et l'Église de Rome utilisa indifféremment les deux noms pour les accuser d'hérésie. Pourtant, à l'exception de la branche paulinienne déviante, tous les descendants de l'Église de Jérusalem pensaient que Jésus était un homme et non un dieu. De ce fait, c'est en réalité le fastueux Vatican et ses émanations qui sont les véritables païens et « hérétiques ».

Robert fut élevé dans un environnement où l'on parlait gallois. Ainsi il s'est intéressé depuis son plus jeune âge à l'Église celtique et à la mythologie de ses ancêtres. On lui a enseigné que le christianisme était arrivé d'Alexandrie en Irlande via l'Espagne – peut-être dès l'an 200 – et que l'isolement de l'île par rapport à l'Europe romanisée permit le développement d'un type distinct de christianisme. En 432, Patrick arriva en Irlande et on dit qu'il fit ultérieurement naufrage sur la côte nord d'Anglesey[177]. Là il aurait cherché à se réfugier de la tempête dans une grotte sur une petite île sise non loin de la maison actuelle de Robert. Selon la légende, lorsque le saint débarqua finalement sain et sauf au pays de Galles, il construisit l'église de Llanbadrig, pour remercier Dieu de l'avoir sauvé. Il existe une autre église – plus récente – dédiée à Patrick (Sant Padrig en gallois) dans la ville elle-même. Selon les versions catholiques de cette histoire, Patrick serait venu de Rome, mais les érudits celtiques n'ont jamais accordé de crédit à cette légende, parce que les écrits de Patrick qui ont survécu le présentent comme un disciple de l'« hérésie arienne » (en ce sens qu'il ne croyait pas à l'Immaculée Conception et estimait que Jésus n'était rien d'autre qu'un mortel !).

L'Église de Rome persécuta activement de telles idées, mais n'eut aucun pouvoir dans les nombreux royaumes de l'Irlande, de l'Écosse et du nord de l'Angleterre jusqu'au synode de Whitby en 664. Les catholiques romains prétendent que leur saint Patrick traditionnel introduisit le courant majoritaire chrétien – le leur, celui de Rome – dans le pays au Ve siècle. Mais à cette époque, le système des évêques avec diocèses territoriaux, modelé sur le système administratif de l'Empire romain, n'existait absolument pas. Cette version de la légende semble être une tentative typique de l'Église romaine pour récupérer un saint local existant et modifier son histoire afin de la conformer à ses conceptions et à ses besoins. La vérité, c'est qu'au cours des Ve et VIe siècles, les monastères irlandais devinrent de grands centres d'enseignement sous les auspices de l'Église celtique – et non de Rome –, et envoyèrent des missionnaires comme les saints Columba, Iltut et Dubricius vers les quatre coins de l'Europe celtique.

La période qui, pour l'essentiel de l'Europe, fut un « âge sombre » représenta pour l'Irlande une époque dorée : elle était alors le plus grandiose lieu de connaissance du monde chrétien. L'art religieux, comme le calice d'Ardagh, le *livre de Kells* et d'autres manuscrits enluminés, s'épanouissait à côté de réalisations artistiques profanes et mêmes païennes, telles la broche de Tara et la grande épopée irlandaise *Tain Bo Cuailnge* [Vol de bétail à Cooley] [178]. L'Église celtique se répandit de l'Irlande au pays de Galles, à l'Écosse et au nord de l'Angleterre. Ses ermites et ses prêtres construisirent de nombreuses petites églises dans les parties les plus sau-

---

177. Île au nord du Pays de Galles, aujourd'hui rattachée à la terre par deux ponts. (N.d.T.)

178. Cette grande épopée évoque notamment la geste du célèbre héros irlandais, Cuchulain. (N.d.T.)

vages de la Grande-Bretagne occidentale. Ces églises n'avaient pas pour vocation de servir de lieux de culte pour les populations locales : les études ethno-géographiques modernes montrent que la plupart de ces églises primitives ne se situaient absolument pas au milieu de population[179]. Comme Qoumrân, elles étaient des avant-postes isolés dans des zones sauvages où les religieux pouvaient affiner leurs vertus. Par conséquent le fondateur de tout monastère ou couvent était considéré comme un saint.

Au cour de notre enquête, nous avions déjà – souvenez-vous – réalisé l'importance de la connexion entre les Celtes et la théologie des Sumériens. Nous faisions notamment alors allusion aux motifs celtiques entrelacés qui présentent de fortes similitudes avec l'art moyen-oriental. Comme nous le précisions, l'origine de ces Européens nordiques ne fait plus aucun doute aujourd'hui : l'analyse de l'ADN de certains Celtes modernes de communautés isolées – comme celle où Robert a choisi de vivre – a montré une équivalence avec certains groupes ethniques d'Afrique du Nord[180]. De plus, il existe un noyau de la pensée celtique qui possède des affinités avec le judaïsme – et donc le christianisme de Jacques –, qui s'était développé à partir du pays de Sumer ; or, dans la tradition celtique, il y avait de fortes ressemblances avec la religion sumérienne.

En s'entendant raconter l'histoire de Jésus, un roi celtique l'accepta d'emblée, parce qu'il dit que « cela faisait mille ans qu'ils connaissaient le christianisme ! »[181].

En se fondant avec certaines des vieilles croyances druidiques, la nouvelle religion finit par recouvrir l'Irlande, l'Écosse, le pays de Galles et le nord et le sud-ouest de l'Angleterre. L'Église celtique différait très largement du christianisme romain, qui avait balayé le reste de l'Europe.

Elle ne croyait pas :

en l'Immaculée Conception ;
en la divinité de Jésus ;
que le Nouveau Testament remplaçait l'Ancien ;
que le péché originel était inévitable, mais qu'il pouvait être racheté par la volonté individuelle et de bonnes actions.

---

179. E.G. BOWEN, *Settlements of the Celtic Saints in Wales*.

180. L'ethno-anthropologie moderne n'est certainement pas aussi catégorique. Quant aux similitudes occasionnelles d'ADN, elles ne permettent pas véritablement de conclure et, en tout état de cause, elles ne précisent pas le sens de la migration, si migration il y eut (de l'Afrique du Nord vers l'Europe ? Ou de l'Europe vers l'Afrique du Nord ? À moins que ces deux groupes ne soient des rameaux issus d'encore un autre centre ?). (N.d.T.)

181. C. MATTHEWS, *The Elements of the Celtic Tradition*.

Elle conservait :

la Tonsure druidique (la moitié frontale de la tête était rasée).

une datation de Pâques fondée sur la pleine lune et le calendrier juif[182].

Finalement, au terme d'une controverse de cinquante ans, l'Église romaine absorba officiellement l'Église celtique au synode de Whitby, en 664. Mais le courant spirituel nazôréen sous-jacent continua de couver sous la surface catholique et c'est ce courant qui, selon nous, servira ultérieurement de berceau pour la renaissance des enseignements de Jésus.

Même si nous avons de fortes raisons de croire que le christianisme celtique était relié à la véritable Église (c'est-à-dire le mouvement nazôréen), cette connexion ne pouvait expliquer la pureté et le niveau de détail que l'on retrouvait dans les rituels de la franc-maçonnerie. C'est à ce moment que, pour la première fois, nous eûmes l'impression d'avoir abouti dans une impasse, sans savoir véritablement où nous diriger maintenant.

Rassurez-vous, ce doute ne dura pas plus d'un jour ou deux, car Robert mit la main sur un petit livre très révélateur alors qu'il rendait visite à une autre loge. Vert et d'apparence anodine, l'opuscule ne faisait pas plus de dix centimètres de long sur six de large, mais pour nous sa valeur multipliait par un nombre incalculable de fois son poids en or.

Minuit était passé, lorsque Chris fut réveillé par la sonnette de l'entrée, immédiatement suivie par un martèlement sur la porte. Son irritation initiale disparut bientôt, lorsqu'il découvrit le contenu du livre relatif à la maçonnerie de *Royal Arch*. Il s'agissait d'une édition privée, imprimée en 1915, et donc antérieure aux modifications du rituel de *Holy Royal Arch* [Sainte arche royale], sous la pression de la Grande Loge, à partir de sources extérieures à la maçonnerie. Nous avions ici le rituel

---

182. Avant même d'avoir connaissance du calendrier juif, les anciens Celtes et Germains célébraient une fête en l'honneur d'une Grande Déesse à cette date mobile fondée sur la lune. Les Germains appelleront cette Déesse (et donc la fête en son honneur) Ostara. Ce nom – qui dans sa forme définitive n'est peut-être pas antérieure au XIIe siècle – a été conservé dans les langues nordiques modernes, la fête de Pâques se disant *Easter* en anglais, *Ostern* en allemand... Et le symbolisme occidental de la fête (les œufs, les lièvres, etc.) est emprunté à cette grande Déesse ancienne. On connaît, par exemple, en Allemagne (en limite de la forêt de Teutoburg) le grand complexe cultuel Externsteine-Oesterholz : le site des Externsteine étant dédié aux solstices et au soleil et Oesterholz étant consacré à Pâques/Ostara et à la lune (la disposition même des pierres sacrées du site et sa configuration permettent de nombreux relevés astronomiques liés à la lune et à cette datation pascale). (N.d.T.)

originel, retranscrit avant tous les changements et innovations récents, réalisés par des hommes qui ne comprenaient pas l'importance de la tradition qu'ils retouchèrent si facilement.

Les pages de ce petit ouvrage ne présentaient rien de moins que l'histoire complète et inaltérée de l'exhumation des manuscrits du Temple !

On nous disait que le candidat à ce degré était d'abord testé sur les questions des trois premiers degrés de l'« Art » [ou du « Métier », *Craft*], avant de pouvoir pénétrer dans le temple de la loge. La salle dans laquelle il pénétrait était très différente de la loge qu'il avait connue en franchissant les différents grades de la maçonnerie de métier [*Craft Masonry*], et ses officiers n'étaient pas le Vénérable et ses deux Surveillants, mais les « Trois Principaux ». Ils formaient ce que l'on appelait le Sanhédrin (le nom juif pour le conseil des anciens du second Temple), représentant la puissante triade du roi, du prêtre et du prophète. Ils prétendaient porter le nom des trois Principaux qui, selon l'Ordre, auraient dirigé la troisième Loge, ou Grande et Royale Loge [*Grand and Royal Lodge*] dans le second Temple, après le retour de la captivité à Babylone.

En poursuivant, nous découvrîmes que cette triade était composée d'Aggée [Haggai], le prophète ; Josué [Jeshua], fils de Yoçadaq [Josedech], le grand prêtre et l'héritier des traditions d'Aaron et des lévites ; et Zorobbabel [Zerubbabel], le roi de la lignée de David. On désignait respectivement les deux loges précédentes sous le nom de Première Loge ou Sainte Loge [*Holy Lodge*] et Seconde Loge ou Loge Sacrée [*Sacred Lodge*]. La première aurait été ouverte par Moïse, Aholiab et Bezaleel au pied du mont Horeb dans le désert du Sinaï ; la seconde aurait été tenue par Salomon, roi d'Israël, Hiram, roi de Tyr et Hiram Abif, dans les entrailles du mont Moriah.

Plus nous découvrions la structure et les paroles du degré de *Royal Arch*, plus nos bouches s'ouvraient. Si nous avions entendu parler de cet Ordre au début de notre recherche, nous l'aurions très certainement mis instantanément de côté en pensant qu'il s'agissait d'une aberration romanesque. Mais à la lumière de notre quête, nous pouvions à présent le considérer très sérieusement.

Le Maître maçon qui voulait être « exalté[183] à l'ordre suprême de la Sainte Arche Royale » [« *exalted to the Supreme Order of the Holy Royal Arch* »] devait d'abord être testé en répondant aux questions du troisième degré du Métier, avant de se voir donner un attouchement et un mot de

---

183. « Exaltation : nom donné à la cérémonie d'" augmentation de salaire" d'un Maître au grade de "Royal Arch" (Rite Emulation) ». *Dictionnaire de la franc-maçonnerie*, op. cit., p. 438. (N.d.T.)

passe (dont le sens est : « mon peuple ayant obtenu miséricorde ») pour lui permettre d'entrer. Le candidat portait son tablier de Maître ; il avait les yeux bandés et avançait, tiré par une corde passée autour de sa taille. Avant que le candidat ne soit admis dans le temple de la loge (appelé chapitre pour ce grade), l'autel qui aura un rôle ultérieurement au cours de la cérémonie est recouvert. Le candidat était interrogé sur les raisons qui l'incitaient à demander son admission au sein du chapitre. Puis on le faisait agenouiller tandis qu'une prière était récitée, demandant au Père de l'univers Éternel et Tout-Puissant de bénir la cérémonie et de soutenir le candidat tout au long de son « exaltation ». Le Premier Principal vérifiait alors que le candidat croyait bien dans le vrai et vivant Dieu Très-Haut, avant de lui demander de s'avancer vers l'autel voilé, en accomplissant sept pas imitant la marche d'un prêtre juif de Yahvé s'approchant du Saint des Saints dans le premier Temple. Une fois cela accompli, on disait au candidat qu'il était maintenant parvenu juste au-dessus de la clé de voûte d'une salle voûtée dans laquelle il devait descendre. Dans ce but, il lui fallait retirer ladite clé de voûte. Alors on l'agenouillait une nouvelle fois pendant que des passages des *Proverbes* (2, 1-9 et 3, 13-20) étaient lus.

Puis on disait au candidat qu'il devait chercher dans la ténèbre si quelque chose avait été caché là. Un rouleau de vélin était placé dans sa main. On lui demandait ce qui était écrit sur le parchemin, mais il devait répondre que, privé de lumière, il ne pouvait le dire.

C'était incroyable. Cela dépassait, pourrait-on dire, nos espoirs les plus fous. Nous avions là non seulement la description d'une fouille dans une pièce voûtée du temple, mais aussi le récit très précis de la découverte d'un manuscrit : pas d'un trésor, ni d'un quelconque objet, mais simplement, comme nous l'avions prédit, d'un manuscrit !

Plus loin, nous lûmes que le candidat était de nouveau « descendu » dans la voûte alors qu'un extrait d'Aggée (2, 1-9) était lu. Ce passage parle de la reconstruction du Temple et, en tant que tel, il est l'essence même de la communauté de Qoumrân. Le dernier verset dit :

> *La gloire de ce Temple dépassera celle de l'ancien, dit le Seigneur des Armées*[184] ; *et dans ce lieu, je donnerai la paix (shalom), dit le Seigneur des Armées.*

À ce stade, le candidat s'engageait et pour sceller son engagement, il posait quatre fois ses lèvres sur la Bible. Le bandeau qui l'aveuglait était

184. Traduction de Yahvé Sabaot. (N.d.T.)

enlevé et on lui demandait alors de lire le contenu du rouleau qu'il avait découvert dans la chambre voûtée. Il lisait ainsi le livre de la Genèse 1, 1-3, après quoi le Premier Principal disait :

> *Compagnon fraîchement exalté, vous venez de lire les premiers mots du Livre Sacré, qui renferme les trésors de la volonté révélée de Dieu. Prions et magnifions Son Saint Nom pour nous avoir accordé cette connaissance de Lui-même et progressons en nous montrant dignes de cette lumière qui s'est mise à briller autour de nous.*

La cérémonie se poursuivait apparemment avec un rituel racontant comment le manuscrit avait fini par être découvert. Le candidat quittait le chapitre et était alors réadmis, habillé en maçon de la Royale Arche. Il était rejoint par deux autres Compagnons et ces trois-là allaient être connus comme les « trois Séjournants [*Sojourners*] », qui auraient été trois Maîtres maçons de Babylone : Shadrach, Meshech et Abednego. Pour entrer dans le chapitre, ils prenaient part à une cérémonie appelée le « Passage des Voiles » [*Passing the Veils*] : elle figurait un prêtre du Temple s'approchant du Saint des Saints du Temple de Salomon. Ce rituel achevé, ils venaient devant le Premier Principal, en se présentant comme trois enfants de la captivité qui avaient entendu dire qu'il s'apprêtait à reconstruire le Temple de Jérusalem et qui lui demandaient la permission de participer à cet ouvrage. Le Premier Principal les interrogeait sur leur origine supposée. Ils répondaient qu'ils venaient de Babylone, étaient de noble naissance et descendaient d'une race de patriarches et de rois qui furent conduits en captivité par Nebuzaradan, capitaine de la garde de Nebuchadnezzar [Nabuchodonosor]. Ils demeurèrent captifs jusqu'à leur libération par le roi Cyrus de Perse. Ce dernier battit les Babyloniens et fit alors une proclamation :

> *Le Seigneur Dieu du Ciel m'a donné tous les royaumes de la terre ; et il m'a chargé de Lui construire une maison à Jérusalem, qui est dans le pays de Juda. Qui parmi vous fait partie de Son peuple ? Car celui-là, son Dieu sera avec lui, et il lui permettra de retourner à Jérusalem, qui est dans le pays de Juda, et de construire une maison pour le Seigneur Dieu d'Israël (Celui qui est Dieu), qui se trouve à Jérusalem.*

Les Séjournants expliquaient que, dès qu'ils avaient entendu cela, ils étaient rentrés à Jérusalem pour offrir leur services. Alors Zorobbabel les félicitait de leur noble lignage les reconnaissait comme des frères de ses tribus avant de leur demander comment ils entendaient être employés.

Les trois hommes répondaient qu'ils seraient heureux d'accepter tout emploi que le roi leur confierait. Considérant cela comme une indication certaine qu'ils devaient être qualifiés pour des fonctions d'importance, le souverain leur dit qu'il ne restait que des tâches humbles et qu'ils auraient pour travail de préparer la fondation pour le lieu le plus sacré. Pour cette mission, ils disposaient des outils nécessaires. On les avertit aussi que si, en déblayant les décombres de l'ancien Temple, ils devaient faire une découverte importante, ils ne devraient en parler à personne d'autre qu'aux Trois Principaux siégeant en Conseil. Les Séjournants quittaient alors une fois de plus le chapitre.

Dans la partie suivante de la cérémonie, les trois maçons de Babylone cherchaient de nouveau à être admis au sein du chapitre. Ils rapportaient avec eux des nouvelles d'une découverte importante et demandaient la permission d'en faire part à l'auguste Sanhédrin. Une fois admis, le Premier Principal les invitait à raconter l'histoire. La voici :

> *Tôt ce matin, en reprenant notre travail, nous découvrîmes une paire de piliers d'une beauté et d'une symétrie exquises. Poursuivant notre ouvrage, nous découvrîmes six autres paires d'égale beauté, qui, d'après leur situation, apparurent comme les vestiges d'une galerie souterraine conduisant au Lieu le Plus Saint. En enlevant les décombres et fragments qui obstruaient notre progression, nous parvînmes à un endroit qui semblait être de la roche dure. Mais, l'ayant frappée accidentellement avec mon levier, j'entendis qu'elle sonnait creux. Nous continuâmes de déblayer les gravats et la terre, pour découvrir qu'au lieu de roche, il s'agissait d'une série de pierres formant une arche. Conscient que l'architecte de l'ancienne structure n'avait pas conçu de partie en vain, nous décidâmes de l'examiner. Dans ce but, nous enlevâmes deux des pierres, et alors nous découvrîmes un caveau voûté d'une taille considérable et immédiatement nous tirâmes au sort qui descendrait.*

> *Le lot tomba sur moi. Alors, pour qu'aucune vapeur nocive ou quelque autre cause ne me mette en danger, mes compagnons accrochèrent cette corde ou ligne de vie autour de mon corps, et je fus descendu dans la voûte. En arrivant en bas, je fis le signal prévu, et mes compagnons me donnèrent plus de corde pour que je puisse traverser la salle voûtée. Je découvris alors quelque chose ayant la forme d'un petit autel et sentis des signes ou des caractères gravés dessus. Mais en raison du manque de lumière, j'étais incapable de les déchiffrer. Je trouvai aussi ce rouleau, mais, pour la même raison, je fus incapable de lire son contenu. Je donnai alors un autre signal prévu et je fus remonté en*

rapportant le manuscrit avec moi. Nous vîmes dès la première ligne qu'il contenait le texte de la Très Sainte Loi, que notre Dieu avait promulguée au pied du mont Sinaï.

Ce précieux trésor nous incita à poursuivre nos efforts. Nous enlevâmes une autre pierre, et, de nouveau, je descendis dans la chambre voûtée. À ce moment, le soleil avait atteint son zénith et, brillant de toute sa splendeur, il projetait ses rayons directement à travers l'ouverture, ce qui permit de distinguer les objets que je n'avais précédemment qu'imparfaitement repérés. Au centre de la salle, je vis un petit autel de marbre pur, sur lequel étaient gravés certains caractères mystiques, et un voile recouvrait sa partie supérieure. M'approchant avec une crainte révérencielle, je levai le voile et aperçus ce que je supposai humblement être le Mot Sacré lui-même. Je replaçai le Voile sur l'autel sacré et fus de nouveau remonté hors de la chambre voûtée. Nous refermâmes alors l'ouverture et nous hâtâmes pour venir raconter à vos Excellences les découvertes que nous avions faites.

Apparemment l'instant de la découverte était l'heure du grand midi, c'est-à-dire le moment précis où Sekenenrê Taâ achevait ses dévotions à Amon-Rê et où le soleil était sur son méridien, ce qui est toujours le cas, dit-on, pour les francs-maçons. Cette heure est sans aucune doute symbolique, mais quel symbolisme fascinant.

Zorobbabel demandait alors au séjournant de lui révéler quel était le mot qu'il découvrit, et il reçut cette formidable réponse :

Nous vous prions de nous faire grâce de cela, car nous pouvons entendre de nos oreilles, et nos pères ont déclaré que de leurs temps et encore auparavant, nul n'était autorisé, sauf le Grand Prêtre, à prononcer le nom du vrai et vivant Dieu Très Haut, et même le Grand Prêtre n'y était autorisé qu'une fois par an, lorsqu'il pénétrait seul dans le Saint des Saints et se tenait devant l'arche d'Alliance pour ses actes de propitiation en rachat des péchés d'Israël.

Plus tard au cours de la cérémonie, le candidat recevait l'explication de ce mot que l'on trouvait sur le petit autel. Il était dit :

C'est un mot composé et ses éléments forment le mot Jah-Bul-On. Jah, le premier membre, est le nom chaldéen [sumérien] de Dieu et représente son essence et sa majesté incompréhensibles. C'est aussi un mot hébreu signifiant « Je suis » et « Je serai », et exprimant de ce fait l'existence présente, future et éternelle du Très-Haut. Bul est un mot assyrien, signifiant Seigneur ou Puissant ; c'est lui-même un mot com-

posé signifiant dans ou sur ; et Bul *incarnant le Ciel en haut, ce mot signifie donc Seigneur dans le Ciel ou en Haut.* On *est un mot égyptien signifiant Père de Tout, et c'est aussi un mot hébreu impliquant force ou pouvoir et exprimant l'omnipotence du Père de Tout. Toutes les significations de ces mots peuvent donc être ainsi rassemblées : Je suis et serai, Seigneur dans le Ciel, Père de Tout.*

Après avoir digéré pendant des heures le contenu de ce livre éclairant, nous nous séparâmes avant l'aube. Chris passa l'essentiel de la matinée suivante à réfléchir à ce que nous venions de trouver.

Notre bref blocage semblait levé. Cette histoire de l'Arche royale venait-elle directement des templiers ? Nous ne pouvions imaginer d'autre explication, mais nous sentions qu'il nous fallait contrôler notre enthousiasme.

Chris jugeait que l'explication du mot *Jah-Bul-On*[185] était une construction très intéressante, mais il avait l'impression que les maçons de la *Royal Arch* n'en donnaient pas une version assez précise. La première partie, *Jah,* est le mot hébreu pour leur dieu, et il a très probablement une connexion sumérienne. On peut le retrouver sous cette forme dans le nom du prophète Élijah[186], qui est en fait Eli-Jah, signifiant « Yahvé est mon Dieu » (*El* étant l'ancien mot pour un dieu). La seconde partie est presque phonétiquement correcte, mais ordinairement elle s'épellerait plutôt « Baal », c'est-à-dire le nom du grand dieu cananéen qui signifie en réalité « Seigneur dans le ciel ». À notre connaissance, l'ancien mot égyptien pour « père » était It et pas On, comme on le prétend ici. Mais On était le nom originel d'Héliopolis, la cité du dieu-soleil Rê, là où il naquit du vide avant de créer la terre elle-même. De ce point de vue, j'estimai possible d'accepter la définition donnée. Il était également instructif de noter que les Grecs identifiaient Baal avec leur dieu-soleil Hélios et sa cité, Héliopolis. Cependant, la définition finale de cette suite de mots, « Je suis et serai, Seigneur dans le Ciel, Père de Tout », semblait totalement inepte. Il nous semblait plutôt que *Jah-Bul-On* était simplement la suite des noms des trois grands dieux : celui des Juifs, celui des Cananéens et celui des Égyptiens (tous trois étant qualifiés de « Très-Haut »). Si c'était bien cela qui avait été gravé sur une pierre au centre du Temple de Jérusalem, ses auteurs devaient avoir délibérément mêlé les trois formes en une divinité ultime.

185. Que l'on peut encore écrire Jabulon, Jabulum, Zabulon, Zébulon... (N.d.T.)
186. Le prophète Elisée, disciple d'Elie. (N.d.T.)

Naturellement, l'idée d'un Dieu unique sous différents noms n'est pas exceptionnel : elle est centrale dans le credo de la franc-maçonnerie !

Les nouvelles significations devenaient parfaitement claires, mais une chose nous frappa : le fait que la franc-maçonnerie de la *Royal Arch* ait produit une explication si complexe et confuse pour son propre rituel indiquait fortement que les francs-maçons n'étaient pas à l'origine de cette histoire, mais qu'elle leur était parvenue sans que sa signification originelle leur eût été clairement expliquée.

Telle que l'histoire est présentée, on a l'impression d'avoir affaire à des Juifs de Babylone fouillant les ruines du premier Temple. Mais nous pensons que ce récit décrit en réalité les découvertes des chevaliers templiers sur le site du dernier Temple. Il ne peut s'agir que du Temple d'Hérode pour une bonne et simple raison : le type d'arche décrit au cours de la cérémonie – un assemblage de pierres se soutenant les unes les autres pour former une structure courbe supportant toute la charge – était inconnu à l'époque de Zorobbabel. Pour former un arc en plein cintre comme celui décrit ici, on utilisait des pierres très précisément taillées en forme de coin qui ne requérait pas ou très peu de mortier. C'est ce type d'arc nanti de trois clés de voûte qui joue un rôle si important dans la cérémonie du grade de *Royal Arch*. Dès lors, il est absolument certain que le cadre de l'histoire reconstituée dans le rituel est le Temple d'Hérode, construit selon les principes de construction romains.

Nous avions maintenant la sensation que cette légende maçonnique pouvait fort bien avoir préservé le récit de la découverte des manuscrits par ces neuf chevaliers sous la conduite d'Hugues de Payns ; découverte qui allait mener à la création de l'ordre templier. Il faut bien remarquer la partie la plus importante de ce récit : pour avoir accès à la salle cachée, les maçons de passage, mais « hautement qualifiés », ôtent les clés de voûte d'un arc et passent en dessous sans étayer d'une quelconque manière le reste de l'arche. Ils se montrent suffisamment soucieux de ne pas être victimes de vapeurs nocives dans cet espace confiné pour s'attacher à une corde de sûreté, mais ils ne s'inquiètent pas des dégâts qu'ils peuvent causer à l'intégrité structurelle de la voûte. Ce n'était pas là l'attitude de maçons, encore moins de maçons supposés « hautement qualifiés en architecture ». En revanche, cela peut fort ressembler au récit des entreprises d'une bande de chevaliers chercheurs de trésor, fouillant dans les salles souterraines sous les ruines du Temple d'Hérode.

Après la découverte opportune du petit livre vert du rituel de la *Royal Arch*, nous étions quasi certains que notre hypothèse templière était juste. De nouveaux éléments allaient renforcer cette certitude.

Dès le début de notre étude de l'histoire des chevaliers templiers, nous avions appris qu'existaient des preuves de semblables fouilles templières. Nous décidâmes de chercher des détails supplémentaires. Nous avions récemment découvert qu'une copie du rouleau de cuivre de Qoumrân avait été déposé dans le « *Shîth* », ou caveau, directement situé sous l'autel du Temple – ce caveau qui était recouvert d'un bloc de marbre avec un anneau en son centre. S'agissait-il de la pierre que les templiers avaient soulevé pour descendre dans la salle voûtée ?

Les templiers furent peut-être les premiers à fouiller sous le Temple de Jérusalem, mais ils ne furent pas les derniers. Nous avons déjà mentionné qu'en 1894 un groupe d'officiers de l'armée britannique – avec un simple budget de cinq cents livres – entreprit de dresser le plan des salles sous les ruines du Temple d'Hérode. Les militaires du *Royal Engineers* [Génie], dirigé par le lieutenant Charles Wilson, effectuèrent un excellent travail dans des conditions très défavorables, et ils purent confirmer que les chambres et passages qu'ils trouvèrent étaient souvent voûtées et qu'ils disposaient d'arcs à clé de voûte. Ils confirmèrent également qu'ils n'étaient pas les premiers visiteurs dans les galeries souterraines quand ils tombèrent sur des objets templiers abandonnés là quelque sept cent quarante ans plus tôt. Il s'agissait d'une épée, d'un éperon, d'un élément de lance ou de pique et d'une petite croix templière. Ils sont dorénavant sous la garde de Robert Brydon, le conservateur des archives templières pour l'Écosse. Forts de la connaissance du rituel de l'Arche royale et des découvertes réalisées par le groupe de Wilson, nous avions maintenant quatre-vingt-dix-neuf pour cent de certitude que notre hypothèse templière était exacte. C'est alors qu'un nouveau coup de chance vint compléter notre un pour-cent manquant et transformer l'hypothèse en certitude absolue.

Quelques années plus tôt, en développant pour la première fois l'idée de la découverte templière de quelque chose existant sous les ruines du Temple, nous nous étions posés la question suivante : qu'est-ce qui avait bien pu être placé là ? Et pour répondre à cette question, nous devions nous tourner en arrière et faire face à un gouffre de plus mille ans. A présent, nous avions reconstitué un passé de plusieurs millénaires et il nous manquait un seul élément : la preuve formelle que c'étaient bien les neuf chevaliers conduits par Hugues de Payns qui avaient découvert les manuscrits. Cette preuve tomba d'un rayonnage sur les genoux de Chris.

Le manuscrit de la « Jérusalem céleste »

Chris épluchait les nombreux livres de son bureau à la recherche d'une petite référence technique, quand une illustration accrocha son œil. Quelque chose de cette image lui sembla immédiatement familier ; si familier qu'il sentit un frisson parcourir sa colonne vertébrale. Le dessin était intitulé *La Jérusalem céleste vers 1200 après Jésus-Christ* ; on disait qu'il se trouvait à la Bibliothèque universitaire de Gand. Plus Chris regardait l'illustration, plus il voyait d'éléments. La gravure présentait la vision d'une Jérusalem reconstruite, seulement ce n'était pas une interprétation d'artiste : c'était un dessin éminemment symbolique destiné à transmettre certaines significations à ceux qui savaient ce qu'ils regardaient.

La cité stylisée possède douze tours : une tour céleste principale, deux tours majeures s'élevant au-dessus des piliers centraux, trois tours moindres possédant leurs propres piliers et six petites tours sur les murailles pour compléter le décor (voir fig. 21). Les tours qui se dressent directement au-dessus des deux piliers principaux soutiennent un arc cintré et la tour céleste centrale. Comme le texte de la gravure l'indique, les deux tours piliers sont identifiées à Jacob, c'est-à-dire, comme nous le savons, à... Jacques ! C'était une découverte exaltante car elle confirmait ce que nous pensions de Jacques, à savoir qu'il était devenu simultanément les deux piliers, *mishpat* et *tsedeq*, après la mort de Jésus. À la fois pilier royal et pilier sacerdotal, Jacques avait repris ce rôle de double Messie que son frère avait créé à l'origine.

Mais, aussi importante que fût cette confirmation du positionnement de Jacques, ce n'est pas cela qui, d'emblée, capta l'attention de Chris. On ne pouvait faire d'erreur sur les motifs les plus frappants de toute l'illustration : il s'agissait de trois compas et de trois équerres maçonniques !

Chris avait besoin d'en savoir davantage sur l'origine de ce manuscrit fantastique. Il contacta rapidement le Dr. Martine de Reu, conservatrice des manuscrits et livres rares de l'*Universiteitsbibliotheek*. Elle lui exposa le contexte de l'illustration qui laissa peu de doute : nous étions en train de contempler une copie d'un des manuscrits enterrés par l'Église de Jacques et découverts par les templiers.

L'information fournie par le Dr. de Reu nous plongea dans une folle excitation, à la limite de l'arrêt cardiaque. Elle nous projetait directement au centre de notre quête. Toute l'histoire du manuscrit n'est plus connue, mais notre recherche remplit les vides. Nous pouvions maintenant raccorder notre étude à l'histoire connue du manuscrit de la Jérusalem céleste.

Vers 1119, Hugues de Payns et son petit groupe d'archéologues primitifs ouvrirent une voûte sous les décombres du Temple d'Hérode et trouvèrent les manuscrits secrets de la communauté de Qoumrân, qui étaient rédigés soit en grec soit en araméen, soit en une combinaison des deux. Même s'ils avaient été écrit en français, cela n'eût pas fait de différence, car ces chevaliers étaient totalement illettrés. Mais ils étaient loin d'être stupides. Ils savaient qu'ils avaient trouvé quelque chose de très important et probablement très sacré. Aussi décidèrent-ils de les faire traduire. Les neuf hommes s'assirent et se demandèrent qui pourrait comprendre les étranges écrits et, plus important encore dans le cas présent, sans interférer dans leur travail ou être indiscret. L'homme qui résolut le problème fut Geoffroy [ou Geoffrey et parfois Godefroy] de Saint Omer [en latin, *Godefridus de Sancto Andemardo*], le second de l'Ordre après Hugues de Payns. Geoffroy connaissait un chanoine d'un certain âge du nom de Lambert. C'était précisément un maître d'école à la retraite du chapitre de Notre-Dame de Saint-Omer. Pour Geoffroy, il était l'homme le plus sage et le plus érudit que l'on pût imaginer ; il avait passé de nombreuses années à compiler une encyclopédie de la connaissance humaine.

Geoffroy de Saint-Omer sélectionna quelques manuscrits et partit pour le long voyage de retour vers sa ville d'origine. Comme prévu, Lambert fut en mesure de comprendre une bonne partie de ce qu'il lut. Contempler des documents aussi fabuleux au crépuscule de sa vie transporta très probablement de joie le vieil homme. Une joie terrassante pour un vieux cœur ! Il mourut en fait dès 1121, sans avoir pu, hélas, achever son encyclopédie[187].

Aujourd'hui, l'un des travaux les plus célèbres de Lambert de Saint-Omer est sa copie réalisée à la hâte d'un dessin représentant la Jérusalem céleste. Cette illustration montre que les deux piliers de la cité céleste sont tous les deux appelés « Jacob », et qu'apparemment le fondateur fut Jean le Baptiste. On ne voit pas la moindre mention de Jésus dans ce document prétendument chrétien. Ce n'est donc pas une image ordinaire et nous pensons qu'elle n'a pu venir que d'un seul endroit : les caveaux du Temple d'Hérode. Le symbolisme que l'on retrouve sur cette gravure est maçonnique à l'extrême et confirme que Jacques était simultanément les deux piliers des nazôréens !

La copie de Lambert fut manifestement réalisée dans la précipitation, comme si on ne lui avait laissé que très peu de temps pour l'exécuter. On peut imaginer Lambert demandant à Geoffrey le droit de copier le manuscrit en retour de sa traduction et de son explication du contenu. Mais le templier était pressé de retourner en Terre sainte. Les marques de plume trahissent des signes de hâte excessive et l'on voit même des erreurs de dessin, indiquant que le copiste fut contraint de travailler trop vite.

---

187. Correspondance privée avec la bibliothécaire de l'Université de Gand.

Le document précède de plus de cinq cents ans la première utilisation officielle du symbole maçonnique de l'équerre et du compas. Pourtant, les éléments dominants des bâtiments dessinés sont composés selon ce motif. Il n'y a pas de place ici pour l'erreur, car les « équerres » n'avaient aucune raison de se trouver dans cette image. Nous pouvions donc en conclure que ce symbole de la franc-maçonnerie avait dû être utilisé par l'Église de Jérusalem. Sur sa copie, Lambert a écrit en latin les noms des douze tours de la cité mystique. Comme nous l'avons déjà précisé, nous pouvons voir le nom Jacob (Jacques) sur les tours des deux piliers. Et sur l'arche que ces piliers supportent, c'est le nom Zion (Sion, Israël) qui apparaît. Du fait de cette double utilisation de Jacques, nous pensons que l'original date des dix-neuf années séparant la crucifixion de Jésus de la lapidation de son frère.

L'illustration montre les trois énormes équerres plantés de manière incongrue dans les balcons. Les compas corrélatifs sont directement au-dessus dans le sommet de chaque tour. Ces trois tours se trouvent sous les piliers jumeaux de Jacques, indiquant leur situation subordonnée. Toutes trois sont elles aussi nommées : s'il n'est pas possible de déchiffrer le nom de la tour de gauche, celle de droite est identifiée à André [*Andreas*] et celle du centre à Pierre [*Petrus*]. Malheureusement pour l'Église catholique qui prétend être la descendante directe de l'autorité de Jésus par l'intermédiaire de Pierre, ce manuscrit confirme nettement que Jacques fut le chef de l'Église de Jérusalem et que Pierre fut une personnalité importante, mais clairement subalterne en comparaison du premier.

L'agencement des trois tours, avec leurs équerres et compas, est en totale harmonie avec la franc-maçonnerie moderne, en ce sens qu'elles représentent trois figures clés d'une loge maçonnique : le Vénérable et ses deux Surveillants, qui symbolisent le soleil (Rê), la lune (Thoth) et le Maître de la loge.

Il existe un dernier indicateur qui prouve que les manuscrits furent découverts par les templiers dans le Temple de Jérusalem, et celui-ci provient du rituel maçonnique lui-même, quand le Vénérable Maître et ses deux Surveillants évoquent le thème des secrets perdus de la franc-maçonnerie :

— *Frère Second Surveillant, pourquoi quitter l'orient pour aller vers l'occident ?*

— *Pour rechercher ce qui fut perdu, Vénérable Maître.*

— *Frère Premier Surveillant, qu'est-ce qui fut perdu ?*

— *Les secrets authentiques d'un Maître maçon, Vénérable Maître.*

— *Frère Second Surveillant, comment furent-ils perdus ?*

— *Par la mort prématurée de notre Grand Maître, Hiram Abif, Vénérable Maître.*

— *Frère Premier Surveillant, comment espérez-vous les retrouver ?*

— *Par le centre, Vénérable Maître.*

— *Frère Second Surveillant, qu'est-ce que le centre ?*

— *Ce point dans un cercle qui est à équidistance de chaque partie de sa circonférence.*

Pour la plupart des francs-maçons qui les répètent tenue après tenue[188], ces mots n'ont pas de signification, mais pour nous, ils expliquaient tout maintenant. À l'époque des croisades, chaque cartographe de la chrétienté exécutaient ses cartes en plaçant Jérusalem au centre du monde. Le Temple se trouvait au centre de la vieille cité, enfin, au centre du Temple lui-même était sis le Saint des Saints. Les deux piliers du dessin de Lambert sont également au centre de la Nouvelle Jérusalem, l'endroit exact où les secrets de Jésus et Moïse furent trouvés. Pour les templiers, c'était indiscutablement le point le plus central de notre Terre.

Nous découvrions rapidement de nouvelles choses. Aussi avions-nous pris l'habitude de revenir de temps à autre sur nos éléments antérieurs pour voir si nos connaissances supplémentaires ouvraient de nouvelles perspectives. Ce fut sur cette base que nous relûmes certaines des traductions des manuscrits de la mer Morte, réalisées par Robert Eisenman. Nous constatâmes que le concept de Jérusalem céleste ou de Nouvelle Jérusalem apparaissait dans des manuscrits exhumés de cinq grottes différentes de Qoumrân. Tous se fondaient sur les visions d'Ézéchiel qui décrivent la nouvelle cité en détail, avec ses mille cinq cents tours, toutes de cent pieds de haut.

Comme tous les grades maçonniques, le degré de *Royal Arch* possède ce que l'on appelle une « planche à tracer » (voir illustration p. 272) et qui est une compilation visuelle des thèmes de l'Ordre. On peut immédiatement constater qu'elle tourne totalement autour de la fouille des ruines du Temple. À l'arrière-plan, nous voyons Jérusalem et les décombres du Temple éparpillés. Au premier plan, nous avons l'entrée dégagée menant au caveau souterrain. À l'intérieur du panneau central, sept marches mènent à un dallage en mosaïque sur lequel sont posés des outils pour creuser ou construire, un compas, une équerre et un rouleau manuscrit. Sur les bords intérieurs droit et gauche du panneau se répartissent les écus des douze tribus d'Israël et, au sommet, quatre bannières présentées comme les principales de Juda (un lion et une couronne royale), Ruben (un homme), Ephraim (un bœuf) et Dan (un aigle).

---

188. Réunion maçonnique. (N.d.T.)

« La planche à tracer du degré de Holy Royal Arch [Sainte Arche royale] de la franc-maçonnerie représente les fouilles sous le Temple d'Hérode. »

Avec la découverte du manuscrit de la Jérusalem céleste et de l'histoire corrélative dans le degré d'*Arch Royal,* nous étions dorénavant certains que les templiers avaient trouvé les secrets de leur Ordre, inscrits sur les rouleaux dissimulés par les nazôréens et qu'ils exécutaient des cérémonies d'initiation fondées sur une résurrection « vivante », à l'instar de Jésus jadis.

L'impact des manuscrits nazôréens

Les neuf chevaliers qui trouvèrent les manuscrits nazôréens avaient découvert un trésor dépassant tous leurs rêves les plus fous. Mais il s'agissait d'un trésor qu'ils ne pouvaient partager avec le monde, en général. La découverte eut un effet immédiat sur leur pays d'origine, la France. Plusieurs décennies furent nécessaires pour que l'Ordre fondé en 1118 par Hugues de Payns et ses compagnons devienne l'une des forces les plus puissantes de la Chrétienté. Cependant, avant que cinquante années se soient écoulées, quelque chose de tout à fait extraordinaire survint en France.

À partir de 1170 et en un seul siècle, pas moins de quatre-vingts cathédrales et presque cinq cents abbayes furent construites dans la seule France. Ces ouvrages engagèrent plus de travaux de maçonnerie et de matières premières qu'il n'y en eut jamais dans toute l'histoire de l'Ancienne Égypte ![189] La construction de ces édifices suivit un nouveau plan sensationnel sur une échelle jamais vue auparavant. La cathédrale de Chartres est un exemple classique de ces superbâtiments : elle s'élève vers le ciel dans un ensemble parfait de piliers ornementés et de vitraux. Sur les chantiers de ces édifices et sur d'autres dans tout le pays, les maçons étaient dirigés par les chevaliers templiers. Ces derniers présentaient leur mission comme la volonté de « reconstruire Jérusalem » selon un nouveau et glorieux style architectural, mariant piliers, tours et flèches s'élançant vers le ciel.

Auparavant, nous ne comprenions pas pour quel motif les templiers s'étaient soudain mis en tête de devenir les maîtres architectes d'une Jérusalem céleste dans leur pays d'origine. À présent, tout devenait clair. Dans les caveaux du Temple de Jérusalem, les neuf chevaliers avaient retrouvé les instructions cachées là par les nazôréens juste avant d'échouer dans leur propre entreprise d'édification du Paradis sur terre. Jacques et les siens étaient morts sans avoir apporté le Royaume des cieux que Jésus avait promis à *ses* fidèles, mais ils avaient laissé derrière eux un message très clair.

Les manuscrits nazôréens n'auraient pu tomber entre les mains de personnes plus adéquates, plus à même de les utiliser au mieux. Les templiers reprirent pour leurs propres buts initiatiques les anciens secrets maçonniques spéculatifs inspirés par le Ma'at de Jésus et Jacques, et ils

---

189. C. Frayling, *Strange Landscape.*

s'efforcèrent d'offrir au monde un suprême degré de maçonnerie opérative. La résurrection battait à plein !

Grâce à la découverte du manuscrit de la Jérusalem céleste – et d'autres aujourd'hui perdus –, les templiers étaient devenus des maîtres tant en maçonnerie spéculative qu'en maçonnerie opérative. Nous avions maintenant besoin d'étudier la destruction de l'ordre du Temple et comprendre comment une survivance de ce dernier s'était transformée pour finalement donner la franc-maçonnerie moderne.

CONCLUSION

En étudiant l'Église celtique, nous avions découvert qu'elle différait largement de la version romaine du christianisme en ce sens qu'elle rejetait notamment des dogmes aussi centraux que l'Immaculée Conception et la divinité de Jésus. Si l'Église celtique fut absorbée de force par sa cousine romaine au milieu du VIIᵉ siècle, nous avions la sensation qu'une bonne partie de la vieille pensée avaient survécu sous une forme souterraine. Celle-ci devait rendre l'Écosse particulièrement réceptive à la pensée nazôréenne que les templiers apportèrent avec eux ultérieurement.

La découverte du rituel originel du degré de *Holy Royal Arch* de la franc-maçonnerie fut capitale, car il fournissait l'histoire complète de l'exhumation des manuscrits. Nous n'avions toutefois pas résolu un problème : pourquoi disait-on que les événements s'étaient déroulés sur le site du Temple de Zorobbabel et non sur celui du Temple d'Hérode. Pour nous, il ne faisait aucun doute que ce rituel faisait allusion à la découverte des chevaliers templiers au début du XIIᵉ siècle, parce que les clefs de voûte et les arcs cintrés n'existaient pas avant l'époque romaine.

Le dessin de la « planche à tracer » du degré de *Royal Arch* illustre en détail les fouilles dans le Temple et le plan du caveau sous les ruines qui abritait les manuscrits. Dans le décor, nous voyons Jérusalem et les ruines du Temple.

Pour comprendre pourquoi le texte parlait du Temple de Zorobbabel et non de celui d'Hérode, il nous faudrait encore chercher ; nous espérions qu'une explication pour ce paradoxe émergerait en son temps. En dépit de ce petit problème, nous réalisions maintenant comment cette légende maçonnique avait pu conserver l'histoire de la redécouverte des manuscrits par les premiers templiers, sous la direction d'Hugues de Payns ; découverte qui avait conduit à la création de l'Ordre.

Notre quête s'enrichit bientôt d'une autre trouvaille capitale : la démonstration que la Jérusalem céleste de Lambert – du chapitre de

Notre-Dame de Saint-Omer – était la copie de l'un des manuscrits que Geoffroy de Saint-Omer lui avait apporté. L'utilisation de l'équerre et du compas maçonniques dans ce dessin est flagrante. Quant à son identification de Jacques comme les deux piliers centraux de la Nouvelle Jérusalem, elle confirmait nos précédentes déductions.

CHAPITRE XIV

LA VÉRITÉ ÉCLATE

La prophétie devient vérité

En parcourant la littérature post-guerre juive de 66-70, nous rencontrâmes une croyance largement répandue, connue sous le nom de « *Bereshit Rabbati* » : selon celle-ci, la puissance de la prophétie reviendrait en Israël en 1210, et, peu après, le Messie réapparaîtrait de sa cachette dans la Grande Mer de Rome[190]. À notre grande surprise, c'est, pourrait-on dire, ce qui s'est apparemment produit.

En 1244, trente-quatre ans à peine après le retour théorique de la puissance prophétique en Israël, un enfant naquit dans une famille de petits nobles de l'est de la France. Il avait pour nom Jacques de Molay. Le jeune chevalier avait un sens clair de sa mission, aussi rejoignit-il les Chevaliers du Temple au plus jeune âge possible : vingt et un ans. Il se comporta fort bien et acquis une grande réputation d'organisateur, complétée par une discipline rigoureuse. Il finit par devenir le Maître du Temple en Angleterre avant d'être fait Grand Maréchal avec la responsabilité du commandement militaire de l'Ordre. Quand Thibaut (ou Tibald) Gaudin, le Grand Maître des templiers, mourut en 1292[191], l'élection de Jacques de Molay à ce poste – le plus haut de l'Ordre – ne put étonner grand-monde.

À cette époque, les templiers avaient perdu le contrôle de la Terre sainte. Les mamelouks musulmans s'étaient emparés d'Acre l'année précédente, ce qui entraîna plus ou moins le royaume chrétien de Jérusalem vers sa fin. Cependant, Molay était encore un homme immensément

190. Lettre de Maïmonide aux Juifs du Yemen.
191. La date de l'élection de Jacques de Molay à la Grande Maîtrise de l'Ordre est plus généralement donnée comme 1298, parfois 1294. (N.d.T.)

puissant, contrôlant un nombre considérable de propriétés dans toute l'Europe, mais aussi une excellente armée, une flotte de combat substantielle et une compagnie commerciale et bancaire internationale. Depuis ses débuts modestes cent soixante-quatorze ans plus tôt – quand Hugues de Payns et son petit groupe de chevaliers commençaient à fouiller les ruines du Temple –, l'Ordre était devenu pour ainsi dire la force la plus puissante de la Chrétienté, rivalisant avec le Vatican lui-même, voire le surpassant. Les premiers templiers durent trouver l'or, l'argent et les autres trésors enterrés par les Juifs pendant la guerre de 66-70, alors que les Romains les balayaient. C'est en tous les cas ce que nous soupçonnions fortement, car l'Ordre accrut sa richesse et son influence à une vitesse trop remarquable apparemment pour être le simple résultat d'une croissance organique. S'ils trouvèrent de tels trésors, il est raisonnable de penser qu'ils ne le révélèrent pas et de ce fait il est logique que l'Histoire n'ait pu en conserver la trace.

Dès que Molay accéda au pouvoir, il réimposa la pleine observance de toutes les règles et réclama une discipline absolue au sein de l'Ordre. Totalement illettré lui-même, il interdit aux autres chevaliers de perdre leur temps à lire, préférant laisser de telles tâches aux clercs.

Les templiers faisaient directement leur rapport au pape, mais ils formaient un ordre francophone et c'est en France qu'ils avaient la plupart de leurs liens. À l'époque, ce pays possédait un roi particulièrement orgueilleux et ambitieux, Philippe IV dit le Bel. Celui-ci chercha à manipuler le pape à son profit. Mais Boniface VIII n'était pas un homme facile à manœuvrer. Ils se querellèrent quand le pape refusa d'autoriser Philippe à prélever des taxes sur l'Église française, et en 1302 Boniface déclara que « le spirituel était supérieur au temporel » et que « s'opposer au pape était s'opposer à Dieu ». En réponse, Philippe déclara publiquement que Boniface était incapable d'occuper le « trône de Pierre » et accusa le pontife de tous les crimes imaginables dont le blasphème, l'hérésie, le meurtre et même la sodomie. Son désir de calomnier le pape ne connaissait pas de limites. Il put évaluer les extrêmes de la crédulité médiévale quand il accusa Boniface d'avoir eu une relation sexuelle secrète avec un démon. Naturellement, le pape entra dans une grande fureur et répondit en prononçant le plus haut degré d'excommunication contre le roi personnellement et non contre son royaume. Le souverain parvint néanmoins à obtenir de forts soutiens dans toute la France. Alors Boniface menaça d'étendre cette fois l'« interdiction » au pays tout entier. Cette sanction était de moindre portée qu'une excommunication nationale, mais c'était encore une très mauvaise affaire pour un État. Tant que l'« interdiction » serait en vigueur, le peuple de France ne pourrait être baptisé ; il ne recevrait ni la communion ni l'absolution et ne pourrait même être inhumé avec tout le rituel chrétien.

Philippe savait qu'une telle sanction le terrasserait. Il envoya alors un émissaire pour « faire au pape une offre qu'il ne pourrait pas refuser ». En réalité, le 8 septembre 1303, Guillaume de Nogaret et son équipe pénétrèrent dans le palais d'Anagni en Italie ; ils s'emparèrent du vieux pape, l'insultèrent et le menacèrent de plus graves préjudices. Mais les hommes de Philippe furent incapables de s'échapper avec le pape. Sachant que tuer le souverain pontife leur serait fatal, ils repartirent en proférant de terribles menaces. Boniface ne se remit jamais de cette épreuve et s'éteignit cinq semaines plus tard. Certains accusèrent directement Philippe de la mort du pape, en raison de la violence de l'agression.

Le nouveau pape, Benoît XI, commença par adopter un ton amical à l'endroit de Philippe. Mais dès que le roi français se remit à accroître ses demandes, les relations virèrent rapidement à l'aigre. Et le pape alla jusqu'à accuser publiquement Philippe d'avoir ordonné l'attaque contre Boniface à Anagni. Bientôt Benoît mourut empoisonné sur l'ordre de Philippe le Bel. Cette fois, le roi choisit efficacement le remplaçant du défunt en la personne d'un certain Bertrand[192] de Goth, archevêque de Bordeaux. Il était un ennemi juré mais contrôlable du roi, seulement son désir de s'asseoir sur le trône de Pierre était beaucoup plus fort que ses rancœurs contre Philippe. Ainsi, en 1305, le mégalomaniaque roi de France se retrouvait soudain avec le vicaire du Christ et, donc, le christianisme occidental, en son pouvoir. À peine solvable, Philippe leva immédiatement un impôt, la décime, sur les importants revenus du clergé français. Quatre ans plus tard, le pape marionnette transféra le siège du pouvoir du Vatican à Avignon, situation qui perdura pendant les trois quarts de siècle suivants.

Avec l'élection nomination d'un pape contrôlable en la personne de Clément V, Philippe le Bel disposait désormais du pouvoir qu'il désirait. Mais maintenant, il avait besoin d'argent. Guillaume de Nogaret, l'éternelle âme damnée du roi, était un homme très astucieux : au nom du roi, il mit sur pied une gigantesque entreprise de vol, aussi fourbe que malfaisante. Après une planification extrêmement soigneuse et habile, les troupes du roi s'élancèrent par petits groupes dans tout le pays le matin du 22 juillet 1306 et arrêtèrent tous les juifs. Peu après, ces infortunés furent envoyés en exil – naturellement sans leurs propriétés qui furent immédiatement transférées à la Couronne.

Il n'est guère étonnant que ce roi cupide tourna ensuite son attention

192. Les auteurs donnaient ici le prénom Bernard. (N.d.T.)

vers le Maître des templiers, Jacques de Molay, et toute la richesse du Temple de Paris, ses domaines, ses propriétés et ses intérêts dans des sociétés de tout le pays. Néanmoins, cette fois, même Philippe le Bel ne pouvait espérer s'en tirer par un acte de piraterie ouvert contre un ordre aussi élevé. Les chevaliers templiers ne répondaient à personne en dehors du pape et ils se trouvaient au-dessus des lois des différents pays. Cependant, le roi était un homme plein de ressources quand il s'agissait d'accroître sa richesse et son pouvoir. Il prépara alors le terrain et les circonstances nécessaires pour que son plan réussît sans interférences.

Depuis les débuts de l'Ordre, on soupçonnait les templiers de se livrer à quelques rites étranges. Mais comme il s'agissait de la force la plus puissante et la plus respectée de la Chrétienté, l'Ordre avait quasiment été préservé de toute enquête sérieuse. Malheureusement, le caractère très secret de leurs pratiques permit de donner efficacement une apparence de crédibilité aux fausses accusations. Un plan pour détruire les templiers et s'emparer de leur richesse fut soigneusement mis au point par Guillaume de Nogaret. Pour cela, il disposa probablement d'au moins un espion au sein même de l'Ordre templier, qui devait lui rapporter la nature des rituels secrets des templiers. Mais même ainsi, cette information seule n'aurait pas été suffisamment sensationnelle pour abattre l'Ordre le plus célébré dans le monde et permettre à Philippe de mettre la main sur sa fortune. Pour compenser l'absence de preuves suffisamment accablante, Nogaret arrangea tout simplement la « découverte » de nouvelles informations. De faux témoins dénoncèrent des histoires d'actes vils et le roi Philippe finit par se sentir « obligé » d'informer le pape de cette situation grave.

Le souverain savait que la rivalité entre les plus importants ordres de chevalerie, les templiers et les Hospitaliers, était profonde et s'étendait sur une grande échelle. Il suggéra au pape d'écrire aux Grands Maîtres des deux ordres pour les inviter à une rencontre : ils devaient évoquer un éventuel plan de soutien aux rois d'Arménie et de Chypre. Mais ce n'était un secret pour personne que le pape avait dans l'idée de fusionner les chevaliers du Temple de Salomon et les chevaliers de l'Hôpital de Saint-Jean de Jérusalem en un ordre unique qui serait appelé les « Chevaliers de Jérusalem ». Molay pensa très probablement que c'était là le véritable ordre du jour de la rencontre. Une telle fusion était hors de question pour lui. Il s'est sans doute dit qu'au regard de la richesse et de la puissance de son ordre, il n'aurait aucune difficulté à empêcher ce mariage indésirable. Par ailleurs, selon toute probabilité, le pape aurait probablement imposé la fusion : il avait déclaré sa préférence en faveur des hospitaliers qu'il voulait voir prendre le rôle majeur. Parallèlement, le roi

Philippe n'était pas parvenu à convaincre qui que ce soit qu'il serait le meilleur candidat pour devenir le chef de l'Ordre unifié.

Guillaume de Villaret, le Grand Maître des hospitaliers, fut incapable de se rendre à la rencontre, parce qu'il était totalement occupé par une attaque contre les Sarrasins de Rhodes. Molay se trouvait à Limassol, à Chypre, lorsqu'il reçut l'ordre papal de se rendre en France pour l'entrevue avec le souverain pontife. Il rassembla soixante chevaliers, prit cent cinquante mille florins d'or et fit voile vers Marseille. Molay était parfaitement en droit de s'attendre à un magnifique accueil de la part du roi Philippe dans la mesure où les templiers lui avait rendu de nombreux services considérables. Ils avaient prêté au roi l'argent de la dot de sa fille, la princesse Isabelle, et le Temple de Paris avait fourni une refuge au roi pendant plusieurs jours lorsqu'une émeute populaire était devenu incontrôlable. À un niveau personnel, le Grand Maître considérait certainement le souverain comme un véritable ami, puisque Philippe lui avait demandé d'être le parrain de son fils, Robert.

Soupçonnant le pape de vouloir aborder le sujet de la fusion avec les hospitaliers, Molay avait pris la précaution d'apporter avec lui un document esquissant les arguments en faveur de l'indépendance de son Ordre. Intitulé *De Unione Templi et Hospitalis Ordinum ad Clementum Papam Jacobi de Molayo Relentio*, ce document fut présenté au pape à Poitiers. Dès que Molay arriva à Paris, il fut accueilli avec tous les honneurs par le roi. Mais le Grand Maître ressentit bientôt une vive inquiétude quand il commença à entendre toutes les rumeurs qui se répandaient sur les « méfaits » des templiers.

Le plan secret élaboré par Nogaret prévoyait d'arrêter simultanément tous les templiers. Considérant qu'il se trouvait quelque quinze mille chevaliers du Temple en France à ce moment-là, la tâche était considérable. Mais, l'année précédente, Nogaret avait eu une excellente expérience d'arrestations de masse simultanées, en capturant l'intégralité de la communauté juive. On fixa la date de l'arrestation des templiers : le vendredi 13 octobre 1307. Des ordres scellés furent envoyés à tous les sénéchaux, trois semaines auparavant, mais avec l'instruction formelle de ne pas les desceller avant le jeudi 12 octobre. Les ordres commençaient avec une phrase puissante mais longue, destinée à vaincre toute réticence des sénéchaux à arrêter des chevaliers aussi fameux :

> *Une chose amère, une chose déplorable, une chose horrible à penser, terrible à entendre, un crime détestable, un forfait exécrable de scélératesse, une infamie affreuse, une chose tout à fait inhumaine, pis, étrangère à toute humanité, a retenti à nos oreilles, grâce aux rapports de plu-*

sieurs personnes dignes de foi, non sans nous frapper d'une stupeur pro-
fonde et nous faire frémir d'une violente horreur, et, en considérant sa
gravité, une douleur immense nous envahit, d'autant plus cruellement
qu'il est indubitable que l'énormité du crime fait de celui-ci une offense
contre la majesté divine, une honte pour l'humanité, un exemple perni-
cieux de scélératesse et un scandale universel.

Les principales accusations provenaient du témoignage d'un ex-tem-
plier, Esquin [ou Esquieu] de Floyran [ou de Floixan ou encore Squin de
Flexian[193]]. Elles étaient :

> *Que tous les templiers lors de leur admission juraient de ne jamais*
> *quitter l'Ordre et de servir ses intérêts par tous moyens, justes ou injustes.*
>   *Que les chefs de l'Ordre avaient une alliance secrète avec les Sarrasins*
> *et qu'ils relevaient davantage de l'infidélité mahométane que de la foi*
> *chrétienne ; chaque novice devant cracher sur la croix et la piétiner.*
>   *Que les chefs de l'Ordre sont hérétiques, cruels et sacrilèges qui tuent*
> *ou emprisonnent tout novice essayant de quitter l'Ordre après avoir*
> *découvert son iniquité. Que, de plus, ils expliquent aux femmes qui sont*
> *enceintes de leurs œuvres comment trouver une substance abortive et assas-*
> *siner secrètement les enfants nouveau-nés.*
>   *Qu'ils sont infectés par les erreurs des Fraticelles[194] ; ils méprisent le*
> *pape et l'autorité de l'Église et se moquent des sacrements, particulière-*
> *ment des sacrements de pénitence et la confession.*
>   *Qu'ils s'adonnent aux excès de débauche les plus infâmes. Si qui-*
> *conque exprime sa répugnance, il est condamné à une captivité perpé-*
> *tuelle.*
>   *Que les maisons templières abritent tous les crimes et abominations*
> *imaginables.*
>   *Que l'Ordre œuvre à remettre la Terre Sainte entre les mains des*
> *Sarrasins.*

193. C'est cette dernière dénomination qui est utilisée par les présents auteurs et qui est
celle que donne le chroniqueur florentin Giovanni Villani. (N.d.T.)
194. Ou Frérots (de l'italien *fraticelli*, « petits frères »). À l'origine, communauté religieuse de moines mendiants franciscains en rupture de leur Ordre. Ils s'apparentaient aux
béguins et béguines de France. Boniface VIII édicta une bulle contre eux en 1296, qui en
fit des hérétiques, mais les papes Nicolas III (1279) et Célestin V (1295) en avaient précédemment édictés en leur faveur. Ils dissociaient clairement l'Église « riche » du pape de la
« vraie » Église, celle des pauvres. Ce de fait, ils estimaient que seuls leurs sacrements étaient
valides. De véritables brigands vinrent bientôt grossir leurs rangs. Des monastères furent
attaqués. L'Inquisition mit un terme à leur groupe. (N.d.T.)

Que le Maître est installé dans sa charge au cours d'une cérémonie secrète à laquelle peu de frères parmi les plus jeunes assistent et qu'il renie sa foi chrétienne par un acte contraire au droit.

Que de nombreux statues de l'Ordre sont illicites, profanes et contraire au christianisme. Sous peine d'un emprisonnement perpétuel, les membres ont l'interdiction d'en parler à quiconque.

Qu'aucun vice ou crime commis pour l'honneur ou le bénéfice de l'Ordre est considéré comme un péché.

L'arrestation de quelque quinze mille templiers, dont Molay, fut achevée au cours de la seule matinée du vendredi 13. Le principal faux-témoin était Floyran ; il avait été expulsé de l'Ordre et incarcéré pour hérésie et autres délits. Avec un Florentin du nom de Noffo Dei, il fournit des « preuves » contre l'Ordre en échange de sa grâce et de sa libération de prison. L'Inquisition reçut l'ordre d'extraire toutes les confessions et de n'épargner aucune torture pour atteindre cet objectif. Ces tortionnaires professionnels étaient généralement des experts pour infliger le maximum de souffrances à leurs victimes sans les tuer. Seuls trente-six templiers moururent dans le secteur de Paris au cours des premiers temps de l'interrogatoire. Avec l'afflux massif de prisonniers, l'Inquisition dût s'organiser : il n'y avait pas suffisamment de donjons et d'instruments de torture pour œuvrer. Mais ils étaient des hommes très imaginatifs et trouvèrent rapidement de nombreuses idées ingénieuses pour obtenir efficacement les confessions. Le « four à pied » en était un bon exemple : il ne nécessitait qu'une planche pour attacher le sujet, un peu d'huile pour ses pieds et un brasier. Ce dispositif facile à mettre en place se révéla très efficace pour convaincre les templiers de dire la « vérité » à l'Inquisition. Un homme fut porté jusqu'au tribunal pour avouer ses « crimes », serrant une boîte entre ses mains : elle contenait les os noircis qui étaient tombés de ses pieds en train de rôtir.

En dépit de tous les efforts forcenés de l'Inquisition, les confessions furent lentes à venir. Mais rapidement un nombre d'« aveux » suffisant fut disponible pour être livré au public. Celui-ci fut horrifié quand il entendit que les templiers, jadis si éminents, admettaient avoir renié Dieu, le Christ et la Vierge Marie ; avoir exécuté, lors de leur initiation, l'*Osculum Infame*, le « baiser honteux », c'est-à-dire avoir embrassé leur initiateur sur la bouche, le nombril, le pénis et les fesses. À la lumière des connaissances actuelles, il est aisé d'écarter ces accusations inventées de toutes pièces et sorties tout droit de l'imagination des accusateurs. En revanche, certaines des confessions doivent être prises beaucoup plus sérieusement.

De nombreux pays furent très lents à persécuter les templiers, malgré les ordonnances du pape demandant que tous les membres de l'Ordre soient arrêtés et interrogés. Le Portugal, l'Irlande, l'Écosse et l'Angleterre furent de ceux qui n'exécutèrent pas cette instruction avec joie. En Angleterre, le roi Edouard II[195] accepta finalement d'exécuter le commandement papal, mais ses bourreaux ne furent pas efficaces du tout. L'Inquisition de Paris proposa alors de les aider et de mettre à leur disposition des hommes qui avaient développé une très grande habileté dans cette tâche et affichaient même un goût avoué pour l'activité qu'ils avaient choisie. En juin 1311, l'Inquisition installée en Angleterre obtint quelques informations très intéressantes de la bouche d'un templier, du nom de Stephen de Stapelbrugge. Il avoua qu'au cours de sa cérémonie d'admission, on lui avait dit que Jésus était un homme et non un dieu. Un autre templier, John de Stoke[196], déclara que Jacques de Molay lui avait affirmé que Jésus n'était qu'un homme et qu'il devait croire au « grand Dieu tout-puissant, qui fut l'architecte du ciel et de la terre, et non en la crucifixion » [197]. Ces affirmations ont surpris un certain nombre de spécialistes, parce qu'elles ne correspondent à aucune croyance théologique de l'époque, même pas à celles de sectes hérétiques comme les cathares (qui étaient probablement en contact avec l'Ordre). En revanche, vous aurez naturellement compris qu'elles ne nous étonnèrent pas : ces paroles étaient exactement celles que l'on pouvait attendre de la part d'un homme initié au sein d'un ordre de nazôréens moderne, fondé sur les messages de l'Église de Jérusalem contenus dans les manuscrits du Temple. La conception exprimée par le Grand Maître provient des vrais enseignements de Jésus et elle est antérieure au culte paulinien de la « crucifixion », que les Romains adoptèrent. Ces idées attribuées au Grand Maître sonnent justes ; elles paraissent parfaitement authentiques : les templiers ne rejettent pas Jésus, ils se contentent simplement de rappeler qu'il n'y a qu'un seul Dieu, un seul être suprême. Il semble certain que de telles pensées n'ont pu venir en ligne directe que de l'Église de Jacques, où les véritables enseignements de Jésus étaient révérés, mais où la crucifixion était considérée comme un puissant symbole de « loyauté jusque dans la mort » à l'image d'Hiram Abif, et rien de plus. Pour les templiers, la croix était un emblème de martyre, et non une

---

195. Qui avait épousé Isabelle, la fille du roi de France, Philippe IV le Bel. (N.d.T.)
196. Templier important car il était le trésorier du Temple à Londres. (N.d.T.)
197. On peut ajouter le témoignage de Thomas Tocci de Thoroldeby qui raconta qu'un ancien Grand Maître d'Angleterre, Brian de Jay, affirmait que « le Christ n'était pas un dieu, mais un simple mortel ». (N.d.T.)

source de magie comme le prétend le culte paulinien de la « crucifixion ».

Au vu de toutes les informations que nous avons pu rassembler au cours de notre recherche, nous avons la ferme sensation que les templiers furent, d'un bout à l'autre de leur existence, un ordre catholique loyal, même si les chevaliers de plus haut rang affichèrent peut-être des conceptions radicalement différentes sur la divinité de Jésus Christ. Au milieu du XIIIe siècle, leur richesse, leurs possessions, leur puissance militaire et leur distance par rapport à Rome leur auraient permis d'établir un nouveau type de christianisme si tel avait été leur vœu. Mais ils étaient clairement satisfaits de leur situation, détenant leur connaissance spéciale qu'ils ne délivraient qu'au sein de l'Ordre et exécutant leurs propres cérémonies secrètes qu'ils considéraient, à l'instar des francs-maçons modernes, comme complémentaires de leur foi chrétienne. Les chevaliers templiers furent trahis par une Église et un pape qu'ils avaient bien servis.

La crucifixion

Il est indubitable que Jacques de Molay fut horriblement torturé, parce que ce puissant guerrier s'effondra et confessa des crimes qu'il n'avait pas commis (même s'il se rétracta peu avant d'être brûlé sur le bûcher sept ans plus tard). L'Inquisition ne rapporta pas les moyens de persuasion qu'elle utilisa. Mais assez curieusement, c'est dans un bâtiment templier écossais que nous devions trouver quelque chose qui nous permit de reconstituer ce qui s'était réellement passé. Grâce à un remarquable élément de preuve, nous pensons être en mesure de restituer ce qui est arrivé au Grand Maître dans les donjons de l'Inquisition, il y a sept siècles. Selon nous, les vendredi 13 octobre et samedi 14 octobre 1307 durent ressembler à quelque chose de ce genre :

Le Grand Inquisiteur de France, Guillaume Imbert, avait voulu personnellement s'investir dans l'extraction de la confession du plus grand hérétique de tous : Jacques de Molay. En qualité de prêtre torturant un autre prêtre, Imbert devait normalement éviter de répandre le sang : pratiqués avec inventivité, les brûlures, broyages et autres écartèlements étaient des alternatives éminemment efficaces. Pourtant en cette occasion, Imbert fut probablement scandalisé par les maudites activités « Anti-Christ » de cet individu qui faisait jadis partie des plus éminents hommes de Dieu. On peut l'imaginer en train de visiter le Temple de Paris, accompagné des officiers chargés de l'arrestation et mettant immédiatement la main sur le Grand Maître. Puis, Imbert se promène dans tout le splendide bâtiment en quête de preuve de comportements déviants permettant de confronter les accusés. À l'étage, il tombe sur une grande porte avec une plaque de cuivre en son centre. Il la pousse. Derrière, il ne voit que l'obscurité. Il s'avance dans le Temple intérieur aveugle. Il allume l'un des grands cierges qui se trouve sur le premier piédestal. Lentement, ses yeux se mettent à examiner les vues étranges qu'il peut distinguer dans la faible lumière vacillante. Tout semble si terriblement païen ; l'ornementation est ostensiblement antichrétienne : des pyramides avec des yeux au centre, un plafond constellé d'étoiles, et des compas et des équerres... À la fois, fasciné et troublé par le climat impie de l'endroit, il est soudain certain que toutes les histoires sont vraies et que son prisonnier doit être l'hérétique le plus démoniaque que la terre ait jamais porté. Dirigeant ses pas vers le côté oriental, il s'arrête devant deux grandes colonnes et un autel principal. Baissant les yeux, il voit un simple coffre de bois. Il constate qu'il contient un linceul blanc de quelque quatorze pieds de long, un crâne humain et deux fémurs. Ce doit être, se dit-il, le linceul dont ses espions ont parlé et qui est utilisé pour « ressusciter » les morts. Le Grand Inquisiteur est horrifié : c'est donc vrai que Molay a véritablement parodié la souffrance et la sainteté de la Passion de Jésus Christ en exécutant des cérémonies de résurrection avec ses initiés templiers. Une nouvelle série de questions vint immédiatement à l'esprit de l'Inquisiteur : et une en particulier qui était relative à la vile impudence de ce prêtre perdu.

Cette nuit-là, dans les cellules sous le Temple de Paris, Molay attend, dépouillé de son manteau et nu sous la grossière chemise d'un homme convaincu d'hérésie. On n'a même pas oublié de lui passer un nœud coulant autour du cou, pour compléter la panoplie de l'hérétique accusé. Imbert l'informe qu'il finira de toute façon par admettre ses crimes, alors pourquoi ne pas s'épargner quelques souffrances et faire tout de suite une confession complète ? Au grand soulagement d'Imbert indigné et donc soucieux d'aller au bout de la procédure, le Grand Maître refuse. L'Inquisiteur commence par citer les Évangiles :

Pilate prit alors Jésus et le fit flageller.

Tendus au-dessus de sa tête, les bras de Molay sont attaché au mur. La chemise grossière a été relevée. Son dos nu est flagellé par deux assistants utilisant des fouets de charretier dont la lanière s'achève par des boules de métal. Le bourreau de droite est plus grand et plus ardent que son acolyte. Il occasionne des blessures aux jambes et au dos, mais pas aux bras levés.

Et les soldats tressèrent une couronne d'épines et la mirent sur sa tête.

Une couronne d'épines tressées a été préparée. On l'enfonce sur la tête de Molay. Du sang sourd de son cuir chevelu et de son front.

Mais ils criaient : « Crucifiez-le, crucifiez-le ».

Le Grand Maître est alors fixé à une croix grossièrement assemblée. Des clous à tiges carrées sont plantées dans ses poignets. La violence de l'impact des clous sur la structure interne de la main droite de Molay fait se rétracter si violemment son pouce à l'intérieur de la paume que l'articulation se disloque et que l'ongle du pouce pénètre dans la chair de la paume. Maintenant, la plante de son pied gauche est pressée contre la barre verticale de la croix, la « tige », et un long clou est enfoncé exactement entre les deuxième et troisième métatarsiens, mais en évitant que le fer ne pénètre le bois. Dès que le clou apparaît de l'autre côté du pied, le bourreau appuie le pied droit sur la « tige » de la croix et place le pied gauche sur le droit pour que le même clou puisse transpercer les deux pieds. Ainsi Molay est suspendu simplement par trois points qui infligent de cuisantes souffrances. Pour autant, la perte de sang est minime et il reste pleinement conscient.

Pour Jacques de Molay, la douleur est indescriptible. Mais, pire, le poids de son corps commence instantanément à agir à son encontre : il le contraint à lentement s'affaisser, tout en exerçant une tension traumatique sur les muscles des bras, des épaules et de la poitrine. Molay sent sa cage thoracique s'étirer de telle manière qu'il ne peut plus exhaler. Aussi, pour éviter l'asphyxie, le Grand Maître n'a pas d'autre alternative que de pousser sur ses pieds douloureusement cloués. De cette façon, il peut relever son corps et permettre à ses poumons d'expirer et inspirer à nouveau. La peur panique de l'asphyxie est momentanément remplacée par l'incroyable souffrance infligée par les plaies sur lesquelles il s'arc-boute. À force d'alterner sans arrêt cet abominable dilemme – s'asphyxier ou souffrir –, le résultat est une anoxie (manque d'oxygène) croissante, amenant des crampes torturantes et un taux métabolique dramatiquement élevé.

Entre les questions, Imbert continue de suivre son modèle biblique et offre à Molay un chiffon trempé dans le vinaigre pour « étancher » sa terrible soif, tout en citant de nouveau les Écritures :

Et quelqu'un courut tremper une éponge dans du vinaigre. L'ayant mise au bout d'un roseau, il lui donna à boire en disant : « Laissez ! Que nous voyions si Elie va venir le descendre. »

Les heures paraissent des semaines. La résistance de Molay commence à faiblir. Il demande à Imbert ce qu'il doit dire pour être descendu de la croix. L'Inquisiteur cite une fois de plus :

Mais un des soldats, de sa lance, lui perça le flanc, et il en sortit aussitôt du sang et de l'eau.

Imbert enfonce donc un couteau dans le flanc de Molay ; pas assez profondément pour provoquer un dommage mortel, mais suffisant pour compléter la reconstitution délibérée de la souffrance du « fils de Dieu ».

Endurant cette même agonie abominable qui fit momentanément perdre sa foi à Jésus quelque mille deux cent quatre-vingts ans plus tôt, Jacques de Molay se confesse immédiatement sur la croix. Il est descendu de son supplice.

Le traumatisme phénoménal que le corps de Molay vient de connaître a produit une grande quantité d'acide lactique dans son sang, ce qui a amené ce que l'on appelle une « acidose métabolique » ; dans un état de crampe permanente, ses muscles se sont paralysés, sa pression sanguine (tension) a totalement chuté et son cœur bat à tout rompre. En fait, il vient d'être descendu quelques instants à peine avant de trouver le doux soulagement de la mort.

Guillaume Imbert est enchanté d'avoir réussi, mais il a encore une nouvelle idée plaisante. Il fait mettre Jacques de Molay sur le linceul même que le Grand Maître utilisait pour parodier le Messie. Les bourreaux l'ont allongé sur le dos sur la partie inférieure de tissu ; une grande bande de toile se trouve au-dessus de sa tête. Les tortionnaires la rabattent sur le corps de Molay pour le recouvrir totalement. À cet instant, Imbert ne peut résister à la tentation de lire une ultime citation de la Passion.

Et quand Joseph prit le corps, il l'enveloppa dans un linceul propre.

Tapotant le linceul recouvrant le corps désespérément blessé, Imbert suggère à l'homme à peine conscient d'essayer de se relever tout seul, s'il se croit aussi important que le vrai Christ !

* * *

L'Inquisition avait reçu l'ordre strict de ne pas tuer le Grand Maître des templiers. Pour autant, elle n'avait absolument pas l'intention de soigner l'hérétique avoué pour le remettre d'aplomb. Dans la région, Molay ne possédait aucune famille qui pût veiller sur lui, mais Geoffroy de Charnay [de Charney ou de Cernay], le précepteur de Normandie, qui lui aussi subissait la question, en avait une. La famille de Charnay fut appelée et on lui demanda de prendre soin des deux hommes (qui étaient destinés à mourir ensemble sept ans plus tard, quand ils rétractèrent publiquement leurs aveux et qu'étant relaps [retombés dans l'« hérésie »], ils furent lentement brûlés sur des charbons ardents).

La preuve physique

Nous avons pu reconstituer les circonstances de l'interrogatoire de Jacques de Molay, parce qu'un élément de preuve important a survécu jusqu'à aujourd'hui. Le linceul de type qoumrâno-maçonnique trouvé dans le temple parisien de l'ordre templier et utilisé pour envelopper le corps blessé du Grand Maître recouvrait encore Molay lorsque celui-ci voyagea jusqu'à la demeure de Geoffrey de Charnay. Là, le tissu fut lavé, plié et rangé dans un tiroir. Cinquante ans plus tard exactement, en 1357, cette pièce de lin de quatorze pieds de long fut sortie de son meuble et exposée publiquement à Livey. Quelle était la raison de cette exposition ? Était-ce pour le cinquantenaire de la chute du temple et du martyre de Molay ? Nous ne pouvons être sûrs. En revanche, nous savons avec certitude pourquoi ce tissu pouvait intéresser le public.

Le corps suant de Molay avait été descendu de la croix et laissé dans le sous-sol d'un donjon froid et humide. Les fluides pathologiques de l'hommes blessé – de la sueur mêlée à du sang riche en acide lactique – s'étaient répandus librement autour de son corps, en tachant le tissu qui l'enveloppait. À cause du traumatisme de la crucifixion, le corps de Jacques de Molay avait « peint » l'image de sa souffrance sur son propre linceul « maçonnique ».

La famille de Charnay avait retiré le corps du linceul et pansé les blessures. De nombreux mois de soins furent probablement nécessaires avant que Molay ne recouvre un état se rapprochant d'une santé correcte. Pendant ce temps, le linceul lui-même avait donc été rangé dans la demeure de la famille, et tout le monde l'avait oublié. Le neveu de Geoffroy de Charnay – qui portait le même prénom que son oncle – fut tué par les Anglais à la bataille de Poitiers en 1356 (l'année précédant l'exposition du linceul). Il semble probable que la connaissance de la véritable origine du linceul mourut avec lui.

Or l'image sur le linceul était remarquablement claire. Les traits du corps de Molay s'étaient imprimés sur le tissu en raison d'une réaction chimique : l'acide lactique s'étant échappé librement du corps pour imprégner le linceul avait réagi au contact de l'encens utilisé comme agent blanchissant et qui était, lui, riche en carbonate de calcium. Le long nez, la chevelure tombant sur les épaules avec une raie au milieu, l'épaisse barbe qui fourchait à sa base et le beau corps apparemment sain de six pieds de long s'accordait parfaitement avec l'image connue du dernier Grand Maître de l'ordre des chevaliers templiers (voir figures 19 et 20).

Les premières personnes qui virent le linceul ainsi « marqué » crûrent reconnaître une image familière ou tout au moins qui les renvoyait à une image familière, celle d'un homme qui, mille trois cents ans plus tôt environ, avait enduré un semblable destin : en fait, elles pensèrent qu'elles contemplaient Jésus. Aujourd'hui, cette pièce de tissu s'appelle... le Linceul de Turin.

Ironie de l'Histoire : l'image que le monde chrétien a appris à aimer comme le visage de Dieu est en fait le corps d'un homme torturé et assassiné au nom de ce Dieu, non par les Romains, mais par un roi français avide d'argent avec le soutien de l'Église catholique romaine.

De nombreuses personnes ont recherché les origines du Linceul de Turin. Nous pensons avoir trouvé la solution parce que nous ne l'avons *pas* cherchée. Toutes les différentes théories avancées jusque-là niaient ou rejetaient certains aspects des preuves disponibles. Dans notre quête pour retrouver Hiram, le Linceul n'était qu'une pièce de puzzle comme une autre qui aidait à compléter le tableau. En 1988, le Vatican autorisa que des tests scientifiques par le carbone 14 soient réalisés dans trois laboratoires différents. De manière concluante, ces analyses ont démontré que la matière du Linceul ne pouvait être antérieure à 1260. Considérant que le Linceul fut probablement utilisé par les templiers pendant quelques années, cette datation cadre parfaitement avec notre théorie.

Très étrangement, les résultats des analyses par le carbone 14 furent publiées un 13 octobre, la date même de l'arrestation de Molay et de sa crucifixion ! Certes il y avait de très grandes chances pour qu'il s'agisse d'une coïncidence. Mais tout de même, nous ne pouvions nous empêcher de nous demander s'il n'y avait pas autre chose. Le Vatican a toujours nié que le Linceul de Turin soit une sainte relique, parce que l'Église connaît sa véritable origine : se pourrait-il que Rome ait jugé idoine de le démontrer le jour même de l'anniversaire de la « création » du Linceul ?

Les enseignements de Jésus « moururent » effectivement avec lui. Ils furent remplacés par une forme de culte à mystères hellénistique inventée par Paul, le « verseur de mensonges », mais les enseignements « ressuscités » furent de nouveau délivrés au monde par la crucifixion de

Jacques de Molay. Pendant les mille deux cent soixante-quatorze ans séparant les deux crucifixions identiques, les vrais enseignements de Jésus avaient reposé « morts et enterrés » sous le Temple de Jérusalem. Mais une fois délivrés, les concepts d'égalité, de responsabilité sociale et le pouvoir de la connaissance humaine réapparurent pour mettre un terme au vide intellectuel des « âges sombres » bien nommés.

Pendant les trois premiers siècles de notre ère, l'Empire romain n'avait cessé de perdre progressivement son pouvoir politique. Mais l'organisation mise en place par Constantin permit de le maintenir : comme nous l'avons montré plus tôt, il avait élaboré tout un tissu complexe de superstitions qui confinait les esprits des individus et avait pour but de garder chacun à sa place. Pour Constantin, le peuple servait à une chose : être utilisé comme producteurs de biens et de richesse en temps de paix et fournir de la soldatesque en temps de guerre. En récompense de leurs petites vies tristes et ignorantes, on leur promettait la résurrection et une après-vie merveilleuse. L'Église de Rome fit de la foi aveugle une vertu. Par ailleurs, elle étiqueta « gnostique » toute la littérature chrétienne qui faisait allusion à la possibilité pour l'individu d'accéder à la connaissance individuelle, et elle fit de « gnostique » un synonyme de « mal ». Or « gnostique » vient simplement du terme grec signifiant « connaissance ». Ce n'est pas une coïncidence si la période auquel on fait traditionnellement référence sous le nom d'« âges sombres » correspond au laps de temps séparant la naissance de l'Église romaine de la crucifixion de Jacques de Molay ! Heureusement, grâce aux véritables enseignements de Jésus, l'âge de ténèbres qui dura un millénaire et quart commença à refluer devant l'éclatante lumière de la raison.

Le message se répand

Tandis que le Grand Maître était crucifié, de nombreux templiers échappaient aux mailles du filet. Une grande partie de la flotte templière mouillaient alors dans le port de La Rochelle sur l'Atlantique. Ils furent sans doute prévenus ou tout au moins eurent-ils vent de quelques rumeurs, car lorsque le soleil se leva au matin du vendredi 13 octobre, les gardes venant les arrêter trouvèrent les quais où la flotte était amarrée la nuit précédente totalement vides. Si l'on ne revit plus jamais les navires de l'Ordre, il n'en alla pas de même de leur pavillon de combat, le crâne et les os croisés.

Il nous fallait à présent établir ce qui était advenu de ces templiers qui avaient pu échapper aux griffes du roi Philippe. En poursuivant nos recherches, nous découvrîmes que, peu après leur fuite, leur présence pouvait être détectée dans deux endroits : l'Écosse et l'Amérique.

Les preuves qui demeurent actuellement ne permettent pas d'avoir une certitude absolue. Mais il existe encore maintes histoires de navires templiers se rendant en Écosse et au Portugal. La flotte pourrait s'être dirigée tour à tour vers ces deux refuges. Mais il nous semble plus probable qu'elle se divisa dès la sortie du port de La Rochelle : un groupe faisant voile vers l'Écosse et l'autre se dirigeant vers l'extrémité septentrionale du Portugal amical pour s'approvisionner. Puis, de là, cette partie de la flotte leva l'ancre pour un voyage qui avait souvent été évoqué mais qui, en raison de leurs engagements en Terre sainte, n'avait jamais été entrepris. Ces templiers mirent le cap plein ouest, suivant ce que l'on appelle aujourd'hui le quarante-deuxième parallèle. Ils voulaient atteindre cette terre marquée par l'étoile qu'ils connaissaient grâce aux manuscrits nazôréens et qui était appelé Merica. Ces chevaliers français parlaient d'elle comme « la Merica », nom qui devint plus tard simplement America, francisé en Amérique. Il est pratiquement certain qu'ils débarquèrent dans le secteur du Cap Cod ou de Rhode Island dans la future Nouvelle-Angleterre dans les premières semaines de 1308 – autrement dit ils posèrent le pied sur le Nouveau Monde presque un siècle et demi avant même la naissance de Christophe Colomb.

Nous croyons fermement à cette théorie. Mais elle est davantage qu'une hypothèse, car il existe des preuves irréfutables montrant que les templiers atteignirent l'Amérique, qu'ils s'établirent là et qu'ils entreprirent des voyages vers ou depuis l'Écosse. Dans la petite ville de Westford (Massachusetts), on trouve la représentation d'un chevalier. La gravure est formée par une série de trous percés sur une paroi rocheuse. Ce chevalier est aujourd'hui célèbre. On voit qu'il est coiffé d'un heaume et porte l'habit d'un ordre militaire. Selon les spécialistes qui ont étudié ce dessin décoloré par les intempéries, le pommeau de l'épée reproduit le style de celui d'un chevalier européen du XIVe siècle. Mais pour nous, la caractéristique la plus fascinante est l'écu du personnage. Celui-ci porte un motif clair et simple. Il représente un unique vaisseau médiéval faisant voile vers l'ouest... vers une étoile.

À Newport (Rhode Island), on rencontre un second monument européen : une intrigante tour construite dans le style des église rondes templières. Selon la description que l'on en donne, ses piliers et ses arcs présentent des détails architecturaux typiquement romans. Sa datation situe cette étrange tour en plein dans le siècle qui vit disparaître la flotte templière. Pour les nouveaux colons, ce bâtiment était probablement multifonctionnel et pouvait servir d'église, de tour de guet et de phare. Il ne fait aucun doute que l'édifice est extrêmement vieux, parce que sur une carte européenne de 1524 rapportant la découverte de cette ligne de côte, le navigateur italien Giovanni da Verrazano marque l'emplacement de la tour de Newport. Il la mentionne comme une « villa romane » existante.

Ces découvertes sont des indicateurs très significatifs d'une présence templière dans le Nouveau Monde. Mais à elles seules, elles ne sont pas déterminantes. Cependant, nous savions déjà que la chapelle de Rosslyn apporte une preuve incontestable[198]. Il est parfaitement notoire que Rosslyn fut un lieu où les templiers se réunirent après l'attaque du roi Philippe et du pape. La construction de cet édifice complexe et raffiné dura quarante ans et fut achevée au début des années 1480 par Oliver Saint Clair [ou Sinclair][199], soit plusieurs années avant l'arrivée de Christophe Colomb en Amérique. Colomb débarqua pour la première fois sur le sol du Nouveau Monde au matin du 12 octobre 1492 sur une

198. Preuve que nous avons déjà évoquée à la fin du chapitre 5 de ce livre.
199. C'est William Sinclair (Grand amiral d'Écosse, puis chancelier), père d'Oliver, qui lança la construction de la chapelle en 1446. (N.d.T.)

île des Bahamas, que Colomb baptisa San Salvador[200]. Ce ne fut que le
1ᵉʳ août 1498 qu'il mit pour la première fois le pied sur le continent américain proprement dit, en l'occurrence l'Amérique du Sud.

En gardant ces différentes dates à l'esprit, il est extrêmement instructif d'observer les gravures ornementales de la chapelle parce qu'elles rendent évident ce qui était apparemment impossible. Comme nous l'avons
déjà montré, sur les arches et le plafond de la chapelle de Rosslyn, des
épis de maïs (maïs indien) et d'aloès sont gravés dans la pierre en guise
de motifs décoratifs. Il s'agit de deux plantes dont les Écossais ne pouvaient avoir connaissance – et qu'*a fortiori*, ils auraient été incapables de
représenter avec une telle précision. Le maïs fut largement cultivé, sous
toutes ses formes actuelles, par les Indiens des Amériques du Nord et du
Sud. Mais il est toujours admis aujourd'hui qu'il ne fut absolument pas
connu en dehors du Nouveau Monde avant 1492 au plus tôt. D'après
l'Histoire officielle, des grains de maïs indiens furent apportés pour la
première fois en Europe et en Afrique par des explorateurs au XVIᵉ siècle.
Et ce n'est que par la suite qu'ils se répandirent dans le monde entier. Ces
plantes gravées font partie intégrante de la structure de la chapelle. Par
nature, leur gravure dut commencer quelques années avant l'achèvement
de l'édifice, et nous disposons donc ici d'une preuve certaine que les
hommes qui dirigèrent les maçons de la chapelle de Rosslyn avaient visité
l'Amérique au moins un quart de siècle avant Colomb.

À la lumière d'une preuve aussi solide, nous pouvons accepter le chevalier de Westford et la tour de Newport pour ce qu'ils sont : d'authentiques vestiges templiers sur le territoire des États-Unis d'Amérique.

Le pays de l'étoile appelée La'Merica

Avant de quitter le sujet des premiers débarquements européens dans le
Nouveau Monde, nous voudrions expliquer pourquoi nous avons acquis la
ferme conviction que le continent américain emprunta son nom, non à l'explorateur « amateur » Amerigo Vespucci, mais à l'étoile de l'ouest appelée
Merica (l'étoile qui, selon les nazôréens, marquait l'emplacement d'une
terre parfaite de l'autre côté de l'océan du soleil couchant). Nous ne dispo-

---

200. Pour l'anecdote, on pourra toujours remarquer que Colomb – dont on a toujours dit que les trois galions avaient été armés par les successeurs des Templiers et qu'ils
arboraient la croix templière – débarqua presque jour pour jour, cent quatre-vingt-cinq
ans après la rafle antitemplière de 1307 et qu'il baptisa l'île découverte du nom de Saint
Sauveur, autrement dit saint « Jésus ». (N.d.T.)

sions pas seulement de la preuve de la véritable origine du nom ; nous découvrîmes aussi que l'explication traditionnelle est aisée à infirmer.

La version « officielle » de l'origine du nom du Nouveau Monde répétée à satiété vient d'une totale et stupide incompréhension de la part d'un obscur ecclésiastique (qui ne s'aventura jamais à plus de quelques kilomètres de son monastère de Saint-Déodat dans les Vosges, dans le duché de Lorraine à la frontière franco-allemande). Ce prêtre enthousiaste avait une passion pour la géographie et pour les noms ayant un sens profond ou caché. Plein d'imagination, il se donna le pseudonyme de « Hylacomylus », du grec pour « bois », du latin pour « lac » et du grec pour « moulin », ce qui fut finalement retraduit dans sa langue allemande originelle pour donner le nom de famille de Waldseemüller. Cet homme un peu excentrique dirigeait une petite équipe qui avait accès à une presse d'imprimerie. Ils rassemblaient toutes les informations possibles sur le monde, y compris les découvertes du grand et mystérieux continent de l'autre côté de l'océan occidental, propres à exciter l'imagination. Le petit groupe réalisa et imprima en avril 1507 un volume de cent trois pages qu'ils appelèrent *Cosmographiae Introductio*. Cet ouvrage traitait des principes traditionnels de la cosmographie, dont les divisions de la planète, des distances entre certains lieux clés et des détails sur les vents et les climats. Mais il fut aussi la source d'une erreur qui devait faire d'un amateur un navigateur éternellement célèbre. Waldseemüller avait trouvé un certain nombre de récits de différents navigateurs évoquant un grand continent à l'ouest, qu'ils appelaient « America ». Mais parallèlement, il tomba également sur le récit brillant des voyages d'un explorateur italien du nom d'Amerigo Vespucci. Alors, par erreur, il maria ces deux éléments absolument sans lien et écrivit :

> *Maintenant, ces parties de la terre (Europe, Afrique, Asie) ont été très largement explorées et une quatrième partie a été découverte par Amerigo Vespucci (comme cela sera décrit dans ce qui suit). Comme l'Europe et l'Asie ont reçu leurs noms de femmes, je ne vois aucune raison pour que quelqu'un émette une objection à appeler cette nouvelle partie Amerige (du grec « ge » signifiant « terre »), c'est-à-dire la terre d'Amerigo, ou America, d'après Amerigo, son découvreur, un homme d'une grande compétence.*

Waldseemüller imprima son livre et une carte géante où le nouveau continent était indiqué sous l'appellation d'« America »[201]. Il a toujours

---

201 Il le décrit dans sa *Cosmographiae* sous le nom d'Americi Terra. (N.d.E.)

été considéré comme l'inventeur du nom, parce qu'il s'agit de la première référence imprimée. On s'est imaginé qu'il expliquait dans le texte que l'on vient de lire le processus intellectuel qui l'avait amené à retenir une partie du nom d'Amerigo Vespucci. Mais ce n'est pas cela du tout. Si on lit soigneusement le passage, on constate qu'en réalité il ne fait rien d'autre que tenter de justifier *a posteriori* pourquoi le nom existant « America » est si approprié. Manifestement, dans son opinion, le meilleur nom aurait peut-être été « Amerige », mais « America » lui semblait une construction sémantique acceptable et il pouvait comprendre pourquoi ce nom avait été préféré. Cet ouvrage fut écrit quinze ans après la découverte « officielle » du Nouveau Monde par Christophe Colomb et exactement deux cents ans après le premier débarquement templier dans cette région du globe. Dans tous les cas, il semble aberrant de penser que personne n'ait donné un nom à ce continent avant que le moine allemand commence la rédaction de son *Introduction à la cosmographie*. Et il paraît tout aussi aberrant qu'un non-navigateur ait eu l'audace de s'imaginer qu'il avait le droit de baptiser un nouveau quart du globe et surtout qu'on l'ait laissé faire.

Le nom que rapporta Waldseemüller était juste, mais c'est l'explication qu'il en donna qui est fausse. Son inclination personnelle pour les noms sémantiques l'égara et le pouvoir de l'imprimerie propagea rapidement et largement son erreur. Très peu de temps après l'impression, il réalisa sa grande erreur et rétracta publiquement son affirmation selon laquelle Amerigo Vespucci avait découvert le Nouveau Monde. Mais il était trop tard : le public disposait d'une explication apparemment sensée et n'avait plus de raison d'en changer. C'est un exemple classique d'Histoire (pour paraphraser Henry Ford) qui « ment ».

Une fois qu'une convention est acceptée, il faudrait de la « dynamite intellectuelle » pour la changer. Le mythe accidentel de Vespucci fait partie du folklore culturel dans le système éducatif américain. Mais ceux qui désirent réellement comprendre l'Amérique et les forces qui créèrent les États-Unis modernes ont besoin de suivre la chaîne de l'évolution de la pensée nazôréenne.

CONCLUSION

La chute des chevaliers templiers marqua la fin de leur grand Ordre, mais sa mort ouvrit la voie à un nouvel ordre mondial, fondé sur la pratique du Ma'at selon Jésus. En reconstituant la crucifixion de Jacques de Molay et en suivant à la trace la fuite de ses chevaliers, nous sentions que nous étions sur le point de trouver le lien final avec la franc-maçonnerie. La raison pour laquelle les templiers avaient transmis leurs secrets pour former un nouvel ordre appelé franc-maçonnerie n'était pas encore claire. Mais du moins, nous savions où chercher les réponses pour combler ces derniers trous de notre recherche.

En repassant en revue ce que nous avions découvert sur les événements entourant la crucifixion de Jacques de Molay, nous ne pouvions nous empêcher de voir cette dernière comme l'événement central d'un épisode de l'Histoire qui marqua le plus grand tournant dans le cours de l'évolution sociale occidentale. L'attaque contre l'Ordre templier par un roi cupide et sans grande envergure se révéla être le premier pas vital dans un long processus d'émancipation : en se libérant du principe en vigueur de castration intellectuelle, exercée par le Vatican, le monde chrétien allait pouvoir construire une civilisation fondée sur le désir de connaissance et la reconnaissance de la valeur de l'individu. Cette évolution de l'autocratie vers la démocratie en matière de gouvernement et de l'aristocratie vers la méritocratie en matière de structure sociale, dans un contexte de tolérance théologique, n'a nulle part été aussi ostensiblement recherché – et en partie réalisé – qu'aux États-Unis d'Amérique [*America*].

CHAPITRE XV

LA REDÉCOUVERTE DES MANUSCRITS PERDUS

Nous nous sommes posés une question : pourquoi les États-Unis d'Amérique existent-ils ? Cette nation n'avait aucune raison de naître et, si nous ne bénéficions pas du recul du temps, nous sommes quasiment certains que la plupart des observateurs modernes ne lui donnerait pas la moindre chance de réussir à devenir en moins de deux siècles le cœur de la culture mondiale et la nation la plus puissante du monde. Le plan qui présida à la formation et au développement des États-Unis ne fut pas quelque chose d'évident, fondé sur une expérience passée en Europe. C'était apparemment un système totalement neuf et radical. Pourtant, l'idée d'un nouveau pays où chaque individu compterait, où les citoyens seraient responsables de l'État et où ils répondraient personnellement à leur Dieu, devait bien provenir de quelque part. Nous avions une sensation croissante que cette idée venait – via la franc-maçonnerie et les templiers – de l'homme que nous appelons Jésus et qui lui-même vécut à une époque d'oppression où il cherchait à instaurer l'égalité, la justice et l'instruction pour tout son peuple. Ses conceptions ne pouvaient et ne parvinrent pas à dépasser les limites de son propre pays. Mais, avec le temps, le message qu'il délivra au monde fut entendu et appliqué.

Les paroles suivantes nous semblent particulièrement intéressantes :

Etre juste et de bonne foi vis-à-vis de toutes les nations ; cultiver la paix et l'harmonie à l'égard de tous. La religion et la morale nous enjoignent d'adopter cette conduite, et la bonne politique n'en fait-elle pas autant ? Il sera digne d'une nation libre, instruite et, à brève échéance, grande, de donner à l'humanité l'exemple magnanime mais aussi inédit d'un peuple toujours guidé par un haut sentiment de justice et de générosité.[202]

202. W.M. THAYER, *George Washington.*

Ces paroles furent prononcées par George Washington dans son discours d'adieu, et les mots choisis confirment clairement ce que l'on sait
bien depuis longtemps : ce premier Président des États-Unis était un
franc-maçon de très longue date. Mais ils nous rappellent aussi étrangement les enseignements perdus de Jésus, évoquant l'importance de la
« liberté », de l'« instruction », de la « paix », de la « bonne foi », de la
« justice » et de la « générosité », tout en aspirant à construire une
« grande nation » et à relier religion et morale. Pour des oreilles
modernes, ces idées exprimées par Washington peuvent sembler parfaitement ordinaires dans une semblable occasion. Mais à l'époque tel
n'était pas le cas et elles étaient alors assez remarquables.

Admettre la présence d'objets templiers sur la côte est des États-Unis
n'explique pas comment cet ordre français hors la loi pourrait avoir
influencé les principes fondateurs de cette nation. Pour comprendre totalement l'enchaînement des événements, nous conclûmes qu'il nous fallait d'abord examiner plus attentivement l'autre antenne templière, à
cinq mille kilomètres de l'autre côté de l'océan, sur la côte occidentale de
l'Écosse.

Il est parfaitement attesté que de nombreux templiers s'établirent en
Écosse après la chute de leur Ordre sur le continent et quantité de
preuves sont encore visibles aujourd'hui. L'église de Kilmartin, près du
Loch Awe (comté d'Argyll), abrite de nombreuses sépultures templières
et autres pierres tombales gravées où l'on voit des personnages ou symboles templiers. En outre, on note également dans le cimetière nombre
de tombes maçonniques. En visitant ce site en 1990, nous fûmes immédiatement frappés par un monument marin sur le mur du cimetière
dédié à un capitaine disparu en mer au tout début du XVIIᵉ siècle. Ce qu'il
y avait de si frappant, c'est que le monument était constitué de deux
colonnes encadrant un crâne et deux os croisés – l'étendard de combat
templier, également symbole d'un Maître maçon, encadré par le motif
qui relie la franc-maçonnerie à Sekenenrê Taâ. C'était extrêmement excitant, mais le très grand nombre de tombes et gravures templières dans le
cimetière l'était encore davantage. En discutant de cette découverte, nous
nous dîmes que si un contingent assez important de templiers s'était
réfugié dans le comté d'Argyll au début du XIVᵉ siècle, il devrait exister
plus d'un site de tombes templières. Au cours des quelques semaines qui
suivirent, nous entreprîmes d'explorer à partir de Kilmartin tous les vieux
cimetières et autres sites funéraires que nous pouvions dénicher. Bientôt,
nous eûmes découvert plusieurs autres sites comptant au minimum une
tombe templière, et, bien que nous ne les ayons pas particulièrement

cherchées, nous trouvâmes également des dalles funéraires extrêmement anciennes portant des symboles maçonniques[203].

Cela faisait longtemps que nous étions conscients d'une puissante connexion templière avec ce secteur de l'Écosse, depuis le mariage d'Hugues de Payns avec Catherine de Saint Clair. En fait, la première commanderie templière hors de Terre sainte fut construite sur les terres des Saintt Clair en un lieu au sud d'Édimbourg, appelé aujourd'hui Temple[204]. Au début du XIVe siècle, les templiers possédaient de nombreux domaines en Écosse et le peuple écossais leur manifestait beaucoup d'affection et de respect.

Le refuge écossais

L'Écosse fut toujours un lieu important pour l'ordre templier, mais nous découvrîmes que les circonstances politiques en Écosse en firent un sanctuaire particulièrement adapté après l'attaque du roi Philippe et du pape.

En 1286, la mort du roi Alexandre III marqua la fin abrupte de l'ancienne lignée des rois celtiques, parce qu'il n'avait ni enfant mâle, ni frère, ni sœur. Sa seule héritière directe était Margaret, la « Pucelle de Norvège », mais elle mourut en route vers l'Écosse[205], laissant éclater la guerre pour la succession. Les luttes internes affaiblirent le pays et le roi Edouard Ier d'Angleterre profita de la situation : il accorda son soutien à John de Balliol, l'un des prétendants au Trône, mais en échange, pour l'avoir aidé à prendre la Couronne écossaise, il demanda que Balliol devienne un vassal du roi d'Angleterre et lui rende hommage. Le peuple ne s'y trompa pas et Balliol fut un roi impopulaire, surnommé « Toom Tabard » (ce qui se traduisait lit-

---

203. On peut renvoyer le lecteur intéressé à un autre livre qui évoque ces tombes écossaises templières et maçonniques et présente un certain nombre de photos de celles-ci : Michael BAIGENT et Richard LEIGH, *Des templiers aux francs-maçons : la transmission du mystère*, Ed. du Rocher, Paris, 1991. (N.d.T.)

204. Le lieu – non loin de la chapelle de Rosslyn – s'appelait auparavant Balantrodoch (le « secours des guerriers » en gaélique). Ce fut le quartier général de l'ordre templier en Écosse. (N.d.T.)

205. Alexandre III avait une fille, Margaret, qui avait épousé le roi de Norvège, Eric. Mais le conseil de nobles Ecossais qui assura la régence après la mort du roi ne voulait pas d'un souverain nordique. Ils décidèrent de marier la fille de Margaret et Eric, elle aussi prénommée Margaret, au prince Édouard d'Angleterre, le futur Edouard II (qui finalement épouserait Isabelle, la fille de Philippe IV le Bel). C'est donc en revenant en Écosse pour épouser Édouard que cette jeune Margaret mourut en 1290. (N.d.T.)

téralement par « Robe vide », mais signifiait plus précisément « marionnette d'Édouard Ier »). Le roi anglais aussi n'avait aucun respect pour l'homme et le traitait comme un vassal ordinaire. Il l'humilia même publiquement en une occasion en contraignant Balliol à passer en jugement pour une dette prétendue à l'endroit d'un importateur en vin de Londres. En définitive, Balliol se retourna contre Édouard en 1296, quand il refusa d'obtempérer à l'ordre du roi anglais qui lui demandait de l'aider à combattre les Français. En réponse, Édouard marcha sur Berwick et déposa Balliol. Pendant que ce dernier partait en exil en France, le roi d'Angleterre prenait désormais directement le contrôle de l'Écosse. Pour s'assurer qu'aucun Celte ne puisse lui disputer ce pouvoir, l'Anglais emporta le symbole de l'indépendance écossaise : l'ancienne « Pierre de la Destinée », également connue sous le nom de « Pierre de Scone ». Ce petit bloc rectangulaire, grossièrement taillé, sur laquelle les roi d'Écosse ont longtemps été couronnés ne fut jamais rendue et demeure encore sous le trône anglais à Westminster Abbey[206].

Après avoir dérobé le symbole d'indépendance des Écossais, le roi anglais installa un gouverneur en Écosse pour gouverner le pays en son nom. Les malheureux Ecossais furent lourdement opprimés par cette autorité dictatoriale.

La première résurgence du nationalisme écossais intervint très rapidement. L'étincelle fut l'assassinat du shérif de Lanark par le noble William Wallace, qui voulait venger le meurtre de sa femme en mai 1297. Pour cet affront fait au roi d'Angleterre, Wallace aurait dû être sévèrement châtié. Mais il reçut un fort soutien du peuple ; le soulèvement populaire prit une telle ampleur qu'il aboutit à une véritable bataille face aux troupes anglaises. L'affrontement eut lieu à Stirling Bridge (pont de Stirling), le 11 septembre 1297, où les forces d'Edouard furent défaites.

Ayant fait la paix avec les Français, Edouard Ier put retourner toute son attention vers le séditieux Wallace, qu'il battit cette fois à Linlithgow l'année suivante. Wallace parvint à échapper à la capture et se rendit immédiatement en France, pour chercher un soutien à sa cause auprès des vieux ennemis d'Edouard. On raconte qu'il aurait obtenu des lettres du roi Philippe le Bel le recommandant auprès du pape Clément V. Par ailleurs, le soutien qu'il obtint de la famille Moray (dont le nom a été continuellement lié aux templiers et à la franc-maçonnerie) prouve qu'il entra également en contact avec les templiers. On sait qu'il parvint à

206. Elle a été enfin rendue en 1997, à l'occasion du sept centième anniversaire de la bataille de Stirling remportée par William « Braveheart » Wallace et du référendum sur l'autonomie de l'Écosse qui a vu les partisans de celle-ci l'emporter. (N.d.T.)

obtenir cette aide, car une bataille entre les Écossais et les Anglais à Roslin, en 1303, fut remportée avec le concours des chevaliers templiers, emmenés par un St Clair. Pendant sept années, Wallace demeura un hors-la-loi pourchassé par la Couronne anglaise. Mais il fut trahi, emmené à Londres, pendu, torturé, écartelé et démembré, en 1305. Après son exécution et son démembrement, des parties de son corps furent pendues dans les villes écossaises ou voisines de l'Écosse de Newcastle-on-Tyne, Berwick, Stirling et Perth.

Pendant toute cette période de trouble, deux Écossais eurent une prétention authentique – mais pas incontestable – au Trône : Robert Bruce, huitième comte de Carrick, et John Comyn. Robert était un homme ambitieux et, dans un premier temps, il chercha à tirer son épingle du jeu en collaborant avec Edouard Ier. Mais son soutien aux Anglais se relâcha quand il commença à sentir qu'il n'obtiendrait pas la fonction qu'il visait. Lorsque Robert se mit à chercher d'autres options pour s'imposer en Écosse, **son** adversaire, Comyn, en profita pour aller dire à Édouard d'Angleterre que Robert Bruce dressait des plans contre lui. Le roi serait entré immédiatement dans une rage folle. Mais Robert Bruce fut averti du danger imminent par un partisan. L'Écossais dut prendre des décisions rapides : les alternatives s'étaient considérablement réduites. Alors il décida de prendre un immense pari. Il savait qu'il existait une résurgence celtique balbutiante et il avait compris que les Écossais n'accepteraient pas facilement un roi qui serait pour toujours un vassal des Anglais. Aussi décida-t-il d'être l'étincelle qui allait mettre le feu au baril de poudre.

Sachant que Comyn était un favori du pape et qu'il était apprécié du roi Edouard Ier, Bruce s'organisa pour polariser l'attention sur sa propre personne en insultant publiquement le pape et le roi, tout en levant l'étendard de guerre de la renaissance celtique. Il lui suffit d'une occasion mûrement préparée pour obtenir ce résultat : il attira Comyn dans l'église franciscaine de Dumfries et le poignarda de ses propres mains sur les marches mêmes de l'autel[207]. Robert ne laissa pas les moines aider le mourant qui saignait abondamment. Il resta debout près du corps gisant de son adversaire, attendant d'être sûr que l'hémorragie fût fatale[208]. Cet acte sanglant commis sur un sol sacré outragea tant Édouard que le pape. Mais les patriotes écossais le considérèrent comme un acte courageux, un

---

207. 10 février 1306. (N.d.T.)

208. On raconte aussi qu'après l'attaque initiale, les moines emportèrent le blessé pour le soigner. Mais Bruce ayant appris cela aurait ramené le corps dans l'église et l'aurait définitivement égorgé au pied de l'autel. (*The Chronicle of Walter of Guisborough*, cité dans *Des templiers aux francs-maçons*, op. cit., pp. 49-50) (N.d.T.)

défi ouvert à l'encontre des Anglais, parce que Comyn comme Balliol prétendait monter sur le Trône avec le soutien du roi Édouard Ier. Le 10 février 1305, le pape répondit en annonçant l'excommunication de Robert Bruce[209]. En dépit de la suprême sanction papale, treize mois plus tard, Bruce, fort du soutien total des seigneurs celtiques, était couronné roi d'Écosse par la comtesse de Buchan à Scone[210]... simplement, la Pierre de la Destinée n'était plus là pour consacrer pleinement le rite celtique.

Telle était donc la situation en Écosse, quand une partie de la flotte templière prit la direction d'Argyll et du Firth of Forth[211], alors que les templiers savaient que Robert Bruce était engagé dans une rébellion contre l'Angleterre. Deux facteurs rendaient l'Écosse particulièrement attirante comme refuge : l'excommunication de Robert Bruce et les liens anciens de la famille St Clair avec Rosslyn. L'Écosse était un des rares lieux de la planète où le pape ne pourrait les atteindre. En raison de la guerre avec les Anglais, les templiers savaient aussi qu'étant des guerriers expérimentés, ils seraient accueillis à bras ouverts.

Trois mois avant que Philippe Le Bel ne referme son piège sur les templiers, Edouard Ier d'Angleterre mourut. Son fils, faible et incapable, lui succéda sous le nom d'Édouard II. Il se retira presque immédiatement en Angleterre, laissant Robert Ier Bruce s'occuper de ses ennemis en Écosse.

L'Histoire rapporte que Bruce ne connut que des revers majeurs en 1306-1307. Mais ensuite, il reprit le dessus sur une situation apparemment sans espoir et commença à reconquérir systématiquement son royaume sur l'Anglais. Le plus grand triomphe des Écossais fut la bataille de Bannockburn, le 24 juin 1314[212]. L'affrontement, disent les chroniqueurs de l'époque, tournait très nettement au désavantage de l'armée de Bruce, jusqu'à ce qu'une force de réserve inconnue intervienne, inverse le cours de la bataille et assure la victoire aux Écossais. Des histoires se

---

209. Cette excommunication fut levée dix ans plus tard. (N.d.T.)

210. Normalement, pour ce rituel suivant l'ancienne coutume celte, c'est le premier pair du royaume, le comte de Fife, qui aurait dû couronner le roi. Mais le détenteur du titre n'était pas majeur et semblait partisan d'Édouard. C'est donc à sa sœur Isabel, mariée au comte de Buchan, que l'on demanda d'officier, le 27 mars 1306 (deux jours après un premier sacre, dans l'église de l'abbaye de Scone et selon le rituel chrétien, mais qui semble avoir laissé moins de traces et avoir eu moins d'importance et d'intérêt que le second pour tous les présents). (N.d.T.)

211. Estuaire de la Forth, au fond duquel se trouve Edimbourg. (N.d.T.)

212. Par lapsus, les auteurs indiquaient ici 6 novembre 1314, ce qui était de toute façon infirmait quelques lignes plus loin lorsqu'ils disaient qu'elle s'était déroulée le jour de la saint Jean-Baptiste. (N.d.T.)

répandirent rapidement racontant que ces mystérieux chevaliers arboraient le Baucéant (l'étendard de combat des templiers). En vérité, une intervention templière semble la seule explication possible. Ainsi, l'année même où Jacques de Molay et Geoffroy de Charnay étaient brûlés vifs à Paris, la bataille de Bannockburn était remportée grâce à l'irruption d'une force templière emmenée par le Grand Maître des templiers écossais, sir William Saint Clair. Ce triomphe de Bannockburn proclama et instaura l'indépendance du royaume de Bruce en Écosse. Le rôle des St Clair dans la victoire fut bien récompensé, car ils reçurent un évêché et des terres supplémentaires qu'ils ajoutèrent à leurs possessions de Rosslyn[213].

Cette grande victoire fut l'étape majeure devant conduire à l'indépendance permanente de l'Écosse et le roi Robert Ier passa le reste de son existence à combattre les Anglais en Irlande et le long des frontières écossaises. Finalement, en 1328, l'Angleterre reconnut formellement l'Écosse comme une nation libre. À propos de la bataille de Bannockburn, on peut noter un point intéressant dans une optique maçonnique : elle se déroula le jour le plus long de l'année, un jour qui est encore célébré par tous les francs-maçons comme la fête de saint Jean-Baptiste[214].

Il semble que les templiers aient trouvé un bon refuge en Écosse. Mais il s'agissait également d'une relation symbiotique avec le roi d'Écosse. Ce dernier profita des talents de ces guerriers professionnels : dans un premier temps, ils l'aidèrent probablement pour des questions de planification stratégique, puis finalement directement dans les combats. Pendant un temps, les templiers furent en sécurité auprès de Robert Ier du fait même de son excommunication. Mais si cette affaire d'État était bonne pour les chevaliers du Temple, elle ne l'était pas pour l'Écosse, parce qu'un royaume dont le roi était excommunié était considéré comme une terre païenne, et tout souverain chrétien était libre d'organiser une croisade contre les païens. À moins de rétablir de bonnes relations entre le roi écossais et l'évêque de Rome, l'Écosse courait le risque d'être envahi par des hommes sans foi ni loi. En 1317, le pape Jean XXII tenta d'imposer une trêve aux Anglais et aux Écossais. On dit qu'il devint furieux quand Robert Bruce répondit en s'emparant de la ville frontière de Berwick lors d'une attaque surprise. Les relations papalo-écossaises se détériorèrent encore davantage quand, avec un grand plaisir, les Anglais vinrent raconter à la cour du pape que les Écossais continuaient de faire la guerre et de

213. Andrew SINCLAIR, *The Sword and the Grail.*
214. Cette fête solsticiale était également importante pour les Templiers. (N.d.T.)

s'entêter. En 1320, le pape envoya deux légats pour rendre une nouvelle sentence d'excommunication contre Bruce, James (le Noir) Douglas et le comte de Moray. Pour se défendre contre ces nouvelles accusations, les barons écossais[215] publièrent la déclaration d'Arbroath, le 6 avril 1320. Elle a un style très maçonnique. Concernant Robert Bruce, elle déclare :

> *Tous étaient liés à lui de droit et par le service qu'il avait rendu à son peuple. Les nobles disaient qu'ils combattaient « non pour la gloire, la richesse ou les honneurs, mais seulement pour la liberté, à laquelle aucun homme véritable renoncerait, sauf en perdant la vie. »*

Elle donne aussi leur définition de la royauté :

> *[…] Le juste et légal consentement de tout le peuple ont fait de lui notre roi et notre prince. À lui nous sommes obligés et résolus à marquer notre adhésion en toute chose, tant en raison de son droit qu'en raison de son mérite propre, étant la personne qui a restauré la sécurité du peuple en prenant la défense de ses libertés. Mais, après tout, si ce prince devait renoncer à ces principes qu'il a si noblement poursuivis, et accepter que nous ou notre royaume soyons soumis au roi ou au peuple d'Angleterre, nous entreprendrions immédiatement de le chasser comme notre ennemi et comme un destructeur tant de ses droits que des nôtres, et nous prendrions un autre roi qui défendrait nos libertés.*

Les principaux lords d'Écosse étaient templiers ou des parents de templiers. Il n'est donc pas surprenant que le mode de pensée « nazôréen » soit présent dans ce document inhabituellement démocratique, qui donne une image du roi plus présidentielle que royale. Lord Henry Saint Clair de Rosslyn était certainement l'un des signataires de cette déclaration.

Il est sûrement symptomatique – nous sommes-nous dit – que la pensée nazôréo-templaro-maçonnique soit présente en de nombreuses occasions importantes de l'Histoire occidentale, dès lors que le sujet du pouvoir populaire ou de la volonté du peuple étaient particulièrement concernés. En Angleterre, cent ans avant la déclaration d'Arbroath, la *Magna Carta* [Grande Charte] fut signée par le roi Jean sous la pression d'un groupe de seigneurs, parmi lesquels on comptait des templiers. Jusqu'à ce jour, c'est le seul document de la constitution anglaise qui peut être vaguement comparé à la déclaration des Droits [*Bill of Rights*]

---

215. Les signataires de cette lettre extraordinaire furent huit comtes et trente et un autres nobles écossais. (N.d.T.)

des États-Unis d'Amérique – document qui, nous allons le montrer, est totalement d'inspiration maçonnique.

En octobre 1328, pour des raisons politiques qui ne sont pas d'une grande importance pour notre histoire, le pape Jean XXII leva la sentence d'excommunication qui frappait Robert Ier. Mais le roi écossais désormais légitime mourut à l'âge de cinquante-cinq ans, le 3 juin 1329, juste dix jours avant la publication d'une bulle du pape Jean reconnaissant son droit au trône d'Écosse. Son fils lui succéda sous le nom de David II, mais il n'avait que cinq ans. Aussi lord Randolph, membre de la famille Moray et oncle du comte de Moray, fut-il désigné comme régent. La mort de Robert Bruce ne marqua pas la fin de ses liens avec les templiers. Avant de mourir, il avait fait vœu d'aller à Jérusalem et de combattre les Sarrasins[216]. Alors, comme une marque de respect, son cœur embaumé fut emporté par sir William de Saint Clair et sir James Douglas lors d'une dernière croisade vers Jérusalem. Malheureusement, ils furent tués en route lors d'un combat en Andalousie[217]. Le cœur de Bruce n'atteignit jamais la Terre sainte et fut rapporté en Écosse[218] pour être enterré dans l'abbaye de Melrose, tandis que sir William était inhumé à Rosslyn.

Dès que l'Écosse fit de nouveau officiellement partie de la Chrétienté, il devint impératif pour les templiers de se dissimuler aux regards en devenant une société secrète, dans la mesure où le Vatican pouvait poursuivre ses ennemis dans toute l'Europe. Heureusement, pendant la période de transition, un membre de la famille templière Moray était régent et gouvernait au nom de l'enfant-roi David II. Cela leur donna le degré de contrôle dont ils avaient besoin pour planifier l'avenir de l'organisation qui avait déjà remplacé leur Ordre condamné et, de cette manière, ils purent conserver les grands secrets dont ils avaient la garde.

Retour à Rosslyn

Un nouvel Ordre secret devait assurer la survie de la pensée et des rites templiers. Les plans de cette organisation de remplacement durent être élaborés parallèlement aux négociations papales. De ce fait, lorsque l'Écosse

216. Plus logiquement, il semble que son vœu ait simplement porté sur le fait de voir, après sa mort, son cœur placé dans une cassette, emporté à Jérusalem et enterré dans l'église du Saint-Sépulcre. C'est précisément cette volonté que ses nobles essayeront d'accomplir. (N.d.T.)

217. Bataille de Tebas de Ardales, contre les Maures, le 25 mars 1330. (N.d.T.)

218. Par sir William Keith, seul survivant écossais de la bataille. (N.d.T.)

recommença à rendre hommage au pape, les templiers d'Écosse s'étaient rendus invisibles pour ceux qui ne savaient pas où regarder... Et l'un des meilleurs endroits où l'on aurait pu regarder était la famille Saint Clair.

Comme nous l'avons évoqué au chapitre IV, la chapelle de Rosslyn – construite plus tard par William Saint Clair – s'était déjà révélée d'une importance considérable pour notre quête, parce que la construction de cet édifice fournissait l'interface entre les templiers et la franc-maçonnerie. L'utilisation de plantes américaines dans les décorations lapidaires (l'aloès et le maïs indien) – théoriquement totalement inconnues à l'époque –, nous avait apporté la preuve incontestable qu'une personne, liée aux St Clair, avait traversé l'Atlantique à une date remarquablement précoce.

Notre première visite à la chapelle construite par le comte William St Clair remontait alors à quatre années. Comme nous avions, dans l'intervalle, appris une quantité incroyable de choses, nous décidâmes de retourner voir cet édifice charnière. De nouveau, nous partîmes vers sept heures trente du matin, pour arriver peu après midi dans le tranquille petit village écossais. C'était une agréable journée du début de l'été. Il faisait chaud, mais quelques nuages obscurcissaient par intermittence les rayons du soleil sur les pentes vertes des collines et éclairaient les nombreux pinacles de la chapelle de Rosslyn d'une manière tout à fait spectaculaire.

Pénétrer dans la chapelle fut comme saluer une vieille amie. Nous avions la sensation d'être invités dans un lieu familier, mais dans le même temps c'était follement excitant et intéressant. Et, on pouvait espérer qu'elle aurait beaucoup de nouvelles informations à nous confier. Nous avions certainement quantité de découvertes à confronter et valider à l'intérieur de la chapelle.

Nous fûmes heureux de voir que le lieu était désert. Ainsi nous pourrions jouir de sa puissante personnalité sans être distraits. La chapelle de Rosslyn exsudait une sensation de spiritualité vivante, l'impression d'être là ici et maintenant tout en étant plongé dans un passé infini. Nous éprouvions tous les deux une certaine tendresse pour les églises et leur atmosphère. Mais, à côté de Rosslyn, toutes les églises paraissaient sans vie, vide. Il est assez difficile de décrire la chaude sensation qui s'empare de vous dans cette structure médiévale sans avoir l'air de déborder d'imagination, d'être excessivement fantasque. Mais Robert résuma la chose en observant que c'était la seule église ou chapelle où il pouvait dormir avec plaisir seul la nuit.

Nous déambulâmes dans la nef en savourant le plaisir d'être là. Puis nous tournâmes notre attention avant toute chose vers les gravures de maïs et d'aloès. Inconsciemment, nous voulions sans doute nous assurer que nous n'avions pas rêvé lors de notre première visite. Mais il n'y avait pas lieu de s'inquiéter : nous ne pouvions avoir de doute sur ce que nous contemplions. Tandis que nous regardions le linteau des cactus aloès, une femme pasteur entra par la porte nord. Elle s'approcha et, avec un chaud sourire, nous demanda si nous avions remarqué les maïs indiens. Nous répondîmes affirmativement et elle commença alors à discuter avec nous de cette question.

La révérende Janet Dyer nous dit qu'elle avait eu une formation en botanique et son mari était lui-même botaniste de profession.

« Le cactus aloès est remarquable, n'est-ce pas ? dit-elle, en jetant un coup d'œil à la frise. J'imagine que cela doit être autre chose en réalité... mais honnêtement, si ce n'est pas un aloès, je ne vois vraiment pas ce que cela peut être. »

Elle pivota légèrement vers la gauche et tendit le doigt vers l'arche aux maïs. « Mon mari dit que le maïs est restitué avec une très grande fidélité ; c'est probablement une plante légèrement immature. »

Elle poursuivit son utile commentaire en faisant allusion à un élément attesté par des documents : le prince Henry Sinclair, le premier Jarl (comte, en anglais *earl*) Saint Clair des Orcades [Orkneys] avait, grâce à l'argent des templiers, armé une flotte de douze navires pour un voyage vers le « Nouveau Monde ». Sous le commandement d'Antonio Zeno, la flotte avait débarqué en Nova Scotia [Nouvelle Écosse] et exploré, avant 1400, la côte orientale de ce qui est devenu les États-Unis d'Amérique. La date est certaine parce que Henry Sinclair fut assassiné à son retour cette année-là.

Il semblait parfaitement logique qu'au cours d'une telle expédition des vies aient été perdues. La famille Sinclair raconta qu'un chevalier appelé Sir James Gunn était mort dans les Amériques et avait été inhumé là-bas. L'image du chevalier médiéval que l'on voit à Westford (Massachusetts) est, prétendent-ils, sa pierre tombale hâtivement préparée. Nous trouvâmes des éléments soutenant cette affirmation dans la crypte sous la chapelle : là une petite cotte de mailles sur le mur montre sur son flanc gauche, au-dessus de la « Croix engrêlée[219] » de la famille Sinclair, un navire à deux mâts jumeaux, identique à celui que l'on trouve sur l'écu du chevalier de Westford. Lui aussi est dirigé vers l'ouest, mais au lieu d'avoir ses voiles ferlées sous une étoile à l'occident, ce navire a toute sa voilure déployée.

219. Terme d'héraldique décrivant une bordure faite de petites dents arrondies. (N.d.T.)

Alors que nous continuions notre petit tour à l'intérieur de la chapelle, Robert ne pouvait détacher ses yeux de l'orgue Hamilton qui se trouvait dans l'aile victorienne du mur occidental. « Puis-je jeter un coup d'œil sur cet orgue, s'il vous plaît ? demanda-t-il à la révérende Janet.

« Certainement, je vous en prie. »

Sa réponse était si amicale et décontractée que Robert essaya d'en profiter et demanda :

« Me permettriez-vous d'en jouer ? Je suis l'organiste de la *Christ Church* [Église du Christ] de mon village. »

La permission ayant été accordée, Robert gravit le petit escalier en spirale menant à la galerie de l'orgue. Deux minutes plus tard, la nef résonnait de l'air de *Cwm Rhondda*[220], tandis que Chris continuait de passer en revue tous ses sujets d'intérêt.

Quand nous abordâmes l'édifice en détail, notre attention fut rapidement attirée par les colonnes non encastrées ; il y en a quatorze au total. Douze ont la même forme et deux – les plus à l'est – présentent des formes particulières et pour tout dire assez splendides. Le pilier de gauche [quand on regarde l'orient] est connu sous le nom de « pilier du maçon » ; merveilleusement proportionné, c'est un ouvrage d'une grande élégance (fig. 29). Le pilier droit est assez différent. Appelé « pilier de l'apprenti », il est somptueusement décoré de quatre rubans à motifs floraux descendant en spirale autour de la colonne cannelée depuis les coins du chapiteau jusqu'au côté opposé de la base (fig. 28).

La signification de ces symboles était d'une grande importance pour les bâtisseurs de cette chapelle, mais elle a été longtemps perdue. Cependant, notre reconstitution du passé nous permettait de comprendre ce que nous regardions. Le pilier dit « du maçon » est en fait une restitution du pilier sacerdotal appelé Jakin chez les francs-maçons et *Tsedeq* chez les nazôréens, quant au pilier dit « de l'apprenti », c'est le pilier Boaz des maçons, représentant le pouvoir de *Mishpat*.

Il y avait une chose, entre autres, que nous devions chercher dans cet édifice à clés : c'étaient toutes les références à Hiram Abif. Nous aurions été fort surpris que ce bâtiment templaro-maçonnique ne possède pas une seule figure présentant un trou dans le front, la blessure faciale spécifique qui, nous le savions maintenant, venait de Sekenenrê Taâ. Et nous la trouvâmes. Juste en haut de l'angle où les murs sud et ouest se rencontrent, au niveau de l'orgue, on aperçoit une tête qui présente un sévère coup à la tempe droite et dans l'angle opposé du

220. Air gallois. (N.d.T.)

mur occidental, on a la tête de l'homme qui l'assassina. Depuis des centaines d'années, ces têtes sont bien connues. Pourtant leur symbolisme véritable n'était plus connu et avait été remplacé par une histoire invraisemblable, mais inoffensive.

Pour mieux voir, nous gravîmes tous deux l'escalier en spirale menant à la galerie de l'orgue. De là, nous avions un splendide point de vue sur la chapelle depuis ce qui était anciennement le mur ouest – avant qu'un horrible baptistère ne soit installé en 1882. À cette hauteur, nous étions très proches de la tête d'Hiram Abif et nous pouvions détailler la tête blessée avec une grande précision.

Cette blessure a été remarquée depuis bien longtemps. L'histoire généralement admise raconte qu'il s'agit de la tête d'un apprenti assassiné et que la tête dans l'angle opposé est celle de son maître qui l'a tué. D'après cette légende, un maître tailleur de pierre se rendit à Rome en quête d'inspiration pour dessiner le pilier « royal ». Mais pendant qu'il était absent, son apprenti se mit rapidement au travail, conçut le motif du pilier et tailla la colonne qui se dresse là aujourd'hui. Et parce que l'ouvrage achevé était plus beau que tout ce qu'avait pu – ou aurait pu – faire son maître, celui-ci frappa mortellement son élève avec un maillet lorsqu'il revint à Rosslyn.

Cette histoire ressemble à une version déformée de la légende maçonnique d'Hiram Abif. On peut aisément démontrer qu'elle ne peut en rien expliquer la présence de la tête blessée. Nous en sommes certains parce que c'est William Saint Clair lui-même qui dirigea toute la construction de l'édifice du commencement jusqu'à sa mort en 1484, c'est-à-dire deux ans avant son achèvement. Il supervisa en outre les moindres détails de l'ouvrage. Il est attesté que toutes les gravures, aussi petites soient-elles, furent d'abord créées en bois pour être soumises à approbation. Ce n'est qu'après cet accord préalable qu'elles étaient gravées dans la pierre. Pour son grand projet, William St Clair fit venir d'Europe les plus habiles maçons, en faisant construire le village de Rosslyn pour les loger. Il paya les Maîtres maçons quarante livres par an – ce qui était une somme considérable pour l'époque – et les autres maçons dix livres par an – ce qui restait une très belle somme. L'idée qu'après toute cette préparation et cette dépense, un simple apprenti ait été en mesure de produire la pièce maîtresse de tout l'édifice semble improbable à l'extrême.

Les gardiens actuels de la chapelle de Rosslyn l'ignorent, mais la tête faisant face au nord-est est une représentation de Sekenenrê Taâ, le dernier vrai roi d'Égypte.

Que la lumière soit

Plus nous parlions de la véritable signification des piliers et de la tête blessée, plus nous évoquions le fait que les raisons originelles de leur présence en ce lieu avaient été oubliées, plus un voile de ténèbres commençait à se lever, lentement mais sûrement. Étions-nous aveugles jusque-là ? La grande lumière de la vérité sembla soudain nous inonder. L'évidence était aveuglante : la chapelle de Rosslyn n'était pas du tout... une chapelle. Elle n'était même pas réellement chrétienne ! Et pour commencer, il n'y avait pas d'autel. Pour faire tout de même office de chapelle, on avait grossièrement installé une table au centre de l'édifice parce qu'il n'y avait pas de place à l'est, là où les piliers se dressent. Derrière Boaz et Jakin, on voit trois socles contre le mur, mais ce ne sont pas des autels.

Cette structure ne fut pas construite comme un lieu de culte chrétien ! Nous savions qu'un William Saint Clair ultérieur – qui plus tard devint le premier Grand Maître élu de la Grande Loge d'Écosse – s'était retrouvé en conflit avec l'Église pour avoir baptisé ses enfants dans l'édifice. Mais l'importance de ce fait ne nous avait pas frappé auparavant[221]. En relisant l'histoire officielle pour vérifier notre hypothèse, nous découvrîmes que la « chapelle » de Rosslyn avait dû être reconsacrée en 1862. Avant cette date, il n'y avait aucune certitude concernant une éventuelle consécration. On savait en outre que le roi James VI s'était opposé à l'élection de ce comte de Rosslyn au poste de Grand Maître de la maçonnerie, et l'une des objections avancées était précisément qu'il avait fait baptiser ses enfants à Rosslyn qui n'était pas un lieu de culte chrétien.

Plus nous regardions le décor, plus ce fait devenait évident. Le symbolisme est égyptien, celte, juif, templier et maçonnique à profusion. On voit un plafond constellé d'étoiles, des plantes croissant des bouches d'hommes verts celtiques, des pyramides enchevêtrées, des représentations de Moïse, des tours de la Jérusalem céleste, des croix engrêlées à côté de compas et d'équerres. Les seuls véritables motifs chrétiens venaient des modifications victoriennes ultérieures : les vitraux, le baptistère révoltant et une statue de Madone à l'enfant. L'Église épiscopale a décrit certains petits éléments de décoration comme chrétiens, mais un examen attentif montre qu'ils ne sont pas ce qu'ils paraissent être.

Du côté du mur nord se situe une petite frise montrant une crucifixion. Mais il y a de bonnes raisons de croire que ce n'est pas la cruci-

---

221. *Year Book of Grand Lodge of Ancient Free and Accepted Masons of Scotland 1995.*

fixion de Jésus Christ : c'est le martyre du dernier Grand Maître des chevaliers templiers, Jacques de Molay. D'abord, tous les personnages sont revêtus de vêtements médiévaux. On voit même des membres de l'Inquisition encapuchonnés. Les détails sont corrects en ce sens que la croix est un Tau ou une forme en « T » et les clous ont été plantés dans les poignets : deux détails que les artistes médiévaux manquaient invariablement, sauf, naturellement, s'ils savaient ce qui était arrivé à Molay. Une autre section montre des templiers avec un exécuteur à leur côté. Or, très remarquablement, nous trouvâmes ici une gravure où des personnages tiennent le « Linceul de Turin » avec le visage de Molay qui est clairement visible dessus. Nous nous attendions à ce que les templiers d'Écosse aient eu connaissance de la souffrance de leur Maître. Mais nous savions maintenant qu'ils connaissaient aussi l'histoire de cette image « miraculeusement » apparue sur son propre linceul rituel.

Nous eûmes encore une autre confirmation que cet édifice n'était pas ce que tout le monde imaginait : même après son achèvement, il ne fut jamais utilisé comme chapelle car il y avait une chapelle familiale dans le château lui-même, à très peu de distance de là. Les gardiens actuels admettent qu'il est assez curieux qu'une telle fortune ait été dépensée pendant quarante-cinq ans à construire une chapelle pour ne jamais l'utiliser. Ce constat les laisse perplexes, mais manifestement ils ne se sont jamais vraiment demandé pourquoi il en était ainsi.

Nous étions de plus en plus frappés par les évidences. Soudainement, nous eûmes simultanément la chair de poule : Rosslyn n'était pas une simple chapelle, c'était un sanctuaire posttemplier construit pour abriter les manuscrits trouvés par Hugues de Payns et les siens sous le Saint des Saints du dernier Temple de Jérusalem ! Sous nos pieds dormait le trésor le plus inestimable de la Chrétienté. En comparaison, les manuscrits de la mer Morte n'étaient que d'humbles documents annexes. Les nazôréo-qoumrâniens reçurent l'instruction (par l'intermédiaire de l'*Assomption de Moïse*) de déposer leurs manuscrits les plus précieux sous le Saint des Saints vers 69, et les documents les plus ordinaires, comme la *Règle de la Communauté,* furent déposés dans différents endroits de Judée aussi humbles que les grottes de Qoumrân. Sur ce modèle, la chapelle de Rosslyn fut une réplique délibérée de la cachette des manuscrits secrets ! L'exhumation des manuscrits de la mer Morte fut un événement majeur, sensationnel. Nous ne pouvions imaginer comment le monde réagirait à cette découverte.

Nous pensons que ces manuscrits parlent probablement de l'histoire de la lutte nazôréenne : la véritable histoire de Jésus Christ, la cérémonie secrète de résurrection de vivants et la nécessité de construire l'esprit humain, comme s'il s'agissait d'un temple... S'il nous parle de la vie de Jésus, ce texte doit, en tant que tel, être l'Évangile perdu « Q », l'Évangile qui fut la matière source de Matthieu, Marc, Luc et Jean.

Nous nous assîmes sur un banc et regardâmes l'épais sol de pierre. Nous nous sentions à la fois honorés et paralysés par l'excitation : à quelques pieds en dessous de nous, nous savions maintenant avec certitude que dormait quelque chose que nous avions cherché avec passion, quelque chose qui était simultanément la raison et le but de la création de la franc-maçonnerie.

Il nous fallut dix minutes pour nous remettre suffisamment afin de poursuivre notre quête d'information. Nous nous tournâmes vers les données historiques pour trouver de nouveaux indices. Ils ne furent pas longs à venir. Quelques minutes après avoir conclu que les manuscrits nazôréens étaient cachés sous Rosslyn, nous sûmes qu'ils étaient renfermés précisément dans quatre coffres ! Ce détail nous apparut en lisant le récit d'un feu qui intervint en 1447, soit un an après la pose de la première pierre.

William Saint Clair possédait de nombreux titres, au nombre desquels celui de Prince des Orcades [*Orkneys*] et le récit suivant utilise cette qualification :

> *Vers cette époque [1447], il y eut un feu dans le donjon carré [du château de Rosslyn] à l'occasion duquel les occupants furent forcés de fuir le bâtiment. Le chapelain du prince voyant cela, et se souvenant de tous les écrits de son maître, gagna le sommet du donjon où ils se trouvaient tous et sortit les quatre coffres dans lesquels ils étaient enfermés. Les cris horribles des dames et nobles femmes apporta la nouvelle du feu aux oreilles du prince et bientôt, de l'endroit où il se trouvait sur Colledge Hill, il fut même en mesure d'apercevoir le sinistre. La seule chose qui le désolait était la perte de ses Chartes et d'autres écrits. Mais quand le chapelain, qui avait pu échapper au brasier en accrochant la corde de la cloche à une poutre, vint lui dire que ses Chartes et ses Écrits étaient tous sauvés, il se réjouit et alla réconforter sa Princesse et les Dames.*[222]

Qu'est-ce qui pouvait avoir tant d'importance dans ces quatre coffres pour qu'en plein incendie, William Saint Clair ne pense qu'à cela et non à son épouse ou à son entourage ? Ce n'était certainement pas un homme à

---

222. Tim WALLACE-MURPHY, *An Illustrated Guide to Rosslyn Chapel*.

ce point sans cœur et il n'était sans doute pas davantage anxieux au point de se préoccuper avant tout de simples documents civils concernant ses titres et propriétés. Dans tous les cas, des coffres médiévaux sont des objets massifs et de tels papiers n'auraient pas occupé le quart d'un coffre et encore moins quatre. Non, ces malles contenaient les manuscrits de Jérusalem qui avaient été apportés en Écosse par les chevaliers templiers et ce trésor – le plus grand du monde, pensaient-ils – avait maintenant été confié à sa garde. Si ces manuscrits avaient été détruits avant l'achèvement du sanctuaire destinés à les abriter, il eût été totalement désespéré.

William St Clair consacra sa vie à la construction du sanctuaire des manuscrits et nous sommes certains que les quatre coffres sont encore là, sous trois pieds de bonne roche.

Plus nous regardions, plus nous lisions de détails sur l'histoire de Rosslyn, plus nous obtenions de confirmation. Apparemment, on considère généralement que l'édifice lui-même fut construit très rapidement, mais que les fondations prirent un temps étrangement long. À partir du commencement des travaux, quatre années furent nécessaires pour achever les fondations ; une durée ridiculement longue pour une chapelle relativement petite et d'un seul tenant, avec simplement une petite crypte en contrebas à l'est. Ce laps de temps a laissé perplexe les historiens, mais nous savions à présent exactement pourquoi la construction des fondations nécessita tant de temps.

L'objectif de William Saint Clair était de recréer le caveau souterrain du Temple d'Hérode, exactement tel qu'Hugues de Payns et ses huit chevaliers l'avait trouvé plus de trois siècles auparavant. Nous soupçonnions que l'infrastructure souterraine était beaucoup plus grande que tout l'édifice en surface et que les manuscrits reposaient dans une cache qui était l'exacte reconstitution de leur lieu de repos originel. C'est à cet instant que l'élément qui nous semblait jusque-là le plus illogique se résolut de lui-même : nous comprenions maintenant pourquoi le degré de *Royal Arch* situait les fouilles dans le temple de Zorobbabel et non dans celui d'Hérode.

Ceux qui créèrent le grade de *Royal Arch* – soit des templiers vieillissants et proscrits, soit leurs descendants en Écosse – se reposèrent sur des récits transmis oralement des aventures d'Hugues de Payns. Ces traditions situaient les fouilles dans le temple de Zorobbabel. On sait dorénavant que les croisés pensaient que le Dôme musulman sur le rocher du Temple, qui date du VIIe siècle, était le Temple d'Hérode et qu'en dessous se trouvaient les ruines du temple de Zorobbabel.

Vue de l'extérieur, Rosslyn est une représentation en pierre de la Jérusalem céleste, telle que la présente la copie de Lambert, avec ses tours, ses arcs et un énorme toit central arrondi. À l'intérieur, la disposition reproduisait les ruines du Temple d'Hérode, avec des décorations reprenant le symbolisme nazôréen et templier. Dans l'angle nord-est, nous tombâmes sur une portion de mur où étaient gravées les tours de la Jérusalem céleste – sans oublier les compas maçonniques – dans le style même du manuscrit de Lambert. En examinant plus en détail toutes les bases qui avaient jadis porté des statuettes, nous réalisâmes que cette représentation de la Jérusalem céleste revenait de nombreuses fois.

En levant les yeux depuis la galerie de l'orgue, nous pûmes constater que le plafond cintré possédait une série de clés de voûte courant sur toute sa longueur, exactement comme dans les ruines du Temple d'Hérode, décrites par le degré d'*Arch Royal !* D'une épaisseur de plus de trois pieds de bonne roche, ces clés de voûte supportaient un poids phénoménal. Sous le plafond était gravé un ciel étoilé semblable à celui que l'on trouve dans les pyramides et les loges maçonniques, et parmi les étoiles, on apercevait le soleil, la lune, une corne d'abondance, une colombe et quatre personnages célestes.

En songeant au degré de *Royal Arch*, nous conclûmes que si nous avions raison et que la construction de la chapelle reproduisait le temple ruiné d'Hérode, le plan du bâtiment devait être conforme à la description qu'en donne le rituel. Nous nous souvenions des termes s'y rapportant lors de la cérémonie de ce grade.

> *Tôt ce matin, en reprenant notre travail, nous découvrîmes une paire de piliers d'une beauté et d'une symétrie exquises. Poursuivant notre ouvrage, nous découvrîmes six autres paires d'égale beauté, qui, d'après leur situation, apparurent comme les vestiges d'une galerie souterraine conduisant au Lieu le Plus Saint.*

Quatorze piliers au total. Exactement le nombre que nous avions devant nous dans la chapelle ! William Saint Clair avait scrupuleusement suivi son texte. Nous consultâmes le rituel du degré de *Royal Arch* pour voir si d'autres détails pouvaient renvoyer à la configuration de Rosslyn. Il y a une référence aux « lumières » de l'Ordre qui, ostensiblement, décrivent une disposition précise :

> *Ces lumières étaient disposées dans la forme d'un triangle équilatéral. À chaque pointe se trouvait une lumière et au milieu de chaque côté du triangle une plus petite lumière était placée. Ainsi, on obtenait trois triangles de moindre dimension aux extrémités du grand triangle, et au centre, de l'union des trois petits triangles, naissait un quatrième*

*triangle. Tous, égaux et équilatéraux, étaient emblématiques des quatre points ou **divisions** de la maçonnerie. Cette disposition symbolique correspond au mystérieux triple Tau.*

Nous nous souvenions que c'était le symbole du Tau que les Qénites portaient sur leurs fronts quand Moïse les rencontra et que c'était aussi la forme de la croix sur laquelle Jésus et Jacques de Molay avaient souffert. Dans la chapelle, nous remarquâmes que les quatorze piliers avaient été disposés de telle manière que les huit colonnes les plus à l'est – incluant Jakin et Boaz – forment un triple Tau. La disposition et les proportions étaient exactement conformes à la description que le degré de *Royal Arch* donne de ce symbole.

Il ne peut y avoir de coïncidence ici : tous les piliers de Rosslyn sont disposés en fonction d'un plan précis, fondé sur un ancien savoir et restitué dans le rituel d'*Arch Royal* !

Un autre point a laissé perplexe les historiens : c'est le fait que la « chapelle » ne fut jamais terminée et qu'elle avait « clairement pour objet d'être la première partie d'un édifice beaucoup plus grand : une cathédrale majeure ». Il n'existe aucune raison connue expliquant pourquoi la famille Saint Clair aurait soudainement arrêté la construction et fait fi de quarante-cinq années de travaux si leur volonté initiale avait réellement été de construire une église collégiale. Certes, le mur occidental est énorme, totalement incompatible avec le reste de la structure et très clairement incomplet. Il est décoré sur son côté extérieur et c'est l'une des raisons qui laissent à penser qu'il devait être le mur intérieur de quelque bâtiment plus grand, inexistant aujourd'hui. Dans tous les cas, cela ressemble effectivement au vestige d'une structure plus importante... si ce n'est, pense-t-on, qu'il n'y en a jamais eu.

Vraiment ? Pour notre part, nous savions que, d'une certaine manière, il y avait bien eu quelque chose. En y réfléchissant, il aurait été étrange de bâtir une petite chapelle si l'objectif était de construire une grande église médiévale et *a fortiori* une cathédrale au milieu de nulle part. Le mur ouest est incomplet : penser qu'il ne fut jamais achevé est la conclusion la plus évidente qui puisse venir à l'esprit. Pourtant il existe une autre raison expliquant pourquoi ces murs à l'apparence de ruines se dressent là. Ce sont les vestiges d'une cathédrale détruite, ou plus précisément dans ce cas d'un *temple ruiné*. Nous ne pouvions oublier qu'Hugues de Payns et son équipe avaient découvert les manuscrits en fouillant des ruines. Et le rituel de *Royal Arch* nous le rappelle :

En enlevant les décombres et fragments qui obstruaient notre progres-

sion, nous parvînmes à un endroit qui semblait être de la roche dure. Mais, l'ayant frappée accidentellement avec mon levier, j'entendis qu'elle sonnait creux. Nous continuâmes de déblayer les gravats et la terre...

Le sanctuaire de Rosslyn devait être conforme à cette description et fut achevé en conséquence. Les concepteurs de la chapelle n'ont jamais eu l'intention de construire un édifice plus grand jouxtant le petit bâtiment : en réalité, cet énorme mur occidental est la réplique fidèle de la ruine du Temple d'Hérode que les chevaliers templiers découvrirent lorsqu'ils commencèrent leur exploration, à Jérusalem en 1118.

Alors nous nous rappelâmes la suite du rituel :

Nous continuâmes de déblayer les gravats et la terre, pour découvrir qu'au lieu de roche, il s'agissait d'une série de pierres formant une arche. Conscient que l'architecte de l'ancienne structure n'avait pas conçu de partie en vain, nous décidâmes de l'examiner.

De la même manière que « l'architecte de l'ancienne structure n'avait pas conçu de partie en vain », William Saint Clair n'avait rien fait au hasard. Chaque partie de son fascinant édifice existait pour raconter une histoire. Aujourd'hui, l'entrée occidentale originelle a perdu son aspect délibérément spectaculaire, reconstitution de la ruine hérodienne, parce que les Victoriens ont installé un baptistère très mal conçu directement dessus. Plus vite ce « furoncle » envahissant aura été enlevé, mieux ce sera pour ce magnifique sanctuaire.

Le secret perdu de la maçonnerie de Marque redécouvert

Plus nous le regardions, plus nous réalisions qu'aucun aspect de ce bâtiment n'était fortuit. Chaque détail avait été minutieusement considéré et avait son importance pour la grande histoire que racontait les murs du sanctuaire de Rosslyn. Toutes les gravures, souvenons-nous, furent d'abord réalisées en bois et présentées pour approbation aux surveillants et, finalement, à lord St Clair lui-même. Ce fait nous rappela le rituel utilisé par le grade maçonnique appelé « maçonnerie de Marque [*Mark Masonry*] »[223].

La cérémonie tourne autour d'événements qui sont censés se passer pendant la construction du Temple du roi Salomon. Le candidat joue le rôle

---

223. Robert Brydon, *Rosslyn : A History of the Guilds, the Masons and the Rosy Cross.*

d'un Compagnon (le rang d'un maçon de métier du second degré) et pénètre dans la loge, dernier d'un groupe de trois ouvriers venant présenter leur ouvrage pour approbation aux Premier et Second Surveillants et au Respectable Maître[224] (qui sont respectivement placés aux portes ouest, sud et est).

Les trois petits autels sont visités tour à tour. Devant chacun, l'ouvrage des deux premiers ouvriers est évalué par rapport au plan et l'approbation est donnée. Quand le candidat présente son travail – une petite clé de voûte –, elle n'est pas acceptée. Les Premier et Second Surveillants considèrent que cette pierre a été curieusement travaillée et qu'elle ne correspond pas au plan de l'ouvrage, mais en raison de son art, ils autorisent l'ouvrier à poursuivre vers la porte suivante. Finalement l'apprenti parvient devant l'autel du Respectable Maître, qui entre dans une grande fureur parce que le candidat a eu l'audace de lui présenter une pierre qui ne sert à rien pour l'édifice. Il ordonne que la pierre soit jetée dans les rebuts de la carrière. Il déclare alors que le candidat devrait être mis à mort pour son impudence. Mais après une demande de clémence, le candidat intimidé est autorisé à repartir libre.

On demande alors aux ouvriers de venir pour recevoir leurs paies dans la chambre du milieu du Temple de Salomon et le candidat se joint à la file. Il passe sa main dans une petite ouverture – appelée « guichet » (en anglais *wicket*) – pour obtenir sa paie. Sa main est immédiatement saisie et on le dénonce comme un imposteur. On abat une hache comme si l'on voulait trancher son poignet. Heureusement, une fois encore, il est épargné.

On s'aperçoit alors que tout le chantier du Temple s'est interrompu parce qu'il manque une clé de voûte pour compléter l'arche. Les Surveillants disent se rappeler qu'une telle pierre leur a été présentée. On se met donc en quête de la pierre perdue qui doit permettre de sceller l'arche. C'est le candidat qui la retrouve et il devient alors maçon de Marque (*Mark mason*). On lui donne une *marque* (un petit symbole) qui devient son emblème personnel de métier.

Dans le sanctuaire de Rosslyn, on voit gravées des centaines de semblables marques de tailleurs de pierre.

Chris était devenu *Mark Mason*, mais, à cette époque-là, le contenu de sa cérémonie d'initiation n'avait pas vraiment de sens pour lui ou pour ceux qui l'initiaient. À présent, le mystère s'éclaircissait rapidement. Et surtout, il nous était désormais possible de comprendre comment la

---

224. Ce dernier qualificatif est le nom du Vénérable en loge de *Mark Masonry*. (N.d.T.)

légende de l'apprenti assassiné s'était développée à Rosslyn, en fusionnant l'histoire d'Hiram Abif et celle de la maçonnerie de Marque. William Saint Clair était confronté à un évident problème de sécurité. Les maçons construisant le sanctuaire des manuscrits devaient connaître le plan et l'agencement du caveau souterrain ; ils comprenaient que cet étrange édifice devait abriter quelque chose de grande valeur.

William Saint Clair était un homme brillant et talentueux. Nous pensons qu'il conçut le premier degré de la maçonnerie de métier et le degré de maçonnerie de Marque pour donner à ses maçons opératifs un code de conduite et les faire ainsi participer à un secret sans leur révéler le véritable secret, le grand secret de la résurrection « vivante » qui était réservé aux maçons spéculatifs. Il est attesté qu'il disposait de deux grades de maçon sur le site : les maçons ordinaires (ou apprentis) à dix livres l'an et les « maçons de Marque » (qui avaient l'honneur de posséder une marque personnelle à la mode continentale) à quarante livres l'an. Les deux catégories d'ouvriers devaient être conscientes qu'elles étaient en train de reconstruire le Temple du roi Salomon pour quelque étrange raison (même si, en réalité, c'était le Temple d'Hérode qu'ils reproduisaient).

En préparant la construction du sanctuaire des manuscrits, sir William St Clair savait qu'il devait s'assurer de la loyauté et de la fidélité de ses tailleurs de pierre, afin qu'ils gardent ses « secrets légitimes aussi sûrement que s'ils étaient leurs ». Pour obtenir ce résultat, il devait les obliger à garder le secret. Nous croyons que le degré d'introduction en maçonnerie, que l'on appelle aujourd'hui le degré d'« Apprenti entré » [Entered Apprentice][225], fut créé par William Saint Clair au début de son chantier, en utilisant des éléments choisis de la cérémonie d'initiation templière. Ainsi il se serait assuré que tous les secrets, qu'il lui serait nécessaire de transmettre à ces hommes, s'intégreraient dans un système d'obligation qui les forcerait à garder le silence. Pour maintenir les différentiations, il dut procurer aux artisans de rang supérieur à quarante livres l'an un secret supplémentaire. Ainsi ils auraient quelque chose de plus que les maçons de moindre rang.

Nous pensons que ces deux grades dévoilaient le secret du pilier royal ou Boaz et qu'ils étaient appelés – comme ils le sont encore aujourd'hui – « Apprenti entré », et, à ceux qui avaient le rang le plus élevé, on exposait en outre l'importance de la clé de voûte des arcs parce qu'ils étaient les « maçons de Marque ». Jamais ces catégories de maçons ne furent

---

225. Nom de l'Apprenti initié dans le Rite Émulation anglais. On dit aussi « Apprenti enregistré ». (N.d.T.)

autorisées à découvrir le secret du pilier sacerdotal ou la signification des piliers jumeaux associés à la clé de voûte :

MISHPAT		TSEDEQ		
OU ROYAL	+	OU SACERDOTAL	=	STABILITÉ
OU BOAZ		OU JAKIN		

ou plus simplement... FORCE + FONDATION (ÉTABLISSEMENT) = STABILITÉ

La grande formule qui garantissait la stabilité dans l'ancienne Égypte devait être préservée et réservée aux philosophes : les maçons spéculatifs, comme William Saint Clair lui-même.

Les maçons qui travaillaient la pierre eurent accès aux secrets, à un niveau approprié. Mais ils ne furent jamais élevés, par une résurrection « vivante », au rang de Maître maçon spéculatif.

Nous pouvions maintenant être certains, sans l'ombre d'un doute, que le point de départ de la franc-maçonnerie fut la construction de la chapelle de Rosslyn, au milieu du XVe siècle. Des développements historiques ultérieurs viennent confirmer cette vision des choses, parce que les membres de famille St Clair de Rosslyn devinrent les Grands Maîtres héréditaires des Métiers, Guildes et Ordres d'Écosse ; plus tard, ils occupèrent la fonction de Maître des maçons d'Écosse jusqu'à la fin des années 1700.

Comme nous le savons bien, de nombreux francs-maçons modernes croient que leur organisation descend des pratiques rituelles des guildes médiévales de tailleurs de pierre à demi illettrés. Cette théorie des origines s'est confrontée à de nombreux problèmes, mais elle semblait expliquer les références bien documentées concernant les premières loges opératives d'Écosse. Dans la réalité, c'est plutôt l'inverse qui se produisit : ce furent les maçons spéculatifs (templiers) qui adoptèrent les maçons opératifs (tailleurs de pierre) et les initièrent à certains secrets de moindre importance relatifs au Temple de Salomon.

Nous croyons que ces maçons de Marque et leurs acolytes, les Apprentis entrés, furent enchantés d'avoir accès à une partie du secret de Rosslyn et qu'ils n'eurent jamais conscience du « trésor » fabuleux qui devait reposer entre ces murs. Ils ne s'interrogèrent pas sur l'absence d'imagerie chrétienne normale, car ils savaient que ce lieu était secret et spécial. La seule représentation biblique que nous puissions réellement identifier était une gravure de Moïse arborant une belle paire de cornes. Du fait de notre étude de l'Exode, nous pensions que ce fanatique semeur de mort les avait bien méritées. Mais nous ne comprenions pas pourquoi les templiers auraient dû penser une semblable chose. Pendant un petit moment, nous pensâmes avoir identifié un personnage du Nouveau Testament ; en l'occurrence, une minuscule statuette de saint Pierre. Mais nous découvrîmes bientôt qu'il ne s'agissait pas du tout du disciple.

Tout au long du rituel maçonnique, il est dit que les ouvriers se rendaient dans la chambre du milieu du Temple du roi Salomon pour recevoir leur paie. Mais d'après tout ce que les historiens ont pu rassembler comme information, nous savons qu'il n'y eut jamais de chambre du milieu dans le Temple original. Cependant, le sanctuaire de Rosslyn en possède une. La crypte de la prétendue chapelle se trouve au sud-est, immédiatement à droite du pilier royal. Quelques marches permettent d'y descendre. Ces marches raides sont très usées et les contremarches sont profondément incurvées, ce qui rend très difficile la montée et la descente. Le guide officiel parle ainsi de cet escalier :

> *Ces marches bien usées indiquent que de nombreux pèlerins ont visité cette chapelle au cours des quatre-vingt-dix ou cent années séparant son achèvement de la Réforme. Les raisons exactes de ce pèlerinage sont, encore aujourd'hui, obscures, mais il est possible que les chevaliers templiers aient déposé ici quelques saintes reliques, vénérées depuis des temps anciens, une Vierge noire peut-être.*[226]

Bonne idée… mais conclusion erronée. Toute Vierge serait incongrue chez les templiers et en particulier dans ce sanctuaire.

À mi-escalier, on tombe sur une porte avec des charnières qui nous rappelaient celles de la porte de la Jérusalem céleste dessinée par Lambert. Une fois dans cette chambre basse, la première chose qui nous frappa fut sa taille extrêmement réduite. Elle était vide, à l'exception de quelques minuscules décorations murales. Et il y avait aussi une pièce encore plus petite au nord et un âtre avec un conduit de cheminée encastrée dans le mur sud. Les marches très usées nous disaient que cette pièce avait beaucoup servi. Et la présence d'une cheminée ajoutait qu'elle avait été prévue pour des séjours assez longs. Sauf si un individu devait rester là plusieurs heures, un âtre eût été inutile pour les rudes chevaliers du milieu du XVe siècle.

C'est juste à côté de cette cheminée que nous aperçûmes le petit personnage que nous prîmes d'abord pour saint Pierre, parce qu'il tenait une clé. Nous trouvâmes ce détail insolite, parce que, plus que toute autre

---

226. Tim WALLACE-MURPHY, *An Illustrated guide to Rosslyn Chapel.*

représentation, c'était là la figure la plus catholique et la moins nazôréo-templière que nous puissions imaginer, la base même de cette Église qui se revendiquait à tort des enseignement de Jésus. Puis nous réalisâmes que le personnage ne tenait qu'une grande clé, alors que saint Pierre en a généralement plusieurs. En outre, la poignée de la clé était un carré parfait (« un signe vrai et sûr pour reconnaître un franc-maçon »). Soudain, nous comprîmes que ce personnage marquait l'entrée du caveau des manuscrits. Cette petite gravure murale ne tenait rien d'autre que la *Clé d'Hiram.*

Nous pensons que cette petite salle basse était la chambre du milieu de ce sanctuaire templier parce que, jusqu'à l'achèvement du projet, le mur occidental de la crypte était ouvert et donnait accès au labyrinthe au-delà. Les manuscrits nazôréens eux-mêmes étaient probablement gardés derrière une porte fermée à clé à l'intérieur des caveaux souterrains. Ainsi les Saint Clair et leurs compagnons maçons « ressuscités » pouvaient les consulter avant qu'ils ne soient finalement scellés jusqu'à la fin des temps. La pièce, que l'on appelle à présent la crypte, était la chambre du milieu du Temple reconstruit, parce qu'elle reliait la partie supérieure de l'édifice aux souterrains qui accueillaient les manuscrits sacrés. C'est là que les maçons recevaient leurs paies. Et il ne fait aucun doute que c'est également là qu'ils étaient initiés et qu'ils juraient de garder le secret en tant que maçons de Marque ou Apprenti entré.

Avant que les caveaux n'aient été scellés lors de l'achèvement de l'édifice, plusieurs de ces derniers templiers se virent accordés le droit d'être inhumés à côté des manuscrits sacrés. C'est un fait historique attesté que des chevaliers sont enterrés ici, à Rosslyn, non pas dans des cercueils, mais dans leur armure complète. C'était normalement un privilège réservé aux rois seuls. Sir Walter Scott[227] immortalisa cette pratique dans son poème *Le Lai du dernier Ménestrel* :

> *Elle semblait en feu cette fière chapelle,*
> *Où les chefs de Roslin reposent hors de leur cercueil :*
> *Chaque baron, comme dans un linceul de sable[228],*
> *Revêtu de sa panoplie de fer...*
> *Il y a vingt de ces hardis barons de Roslin*
> *Gisant là enterrés dans cette majestueuse chapelle.*

227. L'immortel auteur d'*Ivanhoé* et de *Rob Roy*, lui-même maçon écossais, qui aurait décliné en 1823 la Grande Maîtrise des Chevaliers Templiers d'Écosse lui avait été proposée. Cf. *Dictionnaire de la franc-maçonnerie*, op. cit., p. 1094. (N.d.T.)

228. Terme en héraldique, ce terme désigne la couleur noire. (N.d.T.)

En parcourant des yeux la salle principale, nous ne pouvions nous empêcher de regretter que toutes les principales statues qui, jadis, se dressaient sur les nombreux supports muraux aient disparues. On dit qu'elles ont été enlevées par les gens du village quand les troupes parlementaristes se rapprochèrent au cours de la guerre civile anglaise et l'on pense généralement qu'elles sont toutes enterrées dans le voisinage. Nous aurions vraiment voulu savoir qui elles représentaient : David et Salomon peut-être, voire Hugues de Payns et Jacques de Molay eux-mêmes ?

Nous découvrîmes alors une petite gravure qui pouvait peut-être donner plus de poids à notre interprétation initiale du premier sceau templier (représentant deux chevaliers sur un même cheval). Chris avait émis une suggestion : selon lui, ce motif pouvait représenter les deux degrés d'appartenance à l'Ordre primitif : ceux qui étaient relevés ou ressuscités dans les secrets étaient à l'avant du cheval et ceux qui ne participaient pas à la totalité des secrets venaient derrière. Ici, à Rosslyn, nous découvrîmes sur une petite sculpture qui était une représentation en trois dimensions de ce sceau, à un détail près : d'un coup de coude, le chevalier de tête éjecte l'autre chevalier du cheval. Ce motif montrait-il comment, après la chute de l'Ordre, ceux de rang secondaire furent éjectés pour garantir le maximum de sécurité à ceux qui avaient été initiés aux principaux secrets ? Cette explication n'est encore qu'une mince spéculation, mais il faut convenir que cette réponse s'accorderait parfaitement avec les faits.

Le *Protecteur* [229] qui épargna Rosslyn

Le fait que la chapelle soit encore debout aujourd'hui constitue peut-être la preuve la plus flagrante que notre théorie sur Rosslyn est juste. Pendant la guerre civile anglaise, Cromwell et ses forces parlementaristes écuma l'Irlande, le pays de Galles et l'Écosse autant que l'Angleterre. Ils dégradèrent les propriétés royalistes et catholiques partout où ils le pouvaient. Cromwell lui-même visita Rosslyn. Mais, alors qu'il détruisait toute église papiste croisée sur son chemin, il n'égratigna même pas cet édifice. Pour expliquer cette incongruité, la version officielle – que nous exposa la révérende Dyer – considère que Cromwell était un franc-maçon de haut rang et qu'il pensait que Rosslyn était un sanctuaire maçonnique. Pour une fois, nous étions en total accord avec les gardiens

---

229. *Lord Protector,* titre que s'attribua Oliver Cromwell, protecteur de l'Angleterre. (N.d.T.)

actuels de la « chapelle ». Les éléments circonstanciels dont nous dispo-sions déjà suggéraient fortement que le *Lord Protector* était un maçon de haut rang et le fait qu'il eût délibérément épargné Rosslyn semblait clai-rement le confirmer.

Les St Clair (ou Sinclair pour utiliser l'orthographe ultérieure) se trou-vaient naturellement du côté royaliste et le château de Rosslyn fut tota-lement détruit par le général Monk en 1650. Mais une fois de plus, le sanctuaire de Rosslyn ne fut pas touché. S'il avait été considéré comme un édifice catholique, il n'aurait pas tenu une seconde !

Nous quittâmes Rosslyn et sa « chapelle » à contrecœur parce qu'elle nous avait raconté tant de choses en si peu de temps. Nous n'eûmes qu'une courte distance à parcourir pour arrêter la voiture dans l'endroit qui s'appelle simplement… Temple. C'était le quartier général des tem-pliers en Écosse, même si les ruines pittoresques que l'on voit aujour-d'hui sont celles d'une structure beaucoup plus récente, construites avec les pierres de l'ancienne commanderie. Dans le cimetière, nous trou-vâmes de nombreuses tombes maçonniques, la plupart arborant le sym-bolisme du degré de *Royal Arch,* et beaucoup montrant l'ancien motif des deux colonnes et du linteau.

Ces tombes sont extrêmement anciennes et n'ont pas été restaurées ou protégées d'une quelconque façon. Donc il est difficile d'identifier leurs dates précises. Sur l'une d'entre elles – peut-être l'une des plus récentes – on peut voir la date 1621 et, comme sur de nombreuses stèles, la pelle et la pioche de *Royal Arch* (commémorant la fouille pour retrouver les manus-crits), mais aussi le crâne et les os croisés, le symbole templier de résurrec-tion qui devint leur étendard de combat. La date montre que l'homme dont les restes gisent en dessous était un maçon de *Royal Arch,* au moins un siècle avant la fondation officielle de la franc-maçonnerie à Londres en 1717

C'est, naturellement, le rituel de *Royal Arch* qui raconte la découverte dans les ruines du Temple d'Hérode des manuscrits par les templiers. Nous pensons donc qu'il doit être bien antérieur à Rosslyn et à la *Mark Masonry,* mais également antérieur au second degré de la maçonnerie de métier qui est, comme nous le croyons à présent, un développement du degré de Marque (et non l'inverse, comme on le croit généralement). Les hommes qui étaient des maçons de *Royal Arch* à la fin du XVe siècle pou-vaient fort bien être des descendants de templiers.

En reprenant la route de l'Angleterre ce jour-là, nous réfléchîmes à l'impressionnant nombre de révélations et d'informations vitales que nous avions mis en lumière, et qui venaient combler des parties entières de notre quête. En lisant le guide acheté sur place, un nouveau détail nous enthousiasma : il était écrit que, parmi ses nombreux titres, William

Saint Clair possédait celui de Chevalier de la Toison d'or. Cette appellation retint tout de suite notre attention, car la franc-maçonnerie dit d'elle-même qu'elle est « plus ancienne que la Toison d'or ou l'Aigle romaine ». En termes simples, cela voulait signifier aux membres des premières années de la franc-maçonnerie que le rituel n'était pas une invention des Saint Clair. En réalité, il n'était pas seulement antérieur à leur famille, mais aussi au grand Empire romain.

Poursuivant la lecture de l'explication officielle de Rosslyn, nous trouvâmes deux commentaires fascinants qui faisaient allusion aux vérités que nous venions juste de révéler. Le premier dit :

> Les caveaux souterrains eux-mêmes peuvent être beaucoup plus que de simples tombes ; il est possible qu'ils abritent d'autres objets importants. La seule action recensée des Lords Sinclair qui contredise apparemment leur réputation bien mérité de chevalerie et de loyauté pourrait aussi être expliquée si l'on ouvrait les caveaux. Car il est tout à fait possible que l'on puisse y découvrir des indices guidant vers certains trésors d'un grand intérêt historique.

Comme c'est exact. L'auteur ignorait quel était le grand secret que renfermait Rosslyn. Et pourtant, on a toujours su que l'édifice avait une valeur dépassant ce que l'œil voyait. Un autre commentaire semblait être prémonitoire de nos futures découvertes :

> Nous devons reconnaître ceci quand nous essayons de comprendre la motivation tant de l'architecte de cette unique et magnifique chapelle que des artistes et artisans talentueux qui en exécutèrent la décoration. Les résultats de cette approche sans préjugés nous conduira inévitablement vers des hypothèses, et ces hypothèses nous entraîneront dans des recherches complémentaires pour localiser des preuves qui, jusqu'à présent au moins, sont peut-être restées cachées ou ont été négligées pour l'une ou l'autre raison parmi des dizaines...[230]

Quand nous réclamerons formellement l'ouverture et l'investigation des caveaux sous le sanctuaire de Rosslyn, nous espérons rencontrer des esprits aussi raisonnés et matures. Refuser de fouiller les salles souterraines pourrait continuer de priver le monde d'une grande et ancienne sagesse. En nous parlant de Jésus et de ses contemporains, cette sagesse

---

230. Tim WALLACE-MURPHY, *An Illustrated Guide to Rosslyn Chapel*.

devrait nous guider vers le troisième millénaire en sachant ce qui s'est vraiment passé au début de l'ère chrétienne.

Sur les murs de Rosslyn, nous avons trouvé une inscription latine qui nous semble très appropriée en guise de commentaire. Au-delà de son caractère humoristique, nous pouvons simplement présumer qu'elle vient des manuscrits nazôréens :

LE VIN EST FORT, UN ROI EST PLUS FORT, LES FEMMES SONT ENCORE PLUS FORTES

MAIS LA **VÉRITE** CONQUIERT TOUT.

Sous le sceau de Salomon

Un soir – plus d'une semaine après notre visite à Rosslyn –, alors que nous discutions du symbolisme que William Saint Clair avait placé dans son sanctuaire des manuscrits et qui faisait écho à la description du degré de *Royal Arch*, nous considérâmes la définition du triple Tau. Nous avions été fascinés en découvrant que les piliers principaux les plus à l'est de la chapelle formaient un triple Tau parfait, parce que nous savions que c'était-là l'emblème de la franc-maçonnerie de *Royal Arch*, mais aussi un très vieux signe antérieur à Moïse. Cependant, nous n'avions pas réfléchi à sa définition précise telle que le rituel originel de ce degré la donne :

Chris lut à haute voix :

« Le triple Tau, signifiant, entre autres choses occultes, *Templum Hierosolyma*, "Le Temple de Jérusalem". Il signifie aussi *Clavis ad Thesaurum* – "Une clé vers un trésor" – et *Theca ubi res pretiosa deponitur* – "Un endroit où une chose précieuse est dissimulée" – ou *Res ipsa pretiosa* – "La chose précieuse elle-même".

Tout devint clair comme de l'eau de roche. Nous comprenions soudain pourquoi William Saint Clair avait disposé les piliers de cette manière. La configuration centrale du sanctuaire était une façon symbolique de dire que l'édifice représentait le Temple de Jérusalem et que c'était le lieu où un trésor précieux était dissimulé !

Ce fut une merveilleuse découverte. Sur la même page, Chris ne put s'empêcher de noter la signification donnée du sceau de Salomon (l'étoile de David) pour le degré de *Royal Arch*. De nouveau il lut à haute voix :

« Le bijou du grade de *Royal Arch* est un double triangle, parfois appelé sceau de Salomon, à l'intérieur d'un cercle d'or. Au bas de l'étoile se trouve un parchemin portant les mots, *Nil nisi clavis deest* – "Rien n'est désiré sauf la clé", et sur le cercle apparaît la légende *Si tatlia jungere possis sit tibi scire posse* – "Si tu peux comprendre ces choses, tu en sais assez."

Robert laissa échapper un petit sifflement. On avait l'impression que ces références avaient été créées pour servir d'indices à ceux qui, un jour, élucideraient le mystère de Rosslyn. Les mots n'avaient aucun sens dans un autre contexte, mais ils véhiculaient dorénavant une signification très précise.

Le seul problème est qu'aucun de nous deux ne parvenait à déceler un sceau de Salomon quelque part dans Rosslyn. Alors nous entreprîmes d'étudier nos photographies, nos vidéos et le plan du lieu pour voir si nous n'étions pas passés à côté de quelque chose par inadvertance. Ce qui était bien le cas.

Chris attrapa le plan. Il traça un ligne traversant les deux piliers de la base du triple Tau. Puis il alla chercher un compas. Il écarta les pointes à la largeur de l'édifice. Puis il plaça la pointe à l'intersection de la ligne traversant les deux piliers précités et du mur nord et il traça un cercle. Il répéta l'opération en posant la pointe du compas à l'autre extrémité de la ligne, à l'intersection avec le mur sud. De nouveau, il dessina un cercle. Les deux cercles se coupaient juste entre les deux piliers les plus occidentaux et il obtenait ainsi un triangle équilatéral (formé par les deux centres des cercles et ce point entre les deux piliers occidentaux). Il traça alors une nouvelle ligne reliant les murs nord et sud et traversant la seconde paire de piliers en partant de l'ouest. De nouveau, il posa la pointe de son compas sur le mur nord et traça un cercle et répéta l'opération sur le mur sud. Les deux cercles obtenus se coupaient en plein sur le pilier central du triple Tau. Les deux triangles équilatéraux ainsi obtenus formaient un sceau de Salomon parfait. Même les deux piliers à l'intérieur du symbole se trouvaient au point de croisement des lignes de l'étoile. Au centre précis de ce sceau de Salomon invisible, sur le plafond voûté, il y a une grosse excroissance suspendue, en forme de tête de flèche décorée, qui pointe vers le bas en direction d'une clé de voûte encastrée dans le sol. C'est, croyons-nous, cette pierre qui doit être enlevée pour pénétrer dans le caveau reconstitué du Temple de Salomon et retrouver les manuscrits nazôréens.

La configuration de Rosslyn n'est pas une coïncidence. Si l'une ou l'autre des ailes avait été plus éloignée de quelques centimètres, si les piliers avaient eu une position légèrement différente, toute cette géométrie n'aurait pas fonctionné. À partir de cet instant, nous eûmes la certitude que ces symboles avaient été le point de départ du plan de la chapelle ; tout le reste en découlait. Ils indiquaient où se trouvait le trésor, en dessous, dans les grands caveaux de pierre. Il est pratiquement certain que l'explication des symboles fut ajoutée au degré de *Royal Arch*, par William Saint Clair, après l'achèvement du plan, pour fournir à quelque éventuelle future génération un indice lui permettant de découvrir la « *clé* ». Les mots du rituel disent « si tu peux comprendre ces choses, tu en sais assez ». Maintenant, nous comprenions et c'est vrai que nous en savions suffisamment pour être certains d'avoir trouvé la signification de la franc-maçonnerie.

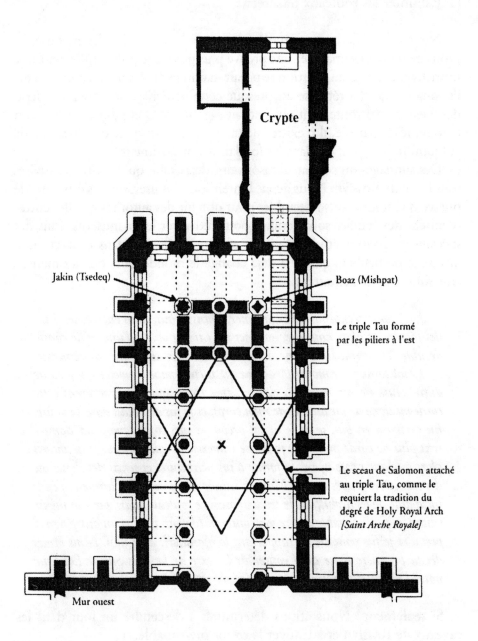

Plan de Rosslyn

Exhumer les rouleaux nazôréens

Nous avions découvert que Rosslyn était le sanctuaire des manuscrits. Nous ne pouvions imaginer une preuve plus puissante pour confirmer toute notre hypothèse. Une question se posait maintenant : les manuscrits étaient-ils toujours là ? La réponse est presque certainement affirmative. En dépit des guerres et affrontement qui ont fait rage alentour et jusque sur le gazon entourant la chapelle, il n'existe aucune preuve, historique ou physique, de la moindre intervention dans les fondations du bâtiment.

Des sondages du sol par ultrasons ont déjà établi qu'il existe des cavités sous le sol de Rosslyn. Nous avons l'intention d'utiliser tous les éléments de preuve que nous avons rassemblés pour obtenir des autorités qu'elles entreprennent des fouilles sous l'édifice pour retrouver les manuscrits. Puis des spécialistes devront étudier toute la sagesse renfermée dans ceux-ci ; une sagesse si particulière qu'elle a déjà changé le monde alors que les manuscrits sont toujours enterrés !

> *[...] nous décidâmes de l'examiner. Dans ce but, nous enlevâmes deux des pierres, et alors nous découvrîmes un caveau voûté d'une taille considérable et immédiatement nous tirâmes au sort qui descendrait.*
>
> *Le lot tomba sur moi. Alors, pour qu'aucune vapeur nocive ou quelque autre cause ne me mette en danger, mes compagnons accrochèrent cette corde ou ligne de vie autour de mon corps, et je fus descendu dans la voûte. En arrivant en bas, je fis le signal prévu, et mes compagnons me donnèrent plus de corde pour que je puisse traverser la salle voûtée. Je découvris alors quelque chose ayant la forme d'un petit autel et sentis des signes ou des caractères gravés dessus. Mais en raison du manque de lumière, j'étais incapable de les déchiffrer. Je trouvai aussi ce rouleau, mais, pour la même raison, je fus incapable de lire son contenu. Je donnai alors un autre signal prévu et je fus remonté en rapportant le manuscrit avec moi. Nous vîmes dès la première ligne qu'il contenait le texte de la Très Sainte Loi, que notre Dieu avait promulguée au pied du mont Sinaï.*

Si seulement ! Nous étions déterminés à descendre un jour dans les caveaux de Rosslyn et à trouver le trésor inestimable.

* * *

Il y a plusieurs années, nous avions entamé une recherche pour trouver les origines de la franc-maçonnerie. A présent, nous avions réussi. En identifiant Hiram Abif, nous n'avions pas seulement redécouvert les secrets perdus de l'Art royal, nous avions, par inadvertance, tourné une clé qui ouvrait la porte de la véritable histoire du christianisme.

En localisant l'ultime lieu de repos des manuscrits nazôréens, nous avions retrouvé le dernier maillon d'une chaîne reliant tout franc-maçon aux rites mystérieux de l'ancien sacre égyptien. Pour la plupart des lecteurs non maçons, l'histoire s'arrête ici – en attendant qu'une fouille soit entreprise et que le contenu des manuscrits soit enfin disponible pour l'humanité.

* * *

Mais pour ceux qui s'intéressent particulièrement à l'histoire du développement de la franc-maçonnerie et à son impact sur le monde aux XVIe, XVIIe et XVIIIe siècles, nous avons poursuivi notre histoire en appendice I.

POST-SCRIPTUM

Ayant entamé nos recherches à un niveau totalement privé, nous avions pris l'habitude de tout garder par-devers nous et de ne partager nos découvertes qu'avec un Maître maçon passé [*Past Master*] et un ecclésiastique de l'Église d'Angleterre. Ils commentèrent notre travail à différents stades et nous convainquirent que ce que nous trouvions avait beaucoup de sens. C'était très important pour nous, car nous étions trop impliqués dans notre sujet pour nous rendre compte si nous exagérions ou non l'importance de nos découvertes et si nous ne nous enthousiasmions pas trop vite.

Peu avant de présenter le manuscrit à notre éditeur originel, Century, nous estimâmes important de révéler aux personnes concernées par Rosslyn ce qu'il y avait dans notre livre. Donc, un après-midi ensoleillé, nous rencontrâmes la conservatrice, Judy Fisken, et Bob Brydon, un historien maçonnique et templier, très lié à la chapelle et qui se révéla une mine d'informations. La discussion dura cinq heures. Mais à la fin, ils conclurent tous les deux que nous avions découvert quelque chose d'assez remarquable et qui aurait des implications majeurs pour l'avenir de Rosslyn. Judy décida d'organiser rapidement une rencontre avec Niven Sinclair, un homme d'affaires londonien qui détenait le contrôle des fouilles sur le site. Deux semaines plus tard, nous déjeunions avec Niven et lui expliquions nos découvertes. Au cours des dernières années, Niven a consacré une bonne partie de son temps et des sommes substantielles d'argent à l'entretien et à la promotion du sanctuaire de Rosslyn [*Rosslyn Chapel*]. Et résoudre les mystères de cet édifice était devenu une passion dévorante pour lui. Il nous écouta attentivement, puis, avec un large sourire, nous informa qu'il avait le droit – accordé par le comte actuel – de fouiller les caveaux. Cet Écossais fascinant et énergique était exactement l'homme qu'il fallait à nos côtés.

Une nouvelle rencontre fut alors organisée pour présenter nos découvertes à un groupe appelé les « Amis de Rosslyn ». Environ trente personnes vinrent et, une fois de plus, nous racontâmes notre histoire, en nous attardant sur les parties essentielles qui concernaient leur chapelle. Dans le public, on comptait des historiens, des membres de la Grande

Loge d'Écosse, deux ecclésiastiques, les plus importants Chevaliers templiers d'Écosse et le baron St Clair Bonde qui est un descendant direct de William St Clair (et qui depuis s'est révélé un grand allié). Personne ne trouva de raison de contester notre vision des choses et, en vérité, plusieurs auditeurs vinrent nous dire qu'ils avaient des informations importantes qui pouvaient appuyer notre thèse.

Cependant, la nuit précédant cette présentation, nous fîmes une nouvelle découverte significative concernant les secrets dissimulés dans la chapelle de Rosslyn. Alors que Chris préparait les transparents à projeter, il eut une idée assez intéressante. Nous avions précédemment conclu que Rosslyn était une interprétation spirituelle du Temple d'Hérode et, pour voir s'il y avait une ressemblance sensible entre les deux, Chris superposa le transparent des fondations du temple hérodien ruiné sur celui du plan de la chapelle.

Les plans n'étaient pas similaires. Ils étaient identiques !

Rosslyn n'est pas une libre interprétation des ruines de Jérusalem ; en observant le plan des fondations, on voit que c'est une copie très fidèlement exécutée. Les parties inachevées du grand mur occidental sont là, les murs principaux et la configuration des piliers concordent parfaitement, et les piliers Boaz et Jakin se dressent précisément à l'extrémité orientale de ce qui serait le Temple intérieur. L'endroit que nous avons identifié comme le centre du sceau de Salomon correspond exactement avec le point central du monde médiéval : le milieu du Saint des Saints, l'endroit précis où l'arche d'Alliance était placée dans le Temple de Jérusalem.

Et les parallèles continuaient à l'extérieur du bâtiment. Du côté oriental de la chapelle, la terre descend en pente juste à quelques pied devant les piliers jumeaux, exactement de la même manière que sur le site du Temple de Jérusalem. Cette découverte nous incita à étudier plus attentivement le paysage entourant Rosslyn. Nous découvrîmes qu'en réalité le lieu même avait été choisi parce qu'il reflétait l'exacte topologie de Jérusalem. À l'est, on a l'équivalent écossais de la vallée du Cédron et au sud court la vallée de Hinnom.

En vérité, William St Clair était un génie.

Forts de cette nouvelle compréhension du paysage environnant et d'indices supplémentaires trouvés dans le bâtiment de Rosslyn, nous pensons avoir finalement résolu l'énigme du message codé laissé par le comte, pour moitié gravé dans la pierre et pour moitié intégré dans le rituel maçonnique. Maintenant nous savons exactement où est caché le Rouleau de cuivre, la carte au trésor des esséniens et des templiers.

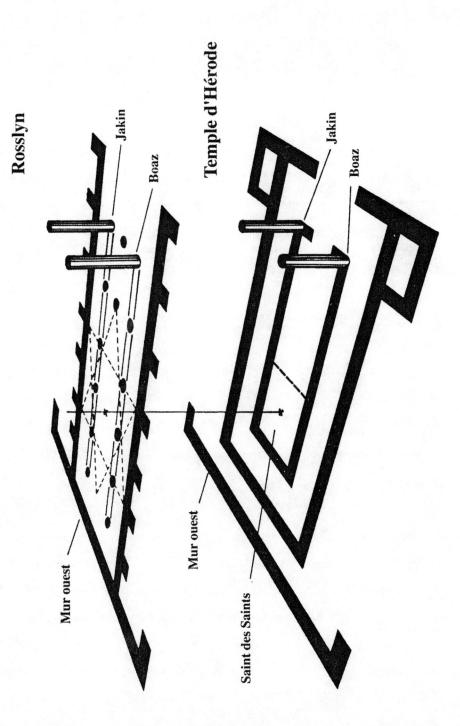

Comparaison des fondations du Temple d'Hérode et du plan
de la chapelle de Rosslyn.

APPENDICE 1

LE DÉVELOPPEMENT
DE LA FRANC-MAÇONNERIE MODERNE
ET SON IMPACT SUR LE MONDE

La Réforme anglaise et les conditions de l'émergence

Entre l'achèvement de la chapelle de Rosslyn et la naissance officielle de la Grande Loge d'Angleterre, le 24 juin 1717, la société qui, issue de l'ordre templier, évoluait pour devenir bientôt la franc-maçonnerie, mena ses affaires en secret. Pour des raisons d'autoprotection, l'organisation demeura cachée aux regards du public jusqu'à ce que la puissance du Vatican commençât à diminuer au XVIe siècle.

Cet affaiblissement était dû à la Réforme. Ce mouvement se répandit très largement au sein de la chrétienté occidentale. Il entendait purger l'Église de ses abus médiévaux, réduire le contrôle papal et restaurer les doctrines et pratiques qui, selon les réformateurs, étaient conformes au modèle biblique de l'Église. Les papes de la Renaissance furent notoirement attachés aux plaisirs terrestres, abusant ouvertement de leur position pour se livrer à la simonie, au népotisme, aux dépenses les plus insouciantes. La vénalité et l'immoralité semblaient avoir envahi l'Église elle-même, et c'est ce qui amena la rupture entre l'Église catholique romaine et les réformateurs, dont les croyances et les pratiques furent appelées protestantisme.

On peut réellement dire que la Réforme a commencé en Allemagne, le 31 octobre 1517, quand Martin Luther, un professeur d'université augustinien de Wittenberg, rendit public quatre-vingt-quinze thèses, invitant à discuter de la légitimité du commerce des indulgences[231]. La papauté perçut immédiatement cela comme une menace politique

---

231. Rémission vénale par l'Église catholique des peines que les péchés méritent, que ce soit sur terre ou au-delà. (N.d.T.)

contre une rentable dictature internationale et se hâta d'étiqueter « hérétique » le libre penseur. Les trois célèbres traités de Luther de 1520 – *Lettre ouverte à la noblesse chrétienne de la nation allemande concernant la Réforme du Pouvoir chrétien ; La Captivité babylonienne de l'Église*, et *De la Liberté d'un chrétien* – gagnèrent à sa cause un large soutien populaire. Luther croyait que le salut était un don gratuit offert à tous par le pardon des péchés que l'on devait à la seule grâce de Dieu. De ce fait, il était parfaitement inutile d'avoir un pape. Sans surprise, une telle pensée – rappelant celle du Jésus des origines – ne fut pas bien accueillie par la papauté : Luther fut excommunié en 1521. Mais le théologien était un homme très intelligent et habile. En avril de cette même année, il se présenta devant le saint empereur romain Charles V (Charles Quint) et les princes allemands à la diète de Worms, et refusa de se rétracter sauf si on lui prouvait qu'il avait tort au vu de la Bible ou de quelque autre raison claire.

Bien que l'Angleterre eût son propre mouvement religieux réformateur fondé sur les idées de Martin Luther, la Réforme anglaise n'intervint apparemment pas en réaction contre les excès papaux, mais directement en raison d'un problème personnel du roi Henry VIII qui voulait divorcer de sa première femme, Catherine d'Aragon. La rupture avec le pouvoir du souverain pontife fut supervisée par Thomas Cromwell, premier ministre du roi, qui fit entériner par le Parlement la loi de limitation des appels [*Act in Restraint of Appeals*] en 1533, suivie l'année suivante par la loi de suprématie [*Act of Supremacy* ou *Supremacy Act*], qui définissait totalement le contrôle royal de l'Église. Thomas Cranmer, l'archevêque de Canterbury, autorisa la traduction de la Bible en anglais et fut largement responsable du Livre des Prières [*Book of Common Prayer* ou *Prayer Book*].

L'Église catholique romaine fut remplacée par l'Église d'Angleterre. Il n'y eut qu'une brève interruption pendant le règne de Marie Ire Tudor, fille d'Henry VIII et de Catherine d'Aragon (cette dernière avait été répudié par le roi, car elle n'avait pas su lui donner d'héritier mâle), qui fut sur le trône entre 1553 et 1558. Une fois au pouvoir, la reine Marie restaura le catholicisme, rétablit les messes traditionnelles et l'autorité du pape... et elle hérita du surnom de Marie la Sanglante [*Bloody Mary*] pour les nombreuses exécutions de protestants qu'elle suscita. En 1554, elle épousa le roi Philippe II d'Espagne, fils du saint empereur romain Charles Quint. L'événement provoqua plusieurs rébellions qui furent sévèrement réprimées, et après cela trois cents Protestants montèrent sur le bûcher pour leurs croyances. Sous le règne de son successeur, sa demi-sœur la reine Elisabeth Ire (fille d'Henry

VIII et d'Ann Boleyn[232]), l'Angleterre devint une nation puissante et protestante.

Le roi qui bâtit le système des loges

Aujourd'hui, la franc-maçonnerie est constituée de près de cent mille entités particulières, appelées loges. Chacune d'elle est présidée par un Vénérable Maître et tout un ensemble d'officiers qui sont autorisés à diriger des cérémonies d'initiation et d'avancement[233]. Il est possible de suivre le développement qui conduisit à ce système, depuis la construction de la chapelle de Rosslyn par la famille St Clair jusqu'à l'époque moderne.

Il apparaît qu'après la construction de Rosslyn, le concept de loges « opératives » (composée de tailleurs de pierre et artisans maçons qualifiés) continua à se développer en intime association avec les loges supérieures « spéculatives » (composée d'aristocrates qui y ont été admis après une résurrection « vivante »). Une fois le sanctuaire de Rosslyn achevé, il n'était plus possible de dissoudre simplement les organisations secrètes dont on avait doté ces fiers tailleurs de pierre et autres artisans maçons. Ils possédaient désormais leurs propres rites et faisaient partie – même si ce n'était qu'à un niveau moindre – d'un Ordre qui les reliaient aux lords et à l'ancien passé mystérieux du roi Salomon, voire à un passé plus ancien encore.

Tout au long du siècle suivant, ces maçons opératifs se développèrent en Écosse, sous la forme d'une extension lointaine des maçons spéculatifs. Mais finalement, les Saint Clair plongèrent dans une apparente obscurité et l'origine du système se perdit dans les mémoires. Les cérémonies se perpétuèrent avec fierté, puis, lentement mais inexorablement, on finit par ne plus comprendre leurs origines.

Le roi James VI d'Écosse (qui devint James [ou Jacques] Ier d'Angleterre), seul enfant de Marie Stuart, reine d'Écosse, fut le premier roi à régner simultanément sur l'Écosse et l'Angleterre. Il fut également le premier roi connu pour avoir été franc-maçon (initié dans la loge de Scoon et Perth en 1601, à l'âge de trente-cinq ans)[234]. Né le 19 juin

---

232. Dont certains voudraient parfois faire une « sorcière », autrement dit une initiée de la religion wiccane, qui se présente aussi sous le nom de la « Vieille religion », la religion païenne ancienne à tendance féminine. (N.d.T.)

233. Terme essentiellement utilisé pour le passage en maçonnerie de Marque où l'on parle également d'« augmentation de salaire ». (N.d.T.)

234. *Year Book of the Grand Lodge of Ancient Free and Accepted Masons of Scotland* 1995.

1566, James n'était âgé que de quinze mois quand il succéda à sa mère catholique sur le trône d'Écosse[235]. Mais ce n'est qu'en 1583 qu'il commença véritablement à diriger personnellement l'Écosse. Il reçut une excellente éducation de la part de son tuteur principal, George Buchanan, qui incontestablement exerça une forte influence sur le jeune roi. Buchanan lui-même avait formé dans les universités de Saint Andrews (Écosse) et de Paris. C'était un homme d'une grande intelligence. Il avait vécu en Europe continentale pendant trente ans, où il avait acquis la réputation d'être l'un des principaux humanistes de l'époque. Depuis lors, il a toujours été considéré comme l'un des plus grands érudits latinistes et l'un des plus grands poètes de la fin de la Renaissance.

Le jeune roi avait un bon cerveau dont il apprit à se servir sous la conduite intellectuelle de Buchanan. Ainsi il affermit sa position à la tête de l'Église et de l'État écossais, en parvenant à surpasser les nobles qui conspiraient contre lui. Désireux de succéder sur le trône d'Angleterre à Élisabeth Ière qui n'avait pas d'héritier, il n'émit qu'une faible protestation lorsque sa mère Marie fut exécutée pour trahison contre la reine en 1587.

À l'âge de trente-sept ans, deux ans après son entrée en maçonnerie, Jacques devint le premier Stuart roi d'Angleterre. Et à partir de ce moment-là, il se consacra largement aux affaires anglaises. Bien qu'ayant été élevé en presbytérien, il s'opposa immédiatement au mouvement puritain montant en rejetant une de leurs pétitions à la conférence d'Hampton Court en 1604. Cette pétition réclamait la réforme de l'Église d'Angleterre[236]. Mais de l'autre côté, l'hostilité des catholiques romains contre le monarque protestant fut également très importante et, en 1605, un complot catholique dirigé par Guy Fawkes échoua dans sa tentative pour faire sauter simultanément le roi et le Parlement. En dépit de cette tentative d'assassinat, certains en Angleterre soupçonnèrent James d'être secrètement plutôt procatholique parce qu'il conclut la paix avec l'Espagne catholique en 1604. James était un maçon spéculatif et il écrivit aussi des ouvrages sur la royauté, la théologie, la sorcellerie et même le tabac. Significativement, il commanda également une nouvelle

---

235. Une insurrection des nobles écossais contre certains agissements de la reine contraignit cette dernière à abdiquer. Elle s'enfuit en Angleterre, où la reine Elisabeth la fit enfermer. Elle passa dix-huit ans en captivité avant d'être décapitée sur ordre de la souveraine. (N.d.T.)

236. Accusée de collusion avec l'église catholique par les puritains, qui désignaient de ce fait les membres de l'Église d'Angleterre (Anglicans) sous le nom de « catholiques déguisés ». (N.d.T.)

version « officielle » de la Bible, à laquelle il a laissé son nom : la Bible du roi James[237] (c'est la Bible que nous avons déjà maintes fois mentionnée et qui omet les deux livres des Maccabées anti-nazôréens). L'introduction qui apparaît encore au début de cette Bible protestante n'exprime pas de sympathies catholiques. On lit notamment :

> *[…] si bien que, d'un côté, nous serons calomniés par les papistes ici ou à l'étranger, qui donc nous diffamerons parce que nous sommes de pauvres instruments pour vouloir faire en sorte que la Sainte vérité de Dieu soit connue de plus en plus de personnes ; personnes qu'ils désirent garder dans l'ignorance et les ténèbres…*[238]

Ce passage trahit une nouvelle conception où la « connaissance » et l'« individu » sont vus comme des notions qui devraient aller de pair, et qui tranche avec l'égoïsme dissimulateur et politique de l'Église catholique de l'époque.

La franc-maçonnerie moderne est un mouvement non sectaire et se glorifie qu'il en ait toujours été ainsi. Nous pensons que ce n'est pas tout à fait exact et qu'il y eut une période d'anticatholicisme qui transparaît dans cette introduction à la Bible du roi James. Les circonstances du début du XVIIe siècle offrirent à la société secrète des maçons les meilleures conditions pour émerger sur la scène publique. Étant donné que le roi était maçon spéculatif lui-même et que la puissance du pape était définitivement exclue d'Écosse, il n'était soudain plus nécessaire d'entretenir le secret. Le roi James était un penseur doublé d'un réformateur. Il comprit très certainement que le mouvement maçonnique croissant avait besoin d'être formalisé. Ainsi quinze ans après avoir pris la direction active du royaume d'Écosse, deux ans avant de devenir maçon et cinq ans avant de monter sur le trône d'Angleterre, il ordonna que la structure maçonnique existante se dote d'une direction et d'une organisation. Il fit d'un maçon majeur du nom de William Schaw son « Surveillant général des maçons » [*General Warden of the Craft*] et lui demanda d'améliorer toute la structure de la maçonnerie. Schaw commença cette œuvre majeure le 28 décembre 1598 en rendant publique « *Les statuts et ordonnances devant être observés par tous les maîtres maçons de ce royaume* » [The statutes and ordinances to be observed by all the master maissouns within this realme], qu'il signa « *Le Surveillant général*

---

237. Egalement appelée « Bible de 1611 ». (N.d.T.)
238. Introduction à la *Bible du roi James*.

de la dite maçonnerie » [The General Warden of the said Craft].

Schaw n'accordait pas vraiment de pensée au fait que ces rassemblements avaient été créés par la famille Saint Clair, qui avait dirigé ce que l'on appelait la cour des métiers [*Court of Crafts*] près de deux cents ans plus tôt sous le règne de Robert Bruce. À l'époque de Schaw, il apparaît que les St Clair avaient perdu une bonne partie de leur influence, parce qu'ils avaient cherché à utiliser leur contrôle de la maçonnerie opérative pour obtenir des gains financiers. Vers la fin de l'année 1600, un nouveau document fut rédigé par les Maîtres, Diacres et Hommes francs des maçons d'Écosse et publié avec l'accord de William Schaw, qui, dans le document, est présenté comme le Maître royal des travaux [*King's Master of Works*]. Ce texte devint connu sous le nom de première Charte Saint Clair [*First St Clair Charter*]. Elle déclare :

> *De l'avis de tous, il est établi que les lairds de Rosslyn ont toujours été nos patrons et nos protecteurs et qu'ils ont défendu nos privilèges, mais au cours des dernières années, par négligence et indolence, la fonction est tombée en désuétude. Cela a privé les lairds de leurs justes droits, et notre métier de leurs patrons, protecteurs et surveillants, ce qui a conduit à maintes corruptions dans le métier et à voir des employeurs potentiels abandonner maintes grandes entreprises.*[239]

Ce document était signé par les officiers des loges de Dunfermline, St Andrews, Edimbourg, Haddington et Aitchinsons'Haven[240]. En dépit de ce déclin de la famille Saint Clair, les maçons écossais restèrent fidèles à la tradition et rejetèrent l'offre de Schaw d'un mandat royal pour l'Ordre, si le roi James était accepté comme Grand Maître. Si les Saint Clair n'avaient pas de pouvoir de veto pour empêcher James de s'autodésigner Grand Maître, ils reçurent le soutien des Loges contre le souverain.

Le rituel des loges de Schaw fut régularisé, mais il restait encore totalement basé sur les « Anciennes Constitutions », quant aux Mots de maçons et moyens de reconnaissance, ils étaient encore ceux d'une tradition orale plus ancienne, à laquelle, en vérité, Schaw fait référence en de nombreuses occasions. Il appela les assemblées de maçons spéculatifs « loges » et, deux ans après, son grand projet était mis en pratique, les loges anciennement secrètes commençant à dresser les listes de leurs membres et à conserver les minutes de leurs réunions. Elles ne se mani-

---

239. *The First Schaw Statute, Library of Grand Lodge of Scotland.*
240. Il ne semble pas que cette dernière loge – *a priori* légendaire – ait participé à l'élaboration de cette charte. (N.d.T.)

festaient toujours pas publiquement, mais on peut facilement les identifier aujourd'hui. La localisation géographique des premières loges enregistrées montrent comment les rituels consolidés à Rosslyn par William Saint Clair se transformèrent en un mouvement majeur sous le règne de James VI.

Ce fut la mise en forme réglementaire par William Schaw (le Surveillant général des maçons de James VI) tant de la maçonnerie opérative que de la maçonnerie spéculative, qui formalisa le rituel pour donner les trois degrés de la maçonnerie de métier tels que nous les connaissons aujourd'hui. Il accomplit cela en supprimant la séparation et en refaisant des maçons opératifs des assistants de rang inférieur des maçons spéculatifs. Pour cela, il instaura des structures d'« incorporations » des maçons opératifs, qui toutes devaient être rattachées à une loge de maçons spéculatifs. Pour être membre d'une loge spéculative, il y avait une condition absolue : le candidat devait être un homme libre [autrement dit « franc ». En anglais, *free*] du district dans lequel la loge se situait, et bientôt on distingua le maçon spéculatif du maçon opératif en donnant au premier le titre de franc-maçon [en anglais, *Freemason*]. Chaque structure d'incorporation devait se rattacher à une loge, mais chaque loge de maçons spéculatifs n'était pas tenue d'en avoir.

À partir de ce moment-là, la franc-maçonnerie eut une structure de loges, qui allait bientôt se répandre en Angleterre, puis dans le monde entier.

L'architecte du second degré

Nous pensons que le contenu actuel des trois degrés de la franc-maçonnerie de métier était déjà largement présent dans les deux degrés existant avant la réorganisation de Schaw. Ce dernier inséra un niveau supplémentaire de maçonnerie spéculative, entre les degrés d'Apprenti et de Maître (qui était originellement connu comme la Part du Maître [*Master's Part*]). Ce nouveau degré fut intercalé et on créa le grade de Compagnon [*Fellowcraft*], dérivé, pensons-nous, du fait que ces maçons n'étaient pas des ouvriers travaillant la matière, mais qu'ils œuvraient dans le « métier associé » [« *fellow craft* »] de la maçonnerie spéculative. Nous sommes sûrs aujourd'hui que ce degré fut un développement du degré de maçonnerie de marque [*Mark masonry*] (et non l'inverse, comme la plupart des maçons le croient).

Quand James VI d'Écosse devint James Ier d'Angleterre en 1603, l'un de ses premiers actes fut de conférer la chevalerie à Francis Bacon, qui était l'un de ses penseurs favoris et un compagnon franc-maçon. Six ans plus tard, Bacon fut nommé *Solicitor-General* [241] du roi. Les promotions se poursuivirent : James nomma bientôt Bacon *Attorney-General* [242], puis Gardien du sceau royal [*Lord Keeper of the Great Seal*] et finalement Chancelier [*Lord Chancellor*] en 1618. Il prit alors le titre de baron de Verulam.

Frère Francis Bacon fut l'un des philosophes les plus admirables de l'Histoire. Il chercha à libérer l'esprit humain de ce qu'il appelait les « idoles » ou les « tendances à l'erreur ». Il prépara le plan d'une grande œuvre, l'*Instauratio Magna* (« *La Grande Restauration* [sous-entendu "des Sciences"] »), devant exposer ses idées pour restaurer la maîtrise de la nature par l'homme[243]. Ce vaste travail devait contenir six parties :

1. Une classification des sciences.
2. Une nouvelle logique inductive.
3. Une collection de faits empiriques et expérimentaux.
4. Des exemples devant montrer l'efficacité de sa nouvelle approche.
5. Des généralisations pouvant être extraites de l'histoire naturelle.
6. Une nouvelle philosophie qui serait une science complète de la nature.

Finalement, il ne put achever que deux parties : *L'Avancement des sciences* en 1605 (qui sera augmenté en 1623 pour devenir *La Dignité et l'Avancement des sciences* [*De Dignitate et augmentis scientiarum*]) et le *Nouvel Organon* [*Novum Organum*] en 1620, qui était une attaque de l'*Organon* d'Aristote. Il présenta personnellement ce dernier ouvrage à son seigneur, James VI. Le sommet de l'œuvre de Bacon fut sa philosophie inductive de la nature, qui proposait de trouver les « formes » ou lois naturelles des actions physiques. Il conçut ce qu'il appela ses tables d'induction (de présence, d'absence et de degrés) destinées à découvrir ces formes, avec toujours pour objectif de maîtriser la nature.

Si Bacon n'a jamais pu être qualifié de grand scientifique, il est éminemment considéré comme un homme ayant donné une grande impulsion au développement de la science inductive moderne. De nombreux penseurs et scientifiques du XVIIe siècle – comme Robert Boyle, Robert

---

241. Dans le système juridique anglais, adjoint de l'*Attorney-General* (qui correspond au procureur général). (N.d.T.)

242. Ce qui fait de Bacon le second personnage du système juridique anglais. (N.d.T.)

243. On trouve dans ce livre une phrase célèbre qui le résume (et qui est à propos dans le présent ouvrage) : « La connaissance amène la puissance ». (N.d.T.)

Hooke, sir Isaac Newton et Thomas Hobbes – tenaient ses travaux en très haute estime. Un siècle plus tard, les grands philosophes français Voltaire et Diderot décrivaient ce penseur anglais comme rien moins que « le père de la science moderne ».

Il est hautement probable que le Frère Bacon fut la force motrice ayant donné le style du nouveau second degré, présenté officiellement par son proche collègue William Schaw. Personne dans le groupe de francs-maçons du roi n'avait plus de passion pour l'avancement des sciences et le fait d'ouvrir l'esprit à la nature. Cependant, Bacon laissa sa connaissance maçonnique se mêler à ses aspirations publiques lorsqu'il publia son roman philosophique *La Nouvelle Atlantide*. Celui-ci livrait ouvertement son plan pour une reconstruction du Temple du roi Salomon en termes spirituels. Cette pure vision « Ézéchielesque », disait-il, était « un palais des inventions » et « un grand temple de la science ». Il le visualisait moins comme un bâtiment que comme un nouvel État, dans lequel la recherche de la connaissance dans toutes ses branches serait organisée avec la plus grande efficacité pour principe.

La nouvelle hérésie

Le second degré de la franc-maçonnerie ou degré de « Compagnon » délivre très peu de connaissance au candidat. Mais il introduit l'idée de « mystères cachés de la nature et de la science » et fait une référence claire à l'« hérésie galiléenne ». Si nous sommes certains que le sujet central de ce degré est aussi ancien que tout le reste de la franc-maçonnerie, il est néanmoins – et de manière évidente – de construction plus récente, largement due à Francis Bacon. Les parties qui furent retenues pour cette nouvelle cérémonie étaient en rapport avec la nature et le droit de l'homme à l'étudier et à la comprendre.

L'idée même de comprendre les mystères de la nature nous paraissait rappeler l'encyclopédie botanique intégrée dans la décoration du sanctuaire de Rosslyn. Comme nous l'avons déjà montré, ses gravures finement ouvragées montrent les détails de centaines de plantes, y compris de variétés américaines théoriquement inconnues à l'époque de la construction.

Ailleurs, la pensée libérale avait déjà conduit à l'invention par le Vatican d'une nouvelle forme d'hérésie qui, à juste raison, voyait un grand danger dans cette idée de « pensée incontrôlée ». L'Église catholique romaine persécutait ceux qui étudiaient la science et aboutissaient à des conclusions entrant en conflit avec la vision dogmatique que les cardinaux avaient de leurs Saintes Écritures. Galilée fut le plus significatif de ces « mauvais » personnages ; il utilisa les nouvelles techniques pour confirmer que c'était le soleil et non la terre qui était au centre de l'univers. Bien que ce concept eût déjà été décrit par l'Égyptien Erathostène au IIIe siècle avant notre ère [244], on le qualifia de « copernicanisme » ou « système de Copernic » (du nom de son partisan le plus récent, le Polonais Nicolas Copernic 1473-1543). Et en dépit de toutes les protestations qui se levèrent, le Saint-Office[245] de Rome promulgua un édit contre ce système copernicien au début de 1616. L'hérésie à laquelle Galilée fait référence et qui fut mise hors la loi par la bulle papale est évoquée dans la réponse à une question paradoxale du rituel de passage du premier au second degré de la maçonnerie. Les questions et réponses sont :

Q. Où avez-vous été reçu maçon ?

R.. Dans une Loge juste, parfaite et régulière.

Q. Et quand ?

R.. Quand le soleil était sur son méridien.

Q. Comme dans ce pays, les Loges de francs-maçons se tiennent généralement la nuit comme les initiations de candidats, comment expliquez-vous ce qui à première vue ressemble à un paradoxe ?

R.. Le soleil est un corps fixe et la terre tourne continuellement autour de celui-ci comme autour d'un axe. La franc-maçonnerie étant une science universelle, présente dans la totalité du monde habité, il s'ensuit nécessairement que le soleil se trouve toujours sur son méridien par rapport à la franc-maçonnerie. »

Il est fort improbable que cette référence ait été introduite avant 1610, autrement dit avant la date où Galilée exprima publiquement sa conviction que Copernic avait raison de penser que la terre tournait autour du soleil. Nous pensons que Francis Bacon décida immédiatement d'incorporer cette nouvelle vérité de la nature dans son second degré récemment créé.

Il est important de se souvenir que le degré de Compagnon ne fut pas une invention : il fut constitué à partir d'éléments empruntés à la maçonnerie de Marque et peut-être aux deux degrés originels (le degré

---

244. Il est né en 276 avant notre ère à Cyrène et s'est laissé mourir de faim à quatre-vingts ans. Philosophe et astronome, il fut l'un des plus remarquables représentants de l'école d'Alexandrie. (N.d.T.)

245. Plus connu sous le nom d'Inquisition, et qui s'appelle depuis Paul VI la Congrégation pour la Doctrine de la Foi. (N.d.T.)

d'Entrant et le rang de Maître), auxquels s'ajoutèrent quelques nouveaux éléments partout où cela semblait idoine. Tout cela a donné naissance à une contradiction majeure au sein de ce rituel : on dit au candidat qu'un signe secret est exécuté en tenant les mains d'une certaine manière au-dessus de la tête, comme le faisait Josué :

> *Quand Josué combattit au nom du Seigneur Yahvé dans la vallée de Josaphat, il adopta cette posture et pria le Seigneur avec ferveur en lui demandant d'arrêter le soleil et de faire durer la lumière du jour jusqu'à ce que la défaite sur Ses ennemis soit totale.*

Il y a ici une contradiction évidente, puisque l'on commence par dire au candidat que la terre tourne autour du soleil, puis que Yahvé peut arrêter la course de l'astre pour aider Josué. Nous pensons que cette histoire a été conservée dans le rituel parce qu'elle était trop ancienne et trop importante pour être enlevée, en dépit de la contradiction effective imposée par les nouvelles découvertes.

Cette explication du signe de Compagnon fait apparemment allusion au livre de Josué, 10, 12. Mais ce verset parle en réalité de la vallée d'Ayyalôn [*Ajalon*], et non de celle de Josaphat. Rappelez-vous que Josué avait alors succédé à Moïse à la tête du peuple d'Israël. Mais ce ne fut pas avant l'époque de David que la vallée de Josaphat devint un territoire israélite (comme nous l'avons déjà mentionné, Josaphat est un autre nom de la vallée du Cédron qui s'étend au sud et à l'est de Jérusalem[246]. Nous avons déjà raconté comment l'Ancien Testament décrit Josué comme un Habiru maraudeur et meurtrier, sans intérêt manifeste pour les principes qui sont ceux de la franc-maçonnerie. Le passage de l'Ancien Testament, auquel est attribué la citation, n'est qu'un des très nombreux exemples effroyables de massacre de masses d'innocents – hommes, femmes et enfants – sans autre raison que la rapacité de brigands comme Josué et l'apparente folie meurtrière de Yahvé. Le passage narre avec fierté comment, sur les ordres de Dieu, cinq rois et tous leur sujets et animaux furent massacrés par les Habiru progressant et comment, d'une extrémité de la terre à l'autre :

---

246. La vallée du Cédron (nom de la rivière qui la parcourt) ne fut également appelée vallée de Josaphat (« Yavhé juge ») qu'à partir du IV\ :^e\ siècle de notre ère. Ce nom de vallée de Josaphat s'appliquait antérieurement à une autre vallée dans l'Ancien Testament (non véritablement localisée), où Yahvé serait entré en jugement avec les nations (voir Isaïe, 66, 16, Jérémie 25, 31, Joël 4, 2). Mais nul doute que pour les pères du rituel de second degré, la vallée de Josaphat désignait bien la vallée du Cédron. (N.d.T.)

Il ne laissa pas un être vivant, comme le Dieu d'Israël l'avait ordonné.[247]

Dès lors que ce Josué était aussi éloigné de la maçonnerie qu'une personne puisse l'être et qu'il était antérieur au Temple de Salomon, nous ne pouvons imaginer pourquoi ce rituel ferait allusion à lui. Personne ne peut croire cela, sauf si l'on ignore toute autre explication possible.

Cependant, un autre personnage biblique, beaucoup plus particulier, fut également connu sous le nom de Josué/Josuah ou Yehoshua, un personnage qui est d'une importance vitale pour la franc-maçonnerie et qui mena la plus grande bataille « au nom du Seigneur Yahvé » dans la vallée de Josaphat, précisément. Cet homme, c'est naturellement Jésus, celui qui vint avec ses partisans dans le jardin de Gethsémani (qui se trouve dans la vallée de Josaphat), où il finit par affronter ses ennemis et où il chercha à les vaincre. Parce qu'il connaissait l'ancienne histoire de Sekenenrê Taâ/Hiram Abif, il est fort possible qu'il ait prié Dieu d'arrêter le soleil sur son méridien, ce qui était une manière de demander que les forces des ténèbres restent dans leur position la plus faible et les forces du bien dans leur condition la plus forte pendant la durée du conflit imminent. Malheureusement, il perdit cette bataille, mais grâce aux templiers, il a finalement remporté la guerre.

Cette connaissance donne une parfaite signification à l'explication du signe de Compagnon ou de second degré qui, sans cela, semblerait parfaitement incongrue. Dans le chapitre 12, nous avons expliqué comment le discours de Jacques lors de la crucifixion et sa direction subséquente de l'Église montrait qu'il avait été profondément impressionné par les actions de son frère. Il serait déraisonnable de penser qu'un épisode aussi important que les prières dans le jardin de Gethsémani n'ait pas été retranscrit dans les manuscrits que les templiers découvrirent. Jacques et les Qoumrâniens auraient perçu l'action de Jésus dans la vallée de Josaphat, comme un *pesher* de Josué 10, 12. Et cette interprétation du signe de second degré donne du sens à un rituel qui était auparavant impénétrable.

Les Anciens Devoirs

Il est clair que les changements apportés au vieux rituel furent limités au minimum et que les Anciens Devoirs [*Old Charges*] provenant de la

---

247. Josué, 10, 40. (N.d.T.)

tradition orale furent précisément, à l'origine, mis noir sur blanc pour
éviter les déviations. William Schaw est connu pour avoir cherché à protéger les « anciens *landmarks*[248] de l'Ordre ». Et on a aujourd'hui
retrouvé suffisamment de documents écrits permettant de savoir ce
qu'était la maçonnerie avant les modifications ordonnées par le roi James
VI et exécutées notamment par Schaw et Bacon. Parmi ces documents,
on compte notamment *le manuscrit d'Inigo [ou Nigo] Jones*, déjà évoqué
au chapitre 10, et attribué à ce célèbre architecte et franc-maçon. Mais il
existe quelques doutes quant à son auteur réel. Cependant, selon certains
spécialistes, la date de sa rédaction pourrait être de cinquante ans postérieure à Jones et le véritable auteur du document pourrait être un
membre de la Loge Inigo Jones.

Encore plus intéressant, le *manuscrit Wood* fut écrit en 1610 (l'année
même où Galilée exprima pour la première fois publiquement ses
conceptions sur la structure du système solaire), sous la forme de huit
bandes pliées pour obtenir seize feuilles, soit trente-deux pages. Il commence en identifiant les sciences auxquelles la maçonnerie a toujours été
associée, à savoir : *Grammaire, Rhétorique, Logique, Arithmétique,
Géométrie, Musique et Astronomie.* Ce sont autant d'anciennes disciplines
du monde classique, perdus dans le monde chrétien au cours des âges
sombres. On s'intéressait de nouveau à eux depuis le Xe siècle, grâce aux
contacts avec les érudits arabes en Espagne, Sicile et en Afrique du Nord,
et grâce aux penseurs grecs à Constantinople. Entre autres choses, les
livres perdus d'Aristote furent redécouverts. En outre, les ouvrages scientifiques et mathématiques arabes furent traduits pour être utilisés par les
Occidentaux. Au début du XVIIe siècle, toutes les personnes éduquées
étaient familiarisées avec ces disciplines qui n'étaient en aucune manière
spécifique à la maçonnerie.

Le *manuscrit Wood* poursuit en disant que la géométrie est la plus
grande des sciences et qu'elle existe depuis le commencement des temps.
Il fait commencer l'histoire de l'Ordre aux deux piliers découverts après
le Déluge de Noé – l'un en marbre qui ne pouvait être consumé par le
feu et l'autre fait dans une substance que la légende maçonnique connaît
sous le nom de « Later [Laterus] » et qui était indissoluble dans l'eau et
insubmersible. L'un de ces piliers fut retrouvé et l'on inscrivit dessus les
secrets des sciences à partir desquelles les Sumériens développèrent un

---

248. Littéralement « borne », mais la maçonnerie francophone a conservé tel quel le
terme *landmark* sans le franciser. « Au sens maçonnique du terme, [un landmark est
une] règle constitutionnelle à laquelle il est interdit de toucher sous peine d'" irrégula-
rité" ». (*Dictionnaire de la franc-maçonnerie*, p. 678). (N.d.T.)

code moral qui passa aux Égyptiens, par l'intermédiaire du Sumérien Abraham et de son épouse Sarah. Le texte de Wood continue avec la description d'Euclide enseignant la géométrie aux Égyptiens. C'est ainsi en Égypte que les Israélites apprirent cette science et qu'ils l'emportèrent avec eux à Jérusalem, où elle servit à construire le Temple du roi Salomon.

Certains de ces manuscrits du XVIIᵉ siècle ne font pas allusion à Hiram Abif. Pour cette raison, certains ont conclu que le personnage devait être une invention de cette période relativement récente. Cependant, le nom Hiram Abif n'était qu'une désignation parmi d'autres pour ce personnage central : on l'évoque encore sous le nom d'Aymon, Aymen, Amnon, A Man [en anglais, « un homme »] ou Amen et parfois Bennaim. Il est dit qu'Amen serait le mot hébreu pour « celui à qui l'on peut faire confiance » ou le « fidèle », ce qui concorde parfaitement avec le rôle d'Hiram. Mais nous savions également qu'Amon ou Amen était le nom de l'ancien dieu créateur de Thèbes, la cité de Sekenenrê Taâ. Pouvait-il y avoir un lien ici ? Nous le pensons.

Le nom « A Man [un homme] » nous intéressa particulièrement, parce qu'il nous remit en tête ce passage des rédacteurs du livre de la Genèse 49, 6, que nous avons cité au chapitre VIII. Rappelez-vous que nous pensions alors que cet extrait pouvait être une description du meurtre de Sekenenrê Taâ :

> *Ô mon âme, n'entrez pas en leur secret ; qu'à leur assemblée, mon honneur ne s'unisse pas : car dans leur colère ils ont tué **un homme** [A man], et dans leur volonté ils ont fait s'effondrer un mur.*

Se pouvait-il que la victime apparemment anonyme soit en réalité nommée en donnant le qualificatif d'« A Man », le nom maçonnique primitif d'Hiram Abif et celui du dieu créateur de Thèbes ? Et est-ce une coïncidence si les chrétiens disent « Amen » à la fin de leurs prières, comme une sorte d'invocation pour que leurs vœux se réalisent ?

L'autre nom, Bennaim, a posé quelques difficultés aux chercheurs maçonniques. On a remarqué que la terminaison « im » en hébreu correspond à un pluriel (comme dans *pesherim*), tandis que la première partie signifierait « bâtisseur ». Nous voudrions aller plus loin et émettre une hypothèse : ce mot serait basé sur l'ancien terme égyptien pour le pilier sacré, surmonté d'une petite pyramide appelée pierre *benben*. Ainsi, ce mot pourrait être une très ancienne description, signifiant « bâtisseur – ou architecte – des piliers sacrés ». Ce se serait une description littérale très cohérente d'Hiram Abif et une description métaphorique tout aussi pertinente de Jésus.

Il nous semble qu'à l'époque où les collaborateurs de James VI formalisèrent la franc-maçonnerie à partir du mariage spéculatif/opératif des templiers de Rosslyn, la connaissance de son origine était devenue confuse et avait été en partie perdue. Ces francs-maçons du XVIIe siècle disposaient d'une ligne directe les ramenant pratiquement au commencement de l'histoire humaine, mais toutes les étapes que les motifs avaient dû franchir obscurcissaient une bonne partie de l'histoire. Néanmoins, même s'ils n'avaient pas une idée claire de l'origine de leur Ordre, ils comprenaient l'importance de la sagesse qu'il renfermait et ils étaient fortifiés par toute la dynamique du savoir qui apparut au XVIIe siècle. Les francs-maçons étaient prêts à profiter de l'occasion.

Au cours de la cérémonie de second degré, on demande au candidat :

Quels sont les objets particuliers de votre recherche dans ce degré ?
La réponse requise est :
Les mystères cachés de la nature et de la science.
À la fin de son initiation, on dit au nouveau Compagnon :
Vous devez maintenant faire des sciences et des arts libéraux l'objet de votre étude.

C'était là une invitation que les grands francs-maçons du XVIIe siècle ne pouvaient décliner. Ayant analysé les développements du XVIIe siècle au sein de la franc-maçonnerie, nous avions pour tâche finale de comprendre comment celle-ci était parvenue à imprimer sa marque sur le monde moderne.

En 1625, le roi franc-maçon James VI mourut et son second fils, Charles, lui succéda (son aîné, le prince Henry, était mort en 1612). Nous avions la ferme sensation que le nouveau roi aurait dû emboîter les pas de son père en devenant franc-maçon à son tour. Il est significatif qu'un certain nombre de tombes, riches en symbolisme maçonnique, soient construites dans le mur nord de l'abbaye Holyrood [« de la Sainte Croix »] d'Édimbourg, qu'il rénova pour son propre couronnement écossais en 1633. Cependant, Charles indisposa fâcheusement la majorité protestante de son peuple en épousant Henriette-Marie, princesse catholique et fille du roi Henri IV de France. Comme son père James, Charles Ier croyait fermement dans le droit divin des rois, ce dont il témoigna avec une grande arrogance, allant jusqu'à provoquer un conflit avec le Parlement qui conduisit finalement à la guerre civile. Le jeune roi fut fortement influencé par son ami proche, George Villiers, le 1er duc de Buckingham, qu'il nomma Premier ministre en dépit de la désapprobation générale.

L'affrontement fut permanent entre Charles Ier et le Parlement. Le souverain en dissolut trois en quatre ans à peine, en raison de leur refus de se soumettre à ses demandes arbitraires. Quand le troisième de ces Parlements se réunit en 1628, ce dernier présenta sa « pétition de droit » [*Petition of Right*], une déclaration demandant au roi d'effectuer certaines réformes en échange de fonds. Charles fut contraint d'accepter la requête mais après avoir fait cette concession, il répondit en dissolvant le Parlement une fois de plus et plusieurs de ses leaders furent emprisonnés. Charles n'avait pas le flair de son père pour la gestion politique et, conséquence de sa confrontation permanente avec le Parlement, il finit par régner onze ans sans le moindre Parlement. Pendant cette période, il instaura d'extraordinaires mesures financières pour répondre aux dépenses gouvernementales, qui ne firent qu'aggraver sa grande impopularité. Tout le royaume commença à devenir instable sous le règne autocratique de Charles. Si en toute autre période, un tel remue-ménage social n'eût été qu'une mauvaise chose, les circonstances singulières du temps en firent paradoxalement une période de grande opportunité. De nouveaux types de pensée abondaient et la rupture dans la continuité du vieil ordre établi ouvrit la porte à toutes les possibilités.

À première vue, cette idée pourra sembler curieuse, mais nous commençâmes à penser de plus en plus fermement qu'il y avait certains parallèles pertinents entre cette période du XVIIe siècle anglais et le contexte trouvé en Israël à l'époque de Jésus et du mouvement nazôréen. Ces ressemblances allaient permettre de nous rendre compte que les enseignements présents dans la franc-maçonnerie s'adaptaient particulièrement à toutes les principales factions de la guerre civile. Le premier de ces parallèles concerne un conflit dans le principe de relation à Dieu. Comme les Juifs mille six cents ans plus tôt, pratiquement tout le monde dans le pays pensait que Dieu était au centre de toutes choses, mais les avis divergeaient de plus en plus sur les moyens d'entrer en relation avec lui. À l'époque de Jésus, il y avait le Sanhédrin qui était l'autorité nommée au Temple. Il s'agissait du seul intermédiaire possible, la seule voie pour entrer en contact avec Yahvé. À côté, il y avait les sadducéens, qui reconnaissaient le pouvoir de l'empereur romain. Même les pharisiens, supposés droits et vertueux, furent accusés par Jésus de perdre de vue la base même de leur foi et il s'opposa ouvertement à leur pouvoir. Dans notre esprit, Jésus n'était rien d'autre qu'un républicain, essayant d'établir le règne des personnes « droites », tandis que lui-même aurait été le chef légitime faisant respecter les lois de Dieu. Il fut un antibureaucrate qui voulait faire disparaître les égoïstes suffisants prétendant avoir le contrôle de la route vers Dieu. Il était incontestablement contre le pouvoir établi et nous pensons qu'il n'est pas déraisonnable de le décrire comme un puritain de son temps : un homme qui recherchait avant tout la simplicité, la rigueur religieuse et la liberté…, et n'avait pas peur de se battre pour cela. Aux XVIᵉ et XVIIᵉ siècles, l'Église catholique était animée par de riches conservateurs qui avaient perdu de vue la piété sous leurs ego boursouflés, et leur insistance à dire que seul le pape avait le droit d'entrer en rapport avec Dieu avait éloigné d'eux tous ceux qui avait l'esprit et l'opportunité de penser par eux-mêmes.

Certaines critiques contre les pharisiens trouvées dans l'Évangile originel reconstitué – cet Évangile que l'on désigne sous la lettre « Q » – ressemblent beaucoup aux accusations que les puritains du XVIIᵉ siècle portaient contre l'Église catholique romaine. Certaines paroles attribuées à Jésus dans le passage QS 34 (de l'Évangile reconstitué « Q ») nous frappèrent parce qu'elles étaient encore tout à fait d'actualité au XVIIᵉ siècle :

Honte sur vous, Pharisiens ! Car vous nettoyez l'extérieur de la coupe et du plat, mais à l'intérieur vous n'êtes qu'avidité et incontinence. Pharisiens stupides ! Nettoyez l'intérieur et l'extérieur sera aussi nettoyé.

Honte sur vous, Pharisiens ! Car vous aimez les premières places dans les assemblées et les salutations sur les places publiques. Honte sur vous ! Car vous êtes comme des tombes, belles de l'extérieur, mais pleines d'impuretés à l'intérieur…

Honte sur vous, gardiens de la Loi ! Car vous avez enlevé au peuple la clé de la connaissance. Vous-mêmes ne pouvez pénétrer dans le royaume de Dieu, alors vous empêchez ceux qui le pourraient d'y entrer.

Comme il serait aisé de remplacer les mots « pharisiens » et « gardiens de la loi » par le terme « cardinaux » pour que ce passage sembleremarquablement puritain !

Notre seconde connexion entre les deux périodes concerne la fin du pouvoir papal en Angleterre et la confusion des autorités sacerdotale et séculière dans la seule personne du roi. Pour la première fois depuis la fondation de l'Église, l'ambition de Jésus de réunir en un seul les piliers sacerdotal et royal était réalisée. Pendant que nous travaillions sur cet appendice, nous décidâmes d'étudier tout ce que nous avions rassemblé sur la guerre civile anglaise. Nous tombâmes sur une illustration du XVIIᵉ siècle qui confirmait tout ce que nous avions détecté à propos du lien avec l'Église de Jérusalem. À des stades antérieurs de notre recherche, nous avions fréquemment fait une petite fête chaque fois que nous découvrions quelque objet ou petit bijou d'information qui venait s'encastrer dans une autre partie de notre puzzle en devenir. Mais à ce stade, nous commencions à accepter comme une routine que des éléments de preuves remarquables surgissent, parce que notre thèse centrale était juste et que la veine historique que nous creusions était continue et sans fin. Ainsi, à ce moment, l'objet que nous trouvâmes était une gravure du XVIIᵉ siècle montrant en détail les piliers royal et sacerdotal, *mishpat* et *tsedeq*. Ils étaient présentés exactement tels que nous les avions perçus en lisant les anciens textes juifs. Cela ne ressemblait pas simplement à cette imagerie centrale que nous avions maintenant pris l'habitude de considérer ; c'était identique ou presque identique.

La seule véritable différence résidait dans le personnage qui faisait office de clé de voûte. Dans cette version, le roi Charles Ier assumait le rôle des deux piliers en s'identifiant à la clé de voûte qui les réunissait. Ici le pilier gauche est *tsedeq* sous la forme de « l'Église », surmonté par la personnification de la « Vérité ». Le pilier droit est *mishpat* sous la forme de « l'État », surmonté par la « Justice ». De manière assez intéressante, le fils de Charles Ier, Charles II, devait faire construire ce motif à l'entrée d'Holyrood House, quand il la reconstruisit après la guerre civile en 1677.

En utilisant ce symbolisme, le roi Charles Ier emboîtait totalement les pas de Jésus, mais le roi n'avait pas la grande intelligence du leader juif et sa clarté républicaine. Quand l'ordre social concorderait avec les lois données par Dieu, croyait Jésus, le rôle actif du grand prêtre deviendrait inutile parce que Dieu agirait directement par l'intermédiaire de son roi terrestre pour maintenir un état de *shalom*. En contraste, le roi anglais se voyait lui-même dans ce rôle de fusion sacerdotal/royal, et pour lui, Dieu n'était qu'un personnage lointain. L'ancien message que transmettait la franc-maçonnerie avait déjà perdu une partie de sa signification originelle et capitale !

En Angleterre, ceux qui cherchaient un nouvel ordre social allaient se battre avant de trouver une solution unique à leurs différences : une solution qui viendrait de l'Art royal et qui assurerait la continuité de la monarchie dans le Royaume-Uni quand les nations voisines passeraient leurs souverains par le fil de l'épée.

L'ascension des républicains

Trois ans après l'accession de Charles Ier au trône, un jeune roturier avec des idées républicaines fut envoyé au parlement par le district d'Huntingdon. Son nom était Oliver Cromwell. Quand sa famille arriva du Pays de Galles, ils s'appelaient Williams. Ils sortirent de l'ombre grâce aux faveurs du ministre d'Henri VIII, Thomas Cromwell, qui était l'oncle de l'arrière-arrière-grand-père d'Oliver. Ils adoptèrent le nom de leur bienfaiteur en reconnaissance de son aide. La nouvelle famille Cromwell devint bientôt proéminente dans la ville d'Huntingdon (Cambridgeshire), où Oliver naquit le 25 avril 1599. Ils étaient maintenant riches et leur fils fut éduqué en ville par un puritain de premier plan appelé Thomas Beard. Ce personnage ne mâchait pas ses mots lorsqu'il exprimait son désir de « purifier » l'Église d'Angleterre de tous les éléments catholiques romains restants. Cromwell fréquenta ultérieurement le Sydney Sussex College et l'université de Cambridge, essentiellement puritains, tout en étudiant le droit à Londres. En août 1620, il épousa Elizabeth Bourchier et retourna à Huntingdon pour gérer la propriété de son père. Il devint membre du Parlement huit ans plus tard.

Au cours de la décennie suivante, Cromwell manifesta une attitude clairement puritaine. Sa fortune personnelle plongea avant se redresser quand il hérita de l'oncle de son épouse de propriétés à Ely. En 1640, Cromwell revint au Parlement au moment précis où la relation entre Charles Ier et les puritains atteignait un niveau critique et que le conflit devenait inévitable. Deux ans plus tard, le 22 août 1642, la guerre civile éclata entre le Parlement dominé par les puritains et les partisans du roi. Le cerveau militaire vif de Cromwell fut prompt à comprendre que la passion religieuse pouvait engendrer l'esprit combatif qui remporte les combats. Il leva rapidement un régiment d'impétueux cavaliers pour combattre du côté des parlementaristes. Au cours des deux premières années de guerre, après que les deux factions eurent levé des armées, les royalistes (que l'on surnommait aussi les *Cavaliers*) remportèrent de plus en plus de victoires. Après une bataille sanglante mais indécise à Edgehill (Warwickshire) en octobre 1642, les royalistes donnèrent l'impression de vouloir avancer sur Londres, mais ils furent repoussés. À la fin de la première année de guerre, les royalistes tenaient la majeure partie de l'Angleterre, à l'exception de Londres et du côté oriental du pays. L'aptitude de Cromwell au commandement fut reconnue. En 1644, l'énergique soldat se retrouva lieutenant-général sous les ordres d'Edward Montagu, comte de Manchester. Sa promotion était bien méritée. Il mena à la victoire les forces parlementaristes – connues elles sous le nom de « Têtes rondes » [249] – au cours de la bataille cruciale de Marston Moor [2 juillet 1644], héritant à cette occasion pour lui et son régiment du surnom de « Côtes de Fer » [*Ironsides*].

Cette victoire se révéla une sorte de tournant pour les parlementaristes. Les royalistes furent encore vaincus par la nouvelle armée modèle de sir Thomas Fairfax à Naseby (Leicestershire). Bataille après bataille, les Têtes rondes poursuivirent leur progression jusqu'à la chute de la capitale royale, Oxford, le 24 juin 1646. Charles alla se rendre aux Ecossais. Il fut livré au Parlement qui l'enferma. La ville de Lichfield (Staffordshire) tint encore quelques semaines, mais la première partie – la plus importante – de la guerre civile s'était achevée.

De nombreux observateurs pensent qu'Oliver Cromwell fut lui-même franc-maçon. S'il n'existe aucun document décisif pour prouver cette

---

249. À cause de la forme de leurs casques. (N.d.T.)

affirmation, elle semble hautement probable. Son supérieur et proche ami, sir Thomas Fairfax[250], était certainement un membre de l'Art royal et le siège de la famille Fairfax à Ilkley (Yorkshire) possède encore un temple maçonnique derrière la bibliothèque. On y accède en descendant un escalier en spirale menant à une petite pièce à pavement noir et blanc avec deux piliers non encastrés. Le bâtiment est aujourd'hui est le siège social d'une grande firme électrique. Mais à quelques kilomètres de là, dans le village de Guisley, il existe encore une Loge du nom de Fairfax.

L'une des meilleures sources d'information sur la franc-maçonnerie pendant cette période est le journal d'Elias Ashmole, une somme formidable couvrant six volumes de journal proprement dit et un volume d'index. Le responsable de la bibliothèque universitaire de Robert fut surpris quand il sortit les sept volumes un été avec l'intention de les lire intégralement ! Nous nous étions demandé comment trouver des informations sur la période. Nous avions conclu que c'était la période phare des grands mémorialistes et autres auteurs de journaux intimes ; de ce fait, c'est en les lisant que nous avions le plus de chances d'obtenir tout ce que nous voulions sur cette époque. Nous ignorions ce que nous cherchions, il était donc nécessaire de tout lire pour prendre connaissance du contenu de tous ces documents. Ce ne fut pas un exercice vain, parce que nous trouvâmes des références à différentes réunions très singulières, ce qui nous aida à éclairer toute la période et les événements qui conduisirent à la formation de la *Royal Society* [Société royale] et à la Restauration.

Elias Ashmole était le contrôleur du matériel militaire [*Controller of Ordnance*] du roi au moment de la reddition. Il est aussi l'une des figures les plus importantes de l'histoire officielle de la franc-maçonnerie. Quatre mois après qu'il eut vu son camp perdre la guerre, Ashmole se rendit à Warrington pour être initié dans l'Art royal. Le 16 octobre 1646, il note dans son journal :

> *4h 30 de l'après-midi. J'ai été fait franc-maçon à Warrington, Lancashire, en même temps que le Col. Henry Mainwaring[251] de Karincham, dans le Cheshire.*
> *Les noms de ceux qui étaient alors dans la Loge : M. Rich. Penket, Surveillant, M. James Collier, M. Rich. Sankey, Henry Littler, John Ellam, Rich. Ellam & Hugh Brewer.*

À cette époque, le trajet de Oxford à Warrington devait être un

---

250. Qui favorisera ensuite le retour de la monarchie et de Charles II. (N.d.T.)
251. Colonel cromwellien notoire. (N.d.T.)

voyage long et ardu, mais dès le lendemain de son initiation Ashmole repartit, cette fois pour le bastion parlementariste de Londres.

C'était là une curieuse initiative : la tension était encore très vive et tous les ex-officiers royalistes avaient l'interdiction de s'approcher à moins de vingt milles [un peu plus de trente kilomètres] de la cité de Londres. Comme il était encore récemment un officier du roi en vue, Ashmole ne pouvait espérer se promener incognito. Il devait donc avoir de bonnes raisons de se rendre dans la capitale, mais il devait également disposer de garanties de protection. Dans les papiers du *Public Record Office, State papers Domestic, Interregnum A.* [Archives nationales du Royaume-Uni, département des Affaires intérieures, période de l'inter-règne], une note datée du 14 mai 1650 confirme la nature inhabituelle de la visite et montre également qu'il ne s'agissait pas d'un arrangement temporaire :

Il (Ashmole) doit résider à Londres, en dépit de l'Acte du Parlement contraire.

Il y a de bonnes raisons de supposer que ce franc-maçon royaliste fut en mesure de vivre ouvertement à Londres pendant de nombreuses années et qu'il fréquenta les parlementaristes de haut rang. Il ne fait pratiquement aucun doute qu'il devait ce statut privilégié au fait qu'il était franc-maçon, et par conséquent membre de la seule organisation non religieuse et non politique qui offrait une structure fraternelle dans laquelle un Cavalier [royaliste] pouvait rencontrer une Tête ronde [cromwellien] et où un catholique pouvait côtoyer sans peur et sans malveillance un puritain. Une fois de plus, le journal d'Ashmole nous fournit des informations de valeur. L'entrée du 17 juin 1652 dit :

11h. du matin. Le docteur Wilkins & M. Wren m'ont rendu visite à Blackfriers. C'était la première fois que je voyais le docteur.

Le « M. Wren » désigne le grand architecte sir Christopher Wren, qui construisit de nombreuses églises superbes, parmi lesquelles la cathédrale St Paul, après le grand incendie de 1666 qui détruisit une bonne partie de la ville. Encore une fois, il est possible que Wren ait été franc-maçon, mais il n'existe pas de document pour le prouver et certains pensent qu'il ne le fut pas. Par ailleurs, le docteur Wilkins était incontestablement un membre de l'Art royal. À l'époque de cette rencontre, John Wilkins était directeur du Wadham College d'Oxford (Wren était chargé de cours dans ce même collège à l'époque), avant devenir de ultérieurement évêque de Chester et l'un des membres fondateurs de la *Royal Society*. Partisan des parlementaristes et puritain bénéficiant d'une autorité considérable, Wilkins était le mari de la sœur d'Oliver Cromwell, Robina, et un ancien chapelain du *Protecteur* lui-même.

Lorsqu'Ashmole rencontra Wilkins, cela faisait six ans qu'il résidait à Londres et il s'était passé beaucoup de choses. Le roi avait relancé la guerre avec l'aide des Écossais, mais il avait été défait et emprisonné à Preston. Finalement, un roi franc-maçon avait perdu devant un parlementariste franc-maçon. Le 20 janvier 1649, Charles Ier fut jugé à Westminster Hall, à Londres. Il refusa de reconnaître la légitimité de la Cour et ne chercha donc pas à se défendre des accusations d'être un tyran, un meurtrier et un ennemi de la nation. Une semaine plus tard, il fut condamné à mort et décapité publiquement le 30 janvier. La monarchie ayant disparu et l'Angleterre étant sous son contrôle, la première tâche de Cromwell fut de soumettre l'Irlande et l'Écosse. Les massacres ayant suivi sa prise de Drogheda et Wexford furent terribles et excessifs ; ils étaient le résultat de sa haine farouche des Irlandais et des catholiques romains. En Irlande, le nom d'Oliver Cromwell évoque encore peur et colère, trois cent cinquante ans après les événements.

L'Écosse fut un point de mire de la colère de Cromwell. Il y détruisit autant de châteaux royalistes et d'églises catholiques qu'il put. Comme nous l'avons déjà vu, tant le *Protecteur* que le général George Monk savaient ce qu'était vraiment le sanctuaire maçonnique de Rosslyn et de ce fait il fut totalement épargné.

En dépit de la grande aptitude de Cromwell pour la violence, ses principales réussites furent d'avoir maintenu une paix et une stabilité relatives et, paradoxalement, les structures qu'il instaura et qui autorisaient une certaine dose de tolérance religieuse. Tandis qu'il n'avait aucune tendresse pour les catholiques, il autorisa en 1655 le retour des juifs – exclus d'Angleterre depuis 1290 –, action motivée par sa connaissance du rituel maçonnique. La politique étrangère vigoureuse de Cromwell et les exploits de son armée et de sa marine donnèrent à l'Angleterre un prestige à l'étranger dont elle n'avait pas joui depuis plus d'un demi-siècle.

Après l'exécution de Charles Ier, le trône d'Angleterre fut laissé vacant et le pays devint la première république parlementaire au monde. Ce régime fut appelé *Commonwealth*[252]. L'année suivante, Charles, le fils du roi défunt, débarqua en Écosse pour poursuivre la guerre. En 1651, il fut couronné roi de ce pays et envahit rapidement l'Angleterre. Le nouveau régime parlementaire était trop bien établi et organisé pour être renversé par cette attaque courageuse mais trop mal préparée. Charles fut battu à plates cou-

---

252. Littéralement « bien public ». (N.d.T.)

tures à Worcester et eut beaucoup de chance de pouvoir s'enfuir en France.

Tout au long de cette période tumultueuse, l'ex-*Controller of Ordnance* de l'ancien roi vécut sans être inquiété dans le Londres de Cromwell, et fréquenta certains des hommes les plus intelligents et les plus influents de chaque camp. Ashmole avait manifestement reçu des sphères les plus élevées la permission de poursuivre une mission qui transcendait la pure politique et, si ce qu'il construisait dérivait totalement de la franc-maçonnerie, il était en train d'élaborer quelque chose de tout à fait neuf et de très important.

Ashmole devint l'ami et la relation des astrologues, des mathématiciens, des médecins et d'autres individus qui faisaient progresser leur connaissance des mystères cachés de la nature et de la science, comme le second degré de la maçonnerie redéfini par Francis Bacon leur demandait de le faire. L'idée commença à se répandre : il existait un « invisible collège », une société de savants qui ne pouvait être identifiée en tant que groupe, mais dont la présence était évidente.

Cromwell décéda de mort naturelle le 3 septembre 1658 et fut inhumé à l'abbaye de Westminster (Londres). Son fils Richard, qu'il avait désigné comme son successeur, était un faible. Il ne parvint pas à conserver le pouvoir. Le pays plongea rapidement dans l'anarchie, mais la chute fut stoppée par le commandant de l'armée en Écosse, le général George Monk, qui marcha sur Londres avec ses troupes en mai 1660 et entra dans la ville. Il rappela le *Long Parliament* (Long Parlement)[253] et lui fit restaurer la monarchie en plaçant Charles II sur le trône. Le nouveau souverain ne tarda pas à chercher à se venger de l'homme qui lui avait causé tant de peines. Il fit déterrer le corps de Cromwell et ses restes en décomposition furent pendus comme un traître. Puis sa tête fut décapitée et plantée sur un pieu installé au-dessus de Westminster Hall

La *Royal Society* émerge

À un niveau personnel, Ashmole pouvait parfaitement voir d'un très bon œil le retour à la monarchie après la république. Mais en outre l'« invisible collège » tira avantage de cette restauration. En 1662, le roi Charles II lui accorda un mandat royal, en créant la *Royal Society*

---

253. Surnom du dernier Parlement de la monarchie, que Cromwell avait dissous en 1653. Après avoir été épuré en 1648 par le *Protecteur,* il reçut un autre surnom, le *Rump Parliament,* le « Parlement croupion ». (N.d.T.)

[Société royale]. La première assemblée de savants et d'ingénieurs au monde se consacra à comprendre les merveilles créées par le « Grand Architecte de l'Univers ». Les libertés élaborées dans le cadre de la franc-maçonnerie avaient engendré un embryon de république. Quand l'expérience échoua, elles donnèrent naissance à l'organisation qui pousserait les limites de la connaissance humaine pour donner un âge de Lumières et poser les fondations de la société industrialisée des XIXe et XXe siècles.

Pour l'Angleterre, la brève période de république ne fut pas du temps perdu. À partir de là, les monarques oublièrent la notion primitive de règne de droit divin et occupèrent leur fonction de par l'affection du peuple et sous l'autorité de la Chambre des Communes [*House of Commons*], qui s'exprimait au nom de la volonté démocratique de la nation. Au cours des années, ce droit démocratique s'étendit aux plus pauvres et finalement aux femmes. La vision de l'homme appelé Jésus prit du temps à venir.

À ce point de notre recherche, nous n'avions aucun doute que la franc-maçonnerie portait en elle la semence de l'esprit des nazôréens et plus particulièrement de Jésus. Et nous pouvions également être certains que la *Royal Society* germa de la pensée que Bacon avait libérée en mettant en forme la définition du second degré de la franc-maçonnerie (bien avant que des hommes comme Ashmole et Wilkins eussent rassemblé le tout après les traumatismes de la guerre civile). John Wallis, l'éminent mathématicien du XVIIe siècle, en écrivant ses souvenirs sur les débuts de la *Royal Society*, dit :

> Je pense qu'elle fut fondée à Londres, vers l'année 1645, si ce n'est plus tôt, quand le docteur Wilkins (alors chapelain du prince électeur Palatin, à Londres) et d'autres, se rencontraient chaque semaine un certain jour et à une certaine heure, sous peine d'amendes, en acquittant une contribution hebdomadaire pour le coût des expériences et dans le respect de certaines règles acceptées par tous. Nous décidâmes (pour éviter de nous détourner des autres matières et pour d'autres raisons) d'exclure toute discussion sur le divin, sur les affaires d'État et sur l'actualité, sauf si cela pouvait concerner nos affaires philosophiques.

Cette description des premières réunions de ces nouveaux penseurs est incontestablement maçonnique. La réunion hebdomadaire à une heure donnée, l'amende et la forte volonté d'éviter tout sujets politique ou religieux sont encore la marque d'une loge maçonnique.

Cette indiscrétion de Wallis fut corrigée par la hiérarchie maçonnique des premiers temps de la *Royal Society*, qui commanda à Spratt l'histoire officielle de la Société. Celle-ci ne faisait aucune mention des règles maçonniques que Wallis avait imprudemment révélées.

Désigné comme premier conservateur des expériences [*Curator of Experiments*] de la *Royal Society*, Robert Hooke fut l'un des savants les plus influents impliqué avec Ashmole. Ses prolifiques expériences, démonstrations et exposés au cours des quinze années suivantes furent l'un des facteurs majeurs de la pérennité de la Société à ses débuts. Hooke fut l'un des trois experts-géomètres de la ville après le Grand Incendie de Londres et il fut l'un des premiers adeptes du microscope pour les recherches biologiques, inventant au passage l'usage moderne du terme « cellule » en biologie.

Les grands hommes de l'époque cherchaient tous à rejoindre la *Royal Society*. Et le plus grand de tous était peut-être sir Isaac Newton qui réalisa de nombreuses choses, notamment une analyse remarquablement détaillée de la structure gravitationnelle de l'univers. En 1672, Newton fut élu membre associé [*Fellow*] de la *Royal Society* et plus tard cette même année, il publia son premier article sur sa nouvelle théorie de la lumière et de la couleur dans les *Philosophical Transactions* [Affaires philosophiques] de la Société. Un quart de siècle après la délivrance du mandat royal à la Société, Newton publia son *Philosophiae Naturalis Principia Mathematica* (Les Principes mathématiques de la philosophie de la nature), ou tout simplement les *Principia*, universellement connus. Ce remarquable ouvrage est, de l'avis général, le plus grand livre scientifique jamais écrit.

Si quasiment tous les premiers membres de la *Royal Society* furent maçons, au fil du temps la franc-maçonnerie apparaît s'être retrouvée de plus en plus en retrait au sein de sa dernière émanation : ce rassemblement de l'intelligentsia n'avait plus besoin du secret et de la protection de l'Art royal pour surmonter les obstacles religieux et politiques.

La nouvelle société occupa une bonne partie du temps et de l'énergie d'Elias Ashmole, Robert Moray (recensé comme le premier homme ayant été initié dans la franc-maçonnerie sur le sol anglais en 1641), John Wilkins, Robert Hooke et Christopher Wren, qui devint son président en 1681. Grâce à tous ces faits bien documentés, il est très clair que les francs-maçons ont établi la *Royal Society*, et que le sujet central du second degré reconstitué servit son but et fit entrer le monde dans un nouvel âge scientifique. Sous la présidence d'Isaac Newton, quelques années plus tard, un franc-maçon français important et bien connu, le chevalier Ramsay devint membre de la *Royal Society*, malgré son défaut total de référence scientifique. La plupart des intellectuels les plus en vue de la franc-maçonnerie consacrant leur temps et leur énergie à la nouvelle société, il semble que l'Art royal à Londres ait alors souffert d'un certain désintérêt.

La franc-maçonnerie s'adapte

En 1717, la franc-maçonnerie dans la région londonienne était au plus bas. Il n'existait que quatre loges se réunissant régulièrement :

L'Oie et le Grill [*The Goose and Gridiron*], dans la cour de la cathédrale Saint Paul ;

La Couronne [*The Crown*], dans Parker Lane, près de Drury Lane ;

La Taverne du Pommier [*The Appletree Tavern*], dans Charles Street, à Covent Garden ;

La Taverne de la Coupe et des Raisins [*The Rummer and Grapes Tavern*], dans Channel Row, à Westminster.

Il ne peut y avoir de doute que le « Métier » à Londres souffrait d'une crise ; il avait perdu son identité traditionnelle. Pourquoi la maçonnerie avait-elle encore besoin d'exister ? Elle était soudain victime de son propre succès. Ayant finalement surmonté la vieille menace de l'Église, elle avait inauguré la démocratie et un climat durable de recherche scientifique. Cependant, dans le reste du pays, les loges maçonniques commençaient à devenir régulières et de plus en plus populaires. Une Grande Loge – formée à une date inconnue antérieure à 1705 – se réunissait régulièrement à York et cette première Grande Loge, qui fut continuellement soutenue par des membres de la noblesse, revendiquait le titre de « Grande Loge de toute l'Angleterre » [*Grand Lodge of All England*]. Quelque chose devait être fait à Londres et ainsi les quatre loges citées plus haut se rencontrèrent à la Taverne du Pommier, en février 1717. Ils élurent le plus éminent maçon présent à la présidence de la réunion. Ce maçon de premier plan n'est apparemment cité nulle part dans toute la littérature maçonnique. En tous les cas, l'assemblée décida manifestement d'organiser une réunion plénière des quatre loges à L'Oie et le Grill. La rencontre devait se tenir le 24 juin avec pour ordre du jour l'élection d'un Grand Maître chargé de gouverner tout l'Ordre. Effectivement le jour de la saint Jean-Baptiste de cette même année, les quatre loges se réunirent pour une assemblée et une fête, et M Anthony Sayer fut élu comme premier Grand Maître pour un an. Il est intéressant de noter qu'à cette époque, ils choisirent un Grand Maître en leur sein « en attendant qu'arrive un temps où ils auraient l'honneur d'avoir un Noble Frère à leur tête ». Il pourrait fort bien s'agir ici d'une référence au fait que la franc-maçonnerie écossaise prétendait avoir un Noble Frère comme Grand Maître depuis le temps de la première Charte Saint Clair de 1601[254]. La nouvelle Grande Loge anglaise établit un certain nombre de règlements.

> *Que le privilège de se réunir en qualité de maçons – privilège jusqu'ici illimité – sera attribué à certaines Loges ou Assemblées de maçons réunies en un certain lieu ; et que toute Loge se réunissant à partir de maintenant, à l'exception des quatre anciennes Loges existant déjà, devra être légalement autorisée à fonctionner par une patente [angl.* Warrant*] émanant du Grand Maître du moment, octroyée sur requête à certains individus, avec le consentement et l'approbation de la Grande Loge en communication[255] ; et que sans une telle patente, aucune Loge ne devra, à partir de maintenant, être considérée régulière ou constitutionnelle.*
>
> *Qu'elles pourront continuer à jouir de toutes les prérogatives dont elles bénéficiaient collectivement en vertu de leurs droits immémoriaux ; et qu'aucune loi, édit ou règlement à venir, fait ou reçu en Loge, ne devrait dévier de ces prérogatives, ou empiéter sur tout* landmark *déjà établi alors comme la norme du gouvernement maçonnique.*
>
> *Les constitutions originelles furent fixées en tant que norme selon laquelle toutes futures lois au sein de la Société doivent être réglées. Cette nécessité était si clairement comprise par toute la fraternité à cette époque qu'il fut établi comme une règle infaillible, qu'à chaque installation, publique et privée, le Grand Maître, et les Vénérables et Surveillants de chaque Loge, s'engagent à soutenir leurs constitutions ; auxquelles également chaque maçon se liait par les liens les plus forts lors de l'initiation.*[256]

En formant une Grande Loge sous l'autorité d'un Grand Maître élu, les quatre loges avaient efficacement mis en place un système de contrôle de la maçonnerie, qui garantissait qu'eux seuls soient exempts de ses commandements, alors que tous les autres maçons devaient s'y conformer. Ainsi elles pouvaient déclarer une loge régulière ou l'exclure de la

---

254. *Year Book of the Grand Lodge of Antient Free and Accepted Masons of Scotland*, 1995.

255. « Mot en usage en pays anglo-saxon pour désigner une tenue de Grande Loge ou un convent. Aux Etats-Unis, on emploie aussi le mot "Convention". » *Dict. de la franc-maçonnerie*, op. cit., p. 280. (N.d.T.)

256. PRESTON, *Illustrations of Freemasonry*.

liste des loges régulières. D'autres maçons leur contestèrent le droit de faire cela. Ce fut notamment le cas des maçons de York. Ils n'acceptaient pas que Londres se soit auto-attribué cette mission visant à empêcher tout nouvel hérétique d'apparaître, autrement dit toute personne ou structure qui ne serait pas d'accord avec l'hérésie régulière et acceptée de l'Ordre. En essayant de se donner la forme d'une institution régulière, la franc-maçonnerie anglaise commençait déjà à s'égarer. Néanmoins, au terme d'une longue période de luttes internes, la nouvelle structure finit par rassembler tout le monde et les plus hauts échelons de l'Ordre furent lentement récupérés par la famille royale, qui cherchait à maintenir son influence au sein de l'organisation la plus républicaine du monde. Ce lien entre la franc-maçonnerie et la famille royale anglaise a été, selon nous, la raison principale de la survie de la monarchie britannique.

Nous avons dressé une liste des Grands Maîtres Passés anglais et il est facile de voir que l'Ordre gravite autour de l'aristocratie et de la famille royale (appendice 3). Mais comparez cette liste à celle des Grands Maîtres Passés écossais (appendice 4) : il est clair – grâce à ses premiers documents – que la franc-maçonnerie écossaise a été aussi intimement associée avec les lords du royaume qu'avec les plus humbles des maçons roturiers ; tradition qui a toujours été entretenue fièrement jusqu'à aujourd'hui.

Et bientôt l'Ordre se répandit dans le monde entier.

Ce fut l'influence fondamentale de la franc-maçonnerie sur les révolutions américaines et françaises, et la tendance des francs-maçons écossais à soutenir la cause jacobite[257], qui incita finalement les souverains anglais hanovriens à adopter l'Art royal. En 1782, quatre ans après la déclaration d'Indépendance des États-Unis, le duc de Clarence, frère de George II, devint Grand Maître. En 1789, l'année de la Révolution française, le prince de Galles et ses deux frères furent initiés dans l'Ordre, et en moins d'un an, le premier fut élu Grand Maître. Il reçut des messages de loyauté de tous les maçons du monde, y compris de nombreuses loges françaises et de George Washington, qui, à l'époque, était le Vénérable de la Loge n°22 d'Alexandria[258] sous la juridiction de la Grande Loge de New York. De ce fait, les souverains Hanovre utilisèrent le système maçonnique comme un moyen démocratique pour s'assurer la loyauté de leurs sujets maçonniques. La maçonnerie en Angleterre était désormais sur les rails pour devenir le club select, qu'elle est devenue aujourd'hui.

257. Partisans des Stuart, voulant rétablir cette famille sur le trône à la place des Hanovre. (N.d.T.)

258. Cette loge est bien aujourd'hui la loge n°22 de Washington-Alexandria, mais elle était à l'époque la loge n°39 d'Alexandria (Source, *Dict. de la Franc-maçonnerie*, op. cit., p. 1245). (N.d.T.)

Elle commençait déjà à oublier son héritage originel et ses vrais secrets étaient en train de se perdre.

L'expansion de la franc-maçonnerie

Peu après la formation de la Grande Loge de Londres, le second Grand Maître, George Payne, rassembla de nombreux manuscrits sur le thème de la maçonnerie, dont des exemplaires des Anciens Devoirs [*Old Charges*]. En 1720, il fut décidé de publier le *Livre des Constitutions*. À cette époque, on prétend qu'un certain nombre d'anciens manuscrits de valeur « furent brûlés trop hâtivement par certains Frères scrupuleux », plutôt que de les voir tomber entre les mains d'une faction adverse au sein de l'Ordre, connue sous le nom des « Modernes » [259]. On dit que l'exemplaire original du *manuscrit Inigo Jones* fut perdu à ce moment-là. La même année, il fut décidé qu'à l'avenir le nouveau Grand Maître serait nommé avant l'assemblée annuelle et que chaque Grand Maître, une fois installé, devrait avoir seul le pouvoir de désigner son Député Grand Maître et ses Grands Surveillants. En 1724, le Grand Maître d'alors, le duc de Richmond, mit sur pied le premier Comité de charité pour récolter et distribuer des fonds destinés à soulager des maçons en détresse. Cette idée avait déjà été suggérée par son prédécesseur, le duc de Buccleuch. Il semble s'agir du premier exemple attesté d'organisation charitable maçonnique, si importante dans la franc-maçonnerie moderne.

En janvier 1722[260], après seulement neuf mois dans la fonction, le duc de Montagu renonça à sa charge de Grand Maître en faveur du duc de Wharton. Ce dernier était si désireux de devenir Grand Maître qu'il avait même essayé de se faire élire lors d'une assemblée irrégulière de maçons. À cette date, on avait pris l'habitude de voir des nobles du royaume se succéder dans cette charge et la pratique allait perdurer. Plus jamais, on ne verrait des roturiers occuper, comme au départ, l'office de Grand Maître, ni même celle de Député Grand Maître[261] ; des nobles de moindre rang récu-

---

259. Les « Anciens » étaient les maçons des anciennes loges mères (notamment de Londres, de York et de Westminster) qui n'acceptaient pas l'autorité des quatre Loges londoniennes, la nouvelle Grande Loge, surnommées « Modernes » et qui leur reprochaient de ne pas respecter les anciens *Landmarks*. (N.d.T.)

260. Les auteurs donnaient ici la date de 1723. Mais c'est bien en janvier 1722 que Montagu quitta sa charge, ce qui correspond d'ailleurs bien à la datation donnée en appendice 3. (N.d.T.)

261. Adjoint au Grand Maître anglais. (N.d.T.)

pérèrent cette dernière fonction, exécutant le travail administratif du Grand Maître.

L'organisation croissante avait besoin de centres administratifs secondaires. En 1727, l'office de Grand Maître provincial fut donc instauré pour aider au fonctionnement de l'Ordre, qui connaissait une croissance considérable tant numériquement que géographiquement. Le 10 mai 1772, Hugh Warburton fut installé premier Grand Maître provincial, sa province étant le pays de Galles nord, et le 24 juin 1727, sir Edward Mansell, baronnet, fut installé Grand Maître provincial du Pays de Galles sud. En 1727 également, la première patente enregistrée pour une loge outre-mer fut délivrée par la Grande Loge de Londres à Gibraltar, rapidement suivie par une permission d'organiser une loge dans la rue Saint Bernard de Madrid.

La franc-maçonnerie se répandait comme un feu de paille. En 1728, la Grande Loge de Londres commença à s'établir dans le futur Empire anglais : une délégation fut conférée à George Pomfret pour établir une loge au Bengale. L'étendue du contrôle provincial de l'Ordre s'accrut avec la désignation de Grands Maîtres pour la Basse Saxe, le New Jersey en Amérique et le Bengale. L'année 1730[262] vit l'initiation du premier prince de sang royal : François, duc de Lorraine, grand duc de Toscane, – devant plus tard devenir empereur d'Allemagne –, fut initié par le comte de Chesterfield dans une loge spécialement réunie à La Haye. Le duc reçut simultanément les deux premiers degrés de la maçonnerie et fut ultérieurement élevé au troisième degré chez sir Robert Walpole dans une loge de nouveau présidée par le comte de Chesterfield. La même année, les rangs de la maçonnerie étrangère s'étendirent encore par l'octroi de délégations destinées à former des loges en Russie, Espagne, France (Paris) et Flandres.

À présent, l'Ordre devenait rapidement un club select pour la noblesse. Le 24 juin 1730 se tint la première assemblée régionale de la juridiction de Londres à Hampstead. À cette occasion, des cartons d'invitation avaient été envoyés à plusieurs membres de la noblesse. En 1733, cinquante-trois loges étaient représentées à la Communication annuelle de la Grande Loge ; l'étendue du pouvoir et l'influence de cette dernière ne cessaient donc de s'étendre. Lors de cette réunion de 1733, plusieurs nouveaux règlements furent confirmés concernant les opérations du Comité de charité ; notamment le droit d'entendre ses propres doléances avant que celles-ci fussent portées devant la Grande Loge. Au cours de cette même tenue, une quête fut organisée, au profit de maçons en

---

262. Le *Dictionnaire de la Franc-Maçonnerie*, op. cit., donne la date du 14 mai 1731 (p. 91). (N.d.T.)

détresse pour les encourager à partir fonder la nouvelle colonie de Georgie. Cette année-là, des délégations furent accordées pour ouvrir des loges à Hambourg et aux Pays-Bas. En 1738, James Anderson (alors Grand Secrétaire) publia une édition révisée du *Livre des Constitutions*. C'est cet ouvrage sur l'histoire de l'Ordre qui a amené certains auteurs à lui attribuer la création de la maçonnerie de métier. Vers cette époque, des règlements furent introduits visant notamment à supprimer du tableau une loge ne s'étant pas réunie pendant plus de douze mois ; simultanément, elle perdait son rang d'ancienneté. On décida également alors que tous les futurs Grands Maîtres seraient élu par une loge de Grands Stewards[263], afin d'inciter les gentilshommes à occuper cet office. Des résolutions furent prises concernant les « conventions illégales de maçons ». Ainsi, les Frères perdirent le droit démocratique de désigner la personne qui leur semblait adéquate pour les diriger. Des patentes accordées par Londres à des loges dans le Lancashire, Durham et le Northumberland empiétèrent sur le territoire de la Grande Loge de York. En conséquence, toute relation amicale cessa entre les deux Grandes Loges.

À cette époque, des patentes avaient été délivrées pour établir des loges à Aubigny en France, à Lisbonne, à Savannah en Georgie, en Amérique du Sud, à Gambay, en Afrique occidentale. Des Grands Maîtres provinciaux furent désignés pour la Nouvelle-Angleterre, la Caroline du Sud et Cape Coast Castle en Afrique[264]. Durant l'année 1737, le Dr Désaguliers (Grand Maître Passé, 1719) initia Frédéric, prince de Galles dans une Loge réunie à cette fin à Kew. Plus tard, cette même année, le prince franchit le second degré, puis il fut élevé au sublime degré de Maître maçon. À la Communication de la Grande Loge, soixante loges étaient représentées et des Grands Maîtres provinciaux furent désignés pour Montserrat, Genève, la côte africaine, New York et les îles américaines.

En 1738, deux nouvelles provinces naquirent : les petites Antilles et la province du Yorkshire, Riding Ouest, ce qui fut encore considéré comme un autre empiétement sur les droits de la Grande Loge de York. La fracture originelle entre les deux Grandes Loges s'élargit et le résultat fut une rupture totale des relations. Le 15 août 1738, la Grande Loge écossaise

---

263. Au départ, les Grands Stewards – alors limités à douze – étaient essentiellement chargés d'organiser la fête solsticiale. En 1735, la Grande Loge décida que nul ne pourrait devenir Grand Officier (à l'exception de la charge de Grand Maître) sans avoir été Grand Steward et qu'il pouvait constituer une Loge particulière. (Cf. *Dict. de la Franc-Maçonnerie*, op. cit., 1128) (N.d.T.)

264. Ville située aujourd'hui précisément au Ghana (Côte de l'Or). (N.d.T.)

remporta une victoire majeure dans cette quête de la suprématie à laquelle se livraient les différentes Grandes Loges : ce jour-là, elle initia Frédéric le Grand de Prusse dans une loge réunie à Brunswick à cette fin. Frédéric alla installer une Grande Loge à Berlin sous l'autorité de la Constitution écossaise.

Le développement de la maçonnerie en Amérique

Notre exposé avait maintenant rejoint l'histoire officielle de l'Ordre bien documenté. D'une certaine manière, notre quête était achevée. Toutefois, il y avait encore un domaine que notre curiosité toujours en éveil désirait approcher : nous voulions savoir quel avait été sur le long terme le destin du pays de l'étoile Merica. Pour que notre tableau fût complet, nous décidâmes donc d'examiner brièvement le développement des États-Unis d'Amérique.

Ce n'est pas un secret : la maçonnerie fut une force motrice majeure derrière la révolution américaine et la fondation de la République des États-Unis d'Amérique. En 1773, une manifestation spectaculaire fut organisée par les membres de la Loge Saint-Andrew (qui comptait parmi ses membres des individus aussi fameux que Samuel Adams et Paul Revere[265]). Cet épisode fut appelé la « partie de thé de Boston » [*Boston Tea Party*][266]. En réalité, la loge – qui se réunissait dans la Taverne du Dragon vert [*Green Dragon Tavern*] de Boston –, n'organisa pas elle-même dans les faits la *Tea Party*, mais ses membres avaient fondé un club appelé le *Caucus Pro Bono Publico*, dont Joseph Warren, le Vénérable de la loge – qui devait plus tard devenir Grand Maître du Massachusetts – était un élément majeur[267]. On rapporte qu'Henry Purkett aurait

265. On ne sait si Samuel Adams a été franc-maçon et il n'est en tous les cas pas cité au tableau de la Loge Saint-Andrew. Revere était bien membre de la loge, mais il était aussi l'un des responsables des « Fils de la Liberté » et un membre des « Loyal Nine » (voir note suivante). (Cf. *Des templiers aux francs-maçons*, op. cit., p. 272). La Loge Saint-Andrew, après avoir longtemps été une loge « irrégulière », avait reçu sa patente de la Grande Loge d'Écosse, en 1756. (N.d.T.)

266. Les Anglais avaient imposé aux colons d'acheter exclusivement – et en quantité excessive – le thé de la Compagnie des Indes orientales. Dans la nuit du 16 décembre 1773, des colons déguisés en indiens mohawks montèrent à bord du *Dartmouth*, un navire de la compagnie qui était bloqué depuis quinze jours sans pouvoir débarquer sa cargaison. La totalité du thé (une valeur de 10.000 livres) fut jeté à l'eau. L'opération s'effectua sans violence et sans échange de coups de fusil. (N.d.T.)

267. Les vrais responsables paraissent Samuel Adams et l'organisation secrète à laquelle il appartenait « Les Fils de la Liberté » (et en particulier à un noyau dur au sein

raconté qu'il était présent à la *Tea Party*, mais en simple spectateur, et en désobéissance du Vénérable de la Loge Saint-Andrew, qui était lui activement présent[268].

Les hommes qui créèrent les États-Unis d'Amérique étaient soit francs-maçons eux-mêmes, soit ils avaient des contacts étroits avec des francs-maçons. Ils utilisèrent les idées qui s'étaient développées en Grande-Bretagne au cours du siècle précédent comme des briques pour leur propre constitution. Ils l'ignoraient, mais en rattachant leur nouveau pays aux principes maçonniques de justice, de vérité et d'égalité, ils étaient en train d'essayer de bâtir une nation dirigée par un Ma'at redécouvert : un État moderne qui serait l'héritier véritable de la grandeur de l'ancienne Égypte. Par certains côtés, les architectes des États-Unis réussirent. Mais sous d'autres aspects, ils ont jusqu'à aujourd'hui échoué. Il fallut une terrible guerre civile pour mettre fin à l'esclavage de la population noire du Sud et, même aujourd'hui encore, dans de nombreux États, le mot « Égalité » reste l'aspiration des citoyens raisonnables alors que les autres s'en désintéressent. Comme la franc-maçonnerie elle-même, les États-Unis représentent un idéal imparfait qui mérite de gagner, mais ils ont le handicap d'être constitué de purs mortels.

Parmi les hommes qui signèrent la déclaration d'Indépendance, le 4 juillet 1778, les suivants étaient maçons : William Hooper, Benjamin Franklin, Matthew Thornton, William Whipple, John Hancock, Phillip Livingston et Thomas Nelson. On disait à l'époque que, si quatre personnes simplement sortaient de la pièce, l'assemblée restante était plus que suffisante pour tenir une loge maçonnique de troisième degré ! Cette assemblée aurait également pu admettre la plupart des chefs militaires. Parmi les francs-maçons dominants, on dénombre Greene, Marion, Sullivan, Rufus, Putnam, Edwards, Jackson, Gist, Baron Steuben, baron de Kalb, le marquis de Lafayette et George Washington lui-même.

---

de ce groupe, les « neuf Loyaux » [*Loyal Nine*]). La Loge Saint Andrew comme le *Caucus Pro Bono Publico* et « Les Fils de la Liberté » se réunissaient au même endroit : la *Long room* de l'ancienne taverne du Dragon vert, devenue Hall des Francs-maçons, à Boston. Dans les faits, douze membres de la loge participèrent à la « Party » (sur 200 participants environ). Douze autres participants devaient ultérieurement devenir membre de la loge. (Cf. *Des templiers aux francs-maçons*, op. cit., pp. 271-272 et 350). (N.d.T.)

268. Notons simplement que certaines sources estiment que Purkett n'était pas alors membre de la Loge Saint-Andrew. C'est notamment le cas de *The One and Fiftieth Anniversary of the Lodge of Saint Andrew* (cité par *Des templiers aux francs-maçons*, p. 350), qui livre la liste de tous les membres de la Loge de 1756 à 1906, et qui déclare que Purkett ne fut admis qu'en 1795. (N.d.T.)

Quand Washington prêta serment en entrant dans sa fonction en tant que premier Président de la République, le 30 avril 1789, ce fut le Grand Maître de New York[269] qui reçut sa prestation et la Bible sur laquelle Washington jura était le volume de la Loi sacrée de la Loge Saint John n°1 sur le tableau de la Grande Loge de New York. Il avait passé toute sa vie d'adulte comme franc-maçon, puisque c'est cinq mois avant son vingt-cinquième anniversaire le vendredi 4 novembre 1752, qu'il fut initié dans la loge maçonnique de Fredericksburg[270]. Comme sa loge mère se rencontrait le premier vendredi de chaque mois, il fut initié au second degré le 3 mars 1753 et élevé au « sublime degré » de Maître maçon le 4 août 1753 dans cette même loge. À l'époque de son initiation, il venait juste d'achever l'inspection des domaines virginiens de lord Fairfax, dont l'ancêtre avait introduit Oliver Cromwell en franc-maçonnerie. Les membres de la famille Fairfax étaient des francs-maçons très actifs dans la Grande Loge d'York. Le frère aîné de Washington, Lawrence, avec qui il vivait alors, avait été éduqué en Angleterre et était marié à la nièce de lord Fairfax. La loge à laquelle Washington participait suivait probablement le « Rite d'York » *ad hoc* plutôt qu'un « Rite Écossais ». Mais six ans après son initiation, en 1758, la Loge Fredericksburg reçut une charte de la Grande Loge écossaise qui formalisa sa position[271]. Quand Washington devint le premier Président des États-Unis d'Amérique, il était membre de l'Ordre depuis près de trente-six ans et appartenait à ce moment-là à la Loge d'Alexandria n°22 (Virginie).

En fouillant dans de vieux manuscrits, nous tombâmes sur un exemplaire contemporain d'un discours que George Washington prononça après s'être vu offrir un *Livre des Constitutions* dédicacés par les francs-maçons de Boston, le 27 décembre 1792. D'après la date, nous pensons qu'il s'agissait alors d'une célébration de ses quarante années dans l'Ordre. Nous le présentons ici sous la forme dans laquelle nous l'avons trouvé [dans le texte original certaines lettres « s » sont remplacées par le caractère qui ressemble à un « f » moderne].

RECEVOIR de nos concitoyens des témoignages d'approbation de tous nos efforts en faveur du bien-être public est certes flatteur pour l'esprit humain et c'est véritablement un honneur. Mais il n'est pas moins agréable de savoir que les plus belles vertus du cœur sont toujours émi-

---

269. Robert Livingston. (N.d.T.)
270. Aujourd'hui n°4 de Virginie. (N.d.T.)
271. *Year Book of Grand Lodge of Antient Free and Accepted Masons of Scotland*, 1995.

nemment respectées par une Société dont les principes libéraux sont fondés sur les lois immuables de la vérité et de la justice.

Elargir la sphère du bonheur social est digne – bienveillant dessein – d'une Institution maçonnique. Et il faut très ardemment souhaiter, que la conduite de chaque membre de la fraternité – comme les publications qui exposent les principes qui les animent –, puisse aider à convaincre l'humanité que le grand objet de la maçonnerie est de promouvoir les joies de la race humaine.

Je vous prie d'accepter mes remerciements pour ce « Livre des Constitutions » que vous m'avez offert, et pour l'honneur que vous m'avez fait dans la dédicace. Permettez-moi de vous assurer que je ressens toute cette gratitude que vos paroles affectueuses et vos vœux cordiaux entendaient inspirer. Et je prie sincèrement le Grand Architecte de l'Univers de vous bénir ici, et de vous recevoir un jour dans son temple immortel.

Ce fut aussi en 1792 que Washington posa la pierre de fondation de la Maison Blanche – le 13 octobre, l'anniversaire de la crucifixion de Jacques de Molay ! Cette année-là, le dollar fut adopté comme unité monétaire des États-Unis d'Amérique. Son symbole est un S majuscule barré d'une double verticale – bien qu'en imprimerie, il apparaisse plus couramment avec une barre verticale unique : $. Le S fut emprunté à une vieille pièce de monnaie espagnole, mais les deux barres verticales étaient les deux piliers nazôréens de *mishpat* et *tsedeq* mieux connus des maçons fondateurs des États-Unis sous le nom de « Boaz » et « Jakin », les piliers du porche du Temple du roi Salomon.

Aujourd'hui les billets américains portent l'image d'une pyramide avec un œil à l'intérieur. C'est la plus ancienne de toutes les images utilisées quotidiennement, parce qu'elle nous vient d'avant le temps de Sekenenrê Taâ. Elle échappa à l'épuration des motifs égyptiens de la cérémonie de sacre, provoquée par le prophète Ézéchiel pendant la captivité babylonienne des Juifs. Ce motif représente Dieu (sous la forme d'Amon-Rê) ; Son œil est toujours présent et observe Son peuple pour juger chaque action accomplie dans la vie, de manière à donner la juste rétribution dans la mort. Telle était la base de Ma'at : la mesure par Dieu de la bonté dont on avait témoigné dans la vie. Sur l'autre face du billet de un dollar, on voit le frère George Washington et sur le billet de deux dollars – aujourd'hui disparu – il y avait la représentation d'un autre franc-maçon américain célèbre, le frère Benjamin Franklin.

Pyramide sur billet américain

Le 18 septembre 1793, George Washington posa la pierre angulaire du Capitole à Washington. Lui et ses compagnons étaient tous revêtus de leurs insignes maçonniques.

Les États-Unis d'Amérique sont une très jeune nation. Pour égaler la longévité de l'ancienne Égypte, ils devraient encore conserver leur position de puissance jusqu'en l'an 4500, et pour égaler le premier grand sommet de ce pays, il lui faut encore attendre quatre cents ans. Mais, à notre avis, l'expérience maçonnique qui a trouvé refuge dans le pays cosmopolite sis à l'ouest, de l'autre côté de l'océan, connaîtra une conclusion beaucoup plus grandiose, parce que c'est une étape de plus dans un voyage qui a commencé dans le sud de l'Irak actuel, il y a au moins six mille ans.

APPENDICE 2

LOGES MAÇONNIQUES EN ÉCOSSE ANTÉRIEURES À 1710 (AVEC DATE DE LA PREMIÈRE MENTION)[272]

1599 (9 janvier)	Aitchison's Haven[273]
1599 (31 juillet)	Edinburgh[274]
1599 (27 novembre)	St Andrews
1599 (28 décembre)	Kilwinning
1599 (28 décembre)	Stirling
1599 (28 décembre)	Haddington
1600	Dunfermline
1613 (31 décembre.)	Glasgow
1627	Dundee
1654 (2 mars)	Linlithgow
1658 (24 décembre)	Scone
1670	Perth
1670	Aberdeen
1674 (28 décembre)	Melrose
1677 (20 décembre)	Canongate Kilwinning
1678 (27 décembre)	Inverness
1687 (20 mai)	Dumfries
1688 (29 mai)	Leith et Canongate
1691	Kirkcudbright
1695 (25 mars)	Hamilton
1695 (avril)	Dunblane
1701 (2 juin)	Kelso
1702 (22 décembre)	Haughfoot
1703	Banff
1704 (27 décembre)	Kilmolymock
1707	Edinburgh Journeymen

272. STEPHENSON, *Origins of Freemasonry.*

273. S'agit-il d'une véritable loge ? En 1666 est paru un manuscrit de ce nom qui contenait un récit légendaire des origines de la maçonnerie, où apparaissait cette hypothétique loge. (N.d.T.)

274. *St Mary's Chapel,* appelée également *Loge n°1,* qui passe pour la plus vieille au monde. (N.d.T.)

APPENDICE 3

PREMIERS GRANDS MAÎTRES
DE LA MAÇONNERIE ANGLAISE

1717	M. Anthony Sayer
1718	M. Georges Payne
1719	Dr. Jean-Théophile Désaguliers
1720	M. Anthony Sayer
1721	John, duc de Montagu
1722	Philipp, duc de Wharton
1723	Le duc de Buccleuch
1724	Le duc de Richmond
1725	Lord Paisley, comte d'Abercorn
1726	Le comte d'Inchiquin
1727	Lord Colerane
1728	Lord Kingston
1729	Le duc de Norfolk
1730	Lord Lovel, comte de Leicester
1731	Lord Teynham
1732	Lord Montagu
1733	Le comte de Strathmore
1734	Le comte de Crawford
1735	Lord Weymouth
1736	Le comte de Londres
1737	Le comte de Darnley
1738	Le marquis de Carnarvon
1739	Lord Raymond
1740	Le comte de Kintore
1741	Le comte de Moreton
1742-1743	Lord Ward
1744	Le comte de Strathmore
1745-1746	Lord Cranstoun
1747-1751	Lord Byron
1752-1753	Lord Carysfoot
1754-1756	Le marquis de Carnarvon
1757-1761[275]	Lord Aberdour

1762-1763	Lord Ferrers
1764-1766	Lord Blaney
1767-1771	Le duc de Beaufort
1772-1776	Lord Petre
1777-1781	Le duc de Manchester
1782-1789	Le duc de Cumberland (frère du roi)
1790-1795	Le prince de Galles (futur George IV)

APPENDICE 4

PREMIERS GRANDS MAÎTRES DE LA MAÇONNERIE ÉCOSSAISE

1736	William St Clair de Roslin
1737	George, 3e comte de Cromartie
1738	John, 3e comte de Kintore
1739	James, 14e comte de Morton
1740	Thomas, 8e comte de Strathmore
1741	Alexander, 5e comte de Leven et Melville
1742	William, 4e comte de Kilmarnock
1743	James, 5e comte de Wemyss
1744	James, 8e comte de Moray
1745	Henry David, 10e comte de Buchan
1746	William Nisbet de Dirleton
1747	L'Hon. Francis Charteris Amisfield
1748	Hugh Seton de Touch
1749	Thomas, Lord Eskine, comte de Mar
1750	Alexander, 10e comte d'Eglinton
1751	James, lord Boyd
1752	George Drummond, lord Provost[276] d'Edimbourg
1753	Charles Hamilton Gordon
1754	James, Maître de Forbes
1755-1757	Sholto Charles, lord Aberdour
1757-1759	Alexander, 6e comte de Galloway

275. Donné par les auteurs comme Grand Maître de 1757 à 1766. (N.d.T.)
276. *Lord Provost* était le titre des maires des principales villes écossaises. (N.d.T.)

1759-1761	David, 6e comte de Leven et Melville
1761-1763	Charles, 5e comte d'Elgin et 9e comte de Kincardine
1763-1765	Thomas, 6e comte de Kellie
1765-1767	James Stewart, lord Provost d'Édimbourg
1767-1769	George, 8e comte de Dalhousie
1769-1771	Lieutenant-général James Adolphus Oughton
1771-1773	Patrick, 6e comte de Dumfries
1773-1774	John, 3e duc d'Atholl
1774-1776	David Dalrymple
1776-1778	Sir William Forbes de Pitsilgo
1778-1780	John, 4e duc d'Atholl
1780-1782	Alexander, 6e comte de Balcarres
1782-1784	David, 11e comte de Buchan
1784-1786	George, lord Haddo
1786-1788	Francis, lord Elcho
1788-1790	Francis, lord Napier
1790-1792	George, 16e comte de Moreton
1792-1794	George, marquis de Huntly
1794-1796	William, comte d'Ancram
1796-1798	Francis, lord Doune
1798-1800	Sir James Stirling, Bart, lord Provost d'Edimbourg

APPENDICE 5

CHRONOLOGIE

Avant notre ère

28000	Première preuve de pratiques religieuses.
12000	Utilisation de meules pour la production de farine.
9000	Développement de l'élevage en Mésopotamie.
8000	Blé, orge et légumes secs parfaitement maîtrisés et cultivés dans le Croissant fertile.
6000	Poterie céramique peinte à Sumer.
5500	Systèmes d'irrigation construits à Sumer.
4500	Premières charrues utilisées à Sumer.

4500	Première utilisation de voiles à Sumer.
4100	Date probable du Déluge de Noé.
4000	Première civilisation connue : Sumer dispose d'une structure sociale complète.
3400	Premières villes fortifiées en Égypte.
3250	Plus ancienne écriture connue en usage à Sumer.
3200	Existence d'une cérémonie secrète de sacre égyptienne.
3150	Émergence de l'État égyptien unifié avec sa capitale à Memphis.
3000	Premiers hiéroglyphes égyptiens.
2686	Début de l'Ancien Empire égyptien.
2600	Premières vraies pyramides construites en Égypte.
2530	La Grande Pyramide de Chéops à Gizeh
2500	Émergence des cités-États dans le nord de la Mésopotamie.
2300	Les cités-États du sud de la Mésopotamie fédérées par Sargon d'Akkad.
2150	Effondrement de l'Ancien Empire égyptien.
2040	Le Moyen Empire égyptien établi.
1786	Les rois hyksos commencent à régner sur l'Égypte.
1780	Parti d'Ur, Abraham vient pour la première fois en Égypte.
1740	Naissance d'Isaac, fils d'Abraham.
1720	Les Hyksos mettent Memphis à sac.
1680	Naissance de Jacob (qui prendra plus tard le nom d'Israël).
1620	Naissance de Joseph.
1570	Joseph est vizir du roi hyksos Apophis.
1574	Sekenenrê Taâ devient le roi d'Égypte, mais il est confiné à Thèbes par les Hyksos.
1573	Sekenenrê Taâ assassiné dans le temple. Son jeune fils Ahmose prend le Trône.
1570	Le Nouvel Empire égyptien commence avec Kamès, le second fils de Sekenenrê Taâ.
1567	Les Hyksos sont chassés d'Égypte.
1450-1500	Période la plus probable pour l'Exode sous la conduite de Moïse.
1020	Saül devient le premier roi d'Israël.

1002	David roi d'Israël.
972	Salomon devient roi d'Israël et construit son temple pour Yahvé.
922	Mort de Salomon, qui laisse un chaos religieux et financier dans tout Israël.
721	Effondrement du royaume du nord d'Israël.
597	Première captivité babylonienne.
586	Destruction finale du Temple de Salomon.
573	Visions d'Ézéchiel pendant la captivité.
539	Début de la construction du temple de Zorobbabel.
187	Date la plus précoce pour la communauté de Qoumrân.
166	Révolte maccabéenne en Israël.
153	Jonathan Maccabée devient grand prêtre.
152	La communauté de Qoumrân existe avec certitude.
143	Assassinat de Jonathan Maccabée.
6	Date probable de la naissance de Jésus.

****

Dates de notre ère

27	Jésus passe trois ans à Qoumrân (dans le désert).
31	Jésus quitte Qoumrân et passe pour le roi des Juifs.
32	Assassinat de Jean le Baptiste ; Jésus assume la double messianité sacerdotale et royale.
33	Crucifixion de Jésus.
37	Les mandéens sont chassés vers la Mésopotamie par Paul.
60	Saül devient Paul et invente le christianisme.
63	Date probable de la confrontation entre Jacques et Paul.
64	Assassinat de Jacques le Juste au Temple.
64	Début de la révolte juive à Massada.
70	Destruction de Qoumrân, Jérusalem et du temple d'Hérode par les Romains.
190	Clément devient évêque d'Alexandrie.
200	Parti d'Alexandrie, le christianisme celtique atteint l'Irlande via l'Espagne.

325	Concile de Nicée, réuni par l'empereur Constantin.
337	Mort de Constantin.
432	Voyage de Patrick vers l'Irlande pour établir l'Église celtique à Slane et Tara.
563	Columba fait voile depuis Derry pour fonder une abbaye sur l'île d'Iona.
596	Saint Augustin [de Cantorbéry] arrive en Angleterre pour convertir la population au catholicisme.
664	Le synode de Whitby cède devant l'Église catholique romaine.

Début des Âges sombres

1008	Les vieux textes survivants de la Bible hébraïque.
1118	Fondation de l'ordre des Pauvres Chevaliers du Christ et du Temple de Salomon.
1120	Découverte par les templiers des manuscrits cachés.

Fin des Âges sombres

1215	Signature de la Grande Charte [*Magna Carta*] par le roi Jean.
1244	Naissance de Jacques de Molay.
1292	Election du dernier Grand Maître des templiers, Jacques de Molay.
1305	Excommunication de Robert Bruce.
1306	Couronnement de Robert Ier Bruce, roi d'Écosse.
1306	Arrestation de tous les juifs de France.
1307	Vendredi 13 octobre : destruction des templiers par Philippe IV le Bel, roi de France.
1307	Crucifixion de Jacques de Molay et création du « Linceul de Turin ».
1308	Arrivée de la flotte templière en Amérique.
1314	19 mars : mort de Jacques de Molay sur le bûcher à Paris.
1314	24 juin : bataille de Bannockburn, remportée grâce à l'intervention d'une force combattante templière.

1328	L'Angleterre reconnaît l'Écosse comme une nation indépendante.
1329	13 juin : le pape accepte Robert Ier et ses successeurs comme rois d'Écosse.
1330	William Saint Clair meurt en emportant le cœur de Robert Ier Bruce à Jérusalem.
1357	Première exposition connue du Linceul de Turin.
1440-1490	Construction de la chapelle de Rosslyn. Introduction du premier degré maçonnique et de la maçonnerie de Marque [*Mark Masonry*] par William St Clair, premier Grand Maître et fondateur de la maçonnerie.
1534	Rupture de l'Angleterre avec l'Église catholique romaine.
1583	James Stuart devient James [Jacques] VI d'Écosse.
1598	Mise en place du système des loges par les premiers Statuts Schaw.
1599	Publication des seconds Statuts Schaw.
1599	Premiers comptes-rendus documentés d'une Loge maçonnique.
1601	La première Charte St Clair confirme les St Clair comme Grands Maîtres des maçons.
1601	James VI rejoint la Loge de Scoon et Perth n°3, sur le tableau présent de la Grande Loge d'Écosse, à l'âge de 35 ans.
1603	James VI d'Écosse devient James [Jacques] Ier d'Angleterre.
1604	Introduction du degré maçonnique de Compagnon par Francis Bacon
1605	Complot de Guy Fawkes pour faire sauter le roi et le Parlement.
1607	Le *manuscrit Inigo Jones*.
1610	Galilée confirme publiquement la structure du système solaire.
1625	Accession au trône de Charles Ier.
1628	Confirmation du comte de Rosslyn en tant que Grand Maître maçon par la seconde Charte Saint Clair.
1633	Charles Ier restaure l'abbaye de la Sainte Croix

	[*Holyrood Abbey*] pour son couronnement et intègre des pierres tombales maçonniques dans son mur nord, dont une pour le comte de Sutherland.
1641	Sir Robert Moray initié dans la franc-maçonne rie à Newcastle sur autorisation de la Loge St Mary's Chapel d'Édimbourg.
1643	Début de la guerre civile anglaise.
1646	Fin de la phase principale de la guerre civile anglaise à Oxford.
1646	Elias Ashmole initié à Warrington dans une loge *ad hoc*.
1649	Exécution de Charles Ier.
1649	Instauration du *Commonwealth* [Bien Public] d'Oliver Cromwell.
1650	Destruction du château de Rosslyn, mais la cha pelle est épargnée par Cromwell et Monk.
1652	Première rencontre entre Wilkins, Ashmole et Wren.
1660	Charles II restaure la monarchie.
1662	Création de la *Société royale* [Royal Society] *pour l'avancement des Sciences* par les francs-maçons.
1672	Isaac Newton élu membre associé de la *Royal Society.*
1677	Charles II fait construire à l'entrée de Holyrood House, le symbole de la Couronne de la Sainte Arche royale, originellement utilisé par son père Charles Ier dans sa campagne contre le Parlement.
1714	Premiers comptes-rendus de la Grande Loge de York.
1717	Formation de la Grande Loge d'Angleterre.
1721	Premier Grand Maître noble, John, duc de Montagu.
1725	Formation de la Grande Loge d'Irlande.
1726	Plus anciennes mentions d'une cérémonie maçonnique de troisième degré en Écosse.
1737	Formation de la Grande Loge écossaise : William St Clair élu premier Grand Maître.
1738	Première bulle papale promulguée contre la franc-maçonnerie.

1747	Première Charte délivrée par la Grande Loge d'Écosse à une loge militaire itinérante.
1752	George Washington devient franc-maçon dans la Loge Fredericksburg de la ville du même nom.
1758	La Loge Fredericksburg reçoit une charte formelle de la Grande Loge d'Écosse.
1773	Partie de thé de Boston [*Boston Tea Party*].
1778	Mort de William St Clair, premier Grand Maître élu de la Grande Loge d'Écosse.
1778	Déclaration d'Indépendance américaine.
1789	George Washington devient premier Président des États-Unis d'Amérique.
1790	Le prince de Galles [George Hanovre, futur George IV d'Angleterre] devient Grand Maître d'Angleterre.
1792	George Washington se voit offrir le *Livre des Constitutions* à Boston.
1799	Découverte de la pierre de Rosette, permettant de déchiffrer les hiéroglyphes égyptiens.
1945	Découverte des Évangiles gnostiques dans la cache de Nag Hammadi.
1947	Découverte des manuscrits de la mer Morte à Qoumrân.
1951	Les fouilles de Qoumrân commencent.
1955	Le Rouleau de cuivre est ouvert et déchiffré : il s'agit d'un inventaire de trésors cachés.
1988	La datation du Linceul de Turin au carbone 14 établit qu'il ne peut être antérieur à 1260.
1991	Premier accès public à la totalité de la bibliothèque des manuscrits de la mer Morte.

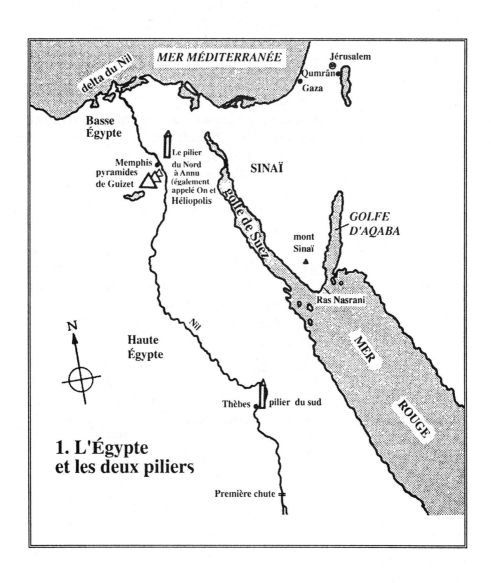

1. L'Égypte
et les deux piliers

2. Le Pays de Sumer

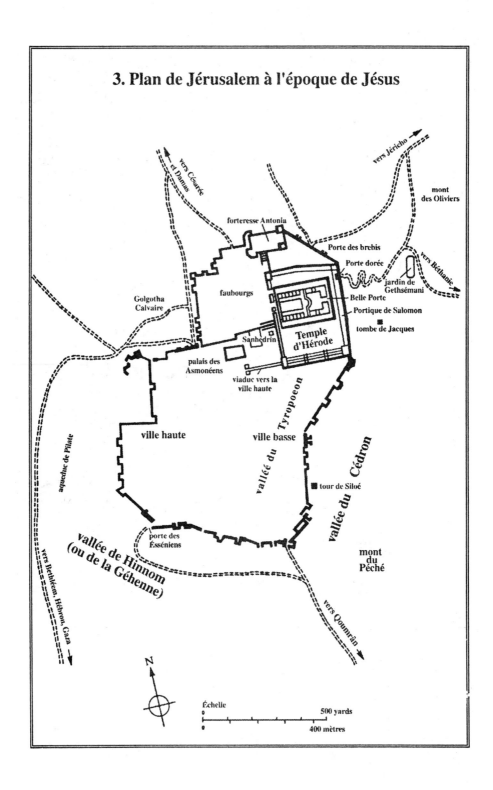

3. Plan de Jérusalem à l'époque de Jésus

INDEX

A

Aahmas : 170.

Aaron : 73, 180, 221, 227, 232, 243, 299.

Aaron ben Moses ben Asher : 221.

Abednego : 301.

Abif (Abi) : 7, 19-21, 24-27, 34, 106, 138, 143, 148, 151, 155-160, 166, 168-175, 194, 196, 217, 228, 237-239, 248, 286, 299, 309, 322, 349, 358, 369, 386, 388, 389.

Abimélek : 190, 195, 216.

Abraham [*Abram*] : 107, 111-116, 143, 145, 152, 155, 174, 181, 197, 388, 416.

Absalom : 192.

Actes : 55, 61, 64, 80-82, 85, 123, 149, 151, 182, 199, 226, 232, 254, 266, 281, 284, 288, 303, 318, 381.

   – de Jean : 266.

   – de Thomas : 55.

Adad : 201.

Adams, Samuel : 407.

Adonias [*Adonijah*] : 192.

Adonis : 58, 205.

Afghanistan : 211.

Aggée [*Haggai*] : 299-300.

Ahaziah [*Ochozias*] : 198.

Ahmose : 162, 165, 170, 416.

Ahmose-Inhapi : 165, 169.

Aholiab : 299.

Albano, cardinal d' : 42.

Alexandre III (d'Écosse) : 338.

Alexandre le Grand : 211.

Alexandrie : 61, 79, 81-83, 85, 212, 215, 253, 284, 295, 384, 417.

Allegro, John : 4, 71, 203, 232, 242, 289, 290.

A Man : 160, 388.

Amen : 258, 280, 388.

Amenmosis : 178.

Amen-Rê : 279.

America : 330, 333-335.

Amerigo Vespucci : 93, 332-334.

Amérique : 10, 92, 96, 171, 330-332, 335, 337, 345, 347, 405-411, 418, 421.

Amérique du Sud : 332, 406.

Amnon : 192, 388.

Amon : 126, 212, 279, 388.

Amon-Rê : 126, 155, 162, 171, **173**, 240, 303, 410.

Amorites : 186.

Anan [*Ananus*] : 286.

Ananie [*Ananias*] : 254, 292.

Ananus [*Anan*] : 286.

Anciennes Constitutions : 380.

Anciens Devoirs [*Old Charges*] : **36, 213**, 386, 404.

Anderson, pasteur James : 406.

André : 43, 231, 309.

Angleterre : 13, 30, 32, 35, 67, 73, 111, 124, 139, 233, 297, 315, 322, 339-344, 363, 371, 375-379, 381, 391, 394, 397, 399, 401, 403, 409, 418-421.

Ankh : 125, 130.

Antonia, forteresse : 284.

Apépi Ier [*Apopi*] : 142.

Apepi II [*Apopi*] : 170.

Apiru : 112.

Apis : 185.

Apocalypse de Pierre : 53.

Apophis : 148-151, 153-155, 159, 161-164, 171, 174, 416.

Apprenti : 15-17, 21, 30, 228, 233, 285, 349, 357-359, 361, 381.

   – entré (ou enregistré) : 358, 361.

Arche d'Alliance : 36, 41, 188, 191, 303, 372.

Argob : 186.
Argyll : 338, 342.
Aristobule II : 225.
Arius : 79.
Aroër : 186.
Art royal : 5, 13, 17, 26, 30, 32, 105, 116, 123, 169, 369, 393, 396, 401, 403.
Aruru : 104.
Asaph : 235, 237.
Ashmole, Elias : 395-400, 420.
Asie : 99, 110, 184, 333.
Assomption de Moïse : 235-237, 248, 291, 351.
Assyriens : 199.
Athanase [*Athanasius*] : 79.
Attis : 58.
Augustin d'Hippone : 79.
Avaris : 146, 150, 170.
Avignon : 317.
Aymon : 388.

B

Baal : 146, 189, 193, 198, 205, 304.
Babel : 110, 200.
Babylone : 33, 61, 110, 179, 199-202, 204, 209-211, 216, 226, 299, 302, 305.
Bacon, Francis : 381-384, 387-389, 419.
Bagdad : 108, 256.
Bahamas : 95, 332.
Balikh : 114.
Baphomet : 235.
Barabbas : 63, 270, 292.
Bashân : 186.
Baucéant : 46, 343.
Baudouin II : 38, 39.
Bennaim : 388.
Benoît XI : 317.
Bereshit Rabbati : 315.
Berwick : 341, 343.
Béthel : 202, 203.
Bethléem : 65, 80, 191.
Bethsabée : 192.
Bezaleel : 299.
Bilshân : 225.

Boaz : 17, 25, 27, 36, 99-196, 209, 219, 221, 223, 225, 227, 229, 231, 233, 235, 237, 239, 241-243, 245, 247, 285, 348, 350, 355, 359, 372, 410.
Boniface VIII : 316, 320.
Bouddha : 1-97, 222.
Boyle, Robert : 295-366, 368-421.
Brontologion : 197-293.
Bruce, Robert Ier : 291, 341-345, 380, 418, 419.
Brydon, Robert : 41, 306, 356, 371.
Buchan, comtesse de : 342, 414, 415.
Buchanan, George Wesley : 69, 221, 250, 253, 378.

C

Caire : 51, 128, 132, 139, 159, 166.
Cana : 252.
Canaan le pays de : 111-114, 153, 186, 195.
Cap Cod : 330.
Capitole : 411.
Carpocratiens : 82-84.
Catherine d'Aragon : 376.
Caucus Pro Bono Publico : 407, 408.
Cédron vallée du : 286, 372, 385.
Cérémonie de second degré : 389.
Charles Ier d'Angleterre : 390, 394, 397, 419, 420.
Charles II d'Angleterre : 393, 395, 398, 420.
Charnay, Geoffroy de : 327, 343.
Chérubins : 35, 185.
Chevaliers de la Toison d'or : 364.
Chevaliers de Jérusalem : 42, 318.
Chevaliers templiers, *voir* Templiers : 30, 32.
Christ, *voir* Jésus.
Tombe du Christ : 80.
Çipporah : 183.
Clair Bonde : 5, 372.
Clément V : 317, 340.
Cléopâtre : 132, 212.
Cohen, Norman : 60, 124, 138, 240.

Colomb, Christophe : 93, 96, 330-332, 334.

Columba : 296, 418.

Compagnon : 16-18, 20-25, 41, 88, 113, 125, 158, 229, 302, 312, 357, 361, 368, 381-386, 389, 411, 419.

Compas : 15, 93, 113, 276, 307, 310, 314, 324, 350, 354, 366.

Comyn : 341, 342.

Concile de Nicée : 76, 80, 418.

Congrégation d'Israël : 233.

Constantin : 76-80, 268, 285, 329, 418

Copernic : 384.

Cyrus de Perse : 301.

D

Daily Telegraph : 9.

Damas : 61, 227, 243, 281.

Dan : 5, 7-26, 30-47, 49-91, 93-97, 101, 103-139, 141-163, 165-167, 170, 172-174, 177-195, 197-217, 219-246, 248-268, 270-293, 295-319, 321-335, 338, 341-355, 357-366, 368, 372, 377-393, 396, 398-401, 403-411, 415-417, 420, 421.

Da Verrazano, Giovanni : 331.

David : 16, 62, 65, 69, 83, 112, 152, 171, 180, 182, 188, 192, 195, 198, 207, 210, 216, 225, 234, 241, 245, 268, 274-277, 283, 299, 345, 362, 365, 385, 415, 417.

Déclaration d'Indépendance : 403, 408, 421.

Degré . 15-19, 25, 33, 45, 47, 51, 54-56, 66, 86, 103, 105, 125, 129, 131, 134, 139, 142, 155, 158, 167, 205, 208, 228, 235, 238, 245, 253, 261, 269, 272, 278, 291, 299, 311, 313, 316, 345, 353-355, 358, 363, 366, 368, 381-386, 389, 398-400, 406, 409, 419, 420.

   – Premier 15, 17, 19, 55, 228, 245, 252, 272

   - Second : 17, 19, 125, 228, 357, 363, 381, 383-386, 389, 398-400, 406, 409 358, 419

   – Troisième : 19, 25, 51, 54, 56, 134, 139, 142, 155, 158, 205, 208, 228, 238, 253, 261, 269, 299, 405, 408, 420.

Degré de Noachite : 103, 105, 235.

Deir el-Bahri : 166.

Déluge : 9, 103-106, 108-110, 117, 202, 213, 260, 387, 416.

Dendérah : 119.

Deucalion : 108.

De Unione Templi et Hospitalis Ordinum ad Clementum Papam Jacobi de Molayo Relentio : 319.

De Vaux : 71.

   – révérend père : 70-71, 220.

Diderot : 383.

Diète de Worms : 376.

Dieux personnels : 106, 107.

Dilmun : 99-196.

Dionysos : 57.

Donation de Constantin : 80.

Drogheda : 397.

Dubricius : 296.

Dumfries : 295-366, 368-421

E

École archéologique française : 220.

Écosse : 41, 43, 94, 96, 99, 107, 297, 306, 313, 322, 331, 338-347, 351, 353, 359, 361-363, 372 377-381, 398, 407, 412, 418-421.

Edfou : 119, 151.

Édimbourg : 94, 339, 389, 415, 420.

Édouard Ier : 340, 342.

Édouard II : 342.

Égypte : 8, 40, 49, 56, 77, 81, 88, 99, 112-117, 120, 122, 124-126, 131, 133, 136-138, 141-148, 150, 152-155, 159, 162-164, 166, 169-171, 173-175, 178, 180-183, 185, 188, 191, 193, 195, 199, 202, 206, 209, 211-214, 244, 253, 267, 279, 295, 312, 349, 359, 388, 408, 411, 416

El Elion : 172.

Elhanân : 191

Élu de Dieu : 186.

Enfants de Lumière : 83, 232.

Énoch : 103, 105, 235.

Enuma Elish : 104, 116, 199, 216.

Éphèse : 215, 244, 284

Ephraim : 310.

Épiphane [*Epiphanius*] : 90.

Équerre : 15, 109, 123, 276, 307, 310, 314, 324, 350.

Eridu : 101.

Esna : 119.

États-Unis d'Amérique : 10, 92, 171, 332, 335, 337, 345, 347, 407-411, 421.

Euphrate : 100, 104-106, 108, 114, 192, 200.

Europe : 38, 41, 99, 107, 109, 295-297, 316, 333, 337, 345, 349, 378.

Exode : 99-196, 202, 216, 277, 359, 416.

Ézéchiel : 1-97, 203-209, 217, 226, 233, 267, 295-366, 368-421.

Ezra : 197-293.

F

Fairfax, Thomas : 395, 409.

Fairman, H. W. : 129, 130.

Fellow Craft : 381.

Fils de Lumière : 197-293.

Fisken, Judy : 5, 371.

Foucher de Chartres : 39.

France : 1-97, 295-366, 368-421.

Franklin, Benjamin : 408, 410.

Fredericksburg, Loge : 409, 421.

G

Galaad : 186.

Galéed : 202.

Gants blancs : 25, 45, 46.

Gat : 191.

Gaza : 192.

Gédéon : 190, 216.

Genèse : 100, 103-105, 110, 116, 143, 145, 152, 154, 159, 174, 195, 203, 206, 213, 217, 235, 301, 388.

Gilgal : 191.

Gizeh : 137, 416.

Goliath : 191.

Grand Architecte de l'Univers : 399, 410.

Grande-Bretagne : 55, 94, 168, 297, 408.

Grande Loge : 298, 350.

Grande Loge de Londres : 404, 405.

Grande Loge de New York : 403, 409.

Grande Loge Écossaise : 406, 409, 420.

Grand incendie de Londres : 400. 375, 401-407, 409, 419-421.

Grand Inquisiteur de France : 323.

Greene : 408.

Guisley : 295-366, 368-421.

H

Haa-ibb-re Setep-en-amen : 212.

Haddington : 380, 412.

Haggai, *voir Aggée.*

Hapymosis : 178.

Hatchepsout : 126, 169, 172, 173.

Hébron : 191.

Hélène : 80.

Héliopolis : 119, 121, 304.

Henry VIII : 75, 376.

Hermès : 212.

Hermopolis : 119.

Hérode : 33, 35, 40, 47, 72, 92, 168, 221, 237, 241, 246, 272, 283, 305-308, 311, 313, 354, 356, 358, 363, 373, 417.

Hérodote : 200.

Heshbôn : 186.

Hippolyte : 85, 86.

Hiram, roi de Tyr : 1-97, 142, 193, 299.

Hobbes, Thomas : 76, 381.

Holyrood House : 393.

Horus : 120, 125-127, 129-131, 134-138, 147-151, 162-164, 170, 172, 174.

Hospitaliers : 38, 318, 319.

Hughes de Payns, *voir* Payns :

Huntingdon : 393, 394.

Huntington Library of San Marino 197-293

Hyksos : 99-196, 416.
Hylacomylus : 295-366, 368-421

I

IA-A-GUB : 203.
Ilkley (Yorkshire) . 395.
Indiens d'Amazonie : 222.
Indra : 58.
Indus : 111, 212.
Inquisition : 14, 320-323, 326, 351, 384.
Irak : 90, 96, 100, 108, 244, 280, 411.
Irénée : 53, 56.
Irlande : 107, 295-297, 322, 343, 362, 397, 418, 420.
Isaac : 115, 143, 151-154, 180, 383, 400, 416, 420.
Isfet : 149.
Ishtar : 58, 137, 201, 209.
Isis : 86, 120, 126, 138, 149, 163, 171.
Islam : 222.
Israël : 1-97, 111, 114, 145, 153, 160, 182, 189, 191-293, 295-366, 368-421.
Iwnu Shema : 99-196.

J

J'acov : 269.
Jacob : 75, 143, 152, 154, 160, 203, 241, 267, 288, 292, 307-309, 416.
Jacques : 69, 75, 80, 84, 86, 231, 239, 242, 245, 247-251, 254, 257, 262-265, 268-275, 279-288, 293, 295, 297, 307-309, 312, 315, 318, 323, 325-327, 329, 335, 343, 351, 355, 362, 378, 386, 410, 417-419.
Jacques le Juste : 69, 239, 248, 250, 268,
Seconde Apocalypse de Jacques : 285.
280, 284, 287, 295, 417.
Jaffa : 38, 39.
Jah-Bul-On : 303, 304.
Jaime Ier d'Aragon : 61.
Jakin : 17, 25, 27, 36, 122, 193, 209, 219, 221, 225, 237, 240, 243, 245, 285, 348, 350, 355, 359, 372, 410.

James Ier d'Angleterre : 381.
James VI d'Écosse : 377, 381, 419.
Jasa : 186.
Jean le Baptiste . 66, 243-246, 248-250, 262, 279, 281 308, 417
Jean XXII · 343, 345.
Jehoiachin : 199.
Jéhovah : 33, 184.
Jéricho : 59, 84, 195, 288.
Jérusalem : 8, 11, 17, 24, 33, 37-43, 49, 58, 61, 66-69, 72, 75, 81, 83, 86, 92, 94, 114, 129, 136, 145, 158, 170, 178, 184, 189-192, 194, 196, 198-206, 209-211, 216, 220, 224-226, 231-233, 235-237, 239, 241, 244, 247-252, 255, 261, 264-266, 270, 279, 282-288, 291-293, 295, 301, 304, 306-315, 318, 322, 329, 345, 351, 354, 356, 360, 365, 372, 388, 392, 417, 419.
   – Église de : 58, 69, 72, 75, 81, 86, 129, 169, 232, 239, 248, 250, 284, 291, 295, 309, 322, 392.
      – Évêque : 69, 285.
Jeshua : 225, 299.
Jésus : 1, 3, 5, 8, 26, 33, 38, 50-52, 54-59, 61-75, 77-81, 83-93, 95-97, 114, 138, 177, 195, 220-222, 230-232, 236-238, 242-260, 262-272, 275, 278, 280-282, 284, 288, 290-293, 295-298, 307-313, 322-324, 326, 329, 332, 334, 338, 352, 355, 361, 364, 376, 386, 389-391, 393, 399, 417.
Jézabel : 198.
Maccabée, Jonathan : 224, 417.
Joppa : 24.
Jones, Inigo : 213, 387, 404 419.
Joram : 197.
Josedech : 299.
Joseph : 5, 66, 74, 143, 151-154, 159-162, 164, 174, 180, 202, 207, 249, 257, 292, 326, 407, 416.
Josuah : 195, 278.
Josué : 17, 59, 111, 195, 216, 225, 236, 278, 299, 385, 386.

Jubal Musa : 179
Jubela : 25, 159, 286.
Jubelo : 25 159, 161-164, 166, 286, 287.
Jubelum : 25, 159, 286, 287
Jubes : 25, 159.
Judas : 224, 231, 251, 265, 268.
Judée : 39, 60, 62, 64-66, 70, 209, 215, 219, 231, 237, 281, 351.
Juste, Le : 67, 69.

K

Kalmoukes (peuple) :
Khyan, *voir* Chian.
Kilmartin : 295-366, 368-421.
Kish : 99-196.
Kittim : 59.
Koiné : 197-293.
Krishna : 1-97.

L

Lafayette : 408.
Lagash : 101.
Lambert : 308-310, 313, 354, 360.
La Rochelle : 329, 330.
Larsa : 103, 105.
Later : 213, 387.
Lazare : 255, 292.
Léa : 160.
Léon X : 75.
Lévi : 65, 161, 180, 188, 243, 260.
Liban : 118, 193.
Licinius : 77.
Linceul : 21, 324, 326-328, 351, 361, 419, 421.
Linlithgow : 340, 412.
Livre des constitutions : 404, 406, 409, 410.
Livre des prières : 376.
Livre secret de Jacques : 263.
Llanbadrig : 296.
Loch Awe : 338.
Loge d'Alexandria : 409.
Londres : 9, 99-196, 322, 341, 363, 394,

396-401, 403-406, 413.
Lorraine : 333, 405.
Luc : 1-97, 197-293, 295-366, 368-421.

M

Ma'at : 122-126, 135, 137, 139, 145, 149, 168, 171, 179, 212, 240, 276, 291, 312, 334, 408, 410.
Maccabée : 61, 225, 227, 237, 247, 379, 417.
Maccabée, Jonathan : 224, 417.
Maçon : 7, 10-20, 22-25, 27, 29-32, 34, 46, 92, 123, 134, 142, 158, 167, 170, 228, 242, 276, 299, 302, 305, 309, 312, 332, 338, 349, 357-359, 361, 363, 369, 371, 377-381, 384, 400-406, 408-410, 419.
     – pilier du : 348.
Madianites : 189.
Magna Carta [*Grande Charte*] : 344.
Maître royal des travaux : 380.
Maïs : 96, 332, 346, 347.
Manuel de Discipline : 227, 239.
Manuscrit de la Jérusalem céleste : 307, 311, 313.
Manuscrit Inigo Jones : 404, 419.
Manuscrit Wood : 387.
Marc : 55, 82-85, 221, 244, 254, 266, 269, 352.
Mardouk : 104, 110, 201.
Mariamne : 86.
Marie : 62, 66, 75, 79, 249, 255, 263, 275, 321, 376-378.
Marie la Sanglante [*Bloody Mary*] : 376.
Marie-Madeleine : 80.
Marion : 408.
Marseille : 319.
Marthe : 255.
Massada : 288, 417.
Mastema : 114.
Mattathias : 224.
Matthieu : 52, 54-56, 63, 74, 87, 221, 231, 243, 256-258, 260, 273, 283, 352.
Mebakker : 279.

Méditerranée : 117, 212.
Memphis : 119, 144, 146, 161, 170, 416.
Merica, la : 91-95, 330, 332, 407.
Mer Rouge : 88, 178.
Meshech : 301.
Mésopotamie : 107, 137, 201, 205, 415-417.
Messie : 57, 60, 62-66, 78, 234, 241-246, 248, 250, 257, 264, 269-271, 275, 280-284, 287, 295, 307, 315, 326.
Messies : 59, 65, 241-243, 248, 280.
Midi : 15, 20, 24, 96, 149, 156, 172, 208, 303, 346.
Midrash : 231, 234.
Mishpat : 239, 242, 244, 248, 250, 259, 262, 267, 275, 293, 307, 348, 359, 393, 410.
Mithra : 57, 58.
Mitre : 279, 285.
Mizpah : 202, 241.
Moïse : 40, 70, 81, 113-115, 126, 143, 151, 155, 173, 175, 177-185, 187-190, 195, 197, 202, 207, 210, 216, 235-237, 241, 245, 248, 252, 277, 280, 288, 291, 299, 310, 351, 355, 359, 365, 385, 416.
Mont des Oliviers : 80, 197-293.
Moray : 295-366, 368-421.
    – famille : 340, 345.
    – comte de : 345, 414.
Mots de passe : 1-97.
Musa : 99-196.

N
Nabopolassar : 110.
Nabuchodonosor : 200, 209, 226, 301.
Nanna : 106.
Nebuzaradan : 301.
New York : 201, 403, 406, 409.
Nil : 111, 115, 118, 120, 125, 145, 173, 179, 365.
Ninurta : 1-97.
Nippur : 102, 205, 206.
Noachite, voir degré de.

Noé : 105, 108, 110-112, 197-293, 387 416.
Notre-Dame de Saint-Omer : 295-366, 368-421.
Nubie : 150.
Nun : 119, 122.
Nut : 99-196.

O
Og : 186.
Ophra : 189.
Origène : 61, 287.
Osiris : 1-97, 120, 124-128, 131, 133, 135, 137-139, 148-150, 156, 162-164, 172, 178, 182, 214.
Osymandias : 197-293.
Ounas : 99-196.
Oxford : 295-366, 368-421.

P
Palestine : 35, 144, 220, 251, 253.
Paris : 16, 30, 61, 184, 193, 227, 275, 282, 319, 321-324, 339, 343, 378, 405, 418.
Paul : 53, 73, 75, 80, 132, 231, 272, 281-285, 291, 293, 295, 328, 384, 396, 401, 407, 417.
Pays de Galles : 107, 297, 362, 393, 405.
Perth : 341, 377, 412, 419.
Pesher : 219, 221, 223, 225, 227, 229-231, 233, 235, 237, 239, 241, 243, 245, 247, 282, 284, 287, 386.
Pharaons : 1, 3, 63, 120, 132, 171, 173, 212.
Philippe II d'Espagne : 376.
Philippe IV le Bel : 44, 322, 339, 418.
Philon : 222.
Pinocchio : 107.
Pline l'Ancien : 222.
Poisson : 88-90, 100, 197-293.
Portugal : 93, 322, 330.
Président des États-Unis d'Amérique . 10, 409.
Preston : 397, 402.

Prince de Galles : 295-366, 368-421.
Ptah : 119, 128, 169, 178.
Puerto Rico : 1-97.
Punjabi : 100.
Pyrrha : 99-196.

Q

Quirinius : 197-293.
Quirinus : 58.
Quispel : 1-97
Qumrân, communauté de : 68-69, 204, 206, 219, 224-226, 228-229, 243-248, 417.

R

Ra, *voir* Rê.
Rabbi Tsedeq : 271.
Ramsay, chevalier : 400.
Ramsès II : 156, 178.
Ras Nasrani : 88.
Rê : 99-196, 212, 279, 304, 309.
Reims : 42.
Rhode Island : 330, 331.
Rhodes : 319.
Robert Ier : 343, 345, 418, 419.
Roi Salomon, *voir* Salomon.
Rome : 44, 52, 56, 58, 64, 68, 76, 80, 82, 224, 265, 296, 323, 329, 343, 349, 384.
Royal Arch : 1-97, 278, 291, 299, 305, 311, 313, 353-355, 363, 366, 368.
Royal Society [*Société Royale*] : 395.
Ruben : 197-293, 295-366, 368-421.
Rufus : 408.

S

Safran : 103.
St Clair, Première Charte : 419.
Saint des Saints : 24, 36, 41, 73, 204, 236, 242, 248, 285, 288, 291, 293, 301, 303, 310, 351, 372.
St Clair, William : 95, 346, 349, 353, 358, 372, 414, 419-421.
Saint-Esprit : 78, 250, 292.

Saint Graal : 41
Salomon : 7, 11, 15, 18, 20, 25, 27, 30, 32-36, 39, 73, 83, 100, 106, 112, 124, 142, 152, 158, 168, 172, 180, 188, 190, 192-194, 197, 202, 206, 209, 217, 237-239, 241, 243, 248, 271, 286, 299, 301, 318, 356-360, 362, 366, 372, 377, 383, 386, 388, 410, 417, 418.
Samson : 190, 195, 216.
Samuel : 189-191, 195, 407.
Sanhédrin . 269, 272, 299, 302, 390.
Sarah : 152, 388.
Sargon Ier : 179.
Schrödinger : 65.
Scone : 342, 412.
    – Pierre de : 340.
Sekenenrê Taâ : 148, 150, 154, 156, 161, 166, 169-171, 174, 182, 195, 206, 217, 279, 286, 291, 303, 338, 349, 388, 410, 416.
Sem : 110-112, 235.
Séouserenerê : 147.
Shadrach : 301.
Shalom : 239, 241-243, 248, 259, 262, 293, 300, 393.
Sicaire : 64, 251.
Sihôn : 186.
Siméon : 161, 188.
Simon : 74, 224, 251, 263.
Simon-Pierre : 231, 263, 281.
Sinaï : 81, 88, 170, 177, 180, 183, 185, 277, 299, 303, 368.
Sinclair : 5, 95, 331, 343, 347, 364, 371.
Sol Invictus : 77, 78.
Soudan : 150.
Spratt : 400.
Stirling : 341, 412, 415.
Sullivan : 408.
Sumer : 100-105, 107-117, 136, 138, 179, 202, 205, 211, 297, 415, 416.
Surveillant des Travaux : 169.
Svastika : 276.
Synode de Whitby : 295-366, 368-421.
Syrie : 1-97, 99-293.

T

Tain Bo Cuailnge : 296.
Tamar : 192.
Tammuz : 205.
Tarse : 283.
Tartares : 110.
Taxo : 229, 237.
Templiers : 30, 33, 35-37, 39-47, 49, 55, 73, 85, 87, 93, 96, 175, 225, 228, 234-236, 238, 241, 248, 276, 289-291, 304-307, 309-313, 316, 318-324, 326, 328-332, 335, 337-347, 351, 353, 356, 359-361, 363, 368, 372, 386, 389, 408, 418.
Téti : 128, 129.
Thèbes : 8, 121, 147-150, 155, 157, 162, 166, 170, 206, 253, 279, 293, 388, 416.
Thoth : 120, 125, 128, 139, 169, 212, 309.
Thoutmôsis II : 126, 172.
Thoutmôsis III : 126, 172, 173.
Toison d'or : 16, 27, 364.
Toom Tabard : 339.
Torah : 67, 228.
Tosefta Shebuot : 270-272, 274.
Très-Haut : 172, 300, 303, 304.
Tsedeq : 239-242, 248, 259, 262, 267, 271, 275, 293, 307, 348, 359, 393, 410.
Tubal-Cain : 213.
Turquie : 76, 197-293.
Tyr : 1-97, 99-196, 295-366, 368-421.

U

Ur : 101, 103, 106-108, 112, 116, 154, 295-366, 368-421.
Ur-Namma : 106.
Utanapishtim : 99-196.

V

Valentin [*Valentinus*] : 253.
Vallée des Rois : 99-196.
Vatican : 197-293, 295, 317, 328, 335, 345, 375, 383.
Vendredi 13 octobre 1307 : 37, 44, 319.
Verulam : 382.
Voltaire : 1-97, 295-366, 368-421

W

Waldseemüller : 333, 334.
Warrington : 395, 420.
Waset (Ouaset) : 121.
Washington, Georges : 338, 403, 406, 409-411, 421.
Wat Hor : 99-196.
Westford (Massachusetts) : 330, 347
Westminster Hall : 397, 398.
Wexford : 397.
Williams : 295-366, 368-421.
Wilkins, John : 396, 400.

Y

Ya'acov : 75.
Yahia Yuhana : 90.
Yahvé : 33-36, 38, 58, 60-62, 65, 67, 70, 104, 111, 113-115, 126, 172, 178, 180, 183-189, 191-195, 198, 202, 204-211, 214-217, 224, 227, 233, 239-241, 248, 250, 255, 257-259, 262, 267, 274, 277, 280, 286, 300, 304, 386, 390, 417.
Yehoshua : 5, 59, 75, 249, 257, 269, 292, 386.
Yehoshua ben Joseph : 5, 249, 257, 292.
YHWH : 99-196.
Yoçadaq, *voir* Josedech :
York : 197-293, 395, 401, 404, 406, 409, 420.
Yorkshire : 295-366, 368-421.
Yshu Mshiha : 1-97

Z

Zachée [*Zaccheus*] : 260, 266.
Zacharie : 264.
Zadok : 192, 209.
Zedekiah, *voir* Sédécias : 198
Zeno, Antonio : 347.
Zeus : 108.
Ziusundra : 105.
Zoroastre : 58.
Zorobbabel : 33, 209-210, 225-226, 299, 301, 303, 305, 313, 353, 417.

CRÉDITS PHOTO - CAHIER HORS-TEXTE

© F. Alan Atkins
1, 2, 3, 7, 8, 23, 24, 26, 27, 28, 29.
© Elliott Smith, *The Royal Mummies* (1909) – reproduit par F. Alan Atkins
9, 10, 11, 12, 13, 14, 15, 16.
© Propriété de feu John M. Allegro
17, 18.
© Bibliothèque de l'Université de Gand
21, 22
© Colorado Shroud Center (Centre sur le Linceul, Colorado)
19
© G.R.J. Lomas
25, 30, 31
Collection des auteurs
4, 5, 6, 20.

Autres illustrations

[p. 331] Le dessin du chevalier de Westford, est tiré d'un original de Frank Glynn.

TABLE DES MATIÈRES

Introduction 7

I Les secrets perdus de la franc-maçonnerie
À quoi sert la franc-maçonnerie ? 10
Un pauvre candidat dans un état de ténèbres 13
Les mystères cachés de la nature et de la science 17
Une faible lueur 18

II. La recherche commence
Quelle est l'origine de l'Ordre ? 29
Le Temple du roi Salomon 33

III. Les chevaliers du Temple
Les débuts de l'Ordre 37
Que cherchaient-ils ? 39
La règle de l'Ordre 41
Le sceau de l'Ordre 44
Organisation de l'Ordre 45

IV. La connexion gnostique
Les premiers censeurs chrétiens 49
Les Évangiles gnostiques 49
La résurrection gnostique. 51

V. Jésus Christ : homme, dieu, mythe ou franc-maçon ?
Un enfantement virginal parmi d'autres 57
Les principaux groupes de Jérusalem 66
Le témoignage incontournable des manuscrits de la mer Morte. . . 70

La famille de Jésus. 73

La naissance d'une nouvelle religion. 75

Vérité dans les hérésies 81

Un lien positif entre Jésus et les templiers. 87

L'étoile des mandéens 91

L'étoile de l'Amérique. 92

VI. Au commencement l'Homme créa Dieu

Le Jardin d'Eden. 99

Les villes de Sumer 101

Ur, la cité d'Abraham 106

Dieu, le roi, le prêtre et les bâtisseurs 108

La figure d'Abraham, le premier Juif 111

VII. L'héritage des Égyptiens

Les débuts de l'Égypte. 117

La stabilité des Deux-Pays 120

Le sacre d'un roi 126

Prouver l'improuvable 131

La preuve silencieuse 132

L'étoile du matin resplendit de nouveau. 136

VIII. Le premier franc-maçon

Hiram Abif retrouvé 142

L'effondrement de l'État égyptien 143

Les rois hyksos 145

La perte des secrets originels 148

La preuve biblique. 151

Le meurtre d'Hiram Abif. 155

Les assassins d'Hiram Abif 159

La preuve physique 164

La preuve maçonnique 166

Sekenenrê Taâ, le Sans Peur. 170

IX. La naissance du Judaïsme

Moïse le législateur . . . . ₒ 177

Le dieu de la guerre des montagnes du Sinaï. 183

Et les murs tombèrent. 186

La datation de l'Exode. 187

David et Salomon 188

X. Mille ans de luttes

Les débuts de la nation juive 197

L'exil à Babylone. 199

Le prophète de la nouvelle Jérusalem 203

Le temple de Zorobbabel. 209

Nouvelle menace pour Yahvé. 211

XI. Le *Pesher* de Boaz et Jakin

Les manuscrits de la mer Morte. 219

Les livres des Maccabées manquants. 224

Les élus de Juda 225

Midrash, *pesher* et parabole. 230

Les secrets de Qoumrân. 233

Les piliers jumeaux 238

XII. L'homme qui changea l'eau en vin

La course contre le temps 249

La nouvelle voie vers le royaume de Dieu. 259

L'arrestation du pilier royal 264

Le procès et la crucifixion 269

Les symboles de Jésus et Jacques. 275

L'ascension du menteur. 280

Le trésor des Juifs 287

XIII. La résurrection

Les survivances de l'Église de Jérusalem 295

Le manuscrit de la « Jérusalem céleste » 306

L'impact des manuscrits nazôréens. 312

XIV. La Vérité éclate

La prophétie devient vérité. 315

La crucifixion 323

La preuve physique 327

Le message se répand. 329

Le pays de l'étoile appelée La'Merica 332

XV. La redécouverte des manuscrits perdus

Le refuge écossais 339

Retour à Rosslyn. 345

Que la lumière soit 350

Le secret perdu de la maçonnerie de Marque redécouvert 356

Le *Protecteur* qui épargna Rosslyn. 362

Sous le sceau de Salomon 365

Exhumer les manuscrits nazôréens 368

Post-scriptum 371

Appendice 1 : Le développement de la franc-maçonnerie moderne et son impact sur le monde

La Réforme anglaise et les conditions de l'émergence 375

Le roi qui bâtit le système des loges 377

L'architecte du second degré. 381

La nouvelle hérésie 383

Les Anciens Devoirs 386

L'ascension des républicains 393

La *Royal Society* émerge. 398

La franc-maçonnerie s'adapte 401

L'expansion de la franc-maçonnerie. 404

Le développement de la maçonnerie en Amérique 407

Appendice 2 : Loges maçonniques en Écosse antérieures à 1710 . . . 412

Appendice 3 : Premiers Grands Maîtres de la maçonnerie anglaise. . 413

Appendice 4 : Premiers Grands Maîtres de la maçonnerie écossaise . 414

Appendice 5 : Chronologie 415

Appendice 6 : Cartes 422

Index. 425

MISE EN PAGE
Darius
PARIS ✆ 06 07 27 54 25

Achevé d'imprimer en novembre 2000
Nº d'impression : 005289/1
Dépôt légal : novembre 2000